Reiseträume erfüllen sich

Reportagen, Erlebnisse und Gedichte

Petra Dobrovolny-Mühlenbach, Helmut Tews,
Judith-Katja Raab u.v.a.

Dorante Edition

Reiseträume erfüllen sich

Reportagen, Erlebnisse und Gedichte

Petra Dobrovolny-Mühlenbach,
Helmut Tews,
Judith-Katja Raab u.v.a.

Bibliografische Information durch die Deutsche Nationalbibliothek: Die Deutsche Nationalbibliothek verzeichnet diese Publikation in der Deutschen Nationalbibliografie; detaillierte bibliografische Daten sind im Internet über http://dnb.d-nb.de abrufbar.

herausgegeben durch das Literaturpodium, Dorante Edition
Berlin 2019, www.literaturpodium.de
ISBN 9783750414402

Foto auf der Vorderseite: Hans-Jürgen Neumeister

Herstellung und Verlag: BoD – Books on Demand, Norderstedt

Karl Zimmermann

Kitŋipalak

Archäologinnen und Archäologen der Universität Bern haben 1967 und 1972-1973 ein vom Schweizerischen Nationalfonds finanziertes Forschungsprojekt auf der St. Lorenzinsel im Beringmeer durchgeführt. In seinem Essay erinnert sich Karl Zimmermann an den arktischen Sommer.

Unser Grabungshügel liegt etwas oberhalb einer breit ausladenden Meeresbucht und zeichnet sich auf der arktischen Tundra auch durch einen üppigeren Pflanzenbewuchs ab. Der Geländesporn, der sich in einem weiten Schwung in das Beringmeer hineinzieht und die Lagune begrenzt, heisst „Kitŋipalak" und befindet sich 22 km südlich von Gambell. Diese an der Nordwestküste gelegene Siedlung trug ursprünglich den Namen „Sivuqaq", bevor dieser in das fremdsprachige „Gambell" umgetauft wurde – zu Ehren und im Gedenken an das am 22. Mai 1898 tödlich verunglückte Ehepaar Vene und Nellie Gambell, das als erste presbyterianische Missionars- und Lehrerfamilie selbstlos vor Ort gewirkt hatte.

Gambell ist mit seinen rund 700 Bewohnern das grössere von zwei Dörfern, die heute noch auf der St. Lorenzinsel bestehen, und die 145 Kilometer lange, 13-36 Kilometer breite und 4640 Quadratkilometer grosse St. Lorenzinsel erhebt sich inmitten des Beringmeers. Bei einer Distanz von 100 Kilometer liegt sie viel näher zur Tschuktschen-Halbinsel im Nordosten Sibiriens als zu dem 250 Kilometer entfernten Festland von Alaska, das sich ab Mitte des 18. Jahrhunderts „Russisch-Amerika" nannte, bis Zar Alexander II. (1818-1881) diese einzige russische Überseekolonie mit Vertrag vom 30. März 1867 für nur 7,2 Millionen Dollar an den Kongress in Washington verkaufte. Seit dem 3. Januar 1959 bildet das 1,72 Millionen Quadratkilometer „grosse Land" Alaska mit dem sprechenden Beinamen „Last Frontier" den nördlichsten und westlichsten, den 49. Bundesstaat der Vereinigten Staaten von Amerika.

Wir engagierten Berner Archäologinnen und Archäologen waren fest entschlossen, einen möglichst tiefen Suchschnitt durch den schon lange verlassenen Siedlungshügel von Kitŋipalak anzulegen, um den Anfängen und der Geschichte seiner nach und nach aufgetürmten Ablagerungen auf die Spur zu kommen. Kaum aber hatten wir zu graben begonnen, als uns der Permafrost Einhalt gebot. Anstatt eilig zu pickeln und zu schaufeln und die in den Sedimenten eingefrorenen und daher unkenntlichen Kulturreste der einstigen Bewohner vollständig zu zerstören, mussten wir unsere Arbeitsweise der Natur anpassen: dem Schritttempo des auftauenden Bodens. In der Folge ging ich jeden Morgen als erstes zu unserer Grabungsstelle und räumte in dem allmählich doch grösser werdenden Graben alle noch so kleinen Hindernisse aus dem Weg, damit das Wasser, das sich während der Nacht durch das Auftauen des Permafrosts gesammelt hatte, ungehindert abfliessen konnte.

Die St. Lorenzinsel, etwas südöstlich der Beringstrasse und der internationalen asiatisch-amerikanischen Datumsgrenze, wurde um Christi Geburt von sibirischen Yuit („Eskimo") besiedelt, die sich ganz auf die Jagd von Meeressäugern (Walen, Walrossen, Robben) eingestellt hatten. Unabdingbare Voraussetzung dieser Beutewahl waren ihre formvollendeten und oft reich verzierten beweglichen Harpunenköpfe aus Walrosselfenbein, die dank ihrer ausgeklügelten technischen Raffinesse bis zur Verbreitung von Feuerwaffen das dominierende Jagdgerät an den Küsten der weiten Arktis darstellten.

Die von der Tschukotka über das Beringmeer auf die St. Lorenzinsel gelangten Yuit waren von Anfang an in schicksalhafter ökonomischer Abhängigkeit bestmöglich an das Leben am Wasser angepasst, so dass ihre immer schon reiche materielle Kultur keine grösseren Veränderungen und Neuerungen erforderte. Für das rundum gefährdete menschliche Überleben war das Alltägliche allerdings hart genug, zumal alles und jedes von Mutter Natur abhing, von den Jahreszeiten, von Klima und Wetter, von Sonne, Licht und polarer Inselflora, von Schnee, Schneesturm, Eis, Wellengang und Packeis, von den saisonalen Durchzügen der Fisch- und Vogelschwärme und der geschmeidigen Meeressäuger.

Ursprünglich siedelten die Yuit clanweise an den Küsten rund um die St. Lorenzinsel, bis um 1880 eine tödliche Hungersnot ausbrach, von der man nicht genau weiss, ob sie durch eine Krankheitsepidemie oder durch Missbrauch von mit Walfängern eingetauschtem Fusel verursacht worden war. Diese dramatische Erfahrung veranlasste die amerikanischen Behörden, die überlebenden Inselbewohner beim damaligen bzw. heutigen Dorf Sivuqaq/Gambell zusammenzuziehen, um sie künftig in einem Notfall besser versorgen zu können. Die Yuit kennen heute noch die Küstenstreifen ihrer einstigen Herkunft und kehren im Sommer oft an diese ihre Jagdstellen zurück, um sich ohne viel Vorratswirtschaft vor Ort zu ernähren. Daneben klammerten sie sich keineswegs immer selbstgenügsam an die Wasserkante ihrer Insel, sondern unterhielten über die heiklen Staatsgrenzen hinweg lange Zeit rege Handelsbeziehungen mit

6

ihren sibirischen Verwandten von der Tschukotka, bis infolge des Kalten Kriegs auch hier der Eiserne Vorhang niederging. Als im Sommer 1973 bei Gambell ein handlicher Stempel aus einem alten Autoradpneu vom oft sturmgepeitschten Beringmeer ans Ufer gespült wurde, führte seine kyrillische Spiegelschrift zum Werweissen, ob wir vielleicht einem dubiosen Spionagefall im sowjetisch-amerikanischen Grenzgebiet auf der Spur sein könnten. Am Ende entpuppte sich das einmalige Strandgut als harmloses handgeschnittenes Recyclingfabrikat für den Aufdruck von russischen Fischfangquoten.

Die flache Landzunge von Kitngipalak ist ein besonders günstiger Küstenstrich, wo die mit Walrosshäuten überspannten Holzboote je nach Witterung am Nordufer oder am Südufer anlegen können. Während unserer Grabung kam einmal eines dieser sogenannten „Frauenboote" (Umiaks) am Nordufer an und konnte infolge des schlechten Wetters nicht weiterfahren. Die Yuit-Familie Iyakitan zog das Boot an Land, spannte ein Zelt darüber und schon war ihre Notunterkunft bezugsbereit. Die ganze Sippe, samt gebrechlicher Grossmutter, richtete sich auf dem Boot häuslich ein, und als der Himmel wieder aufklarte, fuhren die Iyakitans weiter südwärts zu ihrem angestammten Sommerlager.

Aber nicht nur die Menschen, sondern auch die Wale wissen die stille Bucht zu schätzen. Ganze Nachmittage konnten wir Grönland- und Grauwale beobachten, die vor unseren Augen offenbar ein heiteres Spiel miteinander trieben. Desgleichen kamen gelegentlich abgemagerte Eisfüchse in unsere Nähe sowie Wanderfalken, die im Aushubmaterial voller Knochen von Walen, Walrossen, Robben, Vögeln und Fischen nach Nahrung suchten. Der Profilschnitt durch den Wohnhügel streifte einzelne Fundamentecken alter Hausruinen sowie mehrere in dicke Walrossfelle eingenähte Fleischdepots, die beim allmählichen Auftauen entsprechend starke Gerüche verströmten – nach Jahrhunderten, wenn nicht sogar nach einem ganzen Jahrtausend konserviert im Permafrost.

In Kitngipalak lebte unsere mit Einheimischen verstärkte Grabungsequipe in Zelten. Zur Ausrüstung gehörte auch ein grösseres Arbeitszelt, in dem man aufrecht stehen konnte. An einem einsamen Sonntagnachmittag besuchten mich mehrere Yuit-Jäger. Sie setzten sich zum Tee an den Tisch und fingen an, miteinander in ihrer Muttersprache Yupik zu sprechen. Ich verstand zwar kein Wort, war jedoch äusserst beeindruckt von diesem schnellen sprudelnden Geplauder. Es ging sicher um das Leben und Überleben auf der Insel, um die Dorfpolitik, um Jugend und Alter, um Jagd und Beute. Um mich nicht ganz aus dem Spiel zu lassen, wandten sie sich zwischendurch in gebrochenem Englisch an mich

7

und sprachen mit grösster Selbstverständlichkeit immer wieder von „wir" und „ihr". „Wir" sind die heute rund 1300 Inselbewohner und „ihr" der ganze Rest der Welt, da spielt es überhaupt keine Rolle, ob Amerikaner, Europäer oder Schweizer... Dahinter steckt nicht einfach Unkenntnis der Weltkugel und Landkarte, sondern das Bewusstsein kultureller Identität und der eigenen Selbsteinschätzung auf der ringsum vom Beringmeer umspülten St. Lorenzinsel, die von dem in russischen Diensten stehenden dänischen Marineoffizier Vitus Bering (1681-1741) am 10. August 1728 entdeckt und nach dem Tagesheiligen „Laurentius" benannt worden ist.

Wenn der heute geläufige Name „Inuit" auf Deutsch einfach „Menschen" bedeutet und lediglich die indigenen Volksgruppen in Zentral- und Nordostkanada sowie auf Grönland umfasst, geht das Wort „Yuit" in der Yupik-Sprache noch einen Schritt weiter und bezeichnet „die wahren, die authentischen menschlichen Wesen" im Beringmeergebiet vom äussersten Nordosten Sibiriens bis zum zentralen Westen von Alaska. Angesichts eines derart hohen Identitätsanspruchs durfte ich mich nach folgendem Erlebnis wirklich in bester Gesellschaft fühlen.

Der amerikanische Nationalfeiertag wurde am 4. Juli 1973 auch in Gambell mit verschiedenen Spielen und mit Vorführungen aus dem insularen Alltagsleben begangen. Traditionell gehört dazu ein Männerlauf, an dem ich, obwohl infolge der Mitternachtssonne übernächtigt, spontan teilnehmen wollte. Dieses Wettrennen führt rund um die grosse Gambeller Kiesebene, deren spärliche Tundravegetation während des Zweiten Weltkriegs, als die St. Lorenzinsel buchstäblich die letzte Nordwestgrenze zur Sowjetunion bildete, von den amerikanischen Raupenfahrzeugen fast vollständig niedergewalzt worden ist, so dass die Schwemmkiesgerölle heute offen an der Oberfläche liegen. Die etwa acht Kilometer lange Rundstrecke erweist sich als überaus mühsame Knacknuss, weil man in dem lockeren Kies bei jedem Schritt mindestens eine halbe Schuhlänge zurückrutscht. Mit zugegeben enormer Anstrengung gelang es mir, hinter Hiram Oktokiyuk als Zweiter ans Ziel zu gelangen, obwohl die alten Dorfweisen beim Start prophezeit hatten, ich würde sicher bald schon aus dem Rennen steigen, denn bisher habe noch nie ein „Weisser" den ganzen beschwerlichen Parcours durchgehalten.

Meine Gewinnprämie betrug 50 Dollar, die ich gar nicht erst entgegennehmen, sondern für die Kinderspiele weiterschenken wollte. Sosehr ich mich auch bemühte, gelang es mir nicht, die Organisatoren des Festtags von ihrem Standpunkt abzubringen, ich müsse den im Reglement stehenden Geldbetrag annehmen. Mein zweiter Rang machte im Dorf natürlich schnell die Runde. Der Einfachheit halber lautete fortan mein Name „Who was second". Von den erwähnten amerikanischen Raupenfahrzeugen blieb übrigens ein „Weasel" in Gambell zurück. Wir wollten unseren Augen nicht trauen, als wir sahen, dass die durchwegs findigen Yuit mehrere schadhafte Raupenketten mit dicken Riemen aus Walrosshaut wieder zusammengebunden hatten.

Als wir bei unserer Rückkehr eines Abends am Ufer von Kitngipalak einen schlafenden jungen Seehund überraschten, nahmen ihn die anwesenden Yuit weiter an Land, wo wir sein Verhalten auf dem Trockenen aus der Nähe beobachten konnten. Der Heuler bellte tatsächlich fast wie ein Hund und schnappte in seiner Verzweiflung nach unseren dreckigen Schuhkappen. Die Yuit wollten ihn aber nicht unnötig der Todesangst aussetzen, sondern übergaben ihn schnell wieder dem eisigen Beringmeer. Das Jungtier tauchte sofort tief in das ihm Schutz gewährende Lebenselement, kam nach einer Weile nochmals an die Oberfläche und wandte sein Gesicht deutlich uns zu, als ob es danksagen wollte für so viel „Humanität" und Rücksichtnahme. Die Robbenjäger versicherten uns glaubhaft, einen wehrlosen Seehund an Land könne man auf keinen Fall töten, ein so unfaires Weidwerk entspräche niemals den überkommenen Gepflogenheiten ihres Volkes.

In unseren Grabungssommer in Kitngipalak verschwand die kurze bunte Blütenpracht schon Mitte August von der üblichen Pflanzendecke. Ein überaus beeindruckendes Schauspiel bot sich unseren staunenden Augen und läutete den arktischen Winter ein: Tagelang flogen ganze Vogelschwarmformationen entlang der Küstenlinie nach Süden. Mit unserem Profilschnitt waren wir trotz Permafrost täglich etwas weitergekommen und erreichten in drei Meter Tiefe den sterilen Naturboden. Nach Ausweis der Fundamentreste einstiger Behausungen und der in Walrossfellen vergrabenen Fleischreserven dürfte die Siedlungskuppe eine bewegte Vergangenheit von mindestens 1000 Jahren hinter sich haben. Mit dieser vorläufigen Erkenntnis neigte sich unsere Ausgrabung ihrem Ende zu.

Nach rund siebenwöchigem Aufenthalt in Kitngipalak hiess es wohl für immer Abschied nehmen von einer fremden Vergangenheit, von einer weiten, baumlosen Landschaft, die trotz allem hin und wieder ein Gefühl von Einsamkeit aufkommen liess. Die Lichter einer gegenüberliegenden Grossstadt im Kopf oder Kirchenglocken und eine vorbeibrausende Eisenbahn im Ohr konnten dann manchmal die blanke Abgeschiedenheit übertünchen. Ich nahm mir etwas Zeit und ging vom Ufer weg in die schier unendliche Tundra hinaus. Es wurde beklemmend still, nicht einmal das Wellenrauschen drang an mein Ohr. An einem einsamen Felskopf krächzten immerhin zwei Krähen, sonst herrschte tiefe Grabesruhe. Es war mir weh ums Herz. Meine verstohlenen Abschiedstränen konnten den von Tauwasser durchtränkten Tundraboden jedoch nicht beeindrucken. Vielleicht bin ich überhaupt der erste Mensch, der diesen Inselstreifen betrat. Bei einem nächsten Schritt stolperte ich aber plötzlich über eine rostige Eisenfalle zwischen der welken Bodenvegetation. Jemand war also schon vor mir an diesem Plätzchen gewesen: Da muss einmal eine „Trapline", die Fallenroute eines Yuit-Pelztierjägers, durchgegangen sein.

Sivuqaq/Gambell auf der von sibirischen Yuit besiedelten St. Lorenzinsel - das nordwestlichste Dorf der „westlichen" Welt am Beringmeer, vor einem Packeisgürtel und den Schemen der Gebirgszüge auf der Tschuktschen-Halbinsel im äussersten Nordosten Sibiriens (Foto Karl Zimmermann, 24. Juni 1973).

Ralf Heimrath

Izmir und mehr

Türkei August 2015

Spät nachts kommt der Flieger in Izmir an. Eine Arbeitskollegin meiner Frau hat uns eingeladen. Jetzt sind wir voller Neugierde unterwegs und werden von zwei für mich noch völlig fremden Personen erwartet: Nuray und Mehmet.

Die Reise hat eine Vorgeschichte: Nuray arbeitet seit kurzem als Türkisch-Lektorin an einer Universität in Deutschland. Meine Frau ist eine ihrer Ansprechpartnerinnen und hat sich bei ihrer Ankunft in Deutschland etwas um sie gekümmert. Die kleine Wohnung, die die Universität vermittelt hatte, war ungeeignet. Unter „möbliert" versteht man eine bezugsfertige Wohnung mit Möbeln. Hier aber fehlte manches und – und das war das Schlimmste – die Balkontür ließ sich nicht verschließen. Es konnte leicht jemand von außen einsteigen. Hier kann man eigentlich nicht allein wohnen ohne Angst zu haben. Auch hätte Nurays Mann so etwas nie zugelassen. Also verbrachte Nuray die erste Nacht in unserem Haus und meine Frau half ihr bei der Wohnungssuche und bei Behördengängen. Auch Bettwäsche stellte sie ihr leihweise zur Verfügung. Dann kam Mehmet aus der Türkei, um nach dem Rechten zu sehen, aber am Tag seiner Rückreise streikte die Bahn. Meine Frau fuhr ihn mit dem Auto den einstündigen Weg zum Flughafen und schon bei dieser Gelegenheit wurde erstmals eine Einladung nach Izmir ausgesprochen.

Monate später sagte meine Frau, dass Nurays Mann mit mir schriftlich Kontakt aufnehmen wolle.

„Reicht das nicht, wenn Nuray darüber mit dir spricht? Könnt ihr das nicht untereinander ausmachen?"

„Er möchte dich ganz offiziell einladen", antwortete sie. „Ihr beiden kennt euch nicht, deshalb wird er dir schreiben." Und sie sprach von Izmir, wo Mehmet und Nuray zu Hause sind, von Ephesus und Pergamon, zwei antiken Städten, die nicht weit weg seien. Ich war einverstanden. Wir waren bisher noch nie in der Türkei gewesen. Als dann die schriftliche Einladung kam, sagten wir zu.

Nun also holen Mehmet und Nuray uns vom Flughafen ab. Die Begrüßung der beiden Frauen ist herzlich, die der beiden Männer freundschaft-

11

lich abtastend. Und wie sollte ich mich Nuray gegenüber verhalten? Von meiner Frau wusste ich, dass Nuray aus religiösen Gründen immer ein Kopftuch trägt. Mehmet wäre auch einverstanden, wenn sie ohne Kopftuch ginge. Meine Unsicherheit verschwindet sofort, als Nuray mich sehr herzlich begrüßt und mir die Hand reicht.

Die Fahrt auf der Autobahn bis nach Izmir vergeht schnell. Selbstverständlich ist Mehmet der Fahrer und damit sitzen die Männer vorne und die Frauen hinten. Mehmet spricht gut Deutsch mit einem erstaunlich breiten Spektrum an Wortschatz und grammatischer Richtigkeit. Er hat fünf Jahre in Gießen studiert und dort auch promoviert. Nun ist er Professor an einer Universität in Izmir. Nuray hat eine Ausbildung als Lehrerin und an einer Schule in Izmir unterrichtet, bevor sie nach Deutschland ging. Die beiden Söhne sind schon erwachsen. Mustafa arbeitet als Arzt im praktischen Jahr an einer Klinik. Er möchte in Deutschland eine Facharztausbildung machen. Vielleicht kann er da bei seiner Mutter wohnen. Murat hat gerade sein erstes Studienjahr an der Universität absolviert. Die Bezeichnung des Faches ist mir entfallen, vielleicht Volkswirtschaft. Es sind so viele Neuigkeiten und Eindrücke von außerhalb der Fahrbahn. Auf eine vorsichtige Frage nach der derzeitigen politischen Lage im Zusammenhang mit Syrien und den Kurden bekomme ich zur Antwort, hier sei alles ruhig und bestens, die Krise sei weit weg und die Region Izmir nicht betroffen.

Nuray hat auch einen Führerschein. Sie hätte in Deutschland gerne ein kleines Auto, weil die Busverbindung zur Universität umständlich ist. Mehmet ist dagegen – noch.

In Mehmets Haus angekommen, werden wir nach oben geführt. Das Haus steht im Stadtteil Bornova und befindet sich auf einer Anhöhe. Im Erdgeschoß lebt Mehmets Mutter, darüber ist die Wohnung für Mehmet und Nuray und darüber eine weitere Wohnung, die normalerweise Murat benutzt und die jetzt uns zur Verfügung steht.

Wir ziehen im Treppenhaus die Schuhe aus. Die Reinlichkeit und Sauberkeit ist ein hohes Gut. „Die Deutschen gehen mit Straßenschuhen in ihre Wohnzimmer. So etwas gibt es bei uns nicht. Dort, wo unsere Kinder krabbeln und spielen, darf kein Straßenschmutz sein", erklärt Mehmet. Innen finden wir geschmackvolle Möbel vor. Nuray zeigt meiner Frau die Kücheneinrichtung, Mehmet und ich sitzen auf dem Balkon und blicken über die Stadt mit ihren Tausenden Lichtern. Nuray serviert uns einen frisch zubereiteten Tee. Das Teetrinken wird uns die nächsten Tage intensiv begleiten.

Bald gehen wir schlafen. Wir liegen im Wohnzimmer auf einer Couch, die zum Gästebett ausgezogen wurde. Irgendwann werden wir wach, weil von einer nahen Moschee der Muezzin zum Morgengebet ruft. Draußen ist es noch dunkel und wir setzen unsere Nachtruhe fort. Wie der Tee wird nun auch der Ruf des Muezzins mehrmals am Tag präsent sein. In den Dörfern Bayerns rufen anstatt eines Muezzins die Kirchenglocken zu Gottesdienst und Gebet und kündigen viertelstündlich die Uhrzeit an.

Am nächsten Morgen frühstücken wir auf „unserem" Balkon. Der Tisch ist reichhaltig mit Brot, Milch, Käse, Tee, Gebäck und Obst gedeckt. Wir haben sehr gut geschlafen und teilen dies unseren erfreuten Gastgebern mit. Der Blick über Izmir zeigt uns die nach dem Erwachen geschäftige Stadt am Meer, umgeben von Bergen. Im Zentrum geben emporschießende neue und teilweise unvollendete Wolkenkratzer genauso Orientierungshilfe wie die Minarette der verschiedenen Moscheen. Unter dem blauen Himmel schwebt eine bräunliche Luftschicht. „Das ist kein Smog", verbessert mich Mehmet freundlich, „das ist Nebel, der sich sehr schnell auflöst." Nichts soll unser Bild trüben. Ein Bauer aus dem Umland führt ein mit einer großen Milchkanne bepacktes Pferd durch die Straßen. Er kommt jeden Tag und bietet den Vorortbewohnern frische Milch zum Kauf an.

Beim Frühstücksgespräch kommen wir überein, uns zu duzen und die Förmlichkeiten zu vergessen.

„Was machen wir heute?", fragt Mehmet vorsichtig.

Es ist Freitag. Ich antworte: „Wenn es möglich und erlaubt ist, würde ich gerne einmal eine Moschee besichtigen. Ich habe persönlich noch nie eine Moschee von innen gesehen."

„Du weißt Bescheid?"

Ja, ich weiß Bescheid. Nuray hat meine Frau im Vorfeld darauf vorbereitet, dass Mehmet nicht darauf verzichten möchte, seiner Verpflichtung als gläubiger Moslem nachzukommen und zum Freitagsgebet die Moschee zu besuchen. Nuray betet auch. Fünf Mal am Tag zieht sie sich zu diesem Zweck zurück. Sie hat auch begonnen, Arabisch zu lernen, damit sie den Koran im Original lesen kann. Für Mehmet ist es in Ordnung, freitags in die Moschee zu gehen.

In Izmir und Umgebung leben mehr als vier Millionen Menschen. Die Stadt hieß früher Smyrna und war in der Zeit der klassischen Antike eine der reichsten griechischen Handelsstädte in Kleinasien. In der byzantinischen Epoche gab es hier eine wichtige christliche Gemeinde. Mit der Ausbreitung des Islam wurde die Stadt im 7. Jahrhundert n. Chr.

von Arabern angegriffen und zeitweilig besetzt. Dreihundert Jahre später brachten die Seldschuken die Stadt unter ihre Kontrolle. 1092 holte der byzantinische Kaiser Smyrna mit Gewalt in sein Reich zurück. Die Stadtrepublik Genua in Italien erhielt hier Handelsprivilegien. Auch für Venedig wurde Smyrna ein wichtiger Umschlagplatz. Die Genueser und Venezianer siedelten gern im „fränkischen Viertel". Für die Türken war Izmir im beginnenden 14. Jahrhundert eine Stadt der Ungläubigen, deren sie damals noch nicht habhaft werden konnten. Der Johanniterorden aus den Zeiten der Kreuzzüge hatte sich hier festgesetzt, ausgehend von seinem Machtzentrum auf Rhodos. Erst im 15. Jahrhundert bekamen die Türken endgültig die Oberhand. Izmir wurde Teil des Osmanischen Reiches.

Das alles und noch viel mehr kann man nachlesen. Aber erleben kann man die Stadt nur durch eine Begehung. Wir parken in der Nähe der großen Moschee. Während Mehmet sich entfernt, um seinen religiösen Pflichten nachzukommen, wandeln wir mit Nuray durch den weitläufigen Bazar Kemeralti in der unmittelbaren Nachbarschaft der großen Moschee. Kein westliches Kaufhaus kann eine solche Atmosphäre vermitteln wie der Zauber eines orientalischen Bazars mit seinen Straßen für die verschiedenen Gewerbe und Produktgruppen. Nachmittags um zwei Uhr werden wir plötzlich zur Seite gebeten. Die männlichen Händler legen auf dem Fußweg ihre Gebetsteppiche aus, denn in ihrem Verkaufsbereich ist zu wenig Platz. Auf diese Weise verrichten die im Bazar Unabkömmlichen ihre religiösen Aufgaben, ohne ihre Waren zurücklassen zu müssen. In der Zeit des Gebets finden keine Verkäufe statt. Wir setzen uns im Obergeschoss in das Teehaus der alten Karawanserei, trinken Tee und warten auf Mehmet. Wir haben einen guten Blick über den Innenhof und hören von Nuray, dass in Sichtweite früher eine zur Moschee gehörige bedeutende Schule war. Nach dem Ende des Freitagsgebets beginnt wieder rege Betriebsamkeit. Wir erstehen einige Süßwaren für den morgigen Tag, wenn wir zu Mehmets Mutter geführt werden, und eine Lederhandtasche für meine Frau, wobei Nuray es sich nicht nehmen lässt, diese zu bezahlen. Später finden wir eine Gelegenheit, uns zu revanchieren.

Nun führt Mehmet uns zur Hisar-Moschee, der größten und prächtigsten Moschee der Stadt. Wir entledigen uns der Schuhe. Nuray gibt meiner Frau ein großes Tuch für Kopf und Schultern und wir treten ein. Mehmet erklärt uns, wie die Gottesdienste hier vonstattengehen, wo die Gläubigen knien und sitzen und wo der Imam bei seiner Ansprache steht. Obwohl ich zu Hause noch gefragt habe, ob ich hier in einer knie-

14

langen Hose eintreten darf und Mehmet dies bejaht hat, bereue ich jetzt meine Entscheidung zu dieser hier unpassenden Bekleidung.

Die Moschee besteht aus einem weiten, hellen und friedlichen Raum der Andacht mit einer großen Kuppel. Kunstvolle goldfarbene Ornamente in fremdartiger Schönheit schmücken die weißen Wände, Säulenkapitelle und Treppenaufgänge. Hohe Standuhren in dunklem Holzgehäuse zwischen Säulenpaaren zeigen die Uhrzeit an. Der Fußboden ist vollständig mit einem roten Teppich ausgelegt, in den lange Reihen von parallelen Ornamentbändern eingewebt sind. Sie kennzeichnen die Reihen, in denen sich die Gläubigen zu den Gebetszeiten niederknien.

Der Gottesdienst ist vorbei, aber die Halle ist nicht leer. Vereinzelt sitzen Männer auf dem Boden. Sie haben sich aus einem Regal jeweils ein Exemplar des Korans genommen und lesen darin. Wir verspüren eine völlig unfanatische und gelöste Atmosphäre. Hier dominieren Ruhe und Kontemplation, wir erleben kein Gefühl der Anfeindung gegenüber fremden Touristen. Auch Mehmet holt einen Koran, den wir interessiert betrachten, doch mehr als betrachten geht nicht, weil wir angesichts der arabischen Schrift und Sprache überhaupt nichts verstehen. Nuray hat sich nach oben auf eine Empore begeben. Dort ist während des Gottesdiensts der Platz für die Frauen. Bald kommt sie wieder herunter und gesellt sich zu uns.

Nach der Besichtigung des Innenraums gehen wir wieder ins Freie. Neben der Moschee ist eine Waschgelegenheit für Hände, Arme und Füße. Hier reinigt man sich, bevor man die Moschee betritt. Ich beobachte einen Mann, der diese Handlung konzentriert, ja beinahe zeremoniell ausübt. Da ist keine Oberflächlichkeit im Hintreten vor seinen Gott.

Mehmet führt uns durch enge Gassen einige Stufen hinauf zu einer weiteren, sehr alten Moschee. Mir gelingt es, im Außenbereich eine Fußwaschungsszene fotografisch festzuhalten, ohne dass der Gläubige sich gestört fühlen kann.

Anschließend gelangen wir zum Konak-Platz, wo der berühmte Uhrturm steht. Dieser Turm wurde 1901 im maurischen Stil errichtet. Die große und nach vier Seiten sichtbare Uhr ist eine Schenkung des deutschen Kaisers Wilhelm II. während seiner Bemühungen, sich mit der Türkei anzufreunden. Schon vor dem Ersten Weltkrieg war der Nahe Osten ein politischer Krisenherd und das Osmanische Reich befand sich am Anfang seiner Endphase. Die Engländer und Franzosen engagierten sich in dieser Region und halfen einigen arabischen Staaten, wie z.B. Syrien, aus dem Osmanischen Reich auszuscheren. Gute Beziehungen zum deutschen Reich lagen im Interesse der türkischen Regierung und

Wilhelm II. kam das sehr gelegen. Er wollte in der Weltpolitik auch eine bedeutende Rolle spielen. Hier konnte er sich in seiner Gegnerschaft zu England und Frankreich profilieren.

Izmir selbst hatte damals zu 40 Prozent einen griechischen Bevölkerungsanteil. Auch eine nennenswerte Gruppe mit armenischer Ethnizität gab es hier vor dem Völkermord des Jahres 1915. Aber über dieses Thema sprach Mehmet nicht und auch wir behielten höflich die Ausklammerung bei.

Am Rand des Konak-Platzes steht die kleine Konak-Moschee. Wenn man sich das Minarett wegdenkt, sieht man ein achteckiges Gebäude mit einem Kuppeldach wie aus der byzantinischen Zeit. Aber entgegen allen Erwartungen wurde mit dem Bau des Gebäudes erst 1755 begonnen, es ist also nicht byzantinisch.

Zwei Dinge sind uns auf diesem Konak-Platz noch aufgefallen: Zum einen sind es die vielen Flüchtlinge aus Syrien, die hier auf ihrem Weg nach Europa Zwischenrast machen. Sie warten auf eine Überfahrt auf eine der griechischen Inseln in der Nähe. Zum anderen ist es ein etwa acht- bis zehnjähriger Knabe, der wie ein Prinz aus den Märchen von 1001 Nacht gekleidet ist und der von Seiten seiner Familie und Freunde um ihn herum viel Aufmerksamkeit genießt. Meine Frau fragt nach dem Grund der Kostümierung und Mehmet antwortet, er würde es mir unter vier Augen erklären, damit ich es dann ihr weitersagen kann. „Das Fest der Beschneidung?", frage ich spontan und damit ist der Bann des Unaussprechlichen gebrochen. Unsere Offenheit im Umgang mit dem Thema erstaunt die Gastgeber.

Auf dem Nachhauseweg zeigt uns Mehmet ganz nebenbei den Wegweiser zum Tal des Homer. Wir sind überrascht. „Ja, der Homeros hat hier in der Nähe gelebt", bekräftigt Mehmet, „wir können hinfahren und uns das anschauen." Und schon lenkt er seinen Wagen stadtauswärts auf einer Serpentinenstraße über einen hohen Hügel in ein stilles Seitental. Natürlich ist aus der Lebenszeit des antiken Verfassers der berühmten Epen Ilias und Odyssee nichts mehr vorhanden. Das ist ja schon weit mehr als zweieinhalb Jahrtausende zurück. Wir sehen ein einsames und unbewohntes Stück Land. Es ist kaum zu glauben, dass dieser für die Kulturgeschichte Europas so bedeutende Mann hier gelebt haben soll.

Wir überqueren wieder den Hügel und sehen die Häuser von Izmir im Licht der untergehenden Sonne.

Am nächsten Tag besuchen wir zuerst Mehmets Mutter im Erdgeschoss. Sie ist darauf vorbereitet und sitzt erwartungsvoll im Wohnzimmer in Gegenwart ihres Bruders und einer weiteren Verwandten aus ihrer Generation. Ihr Alter ist schwer zu schätzen. Sie trägt ein Kopftuch, vielleicht wegen der fremden Gäste, die wir sind. Mehmet küsst ihr die Hand, führt diese an seine Stirn und setzt sich neben sie auf die Couch. Nuray gibt ihr die Hand und begrüßt sie, im Weiteren hält sie sich hinter allem zurück. Wir werden der Gruppe vorgestellt, geben artig die Hand und sagen „Günaydin!" für „Guten Morgen!". Das haben wir gerade beim Frühstück gelernt. Dazu übergeben wir unsere Aufmerksamkeit, die wir gestern im Bazar besorgt haben. Ansonsten können wir uns an der Unterhaltung nicht beteiligen, aber wir erkennen an den Bewegungen der drei Augenpaare, dass wir von Mehmet beschrieben werden. Die andere nicht mehr ganz junge Frau kommt plötzlich mit einer Flasche. Mehmet zeigt uns, wie wir die Hände zu einer Schale geformt halten sollen, und die Frau gießt uns daraus etwas Flüssigkeit hinein. Diese riecht und fühlt sich an wie Olivenöl mit Kölnisch Wasser gemischt. Der Geste Mehmets folgend reiben wir uns damit das Gesicht ein. Es erfrischt angenehm. Die Anwesenden amüsieren und unterhalten sich über unsere Unkenntnis dieses Brauchs. „Bei uns bietet man dem Besuch immer so etwas an, besonders nach einer langen Reise. Das reinigt und gibt Energie", erklärt Mehmet. Nach einer angemessenen Zeit verabschieden wir uns und winken noch einmal, bevor wir ins Auto einsteigen.

Nun fährt Mehmet mit uns in Richtung Süden zur antiken Stadt Ephesus. In der Türkei herrscht wie bei uns Rechtsverkehr. Mehmet fährt gern auf der Autobahn links oder in der Mitte, wenn es drei Fahrspuren gibt. Es stört ihn nicht weiter, wenn er rechts überholt wird. Wie viele andere hier fährt er ein deutsches Fabrikat, einen Wagen der Mittelklasse. Er träumt von einem bestimmten Wagentyp einer bayerischen Marke. Nuray bringt wieder ihren Wunsch vor, in Deutschland ein kleines Auto haben zu dürfen, doch Mehmet kann sich nicht dazu durchringen, „ja" zu sagen.

Interessiert betrachten wir die Landschaft mit ihrer üppigen Vegetation und lassen uns erklären, wo es gute Oliven und Orangen gibt, erfahren einiges über die Ziegenhaltung in der Türkei und den Anbau von Tee. Ich frage Mehmet nach der typischen ländlichen Bauweise in den türkischen Dörfern und werde auf später vertröstet.

Bevor wir die archäologischen Sehenswürdigkeiten von Ephesus besuchen, halten wir bei einer überlebensgroßen vergoldeten Marienstatue in Sichtweite der Ausgrabungen. Unweit von dieser Stelle hat die Mutter Jesu mehreren Überlieferungen zufolge ihre letzten elf Lebensjahre verbracht. Nach dem Tod ihres Sohnes ging sie mit dem Apostel Johannes hierher, wo eine der ersten Christengemeinden außerhalb Israels entstanden ist.

Der romantische Schriftsteller Clemens Brentano hat zu Beginn des 19. Jahrhunderts die Visionen der westfälischen Nonne Anna Katharina Emmerick aufgezeichnet und in Büchern verarbeitet. Darin wird als Marias letzter Lebensort ein Tal bei Ephesus in allen Einzelheiten geschildert. Obwohl die Nonne nie ihre heimatliche Umgebung verlassen hatte, stimmen ihre Worte genau mit den topographischen Verhältnissen jenes Geländes überein, das wir jetzt besuchen. Darauf weist uns eine Schrifttafel hin. 1891 fanden Archäologen hier tatsächlich die Fundamente eines Hauses aus dem ersten nachchristlichen Jahrhundert, dessen Ruine einem Haus entspricht, wie es in den Gesprächsaufzeichnungen Brentanos mit der Nonne beschrieben wird. Im Internet kann man nachlesen, dass diese Stelle schon 1896, also fünf Jahre nach ihrer Auffindung, von Papst Leo XIII. zum Wallfahrtsort erklärt wurde. An der Stelle des früheren Hauses befindet sich jetzt eine Kapelle. Ich zähle die Liste der Päpste nicht auf, die hierher gepilgert sind. Der letzte war bisher Benedikt XVI. im November 2006.

Der Tag unseres Besuches ist der 15. August, als „Mariä Himmelfahrt" oder „Entschlafung Mariens" ein Feiertag für die römisch-katholische Kirche und die orthodoxen christlichen Kirchen. Als wir an der Wallfahrtsstätte ankommen, ist gerade ein christlicher, vermutlich katholischer Gottesdienst zu Ende. Der Altar steht im Freien vor der Kapelle und eine erstaunliche Anzahl von Menschen hat wohl hier gebetet. Vor dem Altar befinden sich zwei Körbe. Der eine ist zur Hälfte mit Stücken von Weißbrot gefüllt, der andere mit Weintrauben. Ich nehme aus beiden Körben, gehe zu „meinen" Leuten und teile mit ihnen dieses einfache Mahl. Mehmet ist sehr dankbar, denn gerade jetzt benötigt er etwas zu Essen und zu Trinken. Ich erzähle den beiden Türken vom letzten Abendmahl Jesu. Nuray ist von der Botschaft des Brotteilens im Gedenken an Jesus beeindruckt. „Auch wir Muslime ehren Jesus und seine Mutter Maria", sagt sie. „Von Maria handeln mehrere Suren des Korans. Sie war eine besondere Frau."

Plötzlich befindet sich ein holländischer Reporter bei uns. Er hat Nuray aufgrund ihrer Bekleidung als Muslimin ausgemacht und fragt sie nach ihrer Einstellung zu diesem Wallfahrtsort. Sie wiederholt vor laufender Kamera ihre vorherigen Worte. Später sehen wir eine Schrifttafel, auf der die entsprechenden Koransuren in deutscher Sprache wiedergegeben sind. Eine davon lautet: „O Maria, siehe, Allah hat dich gereinigt und hat dich auserwählt vor den Weibern aller Welt" (Sure 3 Vers 42).

Die Sonne steht hoch und wir haben eine ausgedehnte archäologische Besichtigung vor uns. Ephesus war einst in der griechischen Antike eine blühende Großstadt und später in der Zeit des römischen Reiches die Hauptstadt der Provinz Asia. Dementsprechend reichhaltig und beeindruckend sind die Gebäudereste, Straßen und Amphitheater. Hier haben wir antike Größe deutlich vor Augen und wenn die vielen Touristen so gekleidet wären wie die Griechen hier vor zweitausend Jahren, würden wir uns wie in einem Historienfilm vorkommen. Wie muss es erst gewesen sein, als diese Gebäude noch nicht zu Ruinen zerstört und verfallen waren, sondern vollständig erhalten und bewohnt bzw. wie bei Tempeln und Theatern ihrem Zweck entsprechend genutzt wurden. Staunend und irgendwie ehrfurchtsvoll gehen wir durch die holprigen Straßen und besteigen die Fundamente von Gebäuden, von denen nur noch einzelne Säulen hoch in die Luft ragen. Mehmet hält nach Schattenplätzen Ausschau. Die Sonne steht sehr hoch und die Reste der antiken Bauwerke gewähren nur sparsamen Hitzeschutz. Gut, dass wir Mineralwasser mit uns führen. Irgendwann gelangen wir in das weite Halbrund eines Amphitheaters, in dem einst 25 000 Zuschauer den Aufführungen beiwohnten.

Mit uns ist eine japanische Reisegruppe auf dem Platz, auf dem damals die Schauspieler und der das Theaterspiel kommentierende Chor agierten. Als ob wir schlechtes Wetter hätten, haben die meisten Mitglieder der Gruppe einen Regenschirm aufgespannt, aber sie nehmen den Schirm als Sonnenschutz. Der Reiseführer erklärt offenbar die für solche Anlagen bekannte Akustik und lässt diese seine Zuhörer auch erleben, denn er stimmt ein Lied an und fordert die Leute auf mitzusingen.

Wir sind erschöpft und begeben uns zum Auto. Nach nur wenigen Minuten fährt Mehmet von der Autobahn ab und eine langsam ansteigende kurvige Landstraße entlang durch eine reich bewaldete Hügellandschaft. Hier erfahren wir von einem Dorf Şirince, das wir nun besuchen würden. Der Ort sei vor einigen Jahren das Ziel von prominenten Personen aus Hollywood gewesen, als es eine Prophezeiung vom Weltuntergang gab, in der es hieß, nur dieser Platz bliebe von der Katastrophe verschont. Hier würden wir die urtümliche ländliche Situation der westlichen Türkei erleben. Bei der Ankunft finden wir am Ortsrand kaum einen Parkplatz, so viele Besucher haben den Weg hierher gefunden. Wir gehen zu Fuß durch die engen Straßen und sehen links und rechts von uns dicht gedrängt gepflegte, weiß gekalkte Steinhäuser mit farbigen Gebäudekanten oder hölzerne Blockbauten. Die Dächer sind flach und mit Ziegeln gedeckt. Wir fühlen uns wie in einem belebten Freilichtmuseum. In beinahe jedem Gebäude befindet sich ein Geschäft mit Handwerksprodukten, Lebensmitteln oder Kleidung. Hier gibt es für mich zwei leichte Baumwollhemden. Es ist falsch gewesen, nur T-Shirts in den Koffer zu packen. Sie kleben recht schnell am Körper, während die Hemden ganz locker anliegen.

Neben einer Moschee ist ein Gebäude, das im Erdgeschoss zahlreiche Läden beherbergt und im Obergeschoß ein Gasthaus mit einer großen Terrasse enthält. Die Mauern bestehen aus Naturstein. Runde hölzerne Säulen, eine Rundbalkendecke sowie eine Blockbauumrandung ergeben ein rustikales Flair. Von hier haben wir einen schönen Blick auf das geschäftige Treiben unter uns und über die Dächer zur Moschee mit ihrem Minarett. Selbstverständlich trinken wir zuerst türkischen Tee. Anschließend genießen wir köstliche Kofte mit Beilagen. Am Ende des Mahles möchte ich die Kosten übernehmen, aber Mehmet belehrt mich, dass hier immer der Gastgeber bezahlt und er eine andere Handlungsweise als Beleidigung auffassen würde. Die Gastfreundschaft ist in der Türkei ein heiliges Gut und niemand möchte sich nachsagen lassen, er habe in dieser Beziehung nicht alles gegeben. Nach dem Essen schlendern wir durch die Straßen und suchen in den Geschäften nach passenden Mitbringseln für Zuhause. Wir finden auch eine hübsche Handtasche für Nuray.

Am späten Nachmittag besteigen wir wieder das Auto und fahren die Küstenstraße entlang durch eine ausnehmend schöne Landschaft nach Nordwesten bis Çesme, wo Mehmet ein Ferienhaus neu erworben hat. Hier werden wir übernachten. Unterwegs telefoniert er immer wieder mit einem seiner Söhne um nachzufragen, ob das Grillfleisch für den Abend schon geholt und ob der neue Grill schon aufgestellt worden sei.

Später bei der Nachbereitung der Reise werde ich im Internet lesen, dass es für die Entstehung des Ortes Şirince drei Überlieferungen gibt. Der einen zufolge haben hier im 15. Jahrhundert Griechen aus dem nahen Ephesus in den Bergen Schutz gesucht, als ihre Stadt an die türkischen Eroberer verlorenging. Die beiden anderen Versionen erzählen jeweils von freigelassenen Sklaven als Ortsgründern. Bis 1924 lebten jedenfalls in der für ihre Feigen berühmten Stadt überwiegend christliche Griechen. Sie unterhielten hier ein religiöses Zentrum. Angeblich ist in Şirince Maria in den Himmel aufgenommen worden. Es gibt hier offensichtlich eine Johanneskirche, die wir aber nicht gesehen haben. Nach dem türkisch-griechischen Krieg 1919-1922 kam es 1924 zu einer „Umsiedlungsaktion", bei der die Griechen vertrieben wurden und andererseits aus Griechenland in den Jahren vorher vertriebene Türken hier eine neue Bleibe erhielten. Das ist, wie erwähnt, Ergebnis einer späteren Recherche. Aber dazu passt, was Mehmet unterwegs erzählt: Er entstammt einer Familie, die seit Generationen bis in die 1970er Jahre in Bulgarien ansässig war. Er selbst erlebte als fünfjähriges Kind die Vertreibung aus der Heimat seiner Vorfahren, als sie von einem Tag auf den anderen mit wenig Gepäck das Land verlassen mussten und nach Izmir zogen.

Immer wieder stoßen wir in der Geschichte der letzten hundert Jahre auf ethnische Auseinandersetzungen und auf das Thema Flucht und Vertreibung im Zusammenhang mit nationalstaatlichem Denken. Mir fällt der Umgang der Türken mit den Armeniern nach dem Ersten Weltkrieg ein, ich sage aber nichts. Zypern ist in einen griechischen und einen türkischen Teil getrennt und der Konflikt ist noch nicht gelöst. Ich denke an Umsiedlungspläne und Deportationen in den Zeiten von Mussolini, Hitler und Stalin und ich weiß ziemlich viel von der Vertreibung der Deutschen aus den Ländern östlich des heutigen Deutschland nach dem Zweiten Weltkrieg. Ich will gar nicht von der Problematik zwischen Israel und Palästina anfangen. Mir fallen einige Länder in Afrika und die „ethnischen Säuberungen" nach dem Ende des Staates Jugoslawien ein. Ethnische Gründe sind ebenso wie religiöse Verfolgungen und politische Unterdrückung ein Teil der Problematik der gegenwärtigen Flüchtlingswelle in Richtung Europa und der Auseinandersetzungen zwischen Kurden und Türken. Doch soll ich hier im Auto zu debattieren beginnen? Ich bin zu Gast in diesem Land und meine Gastgeber bieten uns nach besten Kräften einen schönen und ungetrübten Aufenthalt. Ich werde lieber auf eine günstige Gelegenheit bei uns zu Hause warten.

Wir unterhalten uns auch über verschiedene andere Dinge. Häufiges Thema ist der Wunsch des Sohnes Mustafa nach einer Verlobung mit seiner Freundin. Dazu muss der Vater des Bräutigams offiziell beim Vater der Braut um die Hand anhalten und viele Geschenke für deren ganze Familie mitbringen. Die Eltern der künftigen Braut wohnen in Istanbul. Eine Verlobung ist ein großes Fest, doch Mehmet zögert. Mustafa soll sich zuerst auf sein Studium konzentrieren und es erfolgreich zu Ende bringen. Aber gerade das ist der Grund für Mustafas Eile: Wenn er sich wie geplant zu seiner Facharztausbildung in Deutschland befindet und in dieser Zeit der Vater eines anderen jungen Mannes mit einem Heiratsantrag zu den Eltern des Mädchens fährt, kann es sein, dass Mustafa im wahrsten Sinn des Wortes das Nachsehen hat. Der Vater des Mädchens stimmt möglicherweise gegen den Wunsch seiner Tochter diesem anderen Antrag zu.

Nuray vertritt vorsichtig die Interessen ihres Sohnes. Mehmet spielt gern die Rolle des Familienoberhaupts und Entscheiders in solchen wichtigen Angelegenheiten. Ich habe das Gefühl, dass er innerlich bereits einverstanden ist und dass die sanften Worte Nurays seiner Rolle schmeicheln.

Abends kommen wir in Çesme beim Ferienhaus an. Es besteht aus einem Erdgeschoß mit zwei Obergeschossen und würde in einer deutschen Vorstadtsiedlung als überdimensionales Einfamilienhaus hervorstechen. Die Wohn- und Schlafräume befinden sich in den beiden Obergeschossen.

Wir werden bereits erwartet. Die beiden Söhne Mustafa und Murat sind da sowie Nurays Schwester mit ihren beiden Töchtern. Nach der freundlichen und neugierigen Begrüßung wird der Grill erstmals in Betrieb genommen. Murat und Mustafa kümmern sich darum, der Vater erteilt Anweisungen. Irgendwann will er ein Stück Holzkohle zurechtrücken, aber er hat nicht bedacht, wie heiß es ist. Schon hat er schmerzende Brandwunden an Daumen und Zeigefinger, die er mit Eis aus dem Gefrierfach des Kühlschranks kühlt. Er ist für weitere aktive Hilfe außer Gefecht und konzentriert sich auf das Erteilen von Ratschlägen.

Die Frauen bereiten Salate und Obst, die jungen Männer brutzeln das Hähnchenfleisch. Mit dieser Menge kann man eine ganze Fußballmannschaft versorgen. Alles schmeckt ausgezeichnet und wir unterhalten uns prächtig, wobei Nuray und Mehmet dolmetschen. Nurays Schwester hat die letzten Jahre als Lehrerin in Anatolien gearbeitet und lebt und unterrichtet jetzt in Izmir. Sie war schon einmal in Deutschland bei Nuray zu Besuch und hat von deren Wohnung aus München, Nürnberg, Prag und Wien besucht.

Nach dem Essen begeben wir uns auf die Terrasse des obersten Stockwerks, von wo wir einen schönen Blick auf das nahe Meer haben. Am westlichen Horizont sind die Konturen der griechischen Insel Chios sichtbar. Ein rotgoldener Sonnenuntergang sorgt für eine romantische Stimmung voller Zufriedenheit.

Der nächste Tag gehört dem Meer. Bis dorthin sind es nur wenige Fußminuten. Am Strand nehmen wir zunächst eine Gruppe von Menschen mit sehr lauter türkischer traditioneller Musik wahr. In ihrem Mittelpunkt steht ein 8-10jähriger Knabe, gekleidet wie früher ein Sultan, und erfreut sich still der Aufmerksamkeiten, die ihm gelten. Hat er die unausgesprochene Maßnahme, die dem Fest zugrunde liegt, schon hinter sich oder kommt diese noch unausweichlich auf ihn zu? Wenn ich daran denke, mit welchem Brauch diese Festlichkeiten verbunden sind, möchte ich lieber nicht gefeiert werden.

Wir halten uns den ganzen Nachmittag am Strand auf und sind viel im Wasser. Es gibt sogar besondere Modelle von Badeanzügen für muslimische Frauen, so dass auch Nuray am Schwimmvergnügen teilnehmen kann. Dabei fällt uns auf, dass hier bei weitem nicht alle Leute gut schwimmen können. Nurays Schwester gehört dazu.

Wir verbringen noch eine Nacht in Çesme und fahren am nächsten Morgen nach Pergamon. Dazu sind wir längere Zeit auf der Autobahn in nördlicher Richtung unterwegs und sehen eine fruchtbare Landschaft. Aber mein Darm bestraft mich bitter für den Verzehr der Mengen an Weintrauben und frischen Feigen des Vortags. Man wird ja immer gewarnt, in fremden Ländern nichts Ungekochtes zu essen. Nur: wie soll das bei Obst gehen? Vielleicht spielen auch die große Hitze und der lange Aufenthalt im Wasser ohne Kopfbedeckung eine Rolle. Ab jetzt ist für mich strenge Diät vonnöten, was bei unseren Gastgebern sorgenvolle Mienen hervorruft. Da wir etwas längere Zeit unterwegs sind, freue ich mich über jede Teepause.

Das antike Pergamon ist eine „Akropolis", d.h. eine Stadt auf einem Hügel. Unten im Tal liegt die spätere türkische Stadt Bergama. Wir beginnen unsere Besichtigung bei einem großen Modell der Stadt mit dem berühmten Altar, der im Original in Berlin zu bewundern ist. Natürlich wäre der Altar im Idealfall am besten an seinem angestammten Platz aufgehoben, an der Stelle, wo er hingehört, aber wer weiß, wie diese antiken Baudenkmäler heute aussehen würden, ja ob sie gar noch existieren würden, wenn nicht die westeuropäischen Archäologen sie vor geraumer Zeit geborgen und dokumentiert hätten. Wir bewandern ein Meer von behauenen Steinen, die teilweise lose herumliegen, teilweise noch Ruinen von Gebäuden erkennen lassen. Wieder sind wir beeindruckt von der stillen Größe der Säulen. Sie lassen in ihrer Anordnung eine Ahnung von der monumentalen Pracht der früheren Bauwerke zu. Die Abnutzung durch die Touristen und der oft zitierte „Zahn der Zeit" haben ihren Teil zum heutigen Erscheinungsbild beigetragen. Vom Amphitheater aus bietet sich ein faszinierender Blick über die Umgebung an.

Unten in Bergama führt uns Mehmet in ein Lokal in der Nähe des Hamam, wie eine türkische Badeanstalt genannt wird. In diesem Restaurant gibt es angeblich die besten Kofte weit und breit. Tatsächlich schmeckt das Hackfleischgericht vorzüglich, wobei Nuray während des Essens von ihrer Kindheit in Bergama erzählt. Leider haben wir keine Zeit, ihre Tante zu besuchen, denn der Tag ist schon wieder weit fortgeschritten und wir müssen uns auf den Rückweg machen.

Am nächsten Vormittag sind wir nach einem reichhaltigen Frühstück unterwegs ins Landesinnere in die alte Landschaft Phrygien. Unser Ziel ist Pamukkale, das früher in der griechischen Zeit Hierapolis hieß. Unterwegs machen wir in Aydin an einer Tankstelle Rast, wo es sehr guten Tee gibt. Um zum Parkplatz zu gelangen, umrunden wir ein aufwendig gestaltetes Denkmal „zur Erinnerung an die Befreiung der Türkei von den Griechen". Wie bitte? Habe ich richtig gehört? Da begehen wir seit einer halben Woche antike griechische Stätten mit einem Alter von mehr als zweitausend Jahren. Dieser Teil des Landes wurde von den Osmanen schrittweise seit dem 13. Jahrhundert erobert. Ich weiß, dass Kleinasien nicht die ursprüngliche Heimat der Türken ist. Ich habe vor wenigen Jahren die frühtürkischen Ausgrabungen in Khoshoo Tsaidam im zentralasiatischen Orchontal gesehen. Die heutige Türkei ist ein von den Osmanischen Türken im Mittelalter erobertes Land, in dem fünf Mal länger als die Türken bis nach dem Ersten Weltkrieg Griechen lebten. Ich habe Schwierigkeiten, mich mit dem Begriff „Befreiung von den Griechen" abzufinden. Mehmet hat selbst erzählt, wie er als Kind in Bulgarien Opfer einer solchen „Befreiung" geworden ist. Wieder gehen mir die Gedanken von Vertreibungen und ethnischen Säuberungen durch den Kopf.

In einer Ortsdurchfahrt sehen wir neben der Straße bei einem Obstverkaufsstand kurz vor einer Ampel ein Gestänge, das es ermöglicht, dass von etwa drei Meter Höhe gleichmäßig Wasser auf den Seitenstreifen der Straße herunterläuft. Es ist eine Autowaschanlage mit einfachsten Mitteln. Hier werden die Autofahrer eingeladen stehenzubleiben. Und während das Wasser den Staub vom Auto abwäscht, kann der Fahrer Obst kaufen. Für den Obsthändler ist das anscheinend sehr geschäftsfördernd. Die Fragen der Ökologie interessieren hier niemanden.

Hierapolis/Pamukkale besteht aus zwei Sehenswürdigkeiten. Wie nicht anders zu erwarten aus einer Stadt der griechischen Antike und zum zweiten aus einer sehenswerten Naturgegebenheit, den weißen Sinterterrassen am Rand der Akropolis. Von weitem sieht das wie eine große Menge Schnee von der Spitze des Berges bis ins Tal aus, aber es ist Stein.

Oben bewegen wir uns zunächst an einer Reihe von Grabdenkmälern vorbei durch die Ruinen der alten Stadt aus vorchristlicher Zeit, die 1334 n. Chr. durch ein Erdbeben vollständig zerstört wurde. Es muss einmal eine sehr schöne Stadt gewesen sein, aber wir sind hinsichtlich der Archäologie nicht mehr sehr aufnahmefähig und die Hitze tut ein Übriges. Also halten wir uns nicht allzu lange hier auf und wechseln zu den Sinterterrassen und zu dem Thermalwasser, in dessen Becken sich zahlreiche Touristen aufhalten. Nuray geht bald mit Mehmet zurück, um das Auto zu holen, während meine Frau und ich noch etwas bei den Sinterterrassen bleiben und dann von dort zu Fuß den Berg hinunterwandern.

Auf dem Rückweg kommen wir unweigerlich an unserer „Tee-Tank-stelle" vorbei und kehren dort ein. Später weicht Mehmet von der Route ab und meint spaßeshalber, er habe sich verfahren, aber in Wirklichkeit hat er sich eine Überraschung ausgedacht. Wir fahren durch eine bergige Landschaft und einsame Dörfer mit verfallenden Häusern. Nur manchmal sind einzelne alte Menschen zu sehen. „Wo sind die jungen?", frage ich. „Die meisten sind irgendwo in Deutschland", erklärt Mehmet, „hier gibt es keine Arbeit für sie. Viele ziehen auch in die Stadt, z.B. nach Izmir, nur die Alten bleiben in den Dörfern."

Nach vielen Kurven und dem Auf und Ab der Landstraße kommen wir in einer Siedlung an, wo uns die Schönheit der Umgebung in Erstaunen versetzt. Mehmet freut sich, dass seine Überraschung gelungen ist. Der Ort besteht aus nur wenigen Häusern, deren Bewohner offenbar alle zusammengehören, und einer Gaststätte, deren Bewirtungsmöglichkeiten auf verschiedene Flächen verteilt sind. Überall sind Becken mit Forellen in glasklarem Wasser. Mehmet erzählt uns, dass hier an diesem besonderen Ort früher ein Imam eine Forellenzucht aufgebaut und einen Gastronomiebetrieb gegründet habe, der nun von seinen Nachkommen weitergeführt werde. Die Qualität der Fische sei weit herum bekannt und von überallher kämen die Besucher zu einem Ausflug. Was wir hier sehen, bestätigt seine Worte. Glücklicherweise finden wir einen schönen, mit Teppichen ausgelegten Platz, wo wir uns auf am Boden liegenden Matratzen niederlassen. Die Tische sind nur 20-30 Zentimeter hoch. Mehmet bestellt Fische und Gemüsebeilagen für alle, nur mein Magen wehrt sich noch dagegen und ich esse köstliche Kofte. Bei uns sagt man dazu je nach Region Frikadelle oder Fleichküchle oder Fleischpflanzl oder sonstwie, hier sind es Kofte aus reinem Rindfleisch. Alles schmeckt vorzüglich und die Bedienungen sind sehr aufmerksam. Wir fühlen uns wie in einem Märchen aus tausendundeiner Nacht.

Später, nach dem Essen, gehen wir noch in der Anlage spazieren, denn Mehmet weiß eine weitere Überraschung für uns. Nicht weit von unserem Platz treffen wir hinter einem kleinen Gebetshaus auf einen Wasserfall mit geschätzt 30 Meter Höhe. Es ist ein phantastischer Anblick, wie das Wasser hier über uns senkrecht zu Tal stürzt. Selbstverständlich machen wir eine Reihe von Fotos. Da hören wir hinter uns eine unbekannte Stimme in deutscher Sprache: „Und jetzt noch einen Schritt zurück!" Erstaunt drehen wir uns um und ich frage den Mann, der dort mit seiner Familie sitzt, ob er Deutscher sei. Nein, antwortet er, er ist Türke und ist im Alter von 17 Jahren mit seinen Eltern nach Deutschland gegangen. Dort lebt er seit 20 Jahren in der Nähe von Köln. Nun zeigt er seinen Kindern seine türkische Heimat. Es war eine sehr freundliche kurze Begegnung. Der Mann liebt Deutschland und gleichzeitig die Türkei, das war zu erkennen.

Immer noch gefangen von der Schönheit der Anlage genießen wir den ausklingenden Tag. Während des Rückwegs nach Izmir wird uns bewusst, dass dies der letzte Abend unseres kurzen Aufenthalts hier ist. Die Gespräche kreisen um die Besichtigungen und Erlebnisse und wir ziehen ein Fazit. Ohne diese wenigen Tage mit den einheimischen Gastgebern hier zu leben hätte geheißen, das Land aus der beschränkten Sicht eines Touristen wahrzunehmen. So aber konnten wir bildlich gesprochen nicht nur an der Oberfläche schwimmen, sondern tief eintauchen. Sicherlich gäbe es noch viel zu erkunden. Wir haben nur die Stadt Izmir und ihr Umfeld von jeweils einer halben Tagesreise gesehen. Die Türkei ist um vieles größer und jede Region hat ihre Eigenheiten und Besonderheiten. Wir kamen ein wenig mit der politischen Gemengelage in Berührung, haben uns dazu unsere eigenen Gedanken gemacht und dabei immer versucht, Rücksicht auf die Mentalität der Gastgeber zu nehmen. Wir haben den Stolz der Türken und die Liebe zu ihrem Land erlebt, auch sind wir uns des hohen Ansehens bewusst geworden, das Deutschland hier genießt.

Sehr wahrscheinlich ist das nicht unser letzter Besuch in diesem vielseitigen Land, in dem die Gastfreundschaft einen so hohen Stellenwert hat.

Barbara Frochte

Eat, drink and be welly – Skizzen einer Hauptstadt

„Mama, ich möchte ins *Te Papa!*"
Weil Sohnemann wild auf das Nationalmuseum ist, gehen wir zum zweiten Mal in sieben Tagen hin – eine gute Idee, zumal es regnet. Vermutlich wird der ständige Küstenwind die Regenwolken so schnell über uns hinweg pusten, wie er sie hergeweht hat. Seit wir alle Souvenirgeschäfte halb leer gekauft haben, interessieren uns die Läden des Lambton Quay nicht mehr. Mittlerweile zieren das Hotelbett meines Sohnes mehrere Kuscheltiere der lokalen Fauna, inklusive einer Morepork-Eule und einer Tuatara-Echse.
„Sie haben das dritte Auge vergessen", hat mein Spross bemängelt, da er beim Besuch des innerstädtischen Nationalparks *Zealandia* gelernt hat, dass die Brückenechse mit ihrem dritten Scheitelauge Helligkeit wahrnehmen kann.
Viele Wege führen zum *Te Papa*, aber nur einer passiert *den* Abenteuerbaum. Also überqueren wir an der Kreuzung Hunter Street und Jervois Quay die Straße.
„Kommen wir an der Ampel mit dem roten Hakamännchen vorbei?", fragt mein Sohn. Für Touristen sicherlich ein Highlight: das rote Ampelmännchen mit der typischen Startposition eines Maori beim Haka-Tanz.
Von außen sieht der Abenteuerbaum wie ein Nullachtfuffzehn-Großstadtbaum aus. Ist er nicht, denn mein 130 Zentimeter kleiner Lieblingsmensch könnte stundenlang die im Inneren versteckten Kletteräste, Irrwege und Verwinkelungen erkunden. Mein Abenteuer besteht indessen aus der Betrachtung des davor angelegten Beetes: Ein Meer aus kleinen, weißen Blumen und… Petersilie? Ich grinse. Die Kiwis haben Humor!
Im kostenlosen Museum *Te Papa*, in etwa mit „Unser Ort" übersetzbar, entdecken wir Wissenswertes über Maorikultur und Natur. Nachdem mein Sohnemann begeistert durch das nachgebildete originalgroße Herz eines Wales gekrabbelt ist, machen wir uns auf den Weg über die Waterfront zum kleinen *Frank Kitts Park*. Der Sprössling vergnügt sich auf dem Spielplatz, während ich bei herrlich winterlichen 13 Grad im Sonnenschein von meiner Bank aus die Promenade beobachte – erfreut darüber, nicht in Deutschland bei 40 Grad schmelzen zu müssen.

Ich genieße den Blick auf die blaue Bucht, die – umrundet von bebauten Landzungen – keine Sicht auf die Cookstraße zwischen der tasmanischen See und dem Südpazifik zulässt. Jedoch ahne ich das nahe offene Meer, ich rieche, höre, spüre es: Die Brandung der salzduft-verbreitenden Wellen, der typische Wasserklang, Energie versprühend und Erholung stiftend. Auf mich wirkt die Betrachtung der Menschen beruhigend: Touristen aus aller Welt, die Selfies mit dem Mount Victoria im Hintergrund schießen; Businessmänner in Anzügen auf Elektrorollern; junge Männer auf kaltem Tauchgang nach Muscheln; Papas, die ihre Kleinkinder mit zur Arbeit nehmen; deutsche Auswanderer, in deren Stimme eine Mischung aus Stolz und Rechtfertigungsdrang mitschwingt; eine Horde Minirock-Mädels, die vermutlich am Hafenbecken die Jungs bei ihren Stunts von der Plattform anfeuern wollen.

Auf der niedrigen Spielplatzmauer sitzt ein junges Pärchen: Eine Maori mit gleichmäßig geschnittenem Gesicht und langen schwarzen Haaren, neben ihr ein Rotschopf mit Sommersprossen und schüchternem Lächeln. Händchen haltend und ernst redend. Ich stelle mir vor, dass sie planen, sich gegenseitig den Eltern vorzustellen. Vielleicht möchte seine Familie ihn nicht mit einem „Minderheitenmädchen" liiert wissen? Dass die Kinder in der Schule die Maorisprache lernen müssen, brächte sie beruflich nicht weiter, sagte mir mal eine Südländerin. Mag stimmen. Jedoch vernachlässigt sie die kulturelle Bedeutung. Schließlich haben wir Europäer die Ureinwohner mit unserer Lebensart überrollt, sinniere ich. Beim Vertrag von Waitangi zogen die maorischen Clanchefs den Kürzeren, weil sie ein anderes Verständnis von Landbesitz zugrundelegten: Wer Land findet und es braucht, dem gehört es. Zieht er weiter, so gibt er das Land wieder frei. Daher besitzen die Maori heute nur noch wenige Ländereien und Inseln. In meiner zugegeben stereotypen Fantasie brennen die Turteltäubchen Romeo und Maoria auf eine dieser Inseln durch, leben in einer Ranger-Hütte und retten Kiwis oder Kakapo-Papageien.

Melodische Klänge von der Kaimauer wecken meine Aufmerksamkeit. Ein älterer Herr mit struppigen Haaren und kurzen Hosen klimpert leise auf einer Gitarre und unterhält sich mit Passanten. Was beschäftigt die Menschen? Vereinbarkeit von Tourismus und Naturschutz, Umgang mit Klimakatastrophen wie Tsunamis, Maßnahmen zur Regulierung von Zuwanderern, der anhaltende Wiederaufbau Christchurchs nach dem Erdbeben im Februar 2011, ein tief sitzender Schock über das Attentat auf eine Moschee im März 2019.

„Mama, spiel mit mir Harry Potter. Ich bin Vertrauensschüler, du schleichst durch Hogwarts und ich muss dich erwischen."

Ich, die Zauberschülerin, fühle mich wirklich wie verhext durch mein Umfeld. Über mir, ich verstecke mich unter einer Rutsche, spielen zwei asiatische Jungen. Sie erinnern mich an unseren gestrigen Besuch im internationalen Foodcourt: Viele Zuwanderer betreiben dort einen Stand mit ihren lokalen Spezialitäten. Oft frage ich mich, ob ich hierher auswandern wollen würde. Laut aktuellen gesetzlichen Vorgaben müsste ich über eine hohe berufliche Qualifikation verfügen (OK), unter 45 Jahre alt sein (wird schon knapp) und Vermögen mitbringen (Äh? Nee.).

Eine pinkfarbene Flagge weht in mein Blickfeld und ich verlasse meine Tarnung hinter einem Spielgerüst, um den Aufdruck zu lesen: Eat, drink and be welly. Welly, so fühle ich mich. Das ist einfach, als Touristin ohne Alltagstrott. Diese Hauptstädter folgen ihrem geregelten Tagesablauf mit welt-typischen Problemen. Neidvoll stelle ich fest, dass sie viel weniger gestresst wirken als wir zu Hause, sich gegenseitig freundlicher grüßen, sich in die Augen schauen, die englische Höflichkeit „How are you?" und „Enjoy your day" pflegen. Harmonischer und offener. Sogar die Obdachlosen auf den Decken, zu denen sich einige Passanten setzen, um mit ihnen gemeinsam ein Sandwich zu essen, scheinen von dieser Lebensweise ein Mini-Scheibchen abzubekommen.

„Du hast verloren!" Mein Sohn verlagert derweil sein Spiel auf den Rutschturm.

Ich nutze die Zeit, um im Internet nach „Eat, drink and be welly" zu recherchieren. Ah, ein gastronomisches Festival, auf dem besten Weg zu internationalem Ruhm.

Ob etwas für meinen kleinen Vegetarier dabei ist? Rinderburger – mittlerweile gibt es hier fast mehr Rinder als Schafe – und Erdnussbuttercocktails? Eher nicht. In Pinienrauch gebackener Birnen-Käsekuchen. Schon besser. Erfindungsreich und humorvoll gestaltet sich das gut zwei Wochen andauernde Fest: Die Kneipe *The Third Eye* mit integrierter Brauereianlage im Schankraum bietet Tastings an: Käse für meinen Mann, Schokolade für meinen Sohn und Bier für mich. Eine gute Idee für später.

Ich stelle fest, dass wir nicht genügend Zeit haben, all diese Festival-Aktivitäten – Radtouren, Symposia, Kiwi-Bankette, Kochkurse – und Köstlichkeiten auszuprobieren. Für eines werden wir uns nun entscheiden, denn der angenehme Wind hat wie erwartet wieder Regenwolken herangeweht. Auf unserem Weg zur Cubastreet lässt sich mein Sohn von der Wasserfontäne eines Brunnens nass spritzen; früher ein Baufehler, nun eine Touristenattraktion.

Derweil lasse ich meiner Fantasie wieder freien Lauf: Die Einheimischen, die für viele Dinge englische und Maori-Namen haben, sprechen von *whānau*, was soviel bedeutet wie *Familie*. Das Festival bringt Menschen wie bei einem Familienfest zusammen. Zahlende Gäste, stelle ich fest. Nehme ich eine kritische Perspektive ein, muss ich mir eingestehen, dass dieses Konzept Probleme des kulturellen Lebens, wie z.B. die Armut vieler Maori, verdeckt. So sehe ich in meinem touristisch-harmoniebedürftigen Geiste das junge Liebespaar vor einem Foodtruck stehen, davor den Geschäftsmann mit seinem E-Roller, dahinter die asiatische Familie. Dem jüngeren Kind fällt eine Dollarmünze herunter, das Maorimädchen hebt sie lächelnd auf und gibt sie ihm zurück, stößt dabei den Anzugträger, der gerade seinen Burger entgegen nimmt, an. Dieser dreht sich um, zwinkert ihnen zu und verschwindet mit einem „Enjoy" in der Menschenmenge.

Mein Herz zieht sich zusammen, wenn ich nachrechne, wie wenig Zeit uns bleibt, um alle fantastische Ecken dieses Zwei-Insel-Staates zu entdecken, diese faszinierende Stadt mit gerade einmal 200.000 Einwohnern zu erkunden; sichtbar und spürbar ein Gegenpol zu den hektischen Großstädten Europas. Ich nehme mir vor: Wenn ich zu Hause in meinem Stress zu versinken drohe, werde ich meine Erinnerung an Windy Wellington wachrufen. So ist man also welly, denke ich, und beiße genüsslich in meinen veganen Hangi-Burger.

Helmut Tews

Aus meinem Tagebuch: 10. Muharram 1351

Vor drei Jahren zog ich mit der Familie nach Pakistan, um an der Deutschen Schule in Karatschi zu unterrichten. Wir haben uns eingelebt, haben Freunde gewonnen, einheimische und Ausländer, einflußreiche und arme. Wir fühlen uns, nach Überwindung der unvermeidlichen Anfangsschwierigkeiten, wohl und sicher in diesem Land.

Heute kam diese Gewißheit zwar nicht zum Einsturz, aber ins Wanken. Pakistanische Freunde haben meine Frau und mich eingeladen, am zehnten Tag des Monats Muharram von ihrem Balkon im dritten Stock über der Bunder Road den Prozessionszug der Schiiten zu verfolgen. Solche Balkonplätze sind rar und begehrt. Hoch über der brodelnden Menschenmasse kann man ein religiöses Schauspiel erleben, das jährlich die Gemüter der islamischen Welt, der sunnitischen Mehrheit wie der schiitischen Minderheit, bewegt.

Gedacht wird der Schlacht von Kerbela (im heutigen Irak), in der 680 der dritte schiitische Imam Hussein ibn Ali, Enkel des Propheten, und fast alle männlichen Nachkommen den Märtyrertod starben, getötet von den hundertfach überlegenen Truppen des sunnitischen Kalifen Yazid I. Die Aufspaltung des Islam in Schiiten und Sunniten war besiegelt. Sie hält bis heute die islamische Welt in Atem.

Wir sitzen dicht gedrängt, von den Gastgebern mit Süßigkeiten und Tee verwöhnt, die Kameras einsatzbereit auf den Knien.

Gegen Mittag wird die Hitze schier unerträglich. Der Prozessionszug ist schon seit den Morgenstunden unterwegs. Die Zuschauermenge unten am Straßenrand, darunter auch Sunniten, wird dichter. Pistazien-, Obst- und Limonadenverkäufer bieten ihre Waren an, Wasser wird kostenlos von Lastwagen herunter gereicht. Eine Erinnerung daran, dass dem heute betrauerten Imam der erfrischende Trunk von seinen Mördern verweigert wurde.

Der Zug naht. Eine Kette von Pfadfindern macht den Weg frei für eine endlos scheinende Menschenschlange. Grüne, schwarze, weiß-rote Fahnen wehen. Tücherumwundene Gestelle, Nachbildungen der Grabmoscheen der Märtyrer, schaukeln herbei. Blumengeschmückte Pferde werden geführt, Erinnerung an das treue Tier Husseins.

Der Zug ist unter unserem Balkon angekommen und verhält. Eine Gruppe von etwa 20 Männern mit nackten Oberkörpern und weißen Pluderhosen nimmt Aufstellung. In den Händen halten die Männer peitschenartige Geißeln, gebündelte Ketten mit Messerklingen an den Enden.

Aus heiseren Kehlen klingen die Klagerufe um Hussein herauf, die Männer knicken in den Hüften rhythmisch nach vorn ein, die Geißeln klatschen auf den blanken Rücken, ritzen die Haut, Blut tritt aus, vermischt sich mit Schweiß und rinnt hinab in die weißen Hosen. Nicht alle schlagen so erbarmungslos zu, aber einige taumeln schon, geschwächt vom Blutverlust und ermattet von der feuchtwarmen Luft. Krankenwagen sind ständig im Einsatz. Die Angehörigen der oft ohnmächtigen Geißler sind nicht in Sorge, sichert doch das für Hussein vergossene Blut den Einzug ins Paradies.

Der Zug wälzt sich weiter, die Bunder Road entlang Richtung Hafen. Neue Gruppen von Geißlern tauchen auf. Einige klatschen nur zu den rhythmischen Klagerufen in die Hände, andere schlagen mit der flachen Hand die entblößte Brust, so wie die feindlichen Rosse Husseins Brust zerstampften. Auch hierbei fließt Blut.

Und jetzt kommt, ohne vorhersehbare Ankündigung, ein Ausbruch blinden Hasses. In die Gruppe der Geißler drängt ein schwarzgekleideter Mann, in der Rechten ein gut zwanzig Zentimeter langes Messer. Er rennt schreiend auf den Nächststehenden los. Der weicht aus, die übrigen kommen ihm zu Hilfe, ein Schwall von Schlägen fährt auf den Schwarzgekleideten nieder. Auch ihm kommen Freunde zu Hilfe. Sekundenschnell verwandelt sich die Straße unter uns in einen quirlenden Kampfplatz. Haßvolles Geschrei, der Obstkarren des Straßenhändlers wird umgeworfen, Steine fliegen, die Rolläden der Geschäfte am Straßenrand fahren ratternd herunter, Fenster klirren, die Frontscheibe eines parkenden Autos zerbröselt.

Ich versuche, zu fotografieren, fühle aber schon den Griff unseres Gastgebers im Nacken und höre seine fast flehende Aufforderung, vom Balkon zu verschwinden. Wir werden hineingezogen in das Wohnzimmer, die Jalousinen gleiten hinab, die Wohnungstür wird verriegelt.

Entsetzt schauen wir uns an. Von der Straße klingt weiter das fanatische Schreien der Massen herauf. Die Sorge unserer Gastgeber, dass der Haßausbruch zwischen den islamischen Brüdern angesichts fotografierender ungläubiger Ausländer eine neue Stoßrichtung bekommt, ist sicher nicht unbegründet. Freunde, die am gleichen Tag mit dem Auto zwischen Prozessionsteilnehmer gerieten, berichten am Abend von johlenden Jugendlichen, die auf Kühlerhaube und Dach des Wagens herumsprangen und die Insassen massiv bedrohten.

Wir jedoch wurden offensichtlich nicht bemerkt. Nach knapp zehn Minuten verebbt das Geschrei auf der Straße. Unsere Gastgeber wagen sich vorsichtig auf den Balkon und geben Entwarnung. Ordner und Polizisten haben die Menge mit langen Bambusstangen zurück auf die Mitte der Bunder Road gedrängt. Der Zug setzt sich wieder in Bewegung, die Räder des umgestürzten Obstwagens rollen aus, nicht ganz uneigennützige Helfer suchen die Orangen und Bananen zusammen.

Wir atmen auf.

1972

Helmut Tews

Das war Irland – das ist Irland

In meinem Tagebuch ist Irland seit fast 60 Jahren präsent. Ich bin mit ihm durch gute und schlechte Zeiten gegangen, habe die anfängliche Armut gesehen, die euphorischen Sprünge des „keltischen Tigers", die Hoffnung auf dauerhaften Frieden nach dem „Freitagsabkommen", den Absturz in der Finanzkrise, die mit einer erneuten Auswanderungswelle erkaufte Erholung davon, und aktuell die Sorgen um die Folgen des Brexit. Doch was auch immer geschah, die Iren blieben sich selbst treu, ein melancholisches, humorvolles, optimistisches Volk, das einem ans Herz wachsen muß.

Meine erste Begegnung mit dem Land und seinen Menschen habe ich 1960. Als Schüler, ein Jahr vor dem Abitur, ein abenteuerlustiger, aber mittelloser Tramp. Auf dem Rucksack das kleine Einmannzelt, in der Seitentasche des Parkas Bölls Irisches Tagebuch.

Zur Begrüßung schallen mir in Dublin die befremdlichen Worte „Hitler was your best man" entgegen, offen über die Straße gerufen. Ein erster Hinweis auf das gespannte Verhältnis zwischen Engländern und Iren. Obwohl ich mich nicht in die politischen Befindlichkeiten vor Ort einmischen will, bleibt mir nichts übrig, als mich deutlich zu distanzieren.

Aber natürlich werde ich nicht nur wegen der Rolle Deutschlands im Zweiten Weltkrieg nett aufgenommen. Arme Menschen – und die Iren sind damals arm – verhalten sich in der Regel hilfsbereiter als reiche. Wie oft stehe ich bei strömendem Regen an der Straße, die Nacht bricht herein, kein Auto in Sicht, und die nächste Jugendherberge weit entfernt. Die Wiese um mich herum ist zu naß zum Zelten. Da öffnet sich die Tür eines einfachen Cottages, und man bietet mir einen Platz für meine Luftmatratze an.

Während ich abends in einem kleinen Restaurant am Liffey Fish and Chips zu mir nehme, setzt sich ein anderer Gast an meinen Tisch. Er heißt James O´Donnell, sieht aus wie ein Sechziger, ist aber gerade erst fünfzig geworden. Vielleicht hält man ihn für älter, weil er keine Zähne mehr hat und kein Geld für ein Gebiß.

Er ist ärmlich angezogen, aber die Sachen sind sauber und die Krawatte ist ordentlich gebunden. Ein wenig schmatzend ißt er seine Chips und schlürft in kleinen Schlucken den heißen Tee dazu. Wenn er die Tasse anhebt, zittert seine Hand und der Tee schwappt über.

„Die Chips sind das einzige, was ich heute esse", erzählt er weiter, „mehr kann ich mir nicht leisten. Wenn meine Kinder mich so sehen würden, nein, ich möchte ihnen so nicht unter die Augen treten, so nicht, sie sollen nicht schlecht über mich denken."

Fahrig rückt er den Binder zurecht, verstohlen wischt er die Augen. Wer weiß, wo in der Welt seine Kinder leben, ob in Amerika, in England oder Australien? Und wer weiß, ob ihnen das Los der Iren, die Auswanderung, Glück oder Unglück gebracht hat?

Ich komme am Arbeitsamt vorbei. Auf den Treppenstufen am Eingang vertreiben sich Hafenarbeiter, auf eine alte Jacke gehockt, die Zeit mit einem Kartenspiel. Kleine Kinder, viele von ihnen in zu großen Jacken und Hosen, laufen zwischen den Männern herum oder stehen in kleinen Gruppen beisammen und rufen Abzählreime. Sobald sie Fremde bemerken, unterbrechen sie ihr Spiel, drängen sich heran und murmeln „give a penny" oder „take a photo", und dann strecken sie die Hände aus.

Da unterbrechen die Männer ihr Kartenspiel und schreien die Kinder an: „Weg mit euch, was fällt euch ein, weg, haut ab, laßt das."

Die Kinder treten unruhig von einem Fuß auf den anderen, wissen nicht, ob sie davonlaufen oder trotz der drohenden Fäuste weiter ihr Glück versuchen sollen.

Iren sind stolz, auch in der Armut, sie glauben an die Zukunft ihres Landes, glauben daran, dass ihre Kinder eines Tages besser leben werden als sie. In zehn Jahren wird alles anders aussehen: „Kommen Sie in zehn Jahren wieder".

Und ich komme wieder. Nicht allein und mehr als zwanzig Jahre später, auch nicht per Anhalter, sondern beruflich etabliert, verheiratet mit Ingrid und Vater zweier Teenager mit den in Irland prominenten Vornamen Eileen (Mitte des vergangenen Jahrhunderts einer der meist gehörten irischen Mädchennamen) und Vanessa (damals vor allem den Literaturkundigen als Jonathan Swifts Tarnname für seine heimliche Geliebte Esther Vanhomrigh bekannt, heute europaweit beliebt).

Irland hat sich verändert. Seit dem EU-Beitritt 1973 wächst die Wirtschaft, entwickelt sich die Infrastruktur, sinkt die Arbeitslosigkeit, verebbt die Auswanderungswelle. Die Menschen ziehen in die Stadt oder bauen auf dem Land komfortable Eigenheime. Die traditionellen Cottages mit den fehlenden Sanitäreinrichtungen und den qualmenden torfgefütterten Kaminen werden verlassen und beginnen zu verfallen, wenn, ja wenn sie nicht von Ausländern, allen voran Deutschen, aufgekauft und renoviert werden.

Und das sind die Motive der Käufer: Einmal die weiterhin bestehende, von Böll angeheizte romantische Liebe für dieses Land, jetzt mit einem gewissen Öko-Touch versehen. Zweitens die niedrigen Grundstücks- und Hauspreise, mit denen Kleinanzeigen auf den Immobilienseiten der Zeitungen locken, und drittens die damals nicht unbegründete Angst vor einem neuen Weltkrieg. Irland bietet sich als der sichere Hafen am westlichen Rande Europas an, fernab vom möglichen Schlachtfeld Mitteleuropa, wirtschaftlich angebunden, aber militärisch, da kein NATO-Mitglied, nicht in der Pflicht.

Diesen Argumenten können auch wir uns nicht entziehen. Und schon auf unserer ersten gemeinsamen Reise rund um die Insel finden wir unser Traumgrundstück. Es liegt im rauen Nordwesten Irlands im County Sligo, ist rund 50 000 m² groß, etwa die Hälfte davon ist Sumpfland und ragt in den Bunduff-See hinein. Die andere Hälfte ist von Steinwällen unterteiltes Weideland, das zu einem Plateau mit der Ruine eines Cottages aufsteigt. Von hier oben hat man einen atemberaubenden Blick über den See mit seinen wilden Schwänen, zu den Dünen, die dem Atlantik vorgelagert sind, zur Halbinsel mit den Häusern von Mullaghmore und der Silhouette des Märchenschlosses Classiebawn, am Horizont die Küste Donegals mit ihren Bergen und den hohen Klippen.

Da sich Verwandte an der Finanzierung des Grundstücks beteiligen, sind wir von nun an sechs Personen, die im Sommer hier ihre Ferien verbringen. Im ersten Jahr im Zelt, im zweiten schon im Wohnwagen, allerdings immer noch ohne elektrischen Strom und ohne den hygienischen Mindeststandard. Eine kleine Kalkgrube ersetzt die Toilette, ein in den Baum gehängter schwarzer Plastiksack die Dusche, Wasser gibt es von der Quelle, wo auch die Zahnbürsten im Moos stecken. Um den Wohnwagen herum weiden die Kühe von James, dem direkten Nachbarn. Am Abhang grasen die Pferde von Michael, der unweit von uns eine Reiterpension betreibt. So wird das Gras niedrig gehalten und das Land gedüngt.

Im unteren Teil des Grundstücks gibt es eine Ecke, die von Dornengebüsch und Schlehensträuchern überwuchert und praktisch unzugänglich ist. Mitten drin ein steinzeitliches Grab, versichert uns James. Das ist nicht einmal unwahrscheinlich, denn davon gibt es mehrere in der Umgebung. Auch Michael weiß von unserem Grab und versucht sein Bestes, uns davon zu überzeugen, dass unter den Schlehen mit ziemlicher Sicherheit Wesen aus der Anderswelt wohnen.

Womit wir bei einem Lieblingsthema der älteren Iren sind, die sich noch nicht ganz von der Natur und ihren Erscheinungen abgenabelt haben. Wenn wir das Gespräch auf dieses Thema bringen, wird meist erst einmal verlegen gelacht und abgewiegelt. Sobald aber Ingrid sagt, dass sie durchaus an die Existenz der „fairies" glauben kann, dann verschwindet die Scheu und die Geschichten sprudeln nur so.

Erstaunlich, wie viele unterschiedliche Feenwesen es gibt. Etliche leben in regelrechten Staatsgebilden in der Anderswelt, andere an bestimmten Orten, zum Beispiel unter Schlehenbüschen, was ihre Anwesenheit auf unserem Grundstück sehr wahrscheinlich macht. Oft wohnen sie bei den Menschen im Haus. Sie haben auch Berufe, wie etwa die oft erwähnten Lepreachauns, die Schuhmacher sind. Leider sind nicht alle so putzig und lieb, wie wir sie uns gern vorstellen. Wenn man sie ärgert, können sie ganz schön fies werden. Michael weiß, wie man Konfrontationen vermeidet. Wenn man zum Beispiel einen Eimer mit Schmutzwasser, schlimmer noch den Nachttopf, mit Schwung hinter dem Haus entleert, dann gehört es sich, die Feen mit einem Spruch vorzuwarnen. Michael sagt uns den Spruch auf Gälisch, was uns nicht weiter hilft. Ganz wichtig ist es, den Hausgeist beim Whiskeytrinken mit ein paar Tropfen partizipieren zu lassen. Die Tropfen werden neben dem Kamin geopfert.

Und dann kommt Michael wieder auf unser Steinzeitgrab zurück. Mit bemüht ernster Miene schlägt er vor, eine Flasche Whiskey (das ist die korrekte Schreibweise für die irische Version des Getränks) unter die Schlehen zu stellen. Sollte die Flasche in den nächsten Tagen verschwinden, hätten wir den Beweis, dass die Feen uns als die neuen Besitzer akzeptiert haben. Aha.

Soweit folgen wir ihm nicht, aber um kein Risiko einzugehen, lassen wir die Dornen- und Schlehenbüsche mit dem darunter versteckten Grab in Frieden. Den Whiskey trinken wir selber. Ein paar Tropfen davon sprenkeln wir, mangels Kamin, in das Gras vor dem Zelt. Man kann ja nie wissen.

Wer nach Irland fährt, hat eine Angel im Gepäck. Wir auch, obwohl wir keinerlei Erfahrung mit diesem Sport haben. Auf der Mole im Hafen von Mullaghmore setzen wir uns zu den anderen Anglern, beobachten aus den Augenwinkeln ihr Tun und legen los. Der Köder fliegt ins Wasser, wird eingezogen, erneut ausgeworfen, und so fort, über Stunden hin – ohne Erfolg. Beruhigend nur, dass es den anderen Anglern auch nicht besser geht. Auf meine Frage, wieso sie dieser offensichtlich ebenso nutzlosen wie frustrierenden Beschäftigung nachgehen, gibt es die Antwort: „Nur ruhig Blut, ein paar Mal im Jahr kommen ganze Schwärme von Makrelen in die Bucht, dann ziehst du einen Fisch nach dem anderen aus dem Wasser. Gib bloß nicht auf!"

Doch genau das tue ich. Zwar noch nicht gleich am nächsten, aber am übernächsten Tag. Ingrid und die Kinder sind ausdauernder, sie wollen weiter machen. Ich fahre sie zur Mole, wünsche viel Erfolg und fahre zurück zum Grundstück, dort warten erfolgversprechendere Tätigkeiten. Abends hole ich die Familie wieder ab. Sie warten bereits auf mich, platzen förmlich vor Stolz und zeigen auf die Sammlung frischer Fische, die neben ihnen auf den Steinen liegen. Ich beglückwünsche sie kleinlaut. Da kann Ingrid nicht mehr an sich halten und erzählt, wie sie zu ihrem Fischsegen gekommen sind: „Natürlich haben wir den ganzen Tag über nichts gefangen. Als dann am Abend ein Fischerboot anlegte, habe ich gefragt, ob ich Fische kaufen könnte. Der Fischer wackelte mit dem Kopf und verneinte, grinste dann und sagte, aber schenken kann ich dir ein paar."

Also Idylle pur? Leider nein. Ausgerechnet hier im Hafen von Mullaghmore hat sich eine der blutigen Tragödien des Konfliktes zwischen der Irischen Republik und dem britischen Nord-Irland zugetragen. Am 27. August 1979, einem außergewöhnlich sonnigen und klaren Tag, explodiert kurz nach der Ausfahrt aus dem Hafen an Bord des Fischerbootes „Shadow V" eine von zwei Mitgliedern der IRA ferngezündete Bombe. Vier Menschen verlieren bei dem Anschlag ihr Leben. Prominentestes Opfer ist Lord Louis Mountbatten, Enkel von Königin Victoria, Onkel von Prinz Philipp, letzter britischer Vizekönig Indiens. Mit ihm sterben sein Enkel Nicholas, Lady Brabourne und Paul Maxwell, der irische Schiffsjunge. Drei Familienmitglieder überleben schwer verletzt. Ohne die beherzte Hilfe mehrerer Einwohner von Mullaghmore hätten auch sie nicht überlebt.

Mountbatten war durch die Heirat mit Edwina Ashley in den Besitz von Classiebawn gelangt und verbrachte hier regelmäßig seinen Sommerurlaub mit der Familie. Als prominentes Mitglied der englischen Königsfamilie stand er in Irland unter besonderem Polizeischutz, der aber offensichtlich sein im Hafen liegendes Boot nicht umfaßte.

Jahrzehntelang lag die Erinnerung an das mörderische Attentat wie ein Schatten über dem friedlichen Ferienort Mullaghmore. Erst als im Mai 2015, im Nachklang zum versöhnenden Irlandbesuch der Queen von 2011, Prinz Charles und Camilla das Schloß, den Hafen und den zur Erinnerung und Mahnung angelegten Friedensgarten besuchen, löst sich das Trauma.

Nach dem Attentat verkauft die Familie Classiebawn Castle an den irischen Geschäftsmann Hugh Tunney, der seine Millionen im Viehhandel und Schlachtgeschäft verdient hat. Die bei einigen aufkommende

Freude darüber, dass Classiebawn aus englischem Besitz in irische Hände überwechselte, legt sich bald wieder. Der knallharte Geschäftsmann Tunney studiert die Grenzen seines umfangreichen Besitzes und die damit verbundenen Rechte und legt sich umgehend mit seinen Nachbarn und der Gemeinde an. Jahrelang wird vor Gericht um alte Wegerechte und das Nutzungsrecht für abgelegene Grundstücksteile gestritten. Mountbatten sah das wesentlich gelassener.

Bei uns setzt sich langsam die Erkenntnis durch, dass wir den anfänglichen Plan, nach und nach die Ruine auf dem Grundstück wieder instand zu setzen, nicht werden realisieren können. Zu aufwändig, zu langwierig und unseren Bedürfnissen nicht angepaßt. 500 Meter von unserer Wiese entfernt wird günstig ein bis vor kurzem bewohntes traditionelles Cottage (zwei Schlafzimmer, in der Mitte die Wohnküche) zum Verkauf angeboten. Das Dach ist solide mit Schieferplatten belegt, Strom ist vorhanden. Innen sieht es weniger gut aus. Der vor kurzem verstorbene Besitzer hat zwanzig Jahre allein gelebt, und nur das Wohnzimmer und ein Schlafzimmer benutzt. Im zweiten Schlafzimmer sind die auf den Erdboden aufgelegten Holzbohlen total verrottet, der Raum ist feucht, die Holzdecke schwarz vom Kaminfeuer, die Farbe blättert von den Wänden. Auch das Wohnzimmer braucht einen neuen Fußboden und eine neue Decke. Der große offene Kamin macht einem Räucherofen alle Ehre. Der Hof hinter dem Cottage ist mit Unkraut und Gras bewachsen, überall liegen geleerte Whiskey- und Medizinflaschen herum. Ein größerer und zwei kleinere ehemalige Viehställe umranden den Hof, alle drei ohne Dach. Im Gemüsegarten hinter dem Haus wurde länger nicht gearbeitet. Eine Toilette fehlt, die Bewohner haben den Garten ohne Umwege gedüngt. Für die Nacht gab es in den Häusern Toilettenstühle.

Als wir in den Kauf einschlagen, wissen wir, dass wir noch Jahre auf der Wiese campen werden.

Dass die Inneneinrichtung eine Ansammlung von Gerümpel ist, ist nicht weiter tragisch. Wir werden damit einen großen Scheiterhaufen auf dem Hof errichten. Der wird aber gar nicht so groß. Unser Nachbar Dan von der anderen Seeseite kommt vorbei, sieht die Schätze auf dem Hof, ist begeistert und holt ein Stück nach dem anderen ab. Dan ist etwa in unserem Alter und ein seltsamer Kauz. Er lebt als Junggeselle in einem Wohnwagen und geht keiner geregelten Arbeit nach. Jeden zweiten Tag radelt er am Cottage vorbei, hat einen Wasserkanister dabei und holt sich aus einer Quelle am Wegesrand sein Teewasser. Er schwört darauf.

Wenn er uns sieht, hält er an und erzählt ständig dieselben Geschichten. Sein absolutes Idol ist John Wayne, er kennt alle Passagen aus seinen Filmen, von denen einer, „The Quiet Man", sogar in Irland gedreht wurde. Darüber hinaus macht er sich Gedanken über die mächtigen Autos auf den amerikanischen Straßen, die man so im Fernsehen sieht.

Sein Bruder James (Traktor-James, zur Unterscheidung von unserem direkten Nachbarn) ist weniger gesprächig. Er ist ebenfalls alter Junggeselle und wohnt, da er mit Dan zerstritten ist, mit seinen zehn Katzen nicht weit weg in einem versteckten Cottage. Jeden Tag, pünktlich um 18 Uhr, fährt er mit seinem uralten Trecker bei uns vorbei zum Pub, winkt und strahlt sein – wie Ingrid findet – einmalig charmantes Lächeln. Gegen 21 Uhr kommt er zurück, hält den Trecker mühselig auf Kurs und prostet uns verschwommen lächelnd zu.

Im letzten Jahr habe ich ihn beim Vorbeifahren fotografiert, nüchtern auf dem Weg zum Pub. In diesem Jahr bekommt er das Bild, mag es sehr und bedankt sich überschwänglich.

Eine Woche später, es ist kurz vor Mitternacht, hält er vor dem Cottage und überreicht Ingrid mit großer Geste eine Plastiktüte. Dann fährt er in der Dunkelheit davon. In der Plastiktüte ist ein Dutzend frisch gefangener Makrelen. Dankbar sind wir schon für die unerwartete Gabe, weniger erfreut aber darüber, dass wir, statt ins Bett zu gehen, jetzt im Schein der Hofbeleuchtung die Fische ausnehmen und säubern dürfen. Was für Fischer eine schnell erledigte Routine ist, wächst sich unter unseren ungeübten Händen zu einer langwierigen und glitschigen Angelegenheit aus. Aber nett war das schon von Traktor-James, und morgen werden wir beim Mittagessen auf sein Wohl anstoßen.

Am Cottage gibt es weder eine Wasserleitung noch einen Brunnen. Die Vorbesitzer haben ihr Wasser wie Dan in Kanistern von der Quelle am Wegesrand geholt. Wir beschließen, einen eigenen Brunnen bohren zu lassen.

Im SLIGO CHAMPION forsche ich nach Anzeigen von Brunnenbauern und werde rasch fündig. Zwei rufe ich an und bitte um Kostenvoranschläge.

Der erste, Mitte Fünfzig, überrascht durch sein Aussehen: schwarzer Anzug, schwarze Krawatte. So habe ich mir einen Brunnenbauer nicht vorgestellt. Seine Reaktion: „Ich komme gerade von einer Beerdigung."

Wir zeigen ihm den Bereich im Hof, wo wir gern den Brunnen hätten. Er geht zum Auto und kommt mit einer Wünschelrute zurück. Eine dünne Astgabel, wie eine Zwille, doch die Schenkel etwas länger. Er faßt die beiden Schenkel, die Handrücken nach unten, presst die Rute vor den Bauch und geht über den Hof. Die Wünschelrute biegt sich deutlich nach oben, sobald er eine gewisse Linie überschreitet. Er ändert die

Richtung, geht jetzt quer zur ersten Linie, die Wünschelrute biegt sich wieder nach oben, steht fast senkrecht.

„Hier kommen zwei Wasseradern zusammen. Wenn Ihr hier bohrt, habt Ihr in etwa vier Metern Tiefe Wasser. Leider ist mein Bohrgerät zu groß, ich komme damit nicht durch die enge Toreinfahrt. Nehmt einen Bauunternehmer, der einen Bagger hat, mit dem er tief genug hinunter kommt, lasst ihn das machen."

Er nimmt einen Stein und legt ihn ins Gras.

„Das hier ist die Stelle."

Nun warten wir auf den zweiten Brunnenbauer. Eine Stunde später kommt ein junger Mann, der schon eher wie ein Handwerker aussieht. Er durchschreitet den Hof, mißt mit den Augen die Toreinfahrt und macht gleich klar, dass der Brunnen unmöglich hinter dem Haus gebohrt werden kann, weil das Bohrgerät nicht durch die Toreinfahrt paßt. Der Vorgarten hingegen ist ein idealer Platz.

Ich frage ihn, wieso er denn weiß, dass er dort auf Wasser stoßen wird.

„Wir bohren tief genug und stoßen garantiert auf Wasser."

Als ich dann auch noch frage, was er vom Einsatz einer Wünschelrute hält, lacht er.

„Humbug der alten Leute, brauchen wir nicht, ich garantiere das Wasser auch so."

Wir folgen dem Rat des alten Brunnenbauers und beauftragen unseren lokalen Bauunternehmer Patsy mit dem Job, und zwar zu einem Bruchteil des von den Fachleuten veranschlagten Preises.

Patsy fängt an der bezeichneten Stelle an zu baggern, gut drei, vielleicht vier Meter tief. Dann bringt er drei Brunnenringe aus Beton – ein Meter im Durchmesser, ein Meter hoch und von beachtlichem Gewicht – schlingt ein Seil um den ersten Ring, nimmt ihn mit dem Bagger auf, schwenkt über das ausgehobene Loch und läßt langsam ab. Unten in der Grube steht sein Mitarbeiter und dirigiert Patsy per Zuruf. Das Seil ist zum Zerreißen gespannt, der Betonring pendelt über dem Mann – ich wende mich ab, sehe im Geiste das Seil reißen oder den Ring aus der Schlinge rutschen, bin sicher, dass wir nie aus diesem Brunnen trinken werden, dem Grab des wackeren Bauarbeiters.

Doch das Seil hält, der erste Brunnenring steht auf dem Grund. Die beiden anderen Ringe werden darauf gesetzt, Steine und Kies in den Brunnen geworfen, Erde außen angehäufelt. Der Brunnen füllt sich langsam mit Wasser.

County Sligo ist Yeats Country. Hier lebte und schrieb der Literaturpreisträger von 1923, hier wurde er zu Füßen des Tafelberges Benbulben begraben. Studentinnen und Studenten aus aller Welt kommen jeden Sommer zur Yeats Summer School nach Sligo, hören Vorträge und nehmen an den Workshops internationaler Fachleute teil. Für uns sind die öffentlich zugänglichen Dichterlesungen interessant.

Heute liest John McGahern, Jahrgang 1934, Grundschullehrer, aber wegen des Vorwurfs, Pornografie geschrieben zu haben, 1965 aus dem Schuldienst entlassen. Die Schulbehörde folgte dem Irish Censorship Board und der katholischen Kirche, die sein zweites Buch „The Dark" auf den Index setzten. Eine für die damalige Zeit keineswegs ungewöhnliche Aktion.

Wir sitzen in der ersten Reihe des Veranstaltungsraumes. Vor uns an zwei Tischen Mitglieder des Vorstandes der Yeats Society. McGahern steht bescheiden daneben und wartet darauf, vorgestellt zu werden. Zeit verrinnt. Schließlich rafft sich einer der Herren am Tisch auf, entschuldigt den Präsidenten, der offensichtlich aufgehalten wurde, und bittet McGahern, mit der Lesung zu beginnen.

Während er liest, kommen weitere Zuhörer in den Raum und füllen die hinteren Sitzreihen. McGahern liest unbeirrt weiter, auch als ein älterer Herr im abgetragenen Parka sich nicht mit einem der hinteren Plätze zufrieden gibt, sondern ungeniert nach vorne durchmarschiert und sich mit an den Vorstandstisch setzt.

Wir sind gespannt, wie man am Tisch reagieren wird. Eigentlich gar nicht. McGahern liest weiter. Der Mann fängt an, in den Taschen seines Parkas zu kramen, zieht einen Zettel nach dem anderen hervor, betrachtet ihn und legt ihn vor sich auf den Tisch. McGahern liest weiter. Der Mann öffnet seinen Parka. Es kommt ein Priesterkragen zum Vorschein. McGahern macht eine Pause, und der Sprecher von vorhin ergreift die Gelegenheit, den Mann im Parka als Präsidenten der Yeats Society zu begrüßen.

Dem Priester/Präsidenten zu unterstellen, dass er bewußt zu spät kam, um den Ex-Porno-Autor nicht willkommen heißen zu müssen, wäre sicher übertrieben. Immerhin sind seit damals mehr als dreißig Jahre vergangen, und die Zensurbehörde gibt sich – obwohl noch immer existent – inzwischen wesentlich toleranter.

Nach seinem Tod im Jahre 2006 werden die Literaturkritiker McGahern als einen der bedeutendsten irischen Autoren der Gegenwart würdigen.

Für die Überfahrt zur Mullaghmore vorgelagerten kleinen Insel Inishmurray ist gutes Wetter Voraussetzung. Heute haben wir es. Die Sonne scheint, die See ist ruhig. Wir sind acht Personen, die im Hafen von

Mullaghmore an Bord der „Excalibur" gehen. Skipper ist Joe McGowan, der uns in einer Stunde sicher in den Naturhafen Clashymore der Insel bringen wird.

Joe McGowan als Skipper zu haben ist ein Glücksfall. Er ist ein kompetenter Kenner der Insel. 1944 in einer Farmerfamilie in Mullaghmore geboren, wanderte er in den 60er Jahren in die USA aus, diente dort in der Armee, kehrte zurück nach Mullaghmore, arbeitete als Maurer und Fischer und begann gleichzeitig, sich intensiv mit der Geschichte seiner Heimat zu beschäftigen. An den langen Winterabenden hielt er mit dem Tonbandgerät seine Gespräche mit den Menschen in und um Mullaghmore fest und sammelte so einen Schatz von Erinnerungen und Beschreibungen der „guten alten Zeit", die er schließlich zu einem Buch verarbeitete, das 1993 unter dem Titel „In the Shadow of Benbulben: A Portrait of Our Storied Past" erschien.

Noch einen glücklichen Zufall gibt es auf dieser Fahrt. Mit an Bord ist Martin Donlon. Er wurde als letztes Baby vor der Evakuierung der Bewohner auf Inishmurray geboren. Martin möchte seiner frisch angetrauten zweiten Frau, die noch nie auf der Insel war, sein Elternhaus zeigen. Er ist gern bereit, Ingrid und mich auf seinem Rundgang mitzunehmen.

Als die „Excalibur" in Clashymore Harbour einläuft, verstehen wir sofort, warum man hier nur bei ruhiger See an Land gehen kann. Der Hafen ist nichts weiter als eine windgeschützte Bucht, mit einer seitlichen ebenen Felsplatte, auf die man vom Boot aus springt.

Martin führt uns zu den Ruinen des Dorfes. Ende des vorletzten Jahrhunderts lebten noch gut hundert Menschen auf der Insel. Sie ernährten sich vom Fischfang, hielten Schafe, sammelten Algen und destillierten verbotenerweise Poteen, den hochprozentigen Schnaps aus Gerste, Malz und Kartoffeln, der nach und nach zu ihrer wichtigsten Einnahmequelle wurde. Fünfzehn Häuser standen noch, als die letzten Bewohner am 12. November 1948 die Insel verließen und sich an der Küste gegenüber ansiedelten. Nur das ehemalige Schulhaus ist noch bewohnbar und dient als temporäre Unterkunft für einen Vogelwart.

Gründe für die Aufgabe der Insel werden einige genannt: Druck der Regierung, der die Versorgung der Inselbewohner mit der nötigen Infrastruktur zu teuer wurde. Dazu die wachsende Bereitschaft der Bewohner zur Umsiedlung, als der lukrative Poteen-Schmuggel immer effektiver unterbunden wurde. Eine Quelle behauptet, dass sich die Bewohner endgültig zur Auswanderung entschlossen, als gegen ihren entschiedenen Willen ein protestantischer Schulmeister auf die Insel versetzt werden sollte.

Martin und seine Frau posieren vor der Ruine seines Geburtshauses. Dann gehen wir zu den Resten des vom Heiligen Molaise im sechsten Jahrhundert gegründeten Klosters: drei Kirchen und eine steinerne Behausung, eine sogenannte „Bienenkorbhütte". Dazu die geheimnisvollen „cursing stones", mit deren Hilfe unliebsame Mitmenschen verflucht werden konnten. Allerdings, und das war tunlichst zu beachten, galt auch die Regel, dass ungerechtfertigte Flüche sich postwendend gegen den Aussprechenden wendeten. Gern erzählt man, dass gegen Ende des Zweiten Weltkrieges ein solcher Fluch gegen Adolf Hitler ausgesprochen wurde. Mit durchschlagendem Erfolg, wie wir alle wissen. Übrigens hat es keinen Zweck, für eventuelle private Hexereien einen der Steine mit nach Hause zu nehmen, vor Ort liegen nur Nachbildungen. Die Originale befinden sich im Nationalmuseum in Dublin.

Während die Insel über die Jahrhunderte besiedelt blieb und weiterhin als Wallfahrtsort diente, erlosch das Klosterleben 807 nach einem Überfall der Wikinger.

In Mullaghmore ist „All Ireland Donkey Race" auf dem „village green", dem weiten Rasen am Hafen. Im Beiprogramm gibt es Hüpfburgen und Kinderkarussels, die mit einer Handkurbel betrieben werden, und deren Sitze arg zerfleddert sind. Dazu Buden zum Dosenwerfen. Hauptgewinn: ein Goldfisch im Glas.

Die etwa tausend Besucher werden mit der Prämierung von besonders schönen und kräftigen Eseln auf die Rennen eingestimmt.

Die Rennen beginnen. Oberster Schiedsrichter ist ein feierlich gekleideter Herr mit Bowler-Hat. Es dauert lange, bis Helfer die Esel des jeweiligen Rennens in die Startboxen gedrängt haben. Die Reiter sind sehr jung, haben wohl gerade die Kommunion hinter sich. Viele kommen auch nicht weit. Bereits kurz nach dem Start fliegen einige von ihnen auf den zum Glück weichen Rasen. Fast alle reiterlosen Esel werden wieder eingefangen. Für die, die es ins Ziel schaffen, gibt es donnernden Applaus. In den Pausen zwischen den Rennen wird gewettet. Ein Wettschein kostet fünf Euro, die Gesamtsumme für ein Rennen ist auf 25 Euro begrenzt. Eine weise Regelung.

Letztes Rennen. Esel „Charly" verzögert den Start, weil er es immer wieder schafft, rückwärts in der Startbox zu stehen. Schließlich gelingt es mehreren Männern, ihn richtig herum hineinzuschubsen. Der Start gelingt, „Charly" kommt als erster weg und gewinnt das Rennen vor dem Vorjahressieger „Supermarket".

Irland und „Irish Folk" sind für uns eins. Gemütlich im Pub sitzen, den Schaum des Guinness auf der Oberlippe, im Gespräch mit dem Nachbarn, der gerade von der Arbeit kommt, oder später am Abend beim Tanz in der Lounge, wenn die lokale Band Fiddle, Akkordeon, Tin Whistle oder auch Dudelsack anwirft. Dazu spät in der Nacht die Auftritte der Profis in den Festzelten und Sälen der Hotels. Christy Moore, The Fureys, Big Tom, Clannad kennen wir, die Dubliners fehlen uns noch.

Der SLIGO CHAMPION kündigt sie an, nicht alle, aber immerhin einen von ihnen, Sean Cannon, den mit dem roten Bart. In den Tourpausen der Dubliners tritt er mit seinem Sohn James als „The Cannons" auf. Diesmal in Barry´s Public House & Music Venue in Grange.

Der Andrang zum Konzert wird groß sein. Deshalb treffen wir bereits eine Weile vor dem offiziellen Beginn um 21 Uhr ein. Bis auf einen jungen Mann, der vor der Tür steht und selbstgedrehte Zigaretten raucht, ist allerdings noch niemand zu sehen. Jetzt kommt ein zweiter junger Mann hinzu. Beide keine Zuschauer, sondern James Cannon und Tour-Organisator Martin. Wir kommen ins Gespräch und gehen zusammen an die Bar. Sean Cannon gesellt sich zu uns. Er trinkt einen Tee und gibt zu, dass sich das für einen irischen Musiker nicht gehört. Bei einem Auftritt der Dubliners in Deutschland hat er einen Herzinfarkt erlitten. Die Ärzte haben ihn davon überzeugt, dass es besser sei, in Zukunft auf Alkohol zu verzichten. Sohn James hat sich dem offensichtlich nicht angeschlossen.

Außer uns sitzt an der Bar noch ein älteres Ehepaar, das auch ins Konzert will. Es ist mittlerweile 21.30 Uhr, zwei junge Frauen kommen herein und entschließen sich zu bleiben. Um 22.00 Uhr geht das Ehepaar, sie müssen morgen früh raus.

Das Konzert beginnt um 22.30 Uhr mit neun zahlenden Zuhörern. Vater und Sohn Cannon legen sich trotzdem voll ins Zeug. Sie beginnen mit dem traditionellen Repertoire, dann wird es international. Ein spanisches Lied ist dabei, dann singt James „Ring of Fire". Gegen halb eins ist Schluß. Die Zuhörer sind begeistert und erklatschen sich vier Zugaben.

Wir treffen Sean, James und Martin an der Bar wieder. Sie versuchen, das erschreckend geringe Interesse an ihrem Auftritt abzuhaken. Morgen werden sie in Donegal auftreten, wahrscheinlich, hoffentlich vor mehr Zuhörern.

Folklore hat bei der jungen Generation nicht mehr den früheren Stellenwert, und die Alten gehen früh zu Bett. Zum Glück gibt es die ausgewanderten Iren in Amerika, und die weiterhin treuen Fans in den irischen Pubs in Deutschland.

Unser Gespräch mit Sean Cannon war 2005. 2012 feiern die Dubliners ihr 50jähriges Bühnenjubiläum und gehen in den Ruhestand. Sean Cannon macht 2013 mit den „Dublin Legends" weiter.

Die katholische Kirche weigerte sich, bis in die zweite Hälfte des 20. Jahrhunderts hinein, totgeborene oder vor dem Eintreffen des Priesters verstorbene ungetaufte Kinder auf dem Friedhof zu beerdigen. Ihre kleinen Körper wurden abseits in ungeweihter Erde, meist heimlich und in der Nacht, ohne kirchliches Ritual und ohne ein kennzeichnendes Kreuz begraben. Den Seelen, die nicht von der Erbsünde gereinigt waren, blieb somit der Zugang zum Paradies verwehrt. Neben den Kindern wurden auch Fremde, deren Religon man nicht kannte, Mörder und Selbstmörder im Bereich der „Cillini" begraben.

In Mullaghmore befindet sich diese Begräbnisstätte auf dem Gelände von Schloß Classiebawn. Da dessen Besitzer sich dem Wunsch einer örtlichen Initiative nach einem Denkmal an Ort und Stelle wegen der zu erwartenden Besucher widersetzte, steht es jetzt an der Straße nach Mullaghmore, in Sichtweite des Schlosses.

Joe McGowan weist in seiner Einweihungsrede auf den gälischen Text auf der Stele hin: „Beide Hände Gottes umfangen sie jetzt".

Auf deutsche Besucher wirkt das im Kopfteil des Kreuzes eingravierte Hakenkreuz befremdlich. Für den Reporter des SLIGO CHAMPION offensichtlich nicht.

Er schreibt: „Das Kreuz ist auch beschriftet mit einer Swastika, über drei konzentrischen Kreisen, die das Leben, die Sonne, die Kraft und das Glück darstellen. Das Wort Swastika stammt aus dem Sanskrit und heißt soviel wie *alles ist/sei gut.*"

Helmut Tews

Schule unter Besatzung

Als ich 1985 in Beit Jala, dem Nachbarort von Bethlehem, Direktor von „Talitha Kumi", der größten christlich-palästinensischen Oberschule im Westjordanland wurde, war mir nur in Ansätzen bewußt, welche Verantwortung ich übernahm und welchen Belastungen ich auch meine Familie aussetzte. Immerhin trug ich als Deutscher der Nachkriegsgeneration – ohne persönliche Schuld, aber belastet durch die Geschichte – die Verantwortung für gut achthundert palästinensische Schülerinnen und Schüler, die seit fast zwei Jahrzehnten unter israelischer Militärherrschaft lebten.

Zwei „Lehrjahre" blieben mir bis zum Ausbruch der ersten Intifada, des Aufstandes gegen die israelische Besatzung. Konnte man bis dahin auch nicht von „normalen" Zuständen sprechen, so verlief doch das schulische Leben verhältnismäßig ungestört. Wir erfüllten unseren Lehrplan, feierten die Feste des Jahres und verabschiedeten die Abiturienten.

Das änderte sich schlagartig im Dezember 1987. Dazu zwei Beispiele aus meinem Tagebuch. Zwei Beispiele von vielen. Und das Schlimmste ist, dass der mörderische Konflikt im Nahen Osten bis heute täglich neue Opfer fordert.

18.07.1988:

Am Abend erreicht uns aus unserem Nachbarort Beit Sahour eine Schreckensnachricht. Der 17-jährige Edmond wurde von einem Betonblock erschlagen, der von einem vierstöckigen Gebäude auf die Straße fiel, unabsichtlich, wie die auf dem Dach postierten Soldaten behaupten, mit Absicht und gezielt geworfen, wie die Nachbarn versichern. Wie in solchen Fällen üblich, hat der Militärgouverneur umgehend eine Ausgangssperre verhängt. Der Ort ist trotzdem in Aufruhr.

Die Nachricht von Edmonds Tod verbreitet sich am nächsten Morgen in Windeseile auf dem Schulhof. Statt nach der Morgenandacht in die Klassen zu gehen, bleiben die Schülerinnen und Schüler in Gruppen auf den Fluren stehen. Die Oberstufenschüler schicken eine Abordnung zu mir ins Büro. Sie sind entschlossen, gegen die Ermordung Edmonds zu protestieren und ihre Solidarität mit den Bewohnern von Beit Sahour zu zeigen, die weiterhin unter Hausarrest stehen.

Mir ist sofort klar, dass es ihnen ernst ist. Also müssen wir – Schulleitung und Schülervertretung gemeinsam – eine Form des friedlichen Protestes finden, der dem Militär keinen Anlaß zum Eingreifen und zum Schließen der Schule bietet.

Trotz der aufgeheizten Stimmung gelingt es uns, mit den Schülern rational zu diskutieren, was sicher nicht überall möglich ist und unsere Schüler auszeichnet. Wir kommen zu folgender Übereinkunft: Die Schülerinnen und Schüler der Mittel- und Oberstufe, die das freiwillig tun wollen, marschieren friedlich und geordnet nach Beit Jala, um dort in der griechisch-orthodoxen Kirche St. Nikolaus einen Gedenkgottesdienst für Edmond abzuhalten. Bis zur Klärung der Frage, ob der Priester bereit ist, die Kirche zu öffnen und den Trauergottesdienst zu leiten, gehen die Schüler in ihre Klassen.

Während dieser Zeit wird im Kollegium entschieden, welche Lehrkräfte die Schüler auf dem Marsch begleiten und wer die Zurückbleibenden beschäftigt. Dass wir unserer Aufsichtspflicht nachkommen und den Zug begleiten müssen, steht außer Frage.

Es dauert eine Weile, bis der Priester verständigt und sein Einverständnis eingeholt ist. In dieser Zeit versammeln sich etwa 80 Jungen und Mädchen abmarschbereit auf dem Schulhof.

Ein letzter Appell, unter allen Umständen friedlich zu bleiben, und ich setze mich an die Spitze des Zuges. Wir marschieren los, ganz so, als wären wir auf einem normalen Schulausflug. Als wir die ersten Häuser von Beit Jala erreichen, taucht ein Militärjeep auf. Die Soldaten beobachten uns, greifen aber nicht ein. Aus den Reihen der Schüler werden vereinzelte Parolen gerufen. Wir setzen den Marsch fort, werden nicht aufgehalten und erreichen die Kirche, deren Tor offen steht.

Der Vertrauenslehrer spricht mit dem Priester, die Schülerinnen und Schüler versammeln sich im Hauptschiff, ich begebe mich mit den Lehrern nach vorn zum Chorgestühl.

Der Priester erscheint in vollem Ornat und zelebriert den Trauergottesdienst, eine in diesen Tagen immer wiederkehrende traurige Pflicht für die Geistlichen aller Religionen und Konfessionen.

Nach etwa zwanzig Minuten tritt der junge Sportlehrer, den ich als Beobachtungsposten vor der Kirche gelassen habe, vorsichtig hinter mich und flüstert mir zu, dass Soldaten die Kirche einkreisen.

So unauffällig wie möglich verlasse ich die Kirche, um mir selbst ein Bild von der Lage zu machen. In den Seitenstraßen sind Mannschaftswagen aufgefahren. Die Soldaten steigen ab und rücken von allen Seiten mit schussbereiten Waffen auf die Kirche vor.

Ich mache den befehlenden Offizier aus, gehe auf ihn zu und stelle mich vor – zum Glück versteht er Englisch. Ich versichere ihm, dass wir in absolut friedlicher Absicht einen Gedenkgottesdienst feiern, und dass es absolut keinen Grund zum Eingreifen der Armee gibt.

Der Offizier, ein etwa vierzigjähriger Hauptmann, offenbar Reservist, da wenig durchtrainiert, ist zumindest bereit, meinen Vorschlag zur Vermeidung einer unnötigen Eskalation anzuhören. Das ist schon viel.

Ich beschwöre ihn, seine Soldaten so weit zurückzuziehen, dass es nicht mehr zu einer direkten Konfrontation kommen kann. Dann verspreche ich, nach dem Gottesdienst als erstes die Mädchen unter der Aufsicht einer Lehrerin zurück zur Schule zu schicken. Anschließend werde ich den schuleigenen Bus so vor der Kirche vorfahren lassen, dass die Jungen vom Kirchenportal aus direkt einsteigen können.

Mein Gegenüber denkt kurz nach, mustert mich kritisch, zieht wohl auch meinen Status als Ausländer in seine Überlegungen mit ein. Dann befiehlt er seinen Soldaten, in ausreichender Entfernung vom Kirchenportal Aufstellung zu nehmen.

Nun muß alles möglichst schnell gehen, bevor die Stimmung kippt. Der Priester darf den Gottesdienst nicht beenden, bevor der Bus vorgefahren ist. Dessen Fahrer aber muß erst verständigt werden, was telefonisch nicht geht, weil die Leitung tot ist. Ein vorbeikommender Autofahrer hilft uns, er rast zur Schule. Uns rennt die Zeit davon. Ich befürchte, dass militante Jugendliche die Situation ausnutzen, sich maskieren und die Soldaten mit Steinen angreifen. Dann ist das Chaos perfekt.

Endlich, der Bus kommt. Ich dirigiere ihn vor das Kirchenportal.

In der Kirche wurden mittlerweile die Schüler informiert. Erneut wurde ihnen das Versprechen abgenommen, sich verantwortlich zu benehmen. Daraufhin verlassen die Mädchen die Kirche und machen sich ruhig auf den Weg. Jetzt die Jungen. Einer nach dem anderen verläßt die Kirche und steigt in den Bus. Die Lehrer folgen.

Ich bedanke mich bei dem Hauptmann, steige ebenfalls ein und atme erst auf, als wir durch das große Eisentor auf das Schulgelände fahren.

05.11.1989:

Zusammen mit meiner Frau folge ich der Einladung zu einem Friedensgebet in der katholischen Kirche in Beit Sahour. Das Besondere an diesem Gottesdienst ist die angekündigte Teilnahme von Christen, Muslimen und Juden.

Die Soldaten am Ortseingang kontrollieren uns, lassen sich bestätigen, dass wir zum Gottesdienst wollen und hindern uns nicht an der Weiterfahrt. Da wissen wir noch nicht, dass die Posten Christen und Muslime in die Stadt lassen, Juden jedoch – die sonst immer und überall in der Westbank freie Fahrt haben – den Zutritt verweigern.

Die Kirche ist bereits gut gefüllt, doch ständig drängen weitere Besucher herein. Den Gottesdienst leiten gemeinsam der Stellvertreter des Lateinischen Patriarchen, das Oberhaupt der griechisch-katholischen Kirche und der Mufti von Jerusalem. Ein Abgesandter von Ex-Präsident Jimmy Carter spricht. Danach – sicherlich zum großen Ärger der Militärs – der israelische Friedensaktivist Hillel Bardin. Mit fünf Freunden ist er seit gestern in der Stadt, hat die Nacht bei einer palästinensischen Familie verbracht und damit die Abriegelung der Stadt für Juden umgangen.

Die Schlußphase des Gottesdienstes stören befremdliche Geräusche: Rufe, aufheulende Motoren, Lautsprecherdurchsagen. Trotzdem wird der Gottesdienst diszipliniert und ruhig beendet.

Draußen bewahrheiten sich unsere Befürchtungen. Die Kirche ist von Soldaten eingeschlossen. Die ins Freie strömenden Kirchenbesucher werden per Lautsprecher angewiesen, unverzüglich nach Hause zu gehen, bzw. als Ortsfremde die Stadt sofort zu verlassen: Ausgangssperre.

Kurz bevor wir unseren Wagen erreichen, stürzen zwei Schülerinnen auf uns zu und überbringen die schreckliche Nachricht, von der ich gehofft hatte, dass ich sie nie hören müßte: einer unserer Schüler, der fünfzehnjährige Nidal aus der 10. Klasse, wurde in Bethlehem angeschossen und schwer verwundet. Wahrscheinlich ist er inzwischen gestorben.

Wir hetzen zur Schule, telefonieren in alle Richtungen, erfahren schließlich, dass Nidal von der Armee in das renommierte Hadassa-Hospital in Jerusalem gebracht wurde, wo er zur Stunde operiert wird. Ausgang ungewiß. Aber immerhin, er lebt.

Gegenwärtig kann ich nichts für Nidal tun, wir müssen das Ergebnis der Operation abwarten. Wenn er ansprechbar ist, werde ich ihn besuchen. Jetzt muß ich mich erst einmal auf den morgigen Tag vorbereiten. Noch kenne ich die genauen Umstände nicht, unter denen Nidal angeschossen wurde. Hat er an einer Demonstration teilgenommen und damit dem Militärgouverneur den Vorwand geliefert, die Schule kollektiv zu bestrafen und zu schließen? Wie werden seine Mitschüler reagieren? Muß ich mit Demonstrationen rechnen? Kommt es dann vielleicht zu weiteren Opfern?

Als vom Militärgouverneur kein Anruf kommt, bereite ich mich darauf vor, dass wir morgen Schule halten können. Es muß mir gelingen, die mit Sicherheit aufgewühlten Gemüter zu beruhigen und sie vor unbedachten Aktionen zu bewahren.

Noch beim Ausarbeiten meiner morgigen Ansprache an die Schüler erfahre ich, dass Nidal die Operation überstanden hat und gute Chancen für eine Genesung bestehen und – auch wichtig – dass er offensichtlich vom Militär keiner Straftat beschuldigt wird, also kein Grund für eine Schulschließung vorliegt.

Am nächsten Morgen bedarf es von Seiten der Lehrer einiger Überredungskunst, um wenigstens die Mehrzahl der Schülerinnen und Schüler dazu zu bewegen, an der Morgenandacht teilzunehmen und auf spontane Demonstrationen zu verzichten.

Während der Morgenandacht berichte ich vom gestrigen Gottesdienst in Beit Sahour, davon, dass Frieden zwischen Israelis und Palästinensern möglich ist, wenn sie sich als Menschen mit gleichen Rechten anerkennen, und dass wir alles tun müssen, um diesen Frieden zu erreichen, damit nicht noch mehr Menschen leiden müssen so wie Nidal. Ich schlage vor, dass ich bei meinem Besuch im Krankenhaus Nidal selbst befragen werde, welche Reaktion er von seinen Mitschülern erwartet. Damit entlasse ich sie in ihre Klassenräume, wo ihre Klassenlehrer auf ihre Sorgen, Befürchtungen, ihre Wut und ihre Gefühle der Ohnmacht und Verzweiflung eingehen werden.

Mein Plan geht auf. Die Schüler verzichten vorerst auf eigenmächtige Aktionen.

Tags darauf besuche ich zusammen mit meiner Frau Nidal im Hadassah-Krankenhaus in West-Jerusalem. Den Weg dahin kennen wir gut. Im letzten Jahr haben wir uns in der Kapelle des Krankenhauses die Glasfenster von Chagall angesehen. Diesmal müssen wir in den dritten Stock. Chirurgische Abteilung.

Kein Soldat verwehrt uns den Zugang zu Nidals Zimmer. Ein gutes Zeichen. Wenn Nidal nicht bewacht wird, dann hat das Militär auch kein Interesse mehr an ihm. Das bestätigt unsere Informationen vom Tathergang.

Nachdem Nidal vor Monaten verhaftet wurde, weil er keinen Ausweis dabei hatte – den bekommt man erst ab 16 – und er anschließend vier Monate ohne Anklage im Gefängnis festgehalten wurde, lief er diesmal aus Angst vor einer erneuten Verhaftung den Soldaten davon. Die schossen hinter ihm her, trafen ihn dreimal in den Rücken, schleiften ihn zu ihrem Jeep und lieferten ihn schließlich im Krankenhaus ab.

Dort verbrachten die Chirurgen anschließend ein Wunder. Die Geschosse - wahrscheinlich Hochgeschwindigkeitsmunition, die beim Austritt aus dem Körper einen kegelförmigen Verletzungstrichter mit zerstörerischer Wirkung auf Blutgefäße und Nervenbahnen hinterläßt - hatten etliche Organe zerfetzt, unter anderem mußte die Milz entfernt werden. Acht Stunden lag Nidal auf dem Operationstisch, dann war er außer Lebensgefahr.

Schmächtig und bleich liegt er in seinem Bett, versucht ein tapferes Lächeln. Wir können ihn nicht einmal richtig in den Arm nehmen, halten seine Hand und überbringen die Grüße und Genesungswünsche seiner Mitschüler und Lehrer. Das Sprechen fällt ihm schwer, trotzdem fragen wir ihn, bevor wir ihn verlassen, ob er in der Lage ist, seinen Mitschülern eine kurze Botschaft und einen Gruß in den mitgebrachten Kassettenrekorder zu sprechen. Mit bewundernswerter Überzeugungskraft und Reife beschwört er seine Klasse, nicht für ihn auf die Straße zu gehen, sondern zu lernen.

Als wir gehen, wissen wir Nidal in der Obhut guter Ärzte. Trotzdem kommen wir nicht darüber hinweg, wie verrückt die Welt ist, in der wir leben. Da schießen israelische Soldaten mit tödlicher Munition auf einen davonlaufenden Jungen von 15 Jahren, und anschließend geben ihm israelische Ärzte unter Aufbietung all ihrer Kunst das Leben zurück.

Helmut Tews

Afghanistan Sommer 1970

Aus heutiger Sicht ist es kaum zu glauben, aber es gab Zeiten, in denen Touristen in Pakistan und Afghanistan bei Beachtung gewisser Vorsichtsmaßnahmen relativ sicher umherreisen konnten.

Ende der 60er, Anfang der 70er Jahre machten sich hunderte junger Hippies per Anhalter oder in klapprigen, zu Wohnmobilen umgebauten, VW-Bussen auf dem „Hippietrail" über die Türkei, den Iran, Afghanistan und Pakistan auf den Weg nach Indien, dem Land ihrer Träume. Etliche fanden ihre Erfüllung, anderen ging das Geld aus, nicht selten hatte eine Mahlzeit aus der Garküche am Straßenrand eine heftige Amöbenruhr zur Folge.

All das war für uns kein Thema. Ich lebte seit einem Jahr mit meiner Frau und der mittlerweile vierjährigen Tochter in Karachi, wo wir als Lehrer an der Deutschen Schule arbeiteten.

Um in den langen Sommerferien der unerträglichen Hitze im Industal zu entfliehen, zogen wir in den Norden des Landes, in die Vorberge des Himalayas, wo schon die Engländer während der Kolonialzeit im 2500 Meter hoch gelegenen Murree die frische Bergluft genossen.

Vier Wochen blieben wir dort, dann fuhren wir weiter nach Afghanistan, über den Khyber Paß nach Kabul und von dort in das Tal von Bamiyan.

Wir stiegen im Bamiyan-Hotel ab, ganz in der Nähe der berühmten Buddhastatuen aus dem 6. Jahrhundert. Wer konnte damals ahnen, dass wenige Jahre später die Taliban diese einmaligen Kulturgüter vernichten würden.

Von Bamiyan aus sollte man auf jeden Fall zu den Seen von Band-i-Amir fahren. Allerdings muß das Fahrzeug geländegängig genug für 73 Kilometer unbefestigte Piste sein. Das wollte ich unserem Wagen nicht zumuten.

Die Lösung brachte ein junger Afghane, der erzählte, dass im Dorf ein Jeep mit Fahrer zu mieten sei, der die Fahrt von Bamiyan zu den Seen und zurück in einem Tag schaffen würde. Zwei junge Schweizer Lehrerinnen hätten den Jeep bereits gemietet, ein weiterer Mitfahrer sei aber sicher willkommen, zumal man sich dann die Kosten von 600 Afghani teilen könne.

Da die Fahrt für unsere Tochter zu anstrengend war, hatte meine Frau beschlossen, den Tag in Bamiyan zu verbringen.

Ich nahm Kontakt zu den jungen Schweizerinnen auf. Wir verabredeten uns für den kommenden Morgen um sieben Uhr.

Am nächsten Morgen mache ich mich rechtzeitig auf den Weg ins Dorf. Noch ist es so kühl, dass ich den Pullover anbehalte, denn obwohl es Sommer ist, wird es auf der Hochfläche über Nacht empfindlich kalt.

Einige der Läden links und rechts der Basarstraße sind bereits geöffnet. Die Händler sitzen auf dicken Steinsalzbrocken und scheuchen die Fliegen von den Feigen und Aprikosen.

Unser Jeep steht vor einer kleinen Teestube, wo einige Frühaufsteher schlürfend ihren Tee trinken. Der große Samowar lockt immer neue Kunden herbei.

Mit einem Blick vergewissere ich mich, dass der Jeep noch nicht fahrbereit ist. Der Getriebekasten ist offen, und der Fahrer läßt dickes schwarzes Öl hineintropfen. Zwischendurch fährt er sich mit dem Zipfel des Küchentuches, das er als Turban um den Kopf geschlungen hat, über das Gesicht. Auf meinen zweifelnd-fragenden Blick nickt er beruhigend. Keine Sorge soll das wohl heißen, es ist alles in Ordnung.

Und wirklich, zehn Minuten später deckt er die Platte über das offene Getriebe, verstaut den Ölbehälter, breitet die Gummimatten aus und winkt uns, einzusteigen.

Die Lehrerinnen setzen sich hinten auf die zwei Bänke an den Längsseiten, während ich mich neben den Fahrer setze.

Bevor wir losfahren, vergewissere ich mich noch einmal über die Höhe des Fahrpreises: „600 Afghani, okay?" Der Fahrer nickt und gibt Gas.

Bevor der Jeep jedoch richtig in Schwung kommt, gibt es einen Ruck, und wir haben einen weiteren Fahrgast hinten auf dem Trittbrett. Er hält sich mit einer Hand an der Querstange unter der Deckplane fest und legt die andere grüßend an den sauberen rosafarbenen Turban. Die schlitzförmigen Augen in dem kantigen breiten Gesicht verraten die Zugehörigkeit zum Hazara-Stamm. Das weiße weite Hemd und die Pluderhosen sind so sauber wie sein Turban und wesentlich adretter als die khakifarbene Bekleidung des Fahrers.

Da der Mann keine Anstalten macht, von hinten in den Jeep zu klettern, wissen die Lehrerinnen nicht so recht, ob sie ihm Platz machen sollen oder nicht. Der Fahrer nimmt die Anwesenheit des neuen Passagiers als Selbstverständlichkeit hin. Wahrscheinlich ist es ein Bekannter, der bis zum Ortsausgang mitfahren will. Immerhin haben wir den Jeep für uns allein gemietet.

Als wir die letzten Häuser des Dorfes erreichen, springt der Mann ab. Statt nun weiter zu fahren, stellt der Fahrer den Motor ab, lehnt sich gemächlich zurück, klopft sich eine Zigarette aus der Schachtel, geht dann quer über den staubigen Weg und verschwindet hinter der niedrigen Tür einer weiß getünchten kubischen Lehmhütte.

In der vielleicht 50 Meter hohen Felswand hinter der Hütte sind zahlreiche dunkle Eingänge zu sehen. Sie führen zu den ehemaligen Mönchszellen, von denen auch heute noch einige als Unterschlupf für die Bewohner des Tales dienen.

Aus den Häuser- und Höhleneingängen purzeln derweilen Kinder jeglichen Alters. Neugierde und die vage Hoffnung auf ein Bakschisch treiben sie zu den Fremden im Jeep. Ihre Mütter verharren im Halbdunkel der Eingänge.

Da taucht unser Trittbrettfahrer wieder auf, gefolgt von einem knapp 40jährigen Mann von gleicher Größe und ähnlichem Aussehen, nur breiter, runder und fröhlicher, wie wir bald feststellen sollten. Ihn ziert ein blütenweißer Turban.

Die beiden, wahrscheinlich Brüder, kommen lebhaft plaudernd durch die Gasse, die die Kinder bereitwillig bilden, auf uns zu. Offensichtlich wollen beide mitfahren. Wir können es ihnen schlecht abschlagen, Platz genug ist noch – und außerdem werden wir sowieso nicht gefragt.

Ich wechsele in den hinteren Teil des Wagens zu den Schweizerinnen und biete den beiden die Frontsitze an. Dort sitzen sie nun, eng aneinander geklammert und eifrig weiter scherzend.

Der Fahrer schnippt den Rest seiner Zigarette seitwärts aus dem Jeep und startet.

Der von den Reifen aufgewirbelte Staub zieht eine lange Rauchfahne hinter uns her und macht uns weithin sichtbar für die Nomaden, die im Schatten ihrer Jurten dem Mittag entgegen dösen, ohne dabei ihre Herden aus den Augen zu verlieren.

Jetzt ist der Weg nur noch eine Fahrspur in der Sandwüste, die sich zu einem kahlen Plateau emporzieht, um dann ins Tal hinab zu führen, wo ein großes Quadrat von hohen Lehmmauern einige graue Hütten und Felder umschließt.

Und wieder schwingt sich der Weg hinauf zur nächsten Hochfläche, auf der knöchelhohes Gestrüpp Sonne und Trockenheit trotzt. Zwischendrin vereinzelte zwergwüchsige Büsche blauer Iris.

Hier kommt der Jeep auf ein Zeichen des Afghanen mit dem rosafarbenen Turban zum Stehen. Die uns bisher getreulich nachflatternde Staubfahne überholt uns und löst sich zerfasernd auf.

Weit breitet der Afghane die Arme aus und sagt: „Band-i-Amir."

Wir haben unser Ziel erreicht, unter uns liegen die Seen.

Und wie eben die Iris so märchenhaft blau aus der stachlig-harten grauen Masse des sie umgebenden Gestrüpps heraus leuchteten, so liegen jetzt die Seen, im gleichen Farbton gehalten, zwischen den zum Plateau steil aufragenden grauweißen, von rötlichen Schichten durchsetzten, Felsen. Sechs blaue Seen in der steinernen Wüste.

Wir steigen aus, um den Anblick besser aufnehmen zu können. Drei von den sechs Seen sind von hier einsehbar, die drei anderen entzieht eine Biegung des Tales den Blicken. Wie Perlen auf einer Kette sind sie aneinander gereiht. Jeder See gibt das klar glitzernde Wasser über eine weiß, rot und gelb gefärbte Sinterterrasse weiter zum nächsten, etwas tiefer gelegenen Bassin.

Am Travertindamm des nächstgelegenen Sees stehen sechs Zelte und Autos. Um einen Spirituskocher sitzen langbärtige Weltenbummler, Amerikaner und zwei Schweizer. Wir nehmen die Einladung zu einer Tasse Tee an, brechen aber bald zur Umrundung der Seen auf.

„Die haben kein Benzingeld mehr für die Weiterfahrt", hatte uns der Wirt in Bamiyan gesagt und dabei den Kopf geschüttelt. Der Anblick von Hippies paßte nicht in seine Vorstellung von den reichen Amerikanern, die im Süden Afghanistans die breiten Fernverkehrsstraßen bauten. So wie es die Russen im Norden des Landes taten. Deren Ingenieuren waren allerdings noch keine Blumenkinder gefolgt.

Beim Gang über die steil zu den Seen abfallende Hochfläche wünschen wir uns die Kühle des Morgens zurück, denn nun, gegen Mittag, brennt die Sonne erbarmungslos auf uns herab.

Nach etwa zwei Stunden sehen wir ein, dass es uns nicht gelingen wird, alle fünf Seen zeitgerecht zu umrunden. Über die Sinterterrasse des dritten Sees balancieren wir, die Schuhe in den Händen, durch knietiefes kaltes Wasser, auf schlüpfrigem Untergrund zum zweiten See zurück, wo die darüber liegende Steilwand eine Möglichkeit zum Aufstieg bietet.

Obwohl wir mehr als pünktlich zurück sind, warten der Fahrer und die beiden Beifahrer bereits ungeduldig auf uns.

„Auf denn", sagen wir, „let`s go."

Beim Englischen haben wir noch am ehesten das Gefühl, dass wir verstanden werden.

Doch bevor wir abfahren, hetzt noch ein dunkelhäutiger, bärtiger Mann heran, legt dem Afghanen mit dem rosafarbenen Turban – er ist also der maßgebende Mann im Jeep – die rissige Hand bittend auf den Oberarm und spricht beschwörend auf ihn ein. Mit einem kurzen Kopfnicken wird er nach hinten zu uns verwiesen.

Bevor der Alte selbst einsteigt, fliegen vier oder fünf getrocknete Ziegenfelle zu uns herein, die wir süßsauer lächelnd unter unseren Füßen verstauen.

Abfahrt.

Der Alte ist nicht der letzte Zusteiger. Wenige Kilometer weiter nehmen wir einen jungen Mann auf, der – Gott weiß woher – aus der öden Weite auftaucht. Er läßt sich vorne neben dem Fahrer in der Türöffnung nieder, einen Fuß auf dem Fahrzeugrahmen, den anderen auf dem Kotflügel.

Und dann kommt noch einer.

Ein unsympathischer Geselle mit nicht ganz regelmäßiger Augenstellung, hängt wenig später finster blickend hinten an der Ladeklappe.

Kommt jetzt etwa noch einer?

Der Fahrer bremst mitten auf freier Strecke, er dreht sogar den Zündschlüssel herum. Fragend blicke ich ihn an. Doch statt einer Erklärung schaut er gelangweilt über das weite gelbgraue Land vor uns.

Dafür wendet sich nun der mit dem rosafarbenen Turban voll mir zu und sagt mit einer Stimme, die bei aller Freundlichkeit doch wie eine Drohung klingt: „Afghani!"

Und als ich ihn verdutzt und unwillig anschaue, weil ich diesen Platz irgendwo zwischen Band-i-Amir und Bamiyan nicht für den geeigneten Ort halte, um unseren Fahrpreis zu bezahlen, wiederholt er in der gleichen Stimmlage, nur schneller, ungeduldiger: „Afghani, Afghani!"

„Wieso will er denn jetzt schon Geld?", fragt die erste Lehrerin.

„Wir sind doch noch lange nicht in Bamiyan", fügt die zweite hinzu.

„Anscheinend hat er eine kleine Erpressung vor. Ich könnte mir vorstellen, dass er uns ein paar Kilometer weiter erneut zur Kasse bittet."

Um Klarheit zu gewinnen, frage ich erst einmal in aller Ruhe: „Why Afghani? Afghani in Bamiyan!"

Doch meine freundliche Miene zieht nicht. Hart kommt es zurück: „Afghani here, not Bamiyan!"

Gut, denke ich, dann mußt du deutlicher werden. „No Bamiyan – no Afghani!", erkläre ich kategorisch und lehne mich demonstrativ zurück, um zu zeigen, dass für mich die Sache damit klar und abgeschlossen ist. Dabei ist es gar nicht so leicht, äußerlich ruhig zu bleiben, innerlich bin ich es sowieso nicht. Im Abendwind fröstelnd, ziehe ich meinen Pullover wieder über. Was wird der mit dem rosafarbenen Turban tun, wenn wir uns weigern, den Fahrpreis jetzt zu zahlen? Wie lange dauert wohl der Fußmarsch bis Bamiyan? Vor Einbruch der Nacht ist es mit Sicherheit nicht zu schaffen. Hier irgendwo übernachten? Man hat uns zweifellos vollkommen in der Hand.

„Wollen wir ihm nicht wenigstens die Hälfte anbieten?", fragt die erste Lehrerin, „vielleicht ist er damit zufrieden."

„Nein", sage ich rasch, „er bekommt seine Afghani in Bamiyan, nicht einen Meter vorher."

Mir ist klar, dass unsere einzige Chance in einer furchtlosen und bestimmten Haltung liegt, alles andere würde nur die Geldgier des Anführers beflügeln. Hinzu kommt, dass ich es mir gar nicht leisten kann, vor den Augen der Afghanen meine Geldbörse zu öffnen, in der ich unvorsichtigerweise einen großen Teil unserer Reisekasse habe.

„Come on", sage ich, lässig mit dem Arm winkend, „let`s go to Bamiyan."

Als daraufhin der Anführer, der mich mit Argusaugen gemustert hat, während seine Leute eher verschlafen und unbeteiligt wirken, wieder zu seinem Spruch „No Afghani – no Bamiyan" ansetzen will, beuge ich mich abrupt vor und mustere ihn kalt: „No Bamiyan – no Afghani! Come on – go!"

Er gibt sich Mühe, nicht zurück zu weichen, seine Augen jedoch blicken verunsichert.

„Car, oil", sagt er schließlich und grinst.

„Hä?" mache ich ungläubig.

„Yes, car oil, Afghani", wiederholt er und gibt sich Mühe, freundlich zu erscheinen.

Mit oil meint er Diesel. Ein kurzer Seitenblick auf die Benzinuhr zeigt mir, dass der Tank noch halb voll ist. Ich zeige in die kahle Landschaft und frage spöttelnd: „Where petrol station?"

Stumm weist er mit der Hand voraus Richtung Bamiyan, zufrieden, dass ich sein Spiel mitspiele.

„Let`s go", sage ich, um wenigstens etwas näher an Bamiyan heran zu kommen.

Alle Mitfahrer klettern wieder auf ihre Plätze, der Fahrer startet den Jeep, und Meter um Meter sandiger und steiniger Piste ziehen unter uns weg. In Gedanken hatte ich sie schon mit den beiden Begleiterinnen durchwandert.

„Auf dem ganzen Weg habe ich keine Tankstelle gesehen", bricht die erste Lehrerin das Schweigen.

„Falls es doch eine geben sollte, können Sie dann bezahlen, damit ich nicht an meine volle Brieftasche heran muß?"

„Ja, das geht."

Dreißig Minuten fahren wir schon. Bis Bamiyan sind es noch knapp zwei Autostunden. Die Abendsonne legt bereits lange Schatten an die

Mauern der einsamen Lehmfestung.

Da bleibt der Jeep erneut stehen.

„Mein Gott, jetzt geht das wieder los", flüstert die zweite Lehrerin.

„Afghani", fordert der Anführer.

„Petrol Station?", frage ich zurück.

Er zeigt auf eine Lehmhütte, deren Vorderfront ein großes, jetzt geschlossenes Tor ist. Möglicherweise ein Laden, der auch Diesel im Angebot hat, wer kann das wissen. Andererseits macht der Fahrer keinerlei Anstalten, auszusteigen, den Tankverschluß zu öffnen oder sich um sein Fahrzeug zu kümmern. Statt dessen raucht er und blinzelt in die letzten Sonnenstrahlen.

„Nun denn", denke ich, „Angriff ist die beste Verteidigung."

Ich schwinge mich über die rückwärtige Klappe vom Jeep und fordere den Anführer auf, mir zum Laden zu folgen. Dazu müssen wir durch eine Gasse abenteuerlich aussehender Afghanen, die in den wenigen Minuten unseres Hierseins von allen Seiten her zusammen geströmt sind. Ist das hier ein abgekartetes Spiel? Hat man uns bereits erwartet?

Schon bevor wir die Ladentür erreicht haben, wird sie von zwei jungen kahlgeschorenen Burschen geöffnet. Im dämmrigen Innenraum erkenne ich das übliche Warenlager eines Basargeschäftes: Gewürze, ein paar Stoffballen, Steinsalz, grober Silberschmuck für die Nomadenfrauen. Benzinkanister sehe ich nicht.

„No oil", sage ich.

„Afghani!" beharrt der Anführer und weist auf einen alten Mann mit Ziegenbart und Schlitzaugen, offenbar der Besitzer des Ladens.

„Oil?" frage ich ihn.

Der Alte grinst, sagt aber nichts.

So kann ich die Initiative behalten.

„No oil, Bamiyan!", sage ich und gehe durch die sich zögernd bildende Gasse zurück zum Jeep.

Der Anführer bleibt mir dicht auf den Fersen, am Jeep ist er gleichauf.

„No Afghani, no Bamiyan!" Seine Stimme ist jetzt schrill und drohend.

Wütend wende ich mich ihm voll zu, und, alle Vorsicht in den Wind schlagend, schimpfe ich los: „We – go – to – Bamiyan! No Bamiyan – no Afghani!"

Die Sache spitzt sich zu, der Kreis der Männer um uns wird enger. Wir haben beide drohend die Fäuste erhoben.

„No Afghani – no Bamiyan!" kreischt der Anführer.

„No!"

„Yes!"

Um der drückenden Menge zu entkommen, tue ich so, als sei die Abfahrt beschlossene Sache und klettere wieder in den Jeep zu den beiden Lehrerinnen, die ganz und gar nicht zuversichtlich aussehen.

Die dunklen Augen der Umstehenden verfolgen uns, neugierig, aber nicht feindselig, anscheinend sind sie doch nicht in das Spiel eingeweiht, was uns nur recht sein kann.

Ein junger Mann lächelt sogar, sagt auch „hello" und etwas unpassend „good morning", womit er offensichtlich seinen Wortschatz aufgebraucht hat.

Irgendwie beruhigen mich diese neugierig-fragenden, auch etwas Anteilnahme verratenden Blicke der wetterharten, ausgezehrten Männer um uns herum. Ich hoffe einfach darauf, dass sie ihr Sinn für Gerechtigkeit und Mut für uns einnimmt.

Ich winke den jungen Mann mit den spärlichen Englischkenntnissen herbei und versuche ihm mit beredter Mimik klarzumachen, dass wir aus Deutschland und der Schweiz kommen und bisher mit der Gastfreundschaft der Afghanen nur gute Erfahrungen gemacht haben, dass Afghanistan ein herrliches Land ist und wir darum um so tiefer enttäuscht sind von dem, was man hier mit uns treibt. Dabei schaue ich wirklich betrübt drein, und das aus ehrlichem Herzen, denn dies sind unsere ersten schlechten Erfahrungen.

Der junge Mann hört zwar geduldig zu, nickt auch hin und wieder verständnisvoll mit dem Kopf, versteht aber offensichtlich kein Wort. Auf meine Bitte, das Gehörte nun den Umstehenden zu übersetzen, folgt jedenfalls keine Reaktion.

Gut eine halbe Stunde ist vergangen. Unsere Lage hat sich nicht verändert. Wir sitzen auf den Rücksitzen des Jeeps, der Fahrer raucht, der Anführer steht abseits, umringt von seinen Getreuen. Darunter auch der, den wir für seinen Bruder halten. Offensichtlich haben wir uns in der Beurteilung seines Naturells nicht geirrt, er ist ohne Zweifel der menschlichere der beiden. Jedenfalls entnehmen wir seinen Gesten und Blicken, dass er sich für uns einsetzt und auf die Weiterfahrt drängt.

„Laß sie doch", scheint er zu sagen, „fahren wir nach Bamiyan, es ist schon spät genug."

Die Augen unter dem rosafarbenen Turban kneifen sich abweisend zusammen, doch dann bringt eine wütende, aber schon resignierende Handbewegung die Wende.

Der Fahrer wird mit einem kurzen Pfiff verständigt, der Alte mit den Fellen bekommt einen Stoß in die Seite und die beiden Brüder klettern betont langsam auf die Vordersitze, wo der Dicke seinen Arm beruhigend um die Schultern des Anführers legt.

Der Jeep fährt wieder.

Wir blicken uns an, ohne die Erleichterung, die wir empfinden, nach außen hin sichtbar zu machen. Schließlich ist die Gefahr noch nicht überstanden, denn nach Einbruch der Dunkelheit sind wir dem Anführer noch stärker ausgeliefert als bisher. Wer garantiert uns eigentlich, dass wir auf dem Weg nach Bamiyan sind?

Plötzlich löst sich der Anführer aus den Armen des Bruders, dreht sich, fast schon lächelnd, zu uns und streckt uns wortlos eine Zigarettenschachtel entgegen. Wir lehnen dankend ab.

Daraufhin kramt der Bruder in den Taschen seiner Pluderhose und bringt eine braune Tüte hervor, aus der er einige zusammenklebende Bonbons holt, die er uns freundlich anbietet. Wir können nicht schon wieder ablehnen, also nehme ich den süßen Klumpen und teile ihn zwischen uns auf.

Der Dicke begleitet unser Lutschen mit unverständlichem Geplauder, während wir ihm mit verzücktem Schmatzen zeigen, wie gut seine Bonbons schmecken.

„Da", die erste Lehrerin ergreift meinen Arm, „wir sind eben an den Häusern vorbeigekommen, bei denen wir auf der Herfahrt den Dicken aufgenommen haben."

„Gott sei Dank, dann sind wir gleich da."

Angestrengt spähe ich in die Dunkelheit hinaus. Wieder huscht der Umriß eines Hauses vorbei. Wir haben die ersten Häuser von Bamiyan erreicht! Wenig später halten wir in der Dorfmitte vor der Teestube, in der noch voller Betrieb herrscht. Eine Männergruppe auf wackligen Gartenstühlen begrüßt herzlich unsere Mitfahrer.

Während die Lehrerinnen noch vom Jeep klettern, blättere ich dem Anführer die vereinbarten 600 Afghani auf die Hand, wobei ich mir die bedeutungsvollen Worte „Bamiyan – Afghani" nicht verkneifen kann. Er nimmt es aber ganz locker und bricht in ein breites, anerkennendes Lachen aus, in das ich erleichtert einstimme. Dann klopfen wir uns gegenseitig auf die Schulter und fegen lachend den Groll und die Wut vom Herzen, mit der wir in den letzten Stunden gegeneinander angetreten sind.

„Come on", winkt der dicke Bruder zum Jeep, „come on, hotel".

Und so sitzen wir aufgrund dieser freundlichen Aufforderung schon wieder im Jeep, der aufheulend den steinigen Weg zum Hoteleingang hinauf jagt.

„Good bye!", ruft der Anführer.

„Bye, bye!" sein Bruder.

„Good night", winken auch wir, und ich vergesse ganz, dass ich mir fest vorgenommen hatte, am nächsten Morgen eine Beschwerde bei der Dorfpolizei abzugeben.

Irmgard Woitas-Ern

Dipavali – Rückkehr der Götter

Changi Airport. Die Mitternachtsmaschine aus Down Under zog noch eine Warteschleife über dem Lichtermeer Singapurs. An Bord der voll besetzten Maschine irgendwo im hinteren Drittel ein Paar – wahrscheinlich indischer Abstammung - in den Mittvierzigern. Sie klein und zierlich mit feingeschnittenen Gesichtszügen in einem bunten Sommerkleid. Er eine stattliche Erscheinung mit grauen Schläfen im klassischen Business-Anzug.

Sie klebte förmlich am Fenster und schirmte mit den Händen nach den Seiten Streulicht ab. Ihre Armreife klimperten. „Sieh nur! Sie machen ein Feuerwerk. Wie hübsch das anzusehen ist!" Ihr Begleiter winkte ab. „Lass mich mit dem Quatsch in Ruhe. Schlimm genug, dass du mich überredet hast, nochmal hierher zu kommen." Ihre dunklen Augen fingen seinen Blick auf. „Ach, du darfst nicht so nachtragend sein. Vielleicht haben die Menschen sich gebessert." „Ich glaube nicht, dass die Menschen sich jemals bessern werden. Alle denken nur an ihren eigenen Vorteil. Keiner denkt mehr an uns und was wir für die Menschen getan haben. Zeig mir einen Menschen, der reinen Herzens ist. Wenn es nach mir ginge, dann würde ich diese Stadt dem Erdboden gleich machen. Aber nein, ich bin ja mit der Barmherzigkeit in Person verheiratet." Sie lächelte verschmitzt und hielt eine Tageszeitung hoch. „Du weißt, warum die Menschen jedes Jahr Dipavali feiern? Sie glauben, dass die Götter an diesem Tag zurückkehren und vom Himmel zu ihnen herabsteigen werden."

„Na, diesmal stimmt sogar, was in der Zeitung steht."

„Meinst du, sie werden uns erkennen?" Er lachte.

„Die würden es noch nicht einmal glauben, wenn wir ein Schild um den Hals trügen."

„Das darfst du nicht so sehen. Ich bin sicher, dass sie uns herzlich willkommen heißen werden. Das hier ist nicht irgendein Dipavali. Es ist *das* Dipavali."

Eine Stewardess verteilte die Einreiseanmeldungen zum Ausfüllen. „Was tragen wir als Besuchsgrund ein?"

„Zerstörung der Welt."

„Ach, komm. Damit kommst du mir nicht durch."

„Gut, dann denk dir was aus."

„Wie wäre es mit: Sightseeing?"

„Mach, was du willst!" Sie lachte ein bezauberndes Lachen.

„Du wärst der erste Gott, der als Terrorist verhaftet wird!"

„Ha-ha-ha! Sehr lustig!"

Das Signal zum Anlegen der Sicherheitsgurte ertönte und unterbrach die Unterhaltung.

Nach der Landung begaben die beiden sich an die Gepäckausgabe. „Da hast du es wieder! Unsere Koffer sind die letzten, die rauskommen!" Sie winkte ab. „Pah, es warten auch noch andere Leute auf ihre Koffer. Glaubst du etwa, du hat hier Sonderstatus? Du hättest vielleicht neonfarbene Aufkleber auf deinen Koffer machen sollen: Achtung, dieses Gepäckstück gehört seiner Heiligkeit!"

„Wer wollte denn mit Quantas fliegen? Das warst du, wenn ich mich recht entsinne!"

„Ja. Aber im Gegensatz zu dir stört mich das Warten hier nicht im Geringsten. Ich finde es sehr interessant, die Menschen zu beobachten. Sieh nur, die Großfamilie dort drüben. Wie brav die kleinen Kinder warten!"

„Ich sehe Menschen, die sich gegenseitig wegdrängeln, um auch ja als erste an ihren Koffer zu kommen. Dabei läuft das Band immer rund herum, wie das Schicksalsrad. Sie gewinnen rein gar nichts durch ihre Rücksichtslosigkeit. Sie häufen nur schlechtes Karma für ihr nächstes Leben an. Da, dieser Mann hat etwas zu verbergen. Siehst du diesen verschlagenen Blick?" Letztgenannter hielt ein handgeschriebenes Pappschild in der Hand. „Mister and Missus Rama" stand darauf in ungelenken Buchstaben zu lesen. Sie lachte ihr glockenhelles Lachen. „Liebster, das ist unser Shuttle zum Hotel."

„Ich könnte schwören, der Mann ist Ratte!"

Von einem uniformierten Beamten wurden die beiden nochmals aufgehalten. „Ich möchte Sie bitten, Ihren Koffer hierher zu stellen. Sind Sie sicher, dass Sie nichts anzumelden haben?" Er holte tief Luft, doch sie trat ihm dezent auf den Fuß. „Hast du etwa wieder deinen Dolch eingepackt?", zischte sie ihm zu.

„Du weißt, dass ich ohne meinen Dolch nirgendwohin gehe!"

„Du benimmst dich wie ein großes Kind! Das Ding hättest du besser den Kindern zum Spielen gegeben!"

Der Uniformierte hatte mittlerweile einen Kollegen zur Verstärkung herbeigerufen. Gemeinsam durchleuchteten sie bereits zum zweiten Mal den Koffer und tuschelten aufgeregt miteinander.

Sie lächelte den Beamten zuckersüß an. „Gibt es ein Problem?"

„Sie – äääh – haben nicht zufällig eine Waffe in diesem Koffer?" Nervös tastete der Beamte nach seinem Revolver. „Mein Mann hat eine Schwäche für Glitzerkram. Kommen Sie, sehen Sie sich an, welchen Tinnef er mitschleppt. Darauf ist er auch noch stolz!" Sie warf ihrem Gatten einen betont missbilligenden Blick zu.

„Können Sie es bitte trotzdem auspacken?"

„Aber gerne." Sie öffnete den Koffer und wühlte zwischen den Kleidungsstücken, bis sie den Dolch zu fassen bekam. „Ach so! Übelster Touristenkitsch!" „Nein, nein!", rief er entrüstet. „Das ist feinster Rosendamast! Die Scheide ist aus purem Gold mit echten Edelsteinen!"

„Und ich bin die Königin von Saba! So große Edelsteine gibt es gar nicht. Ha-ha-ha! Kirschgroße Diamanten, Saphire und Rubine! Da hat man Sie aber ordentlich über den Tisch gezogen!" Die beiden Beamten lachten schadenfroh und winkten die beiden durch.

Ratte übernahm die beiden Koffer, die eigentlich viel zu groß für die schmächtige Gestalt waren, wieselte vorneweg durch die Eingangshalle des Flughafens und komplimentierte das Paar unter vielen Bücklingen in sein Taxi. „Wie geräumig und sauber dieses Taxi ist", rief sie begeistert. Ratte errötete und machte einen noch tieferen Bückling.

Auf der etwa zwanzigminütigen Fahrt zum Hotel erklärte Ratte den Neuankömmlingen die im Dunkel strahlend hell beleuchteten Sehenswürdigkeiten. „Was hast du uns denn für ein Hotel gebucht?", erkundigte sich der Mann.

„Marina Mandarin. Bestes Hotel am Platz."

„Herrschaften haben exzellenten Geschmack!", beeilte sich Ratte zu versichern.

Am Hotel angekommen, steckte sie Ratte einige Scheine zu. Der ließ diese mit blitzenden Äuglein flink in seine Tasche wandern. „Wenn Stadtrundfahrt, fragen nach Singh. Große Ehre!"

„Jaja. Für uns auch!", knurrte er. „Ich bin hundemüde. Wo ist denn die Rezeption?"

„Im dritten Stock!" Wie aus dem Nichts stand ein Livrierter da, griff das Gepäck und war auch schon wieder verschwunden.

„War das ein Dschinn?"

„Nein, das nennt man heute Servicepersonal!"

„Woher will er wissen, wohin er den Kram bringen muss?"

„Das wird er schon wissen."

„Du und dein Vertrauen!"

An der Rezeption erhielten sie Magnetkarten für die Zimmertür und den gläsernen Aufzug. Sie beobachtete gebannt die vorbeischwebenden Lichter. „Jetzt sieh nur! Dieser Leuchter ist mindestens zwölf Stockwerke lang. Man kann vom obersten Stockwerk aus in die Lobby schauen. Das Hotel ist innen hohl."

„Ja, wie ein von Maden ausgehöhlter Apfel!"

„Sei doch nicht immer so negativ!"

Sie waren an ihrem Zimmer in einundzwanzigsten Stockwerk angekommen. Die Koffer standen ordentlich nebeneinander auf einem Sideboard aus Glas und weißem Schleiflack. Die gesamte Einrichtung war in diesem Stil gehalten. Sie tanzte wirbelnd durch den Raum. „Wunderschön! So hatte ich es mir vorgestellt!" Mit einem Ruck zog sie die Vorhänge zurück. „Was für ein Ausblick. Und das Beste: Wir haben einen Balkon!" Sie zog ihn hinter sich her auf den kleinen Balkon in schwindelerregender Höhe. Von weit unten dröhnten Klimaanlagen und der Verkehrslärm herauf. Über die Marina Bay blinkten die Lichter der Skyline. „Ich fasse es nicht! Ein Schiff! Es fliegt durch die Nacht! Wundervoll!"

„Da muss ich dir ausnahmsweise mal Recht geben. Das ist ein hübscher Anblick! Mehr aber nicht."

„Morgen machen wir eine Sightseeing-Tour. Ich freue mich schon darauf! Du hast es versprochen!"

Er schluckte. „Ja, alles was du willst. Aber jetzt lass uns endlich schlafen!"

Am nächsten Morgen wurden sie von Vogelzwitschern geweckt. Verschlafen reckte sie sich und gähnte. „Hörst du das? Eine Nachtigall!"

„Schlaf weiter! Du hast dich getäuscht! Wo soll denn hier eine Nachtigall herkommen?" Geschmeidig wie eine Katze glitt sie aus dem Bett und schlich auf Zehenspitzen zur Zimmertür. Behutsam öffnete sie diese und staunte. Vor der Tür lag bereits die New York Times mit einer bunten Blüte darauf. Ihr Blick wanderte nach oben. Vor der Zimmertür hing an einem Haken an der Decke ein Vogelkäfig mit einem kleinen Vogel, der sich das Herz aus dem Leibe zu singen schien. Leise summte sie das Lied des Vogels mit. Als dieser erstaunt innehielt lächelte sie. „Hab Dank, mein Kleiner für dein wunderschönes Lied. Weißt du? Du hast einen Wunsch frei." Der Vogel legte das Köpfchen schief und schaute sie erwartungsvoll an. „Na, dann wollen wir mal!", flüsterte sie, öffnete den Käfig und nahm den unscheinbaren kleinen Vogel auf die Hand. Suchend blickte sie sich um. Alle zwanzig Meter hing ein Käfig mit einer Nachtigall. „Wo denn?" Sie schaute über die Brüstung hinab in die Lobby. Ihr Gesicht hellte sich auf, als ihr Blick auf einen Käfig auf der gegenüberliegenden Seite fiel. Rasch umrundete sie die Brüstung. „Das ist sie also, deine Herzensdame?" Verstohlen, als würde sie etwas Unrechtes tun, öffnete sie den Käfig. „Worauf wartet ihr?", murmelte sie und wies auf eine geöffnete Belüftungsluke in der Glaskuppel der Halle. Das ließen sich die Vögelchen nicht zweimal sagen.

Wieder vor der eigenen Zimmertür angekommen, überlegte sie kurz, als sie den nun leeren Käfig sah und legte lächelnd die bunte Blüte hinein.

„Kann man dich keinen Moment allein lassen? Was hast du jetzt wieder angestellt?" In der geöffneten Zimmertür stand ihr Mann und versuchte ernst zu bleiben, während sie ihn schelmisch anblinzelte. „Im Nacht-hemd auf dem Flur! Tsissississ! Das ziemt sich nicht!"

„Na, du siehst auch nicht gerade göttlich aus in deinem Leih-Morgen-mantel!" Sie zupfte ihm den wohl hastig übergeworfenen Morgenmantel mit dem Hotel-Emblem zurecht. Beide lachten.

„Ich finde keine Toilettenbürste. Hast du eine gesehen?"

„Also Gemahl, ich muss schon sehr bitten. Wer hier seine Geschäfte macht, der hat für so etwas sein Personal." Sprach's und lachte ihr glockenhelles Lachen.

„Du bist wirklich nicht davon abzubringen, eine Sightseeing-Tour zu machen?"

„Keine Chance, versuch es gar nicht erst! Zuerst plündern wir aber das Frühstücksbuffet." Er seufzte. „Du bist wirklich erbarmungslos!"

Im Frühstücksrestaurant probierten sie sich durch eine Vielzahl von exotischen Früchten und Gerichten. „Wie habe ich diese Früchte und diese Gesundheitssuppe vermisst! Es kommt mir vor, als ob es Jahrhunderte her sei!" Er blickte sie über den Rand seiner Teeschale an. „Da könntest du Recht haben!"

Etwa eine halbe Stunde später saßen sie im Panorama-Bus der Städte-tour. Eine winzige Greisin entpuppte sich als kundige Fremdenführerin, die sie und den Rest der Gruppe zu den Sehenswürdigkeiten der Stadt mit reichlich Informationen fütterte. „Wir kommen nun ins indische Viertel. Wie Sie sehen, ist alles mit Blumen geschmückt, denn wir haben heute den indischen Neujahrstag. Dort drüben können Sie sich aufstellen und sich mit der Statue von Ganesha fotografieren lassen."

„Man merkt gar nicht, dass hier Feiertag ist. Alle arbeiten, als sei es ein beliebiger Wochentag", stellte sie fest.

„Das ist richtig. Die Lebenshaltungskosten hier sind sehr hoch. Deshalb haben die Menschen meist sogar mehrere Jobs nebeneinander. Sonst könnten sie sich die hohen Mieten gar nicht leisten."

„Arme Menschen!", murmelte sie. „Genauso gefangen, wie Vögel im goldenen Käfig!"

„Spar dir dein Mitleid, große Erbarmerin! Sie haben es selbst so gewählt!"

„Kaufst du mir eine Blumenkette?" Sie zwinkerte ihm zu.

„Wenn es dir Spaß macht. Früher bekam man die geschenkt. So weit ist es also gekommen!" Er verschwand kurz in einem Laden und kehrte mit einer duftenden weißen Blumenkette zurück, die er ihr umlegte.

„Wir kommen nun ins chinesische Viertel. Sie haben eine halbe Stunde Zeit. Dann fährt der Bus weiter." Kichernd eilte sie in das Durcheinander von Marktständen. An einem Stand interessierte sie sich für Musik-CDs. „Sind Sie sicher, dass sie das haben wollen?" Der Händler blickte sie zweifelnd an. „Das sind geistliche Gesänge von Mönchen. Keine Touristen-Musik oder Folklore." „Ach, bitte legen sie sie auf, damit ich sie hören kann. Ich schaue nur kurz nebenan durch die Auslage und bin sofort wieder bei Ihnen." Der Händler schüttelte den Kopf, tat ihr aber den Gefallen. Statt aufdringlicher Popmusik tönten nun heilige Gesänge über den Markt, während sie seelenruhig Miniaturstatuen und Anhänger aus Jade am Nachbarstand durchsah.

„Was meinst du? Steht mir eine Lotosblüte aus Lavendeljade? Oder soll ich lieber die Grille aus Karneol nehmen?" Sie nahm einen schlichten Armreif aus schneeweißer Jade hoch. „Ja, das ist das Richtige!" Vom Nachbarstand kam eine Stimme: „Gefällt Ihnen die Musik? Soll ich noch etwas anderes auflegen?"

„Hätten Sie noch etwas Heiligeres? Vielleicht Mantras?" Nach einigen Sekunden Stille tönte ein vielstimmiges „Om Mani Padme Hum!" in Dauerrepetition über den Markt. „Gefällt mir, bitte packen Sie beide CDs ein!", rief sie hinüber.

„Dort drüben in den Teeladen müssen wir auch noch!", bestimmte sie. Bepackt mit vielen bunten Tüten zogen sie weiter und kamen an einen Tempel.

„Schau, sie verkaufen Segensmünzen. Man graviert seinen Namen ein und wirft sie in diese Box, damit sie auf dem Dach angebracht werden und Segen bringen. Lass uns das auch machen."

„Ich und diese Stadt segnen?" Er schüttelte entrüstet den Kopf. „Ach, es ist doch ein netter Brauch!"

„Reine Geldmacherei ist das!"

„Jetzt komm! Die Leute würden sich darüber freuen, wenn sie wenigstens einen echten Segenswunsch auf dem Dach hätten!"

„Ich sage nein!" Sie warf ihm einen missbilligenden Blick zu.

Aus dem Inneren des Tempels erklang Gesang aus vielen Kehlen. „Lass uns wenigstens reingehen und schauen", schlug sie vor, schlüpfte kurzerhand aus ihren Pumps und stellte diese neben die vielen anderen Paar Schuhe im Eingangsbereich. Widerwillig folgte er ihr.

„Der Gottesdienst hat bereits begonnen. Bitte kommen Sie herein und nehmen Sie teil. Wir würden uns sehr freuen", begrüßte sie ein alter zahnloser Greis mit Nickelbrille. „Hier drüben sind noch Plätze frei. Es ist eine große Ehre!" Dabei machte er eine tiefe Verbeugung. Sie griff ihm unter den Arm, denn sie fürchtete, er möge fallen. Ein Strahlen ging über das Gesicht des Alten, als er den beiden hinterherblickte.

Ganz in Gedanken versunken verfolgte sie den Gottesdienst, als er sie antippte und auf seine Armbanduhr wies. „Wir müssen los. Der Bus!"

„Himmel, ja! Das habe ich ganz vergessen!" Eilig verließen sie den Tempel.

Der Bus wartete bereits. Ein Murren ging durch die Reisegruppe, als sie nach hinten zu ihrem Platz durchgingen. „Unverschämtheit!"

„Was bilden die sich ein?"

„Wir warten hier schon eine geschlagene Viertelstunde und die Herrschaften belieben zu shoppen!"

„Entschuldigung, wird nicht wieder vorkommen!", rief die Shopping-Queen.

Weiter ging es zum Orchideen-Garten. Die Reiseführerin reichte jedem ein Ticket. „Die Sachen können Sie getrost im Bus lassen. Wir treffen uns in zwei Stunden wieder hier." Sekunden später hatten sie bereits den Rest der Gruppe in der Botanik und im Gewirr der vielen Wege aus den Augen verloren.

„Wie wunderschön alles arrangiert ist und diese schönen Blüten. Ich komme mir vor wie im Palastgarten!" Wie ein kleiner Kolibri tanzte sie von Blüte zu Blüte und machte Fotos. „Denk daran, wir haben nur zwei Stunden!", ermahnte er sie.

„Soll ich ein Foto von Ihnen machen?" Eine japanische Touristin zeigte auf den Fotoapparat. „Au ja!" Sie ergriff die Hand ihres Gemahls und händigte der Japanerin die Kamera aus. „Du und ich hier auf der Steinbank umrahmt von Blüten."

„Ach", seufzte die Fotografin „Sie sind so ein schönes Paar. Wirklich göttlich! Was für ein wunderschönes Bild."

„Jetzt sind Sie dran!", lachte die Göttliche. Die Japanerin winkte ab. „Nein – ich habe ein hässliches Gesicht, schiefe Zähne und O-Beine. Lieber nicht!"

„Kommen Sie, nicht so bescheiden!" Sie nahm die Kamera der Japanerin zur Hand. „Sehen Sie? Sie haben so wunderschöne Augen, ein bezauberndes Lächeln und wunderschönes langes Haar."

„Ich glaube es nicht! Bin ich das?", hauchte die Japanerin, als sie ihr Foto auf dem Display betrachtete.

Als das Paar weiterging neckte er sie: „Du hast es schon wieder getan!" Sie klimperte unschuldig mit ihren Augen. „Ich weiß nicht, was du meinst, Geliebter!"

Der Bus – diesmal waren sie übrigens nicht die letzten – brachte sie als nächstes zu einem Gebäude mit großen, grellbunten Reklametafeln. „Sie haben hier die einmalige Gelegenheit, echten Schmuck zu Vorzugspreisen zu erwerben. Alles wird hier vor ihren Augen hergestellt. Sie können sich die Steuer beim Zoll zurückerstatten lassen. Das sollten Sie bedenken, wenn Sie hier einkaufen. Das Design eines Anhängers hat sogar einen Designpreis gewonnen. Das gibt es nur hier. Sie sollten das nicht versäumen. Sie haben eine ganze Stunde Zeit." Die Reiseführerin hatte kaum geendet, als die Mitglieder der Reisegruppe wie Schnäppchenjäger im Schlussverkauf losstürmten und gar nicht schnell genug durch die Eingangstür kommen konnten.

„Bekommen Sie Provision von dieser Fabrik?", erkundigte sich der Gemahl scharf. Die Reiseleiterin blickte beschämt zu Boden.

„Sehen Sie, von irgendwas muss man doch leben!"

„Ach, komm, Liebster! Wir schauen es uns einfach mal an."

„Kommen Sie mit?", wandte er sich an die Reiseleiterin.

„Nein, ich werde mich hier hinsetzen und auf Sie warten." Sie stellte ein Klappstühlchen auf, förderte aus ihrer voluminösen Handtasche eine Thermoskanne zutage und goss sich einen Becher Kaffee ein.

Drinnen in der Fabrik wurde zuerst einmal Eintritt verlangt. „Ich bin doch nicht bescheuert, auch noch Eintritt dafür zu bezahlen, dass ich hier etwas kaufen darf!", beschwerte sich der Gemahl. Doch sie hatte bereits für beide bezahlt und zog ihn hinter sich her.

Es gab mehrere Fabrikhallen. In der ersten setzten Arbeiterinnen mit flinken Händen bunte Steine und Perlen in bereits fertige silberne Fassungen ein. In der nächsten wurden silbern und golden glitzernde Schmuckstücke poliert und in der dritten Halle standen ringsum Vitrinen mit blitzenden Schmuckstücken auf weißem oder schwarzem Samt.

„Die wissen schon, warum sie keine Preise dranschreiben", murmelte er. Aber sie war bereits dabei, sich verschiedene Schmuckstücke zeigen zu lassen. Enttäuscht drehte sie eine Brosche um. „Das alles ist billiger Ramsch. Nur oberflächlich vergoldet. Wo haben Sie denn die richtigen Schmuckstücke versteckt?" Die Verkäufer begannen zu tuscheln. Schließlich trat eine teuer gekleidete Chinesin – wohl die Chefin – auf sie zu. „Kommen Sie! Für besondere Kunden haben wir natürlich unsere exklusive Kollektion im Tresor. Diese würden wir Ihnen gerne bei einer Tasse Tee präsentieren." Er nickte. „Na, also! Geht doch!" Sie folgten der Dame in einen klimatisierten Nebenraum mit luxuriösem Teppichboden, Ledersofas und Glastischchen. Jetzt wurde ihr bewusst, dass in der Halle der Fußboden aus nacktem Beton bestand. Ihr Blick fiel auf eine Kalligraphie an der Wand mit dem Spruch „Heimat ist Glück."

„Sind Sie hier glücklich?", fragte sie die Chinesin.

„Wie meinen Sie das?"

„Na, Ihr Bild dort sagt mir, dass Sie oft an Ihre Heimat denken."

„Wen interessiert schon, ob ich glücklich bin? Hauptsache, ich bringe durch die Verkäufe genug Geld ein, um mir und meiner Familie ein angenehmes Leben zu ermöglichen. Wollen Sie nun etwas kaufen, oder nicht?"

„Können Sie uns etwas Besonderes zeigen? Etwas Einzigartiges, das meiner Frau würdig ist?" Die Chinesin klatschte in die Hände und ein Angestellter brachte ein Tablett mit Perlenschmuck herein. Bevor er es auf dem Tischchen absetzen konnte, schüttelte sie den Kopf.

„Nein, zu schlicht." Wenige Augenblicke später kehrte er mit einem neuen Tablett zurück. Darauf goldene Armreife mit eingesetzten bunten Steinen.

„Sie schüttelte den Kopf erneut. Nein, zu verspielt. Bring uns die Smaragde." Eine Minute später stand auf dem Glastischchen ein Tablett mit Smaragdschmuck.

Die Gattin probierte in Ruhe einen Ring und das passende Collier an. „Was soll das kosten?", erkundigte sich ihr Göttergatte.

„Der Ring kostet zwölftausend Dollar. Wenn Sie das Collier und die Ohrringe dazu nehmen mache ich Ihnen einen Sonderpreis. Sagen wir sechzigtausend Dollar."

„Wieviel davon geben Sie Ihren Arbeitern ab?", erkundigte sich die Gattin.

„Das braucht Sie nicht zu interessieren! Diese Stücke werden nicht hier hergestellt." Die Gattin legte den Schmuck sorgsam zurück auf das Tablett.

„Ich glaube, dann möchte ich nichts davon haben."

„Wenn Sie sich diese Art Schmuck gar nicht leisten können, dann hätten Sie gar nicht danach fragen dürfen! Dieser Schmuck wäre einer Göttin würdig!", entgegnete die Chinesin eisig.

„Woher wollen Sie das wissen?", donnerte der Gemahl und erhob sich. „Komm, wir haben hier unsere Zeit vertrödelt."

„Es tut mir Leid, dass Sie so unglücklich sind", sagte die Gemahlin sanft. „Ich bin nicht unglücklich! Machen Sie, dass Sie rauskommen!", kreischte die Chinesin und warf die Tür hinter den beiden zu. Dann brach sie in Tränen aus.

„Sie sind aber schnell zurück", empfing sie die Fremdenführerin vor der Tür.

„Wir haben nichts Passendes gefunden", erwiderte der Gatte. „Normalerweise brauchen die Leute hier länger als geplant. Deshalb sage ich ihnen eine Stunde, wenn sie in anderthalb zurück sein sollen."

Die Gemahlin lachte ihr glockenhelles Lachen. „Sie sind sehr umsichtig und kennen die Schwächen der Menschen!" Die kleine alte Dame wurde ganz verlegen und murmelte etwas Unverständliches.

„Ich wundere mich, dass in der Stadt alles so sauber ist. Alles blitzt und blinkt. Es liegen noch nicht einmal Blätter auf dem Boden. Kaum fällt ein Blatt vom Baum, so kommt schon jemand gelaufen und hebt es auf. Wie kommt das?" „Sie müssen wissen, dass die Regierung hohe Strafen ausgesetzt hat. Für auf den Boden spucken zahlen Sie hier schon fünfhundert Dollar und wandern vielleicht sogar für einige Tage ins Gefängnis. Sogar Kaugummi kauen ist hier verboten. Man hat Angst vor Seuchen und greift deshalb hart durch."

„Für Außenstehende sieht es sehr schön aus. Aber ist es wirklich für alle das Paradies?"

„Für diejenigen, die hier leben müssen ist es ein täglicher Kampf ums Überleben. Ich bin alt, meine Knochen schmerzen. Doch kann ich mich nicht dem Müßiggang hingeben, wenn ich täglich essen will."

„Das ist sehr traurig."

„Lassen Sie sich nicht von einer alten Frau die Stimmung verderben. Sie sind jung. Genießen Sie das Leben, solange Sie noch können."

Am Spätnachmittag brachte der Bus sie zurück zum Hotel. „Wieso werden die als erstes abgesetzt? Nur weil sie im Nobelhotel wohnen?"

„Was bilden sich diese reichen Pinkel eigentlich ein?", so raunte es durch den Bus, als sie ausstiegen.

„Ich würde mich gerne etwas frischmachen und dann das Hotel erkunden."

„Gute Idee. Ich komme mit." So kam es, dass die beiden wenig später Garten und Swimming-Pool auf dem Dach, eine Hochzeitsgesellschaft im Festsaal und die angrenzende Shopping-Mall entdeckten. Zum Abschluss nahmen sie ihr Abendessen im „Aquamarine", einem der vier Hotelrestaurants im vierten Stock ein. „Wie erfrischend und modern das blau-weiße Design hier ist! Und diese Vielfalt an Speisen!" Begeistert probierte sie von den Buffets: Hier eine kräutergefüllte Teigtasche, dort ein Häppchen Obstsalat, weiter drüben gebackenen Tofu und Gemüse sowie Teiglinge mit roter Bohnenpaste, naschte vom blattgoldüberzogenen Konfekt und nahm einen Apfel für den kleinen Hunger mit aufs

Zimmer. Ihr Gemahl ließ sie schmunzelnd gewähren.

Am nächsten Morgen kam sie bereits fertig angekleidet aus dem Bad. „Was hast du da an, Liebste?"

„Wir sehen zu wohlhabend aus. Lass uns heute in Jeans und T-Shirt gehen."

„Was hast du vor?"

„Wir machen einen Spaziergang und mischen uns unter die Leute. Für dich habe ich bereits Sachen bereitgelegt. Von der Größe her müssten sie passen."

„Wo hast du die Klamotten her? Ich bin mir sicher, dass ich das nicht in meinem Koffer hatte!"

„Habe ich gestern, als du bereits schliefst vom Zimmerservice bringen lassen."

Er schüttelte den Kopf. „Diese Frau macht mich noch wahnsinnig!"

„Sie können nicht zu Fuß gehen!", protestierte der Rezeptionist. „Lassen Sie mich wenigstens rasch eine Limousine rufen. Wagen und Fahrer stehen den ganzen Tag lang zu Ihrer persönlichen Verfügung und bringen Sie überall hin."

„Nein, nein! Nicht nötig! Meine Frau hat da ihren eigenen Kopf!", winkte er ab.

So kam es, dass beide das Hotel unbemerkt durch einen Seiteneingang verließen.

„Ein Segenswunsch für Sie!" Ein junger Mann in orangefarbener Mönchstracht drückte ihr ein strahlend goldenes Plastik-Kärtchen in die Hand. „Das ist aber nett! Vielen Dank." Sie lächelte den Fremden an. Der zog ein Klemmbrett mit Kugelschreiber aus seiner voluminösen Umhängetasche und hielt es ihr unter die Nase. „Schreiben Sie hier Ihren Wunsch für eine bessere Welt auf und daneben Ihre Adresse." Fragend sah sie den Mönch an. Dann hellte sich ihre Mine auf. „Liebe! Das sollte dort stehen!"

Ihr Gemahl blickte ihr über die Schulter. „Was haben denn die anderen geschrieben?"

„Weltfrieden! Alles andere ist Unsinn!", erwiderte der Mönch. „Wissen Sie was? Ich schreibe hier Weltfrieden für Sie hin und Sie schreiben Ihre Adresse daneben."

„Aber…" Ohne eine Antwort abzuwarten begann der Mönch zu schreiben. Dann wandte er sich an die skeptisch dreinblickende Frau. „Wofür brauchen Sie denn die Adresse?", wollte der Gemahl wissen.

„Ist eben so!" Sie nahm den Stift, während der Mönch sich derweil an ihren Mann wandte.

„Ich bekomme hundert Singapore-Dollar von Ihnen!"

„Wie bitte?"

„Hundert Dollar oder schlechtes Karma!" Sie ließ den Stift sinken.

„Wessen schlechtes Karma? Ihres?", donnerte die Stimme ihres Mannes. Der Mönch stopfte hastig Klemmbrett und Stift wieder in seine Umhängetasche und riss ihr das Segenskärtchen aus der Hand. Mit affenartiger Geschwindigkeit verschwand er um die nächste Ecke.

„Du hast ihn verschreckt. Ich hätte zu gerne gehört, für welchen guten Zweck er sammelt."

„Ach, Weib! Du bist zu gutgläubig! Mit Sicherheit ist dieser Mann noch nicht einmal ein echter Mönch!"

„Aber recht geschäftstüchtig, das muss man ihm lassen!"

An der nächsten Ecke wartete ein Amphibienfahrzeug an einer Bushaltestelle. Duck Tours, so stand darauf zu lesen, bot Hafenrundfahrten an. „Na? Ist das nichts für uns?", versuchte er sie zu ködern. Sie schüttelte den Kopf. „Nein, heute gehen wir zu Fuß, auch wenn es beschwerlich ist. Wir sind ja nicht zum Spaß hier!"

„Diese Frau!", knurrte er und wischte sich die ersten Schweißperlen von der Stirn.

„Schnee in der Orchard Road", kündigte ein grellbuntes Plakat für diesen Abend an. „Schau, sie geben sich mit kleinen Dingen zufrieden!", stellte sie befriedigt fest. „Eine tropische Straße mit der Schneekanone unter Kunstschnee zu setzen ist gegen die Natur! Sie sollten sich mit dem zufrieden geben, was sie haben. Ist ihnen dieses traumhafte Wetter nicht genug? Nein sie müssen Schnee haben!"

„Die Menschen wollen immer das haben, was sie nicht haben. Sehe ich da Schweißperlen auf deinem göttlichen Angesicht?"

„Nein, wie kommst du darauf?"

„Schau, da ist der Merlion!" Sie deutete auf den wasserspeienden Löwen, der in einiger Entfernung auf der Kaimauer stand.

„Ja und?"

„Das Wahrzeichen der Stadt. Lass uns das von Nahem betrachten!" Ohne eine Antwort abzuwarten lief sie leichtfüßig an der Marina entlang. Ihrem Gatten blieb nichts anderes übrig, als ihr zu folgen.

„Wie umsichtig! Schau, sie haben für die Touristen einen kleinen Merlion hingestellt, damit man sich damit fotografieren lassen kann."

„Wenn jetzt jemand auch noch Geld dafür nimmt, dann vergesse ich mich!", murmelte er.

„Hast du was gesagt?", zwitscherte sie vergnügt. „Komm, ich stelle mich neben den Mini-Merlion und du machst ein Foto fürs Familienalbum!"

Anmutig posierte sie und er betätigte seufzend die Kamera.

„Du willst doch nicht etwa weitergehen?"

„Aber sicher! Es gibt noch so viel zu sehen. Oh, riesige Blumen aus Stahl." Vor einer Kulisse aus verspiegelten Bürogebäuden hatte sich ein Künstler ausgetobt und grotesk große Stahlblumen hingepflanzt. Sie schaute mit halb zugekniffenen Augen zu einer der Blüten auf. „Lass es, das würde auffallen!", flüsterte er ihr ins Ohr. „Ich habe keine Ahnung, was du meinst!" Sie wirbelte herum. „Wenigstens sind dort drüben Bäumchen angepflanzt." Im Eilschritt langte sie an einem der wie verloren stehenden Bäumchen an. „Anlässlich der Olympiade, soso! Man braucht also einen Anlass?" Sie tanzte zwischen den Bäumchen umher. War es eine optische Täuschung, oder schienen die Blätter plötzlich grüner und die Bäumchen stärker?

Das Marina Sands lag vor ihnen. In einer Schlange warteten offenbar gutbetuchte Menschen darauf, sich von einem Gondoliere durch das dem venezianischen Canale Grande nachempfundenen Untergeschoss der Einkaufsmall bugsieren zu lassen. „Ach bitte, können wir eine Gondelfahrt machen?"

„Du hast gesagt zu Fuß. Darf ich dich daran erinnern?" Sie schlenderten durch die von Luxusboutiquen gesäumte Mall, blieben mal hier und mal dort stehen. In einem Schaufenster ein weißes Paar Schuhe in einer Glaskugel. „Verkaufen die nur dieses eine Paar?" „Lass uns reingehen und es herausfinden."

„Es steht kein Preis dran!" „Wer hier einkauft, der bezahlt jeden Preis!" „Ich nicht!" Ein Ölscheich in wallendem Gewand gefolgt von einem Harem vermummter Damen verschwand im Schuhladen. „Was für hübsche Mädchen. Schade, dass sie ihr Gesicht verstecken", sinnierte sie. „Sie haben es sich selbst ausgesucht!"

„Wie wäre es mit einer neuen Uhr an deinem göttlichen Handgelenk? Ich bin mir sicher, dass wir hier fündig werden." Mit diesen Worten verschwand sie in einem Nobel-Uhrengeschäft. Er blieb mit offensichtlichem Missfallen vor einer Vitrine stehen. „So viel Glitzerkram. Alles Ramsch."

„Die Leute hier mögen Bling-Bling. Es lenkt sie von ihrem tristen Leben ab." Sie ließ sich bereits mehrere Herrenarmbanduhren mit ausgefallenem Zifferblatt zeigen. „Die da! Probier sie an!" Lächelnd ließ er zu, dass sie ihm eine Uhr ums Handgelenk legte. „Zu schlicht!", entschied sie. Das nächste Exemplar hatte ein großes Zifferblatt, das unter einem Gitter lag. „Es gibt mehrere Ringe, die Sie je nach Anlass wechseln können. Es handelt sich um eine limitierte Auflage. Sehen Sie, hier auf der Rückseite ist die Nummer eingestanzt." In einem aufwändigen Kästchen wurden zwei weitere Ringe präsentiert. „Sehr schön! Packen Sie sie ein!"

„Geliebte, diese Uhr ist so wenig echt wie die Nächstenliebe dieses Menschen! Ich will sie nicht!" Der Verkäufer stand da mit offenem Mund. „Die Krone wackelt und statt aus Edelstahl ist das Gitter aus Blech. Diese Ringe da sind bereits angelaufen und das Zertifikat – falls es eines gibt – ist nicht das Papier wert, auf dem es gedruckt ist. Wir gehen!"

„Umgerechnet 200 Dollar hätten dich nicht umgebracht und seine Kinder hätten zu Essen gehabt!", warf sie ihm vor dem Laden vor. „Es geht ums Prinzip!" „Du und dein göttliches Prinzip der Wahrhaftigkeit! Man muss auch mal ein Auge zudrücken können!"

Auf dem Gang turnten drei Akrobatinnen an hohen Stangen. Gigantische Röcke verdeckten die Stangen und so sah es aus, als würden die Damen in der Luft schweben.

Das Paar fand sich vor den protzigen Aufzugtüren wieder, die hoch in den Schiffsrumpf führten. „Fahren wir rauf ins Spielcasino?"

„Dazu bin ich nicht im Mindesten aufgelegt. Eine Stadt voller Laster, die man dem Erdboden gleichmachen sollte und mein Weib will ins Spielcasino!"

„Es ist wegen dem schönen Blick, den man von dort oben aus hat. Man kann die gesamte Marina überblicken. Genau gegenüber müsste unser Hotel sein."

„Ein Vorschlag zur Güte: Wir fahren mit dem Riesenrad. Dann hast du deinen Überblick."

„Vorschlag angenommen!"

Als sie auf der entgegengesetzten Seite das Marina Sands verlassen hatten, begann es zu nieseln. Bis sie am Singapore Flyer ankamen, waren sie vollkommen durchnässt. „Wieso fährt der Flyer nicht?"

„Geliebte, auch wenn es dich betrübt. Das Fahrgeschäft ist geschlossen."

„Schade, man hätte einen schönen Überblick gehabt."

„Was jetzt?"

„Wir gehen uns etwas Trockenes anziehen und besuchen die Shopping-Mall neben unserem Hotel. Ich habe gesehen, dass es von der Lobby aus einen Zugang gibt."

Der Weg zurück zum Hotel führte sie an der lauten Hauptverkehrsstraße entlang, über eine Fußgängerbrücke, von wo aus man die Boxengasse der Rennstrecke einsehen konnte. Interessiert blieb er einen Augenblick stehen. „Ich kann mich an eine Zeit erinnern, als es darum ging, wer das schnellste Pferd hat."

„Das hat sich nicht geändert, Liebster." Sie machte eine kurze Handbewegung und ein Pfeiler der Hochstraße war mit blühenden Orchideen bedeckt.

„Das habe ich gesehen. Du hast es schon wieder getan!"

Sie lächelte unschuldig. „Was denn?"

Zurück auf dem Zimmer duschten beide ausgiebig und zogen sich trockene Jeans und T-Shirts an, die bereits für sie bereitlagen.

„Ist heute der Tag der schlichten Kleidung? Wo kommt das schon wieder her?" Sie zwinkerte ihm verführerisch zu.

In der Shopping-Mall war Hochbetrieb, während draußen der Regen nur so herniederprasselte. Sie war in ihrem Element und suchte Souvenirs aus. „Hanuman wollte noch Tabak haben. Seit wann raucht dein Freund denn?"

„Er raucht nicht. Es geht ihm nur um die Warnbilder auf der Packung."

„Na, wenn er meint. Mir läuft es eiskalt den Rücken runter, wenn ich diese Bilder von krebszerfressenen Gesichtern und Raucherbeinen sehe."

„Ich packe es in eine Papiertüte. So besser?" Sie nickte.

„Was für bunte Kuchen! Die werden den Kindern gefallen! Nehmen wir gleich ein Dutzend mit!" In einer Ecke eines Kaufhauses wurden offenbar die lieben Kleinen abgegeben, während die Eltern dem Shopping frönten. Die meisten spielten laut kreischend an einer Rutsche und ließen sich in einen Behälter voller bunter Kugeln katapultieren.

In einer Ecke saß ganz alleine ein schmächtiges, kleines Mädchen, offenbar indischer Abstammung. Sie malte ganz in sich versunken mit Buntstiften auf einem Blatt. „Sieh, dort!"

„Was denn?"

„Erinnerst du dich, was du bei unserer Ankunft gesagt hast?" Leise trat sie an den Tisch heran. Das Kind blickte lächelnd auf. „Ich habe gewusst, dass du kommst. Ich habe darum gebetet. Meine Mama hat gesagt, dass Beten immer hilft."

„Deine Mama ist eine weise Frau." Die Kleine nestelte an einem kleinen Umhängebeutel, aus dem sie einen verknitterten Zettel zog. „Das hab ich für dich gemalt. Hoffentlich gefällt es dir."

„Für mich? Das ist aber nett. Dann lass mal sehen, was du gemalt hast."

„Das hier bist du mit der Krone der Barmherzigkeit und das hier ist dein Mann, der Zerstörer. Ihr beide tanzt gerade, weißt du?"

„Oh, ja. Tanzen ist schön."

„Ich würde auch gerne tanzen, aber…" Tränen kullerten über das kleine

Kindergesicht. „Sch-Sch. Du wirst tanzen, das verspreche ich dir! Und wir fangen gleich damit an!"

„Maya wird nie tanzen. Sie hatte Kinderlähmung. Ich bin froh, dass sie ihre Bilder hat. Es zerreißt mir das Herz." Unbemerkt war eine Frau herangetreten. „Ist das deine Mama?"

„Hmmm!"

„Mein Mann hat mich verlassen. Er wollte nichts mit einem behinderten Kind zu schaffen haben. Es war ein Makel an seiner Ehre."

„Sie werden einen guten Mann finden."

„Ja, das hoffe ich. Maya hat Sie hoffentlich nicht belästigt?"

„Aber nein! Ganz im Gegenteil. Ich bin ganz entzückt von ihren wunderschönen Bildern. Darf ich ihr einen bunten Muffin schenken?"

„Mama! Das ist sie! Ich habe davon geträumt!", rief das Mädchen. Artig bedankte sie sich für den Kuchen und biss gleich herzhaft hinein. „Sie hatte noch kein Mittagessen", entschuldigte sich ihre Mutter.

„Mama! Schau! Meine Beine!" Das Kind erhob sich, zunächst etwas schwerfällig, dann immer sicherer lief sie im Kreis um den Tisch herum, bis sie schließlich ihre Göttin an den Händen fasste und mit ihr im Kreis tanzte. „Na, was habe ich dir versprochen? Du wirst einmal eine berühmte Künstlerin und Tänzerin sein."

Die Mutter fiel auf die Knie. „Wie kann ich Ihnen nur danken. Sie haben unsere Gebete erhört und ein kleines Mädchen und seine Mutter sehr, sehr glücklich gemacht!"

„Du hast es schon wieder getan!"

„Ja, Geliebter. Und mit voller Absicht!"

„Dann können wir ja morgen abreisen."

„Vorher gehen wir aber noch zusammen eine heiße Schokolade trinken und Kuchen essen. Ich habe dort hinten einen netten kleinen Laden gesehen."

„Ja, sie machen dort den besten Apple Pie der Stadt.", bestätigte die Mutter.

„Na, dann los!"

Beim Auschecken am nächsten Morgen kontrollierte der Gemahl stirnrunzelnd die Rechnung. „Zwei Nachtigallen für umgerechnet tausend Dollar? Das kann nicht Ihr Ernst sein!" Der Portier hüstelte. „Ähm, Ihre Gattin…" Besagte Gattin warf ihrer besseren Hälfte einen glühenden Blick aus ihren dunklen Augen zu. „Ist schon in Ordnung." Ergeben reichte er dem Livrierten seine Kreditkarte. „Wo ist denn schon wieder unser Gepäck?" „Der Dschinn hat es schon zum Taxi gebracht."

„Dschinn? Ach der!" „Falls es dich beruhigt: Dein göttlicher Transportvogel wartet auf dem Flughafen auf uns."

Geschäftiges Treiben auf dem morgendlichen Airport. „Letzter Aufruf: Die Reisenden Herr und Frau Rama für Garuda Airlines Flug GA823 nach Jakarta bitte zum Check-in!" Er blickte sie ungläubig an. „Das hast du nicht getan!"

„Aber sicher, Liebster! Du hattest auf Garuda bestanden!"

„Du weißt genau, wie ich das gemeint habe."

„Habe ich das?" Sie warf ihm einen unschuldigen Blick zu. „Ach, was soll's. Was haben wir in Jakarta vor?" Sie zückte ihr Smartphone und scrollte ein wenig hin und her. „Ich habe hier eine lange Liste von Gebeten, die wir offiziell erhört haben. Vielleicht solltest du auch öfters mal deine Nachrichten checken."

„Ach, lass mich mit dem neumodischen Quatsch in Ruhe." Er schien einen Moment in sich gekehrt. „Falls es dich interessiert, die kleine Maya hat gerade ein Räucherstäbchen für dich angezündet." Sie klatschte in die Hände, dass ihre Armreifen klimperten. Ihre Augen strahlten. „Tanzt sie?"

„Ja, sie tanzt."

„Dann ist es gut!"

Gert W. Knop

Damals in Edinburgh

Ich sitze hier in meiner Studentenbude im kühlen Edinburgh an meinem kleinen Schreibtisch über Büchern und bereite mich auf ein Referat vor, das ich an der Universität halten soll. Es ist ein Herbsttag 1981. Erste Schneeflocken ziehen am Fenster vorbei, das sich nicht richtig schließen lässt und trotz Dampfheizung habe ich einen Pullover übergezogen, doch der Blick auf den Fifth of Forth, wenn nicht gerade nebelverhangen, entschädigt mich. Das Wetter kann hier sehr schnell umschlagen und ich bin froh, wenn der Wind mir nicht die weiße Pracht über meine Bücher weht.

Ich liebe diese Stadt, dieses Edinburgh, mit seinen rußgeschwärzten Fassaden und den einlaufenden Zügen im Weaverly Station. Oft genug kam ich hier auf meiner Fahrt aus Deutschland an oder fuhr von hier zurück nach Londons Kings Cross Bahnhof. Von der Antigua Street, wo ich bei einer älteren Lady aus Cornwall ein Zimmer gefunden hatte, war es nicht weit bis zum Carlton Hill mit dem schönen Blick auf die Princess Street, die sich schnurgerade fast bis zum Horizont zieht und Edinburgh Castle, das die Stadt zu schützen scheint.und ruhiger wird jetzt im Herbst.

Der ewig geöffnete Spalt bringt kalte und feuchte Luft herein. Das nimmt natürlich viel der Gemütlichkeit, die das Zimmer sonst hat. Aber das verdränge ich leicht, wenn meine Zimmerwirtin aus Cornwall an die Tür klopft und mir Tee und Sandwiches oder Cornish Pastries hereinreicht oder mich zum Fernseher holt, weil ihre geliebte Perry Como-Show gerade läuft. Ich erkläre die Nacht zum Tag.

Und ich werde durch nichts und niemanden gestört. Ich treffe Prüfungsvorbereitungen. Da sind allerdings Träume weniger angebracht, wenn sie auch noch so schön und verheißungsvoll sind. Aber sie nehmen mir auch andererseits das hin und wieder hereinbrechende Gefühl der Einsamkeit, das leicht zu Depressionen führen kann oder zu einem kräftezehrenden Monolog. Auch Ablenkung von der trockenen wissenschaftlichen Materie der Bücher ist wichtig.

Manchmal gehe ich zu meinem Edinburgher Stammrestaurant, unweit des Postgraduate Clubs der Universität, wo mir der freundliche pakistanische Restaurantbesitzer eine große Portion Buna Gosh mit Reis serviert und dazu einen speziellen gewürzten Tee. Gleich zu Beginn, als ich zum ersten Mal dort war, fragte ich ihn nach einem „Spiced Tea" und er hat mir geantwortet, dass er diesen nur für seine Familie brühe. Aber wenig später servierte er ihn mir und das dann auch immer bei jedem Besuch von mir. Da dieser Tee nicht auf der Karte stand, musste ich auch nie dafür bezahlen. Das Essen bei ihm war sehr günstig und viele Studenten besuchten sein Restaurant.

Direkt neben meinem Zimmer wohnte mein Freund und Kommilitone Michael aus Zypern, ein großer junger Mann und immer gut gelaunt, der sich einen älteren Vauxhall gekauft hatte. So waren wir unabhängig und nicht mehr auf den Bus nach Roslin angewiesen, wo wir die meisten Vorlesungen hatten. In unserem postgraduierten Kurs waren überwiegend Studenten aus Afrika und während der Pausen saßen wir in der Cafeteria und diskutierten. Meist handelte es sich dabei um Dozenten und ihre Fächer.

Direkt im Nachbarhaus hatte ein netter Italiener einen Imbiss. Oft ging ich mit einem Teller zu ihm und ließ mir eine große Portion Fish und Chips oder Brathähnchen und Chips von ihm geben. Alles war dann noch warm genug, um es in Ruhe auf meinem Zimmer zu essen. In der vorlesungsfreien Zeit zog es mich immer wieder in den Buchladen James Thin, wo man Stunden beim Stöbern zubringen konnte.

Manchmal gingen wir aber auch auf ein Bier oder einen Scotch in den Pub „The Bell", wo wir hin und wieder noch bis spät in der Nacht saßen und oft nur noch wenige Gäste waren. Dann läutete der Wirt die bronzene Glocke über seiner Theke und rief mit lauter Stimme: „Ladies and gents, will you drink up now, please!"

(„Meine Damen und Herren, würden Sie jetzt bitte austrinken!") Es war dann der letzte Ausruf, bevor die Stühle auf die Tische gestellt wurden und man die Tür öffnete. Die kühle Luft von draußen würde dann schon die letzten Gäste vertreiben. Das Bier schmeckte immer, frisch gezapft und am meisten verblüffte es mich, dass der Whisky im Pub billiger war als im Bottle Shop. Damals waren die alkoholischen Getränke in den Supermärkten noch mit einem Gitter verschlossen und wenn man etwas kaufen wollte, kam die Bedienung mit einem Schlüssel, um die Tür zu öffnen. Noch heute trinke ich immer wieder gerne einmal einen guten schottischen Whisky. Das bringt mir dann alte Erinnerungen zurück. Während des Edinburgh Festivals im Sommer 1981 hatte ich das große Glück in der Usher Hall Karten für Vivaldis Vier Jahreszeiten zu erstehen, mit Yehudi Menhuin und seinem Schweizer Kammerorchester. Menhuin war schon alt, aber sein Solo blieb mir noch lange in Erinnerung und immer, wenn ich Vivaldis „Four Seasons" auf meiner

Schallplatte anhöre, sehe ich ihn vor mir, wie er aus seiner Stradivari die schönsten Töne herauslockt.

Liste der genannten Einrichtungen:
Weaverly Station (der Bahnhof von Edinburgh). Londons *Kings Cross Station*, von hier fahren die Züge nach Edinburgh ab. *Antigua Street* in Edinburgh, wo ich wohnte. *Carlton Hill*, von hier aus hat man einen schönen Blick zur *Princess Street und Edinburgh Castle*, wo die Queen wohnt, wenn sie in Edinburgh ist. *Postgraduate Club* der University of Edinburgh. Der Pub „*The Bell*", *James Thin Bookshop*, hier kaufte ich Bücher und Material für das Studium. *Edinburgh Festival*, das immer im August stattfindet. *Usher Hall*. Hier finden Konzerte statt. In *Roslin* war eine Außenstelle der Universität von Edinburgh, das CTVM (Centre for Tropical Veterinary Medicine).

Gert W. Knop

Damals in Karlsbad

Mein zweiter Besuch in Karlsbad liegt jetzt schon wieder dreizehn Jahre zurück. Im Sommer 1999 verbrachte ich in Radošov, etwa 17 Kilometer entfernt, fünf Wochen auf einem Campingplatz. Sechs Jahre später konnte ich die Veränderungen sehen, die nach all diesen Jahren die Stadt in ein anderes Licht tauchten. Diese Veränderungen sind weniger an der Oberfläche sichtbar und eher versteckt. Neue Geschäfte haben eröffnet, andere wieder geschlossen, eine Veränderung, die heute überall gegenwärtig ist. Aber leider nicht immer zum Vorteil der Einwohner.

Karlsbad, auf tschechisch Karlovy Vary, liegt nicht nur völlig eingebettet von Wäldern in einem Tal, in welchem zwei Flüsse aufeinandertreffen: die Teplá mit ihren heißen Quellen und die Ohře, die Eger. Den heißen Quellen hat die Stadt ihren weltweiten Ruf als Bäderstadt zu verdanken. Frühzeitig haben neureiche Russen die Gelegenheit am Schopf gepackt und reichlich investiert. Viel zum Leidwesen ihrer Bewohner und der Touristen. 2005 hatte der große Campingplatz vor den Toren der Stadt bereits geschlossen und musste einem Bauprojekt russischer Investoren weichen, ein Rückschlag vor allem für die tschechischen Urlauber.

Bevor man zum eigentlichen Kurviertel kommt und die Jáchymovská bis zum Ende geht, erreicht man die erste Parkanlage Karlsbads, den Smetana Park (Smentanovy sady). Park ist eigentlich zu viel gesagt, da es sich eher um eine Anlage handelt. Hier kann man viele junge Paare auf dem Rasen liegen sehen, andere Personen ruhen sich auf den Bänken aus oder beobachten die vorbeigehenden Passanten. Am Ende des Parks zeigt eine große Blumenrabatte, täglich neu gepflanzt, das aktuelle Datum. Direkt gegenüber befindet sich in einem schönen klassizistischen Gebäude die Hauptpost. Geht man dann linkerhand über die Teplábrücke, die „Poštovní most", kommt man zuvor an den Pferdedroschken vorbei, deren Kutscher in schwarzen Anzügen und mit Zylindern auf Kundschaft gegenüber des Postgebäudes warten, um sie gemächlich durch das Kurviertel zu fahren.

Auf der rechten Seite der Teplá und hinter der Brücke parallel zur Jáchymovská Straße steht ein Kiosk neben dem anderen, wo allerlei nur erdenkliche Waren für Touristen angeboten werden, vom Kitsch bis zur Ansichtskarte.

Um einen Überblick über die Stadt unten im tief eingeschnittenen Tal mit einem fast unüberschaubaren Parkanlagengrün zu bekommen, steigt man am besten die Stufen zum Jenení skok, dem Hirschsprung und dem Kamzík, der Gemsenstatue, am Ende der Petra Velikého Straße hinauf, wo ein schöner kühler Waldweg auch weiter zum Vyhlídka Petra Velikého, dem Aussichtspunkt Peters des Großen, führt. Bekommt man aber nicht genug von Natur und leuchtendem Grün, kann man sich auch auf den Rundweg begeben, der fast 13 Kilometer lang um Karlsbad herum führt.

Wem der Weg die Anhöhe hinauf zu anstrengend ist, kann oberhalb des Hotels Pupp die Standseilbahn nehmen. Oben auf der „Freundschaftshöhe" (Výšina přátelství) hat man vom Aussichtsturm Diana einen sehr schönen Rundumblick in alle vier Himmelsrichtungen. Wer die 150 Stufen zur Aussichtsplattform nicht laufen kann oder will, der kann mit einem Aufzug nach oben fahren. An der Plattform angebrachte Schilder deuten in Richtung Prag und Pilsen.

Von hier oben aus betrachtet, verschwinden die Häuser Karlovy Varys fast gänzlich im sie umrundenden Grün.

Karlovy Vary mit seinen zwölf heißen Heilquellen zog in vergangener Zeit viele Persönlichkeiten an, die sich auch hier mit Lobgedichten an die Stadt verewigt haben. Neben dem russischen Zaren Peter des Großen – nach dem auch der Aussichtspunkt benannt wurde und der dort mit einem Denkmal geehrt wird – weilten hier Friedrich der Große, Maria Theresia, Bismarck, Wallenstein und die bekannten Größen deutscher und russischer Kultur wie Goethe, Schiller, Gogol, Tschaikowski und viele andere. Ja, sie konnten von der Stadt oft nicht genug bekommen und um dem russischen Adel eine Andachtsstätte zu bieten, wurde die russisch-orthodoxe Kirche Peter und Paul (sv. Petr a Pável) errichtet, die mit ihren neu vergoldeten Zwiebeltürmen das Kurviertel weithin überragt.

Auch von der anderen Seite des Kurbadviertels, wenn man bei der barocken Maria Magdalena Kirche (Kostel sv. Maří Magdaleny) im sogenannten Viertel „Monmatre" das Kopfsteinpflaster weiter bergauf geht, kommt man an einer Anlage vorbei und befindet sich nach nur etwa einer Viertelstunde schon mitten im Wald. Sind auch weiter unten noch die Geräusche der Stadt zu hören, so kann man hier ungestört dem Vogelgezwitscher lauschen und alles andere um sich herum vergessen.

Ein gepflegter Waldweg führt weiter zu einer Kreuzung mit einem Schild und Pfeil nach links zu den „Drei Kreuzen" (Tři Kříže). Man findet die Drei Kreuze und die ganz in der Nähe gelegene Aussichtsplattform rein zufällig, da in der Stadt kein Schild darauf hinweist. Die drei Holzkreuze stehen auf einem kleinen Hügel und von hier aus hat man einen grandiosen Blick auf die andere Seite der Stadt mit Heilbadviertel, Grandhotel Pupp und die Mischwälder der Umgebung.

An vielen Häusern der Stadt hat der Sozialismus seine Narben hinterlassen; denn verlässt man das Bäderviertel und die von Touristen besuchten Straßen, bröckeln noch immer die Fassaden, aber wer hat schon das Geld für eine Grundauferneuerung? Je mehr Gebäude vom Geld reicher Investoren hergerichtet werden, umso auffälliger wird dieser Unterschied.

Das Gute am Sozialismus war, dass tschechische Normalbürger sich einen Aufenthalt in Karlsbad leisten konnten. Nachdem der Kapitalismus Einzug gehalten hat, gehört dies endgültig der Vergangenheit an. Wie soll das alles noch werden, wenn auch Tschechien den Euro einführt, öffnet doch der Euro dem Kapitalismus neue Türen.

Die schönsten und sehenswertesten Kleinode Karlovy Varys aber sind noch immer die Parkanlagen. Im Zentrum des Kurviertels befindet sich die Mühlbrunnkolonnade (Mlýnské kolonáda), ein schöner, langgestreckter Bau im Neorenaissace Stil, der fast über die Hälfte der zwölf Karlsbader Quellen beherbergt. Beständig sprudelt hier für das für alle (noch?) kostenlose Heilwasser, das bei Magen-, Gallen- und Stoffwechselerkrankungen hilft. Um das Wasser nicht zu heiß trinken zu müssen, benutzt man einen speziellen Trinkbecher aus Porzellan, dessen oberer Henkelabschnitt gleichzeitig ein Trinkröhrchen ist. An diesen Bechern erkennt man die Einheimischen, da nur wenige Touristen diese Becher benutzen.

Die in großen und weiß gestrichenen Kübeln vor der Kolonnade aufgestellten Palmen geben diesem Teil der Altstadt ein fast südländisches Flair. Von hier aus hat man einen schönen Blick auf die mit vielen Blumen bepflanzten Rabatte auf beiden Seiten der Teplá. Gusseiserne Bänke laden zum Verweilen ein. Die Mühlbrunnkolonnade ist gewissermaßen das Herz des Heilbadviertels.

Mein Lieblingspark ist der Dvořak Park (Dvořakovy sady), der sich nur wenige Meter entfernt in Richtung Hauptpost befindet und dessen zahlreiche Bänke zum Verweilen einladen. Kinder spielen hier zwischen Touristen, Mädchenplastiken, dem Denkmal des Komponisten und Künstlern, die ihre Arbeiten anbieten. Hier herrscht Leben und Karlsbader vermischen sich mit Touristen aus Deutschland, Russland, Spanien, Israel und wie überall in Europa – die Japaner. Vom Kunstmaler über Porträtkarikaturisten bis hin zum Scherenschneider ist dort alles vertreten. Nebenan entlockt ein Straßenmusikant seinem Akkordeon russische

Klänge und ein Junge spielt dazu auf seiner Mandoline. Dazwischen japanische Touristen, die ununterbrochen fotografieren. Ob sie später wieder zuhause in Japan noch wissen werden, wo sie ihre Fotos geschossen haben? Hier im Dvořak Park befindet sich die vierte Kolonnade, eine Gusseisenkonstruktion, die jetzt in einem neuen weiß-gestrichenen Kleid erscheint. Wem es im Sommer zu warm wird, der kann sich auf einer der weißen Bänke ausruhen, die durch das Kolonnadendach vor der Sonne geschützt sind. Hier im Park findet man die unterschiedlichsten Pflanzen. Auf dieser Seite der Teplá findet sich fast alles, was einen Natur- und Blumenfreund schwärmen lässt.

Geht man weiter auf der rechten Seite der Teplá in Richtung Grandhotel Pupp, gelangt man zu einem eindrucksvollen Holzbau, der sogenannten Marktkolonnade (Tržní kolonáda), der weiß gestrichen und ursprünglich als Provisorium gedacht, nun schon seit über hundert Jahren seinen Zweck erfüllt. Hier sprudeln zwei Heilquellen. Oberhalb der Marktkolonnade im ältesten Teil der Stadt erhebt sich der Schlossturm (Zámecká věž), wo sich auf der Terrasse ein Café-Restaurant befindet. Zu Beginn der Kursaison erklingen noch immer Fanfarentöne. Hinter der Marktkolonnade erinnert die Pestsäule an die Heimsuchung durch die Pest im Mittelalter. Hier beginnt auch der Stadtteil „Malé Versailles" (Klein Versailles), wo die Petra Velikého Straße ansteigt, der Ausgangspunkt zu Gemsendenkmal und Diana Aussichtsturm. Vom russischen Generalkonsulat am Ende der Straße, mit ewig zugezogenen Vorhängen, schaut man direkt auf das Karl-Marx-Denkmal. Er blickt sitzend dem Besucher entgegen. Vermutlich sind die Russen wütend auf Karl Marx und den gescheiterten Sozialismus, warum sonst diese Verhüllung?

Abschluss des Kurviertels bildet das Grandhotel Pupp, dessen Kern einst der sogenannte „Sächsische Saal" war, den der sächsische Kurfürst August I. im Jahre 1701 erbauen ließ. Auf dem gegenüber liegenden Tepláufer erstrecken sich weitläufige Parkanlagen. Bunte Blüten, die besonders nach einem sommerlichen Regenguss in ihrer frischen Farbenpracht erstrahlen, leuchten hindurch durch sattes Grün. Geht man die Straße weiter, so gelangt man nach ungefähr einer Viertelstunde Fußmarsch zu einem anderen Karlsbader Kleinod, dem Posthof (Poštovní dvůr), einer ehemalige Poststation aus dem 18. Jahrhundert, die heute ein Restaurant beherbergt. Der Postmeister Josef Korb ließ hier einen Musikpavillon und einen Tanzsaal bauen. Man kann auch im Hof im Grünen an einem der vielen Tische Platz nehmen und befindet sich mitten in unverdorbener Natur und weitab von touristischer Hektik. Hier fand übrigens

1894 die europäische Uraufführung der Sinfonie „Aus der Neuen Welt"
von Antonín Dvořak statt.

Im Kurviertel hört man die verschiedensten Sprachen. Einige Busse
parken vor dem Grandhotel Pupp und plötzlich wähnt man sich nach
Spanien versetzt. Auf dem Weg zur russisch-orthodoxen Kirche begegnet man einer Gruppe älterer Juden in dunklen Anzügen und Kippa, die
sich auf Jiddisch unterhalten. Dort kann man auf der linken Seite in Bernards Restaurant bei einer guten Mahlzeit das köstliche Bier probieren,
das Bernards Brauerei liefert. Für viele ist dies noch ein Geheimtipp.

Nach dem Besuch des alten Posthofes kann man seinen Rundgang
durch das Kurviertel auf der anderen Seite der Teplá fortsetzen. Hier
direkt an der Teplá locken weitläufige Anlagen mit Blumenrabatten und
Pavillons zum Verweilen. Rosen und zahlreiche andere Blumen blühen,
die beide Seiten der Teplá in fröhliche Farben tauchen. Etwas abseits
der Teplá liegt die ausgedehnte und sehr gepflegte Parkanlage des Hotel
Richmond, der Richmond Park. Hier lohnte sich ein längerer Spaziergang durch die Anlage.

Heike Streithoff

Sehnsucht nach Indien

Die Sonne stand kristallklar am Himmel, der Wind wehte mir eine frische Brise entgegen, als ich mit einem Taxi Richtung Candolim fuhr, entlang der Küstenstraße. Das Holifest, ein berühmtes hinduistisches Fest, wurde an diesem Vollmondtag gefeiert. Kinder versperrten die Fahrbahn, besprengten sich mit Wasser, ihre Gesichter bis zur Unkenntlichkeit verschmiert, bewarfen sich mit rotem und rosafarbenem Puder. Ein süßlicher Duft lag in der Luft.

„Zur Vertreibung der Geister", erklärte der Fahrer.

Ihre verklebten Finger tatschten an die verstaubten Autos, griffen in die Taxis, wildes Bakschich-Gekreisch folgte dem buntschillernden Straßentreiben. Hupende Motorräder, knatternde Busse, klirrende Fahrräder, ein Verkehrschaos voller Leben rauschte vorbei, die Kühe schoben sich mit den streunenden Katzen irgendwie dazwischen. Ich spürte den Tod meiner Mutter vor wenigen Monaten beim Anblick dieses Farbspektakels. Mein Hals füllte sich mit Ohnmacht. Ich wollte in diesem Land des Glaubens den europäischen Winter abstreifen und sehnte mich nach einer arbeitsfreien Zeit. Nur hundert Meter trennten mein Appartement vom Strand, nachts hörte ich das Rauschen des Indischen Ozeans. Die surrenden Mücken, das klirrende Geräusch des Ventilators, die dichte Luft in der Nacht bedrückten mich zunehmend. Ich hörte schon meine Gedanken sprechen.

Ein paar Tage später zog es mich zum kilometerlangen Strand. Ich entdeckte ein Café in den Dünen mit Blick aufs Meer, schattig und abseits gelegen vom Touristenstrom, Korbsessel und Holztische aneinandergereiht. Ein paar britische Hippies und blonde Holländerinnen, ein indischer Boy und eine Inderin mit einem dunkelbraunen Hündchen, bildeten das Zentrum des Tummelplatzes. Ich nahm immer mehr die Stimme dieser indischen Frau wahr, ihren Singsang, wenn sie sprach, und verfolgte die Gespräche mit den Gästen; Inhalte, die sich nur in ihren Tönen unterschieden. Fast täglich ging ich ins „Wonderland". Sonntag waren die Eltern der indischen Frau anwesend, majestätisch gekleidet und auch die Kinder festlich herausgeputzt. Doch die indische Frau zog alle Blicke auf sich. Ihre lockigen, Henna glänzenden Haare waren zu einem Zopf gebunden, ihr Körper in weiße Baumwolle gehüllt. Ich sah ihre ebenmäßigen Finger, die ovalen Fingernägel ganz nah, an der rechten Hand trug sie einen filigranen goldenen Ring. In ihr schönes Gesicht zu schauen, schien mir peinlich. Sie bediente mich zum ersten Mal, der Boy servierte diesmal nur die Snacks. Nach dem Essen ging ich etwas früher als gewöhnlich in mein Gasthaus zurück wie jeden Tag den langen Sandstrand entlang. Ich spürte die Zeit, die rannte mir davon.

An den darauffolgenden Tagen erkundete ich die Küste und fuhr mit einem Motorrad Taxi nach Anjuna, stöberte landeinwärts in Mapusa auf dem Wochenmarkt nach Mineralien, kaufte eine Musikkassette von Ali Akbar Khan für 65 Rupien - drei D-Mark. „Journey" rasselte im Walkman rauf und runter. In Old Goa entdeckte ich kleine Juweliergeschäfte nahe der St.- Cajetan-Kirche und besichtigte in Bandora den Mahalakshmi-Tempel und nördlich von Ponda den Sri Manguesh-Tempel. Aufgeladen mit indischen und portugiesischen Eindrücken, fühlte ich mich dünnhäutig und schwermütig werden. Mein Geburtstag nahte, der Erste ohne meine Mutter.

Drei Tage vor meiner Abreise wollte ich noch einmal in das Café gehen. Es war nicht viel los vormittags. Am Nachmittag erschien die Inderin. Ich wusste aus den Gesprächen mit den anderen Gästen, sie volontierte vormittags bei einer örtlichen Zeitung. Ich bestellte ihren beliebten Rosetea. Sie delegierte die Bestellung an den Boy und zog sich Zeitung lesend zurück. Wenig später verlangte ich die Rechnung und stellte fest, als ich in meine Geldbörse schaute, ich hatte nicht genügend Rupien dabei. Nach meinem Trip vergaß ich, ausreichend Deutsche Mark in Landeswährung zu tauschen. Ich gestand meine Panne ein und bot an, in ihrer Messingschüssel abzuspülen, wedelte kreisend mit der Hand. Meine Englischkenntnisse konnten mich gerade noch retten. Flüsternd, fast hauchend bat sie mich, das Geld morgen vorbei zu bringen. Ich war erleichtert und spürte ihren Blick beim Gehen, drehte mich ruckartig um. Sie winkte mir lachend nach.

Am nächsten Vormittag lud ich zwei deutsche Frauen aus meinem Gasthaus, der verblasste Prunk einer portugiesischen Villa, zum Abendessen ein. Den letzten Tag wollte ich am Meer verbringen und meine Schuld begleichen. Es war Ende Februar, noch Frühling in Indien, trotzdem wurden die Tage deutlich schwüler. Im Sand ohne Schuhe zu gehen, war mittags unmöglich. Die Inderin war bereits da. Ich bestellte zur Erfrischung Coca Cola und eine Suppe. Diesmal servierte sie auch, was sie bisher dem Boy überließ und hielt ein paar Orangenstücke in der Hand. Sie fragte höflich, ob der Stuhl neben mir noch frei wäre. Ich war überrascht, nickte ihr zu, zeigte zur Suppe und der daneben liegenden Gabel.

Sie grinste, delegierte selbstsicher an den Boy, einen Löffel zu bringen und fing an, von ihrer Schwester zu erzählen, die in München studiert, dass ihr in diesem Jahr das nötige Visum fehlt, aber nächstes Jahr im Juni es sicher mit der Reise nach Deutschland klappen würde. Sie fragte mich, aus welchem Teil Deutschlands ich käme. Die Trennung schien ihr wichtig. Ich erzählte vom Fall der Mauer und den Veränderungen in Osteuropa. „Goa ist erst seit zehn Jahren der 25. Bundesstaat Indiens, die Geschichte der portugiesischen Kolonie sei ja bekannt", sagte sie, aber das Ausmaß einer Teilung könne sie sich nicht vorstellen. Langsam gingen mir die Vokabeln aus bei diesen brisanten Themen. Sie war deutlich jünger als ich geschätzt hatte und sprach hervorragend Englisch. Zwischen ihren Augenbrauen klebte ein dunkelroter Punkt. Später ließen wir uns mit Henna bemalen. Sie lachte vergnügt, griff nach meinem Arm und zeigte mir ihren Ring, den sie nur zur Tarnung trug. Irgendwie war ich erleichtert, dass sie mir das auch anvertraute. Für Alleinreisende sind solche Maskeraden hilfreich. Ich beobachtete, wie die Sonne wanderte, sich zunehmend rot verfärbte, der weite Blick auf die Küste mit den Palmen atemberaubend. Sie begleitete mich noch ein Stück am Strand. Das Hündchen folgte ihr quietschend. Plötzlich hielt sie inne, kniete sich hin, zögerlich, nach Worten suchend, und fragte, ob sie mich heute Abend oder morgen früh noch einmal sehen könnte? Es fiel mir so schon schwer, Indien zu verlassen und lud sie heute Abend mit zum Essen ein. Ich erklärte ihr den Weg ins Restaurant. Als hätte sie sich mir aufgedrängt, schob sie sanftmütig nach, fragte, ob ich das auch wirklich möchte? Ich hatte Geburtstag, das sagte ich auch ihr nicht. „Please be tonight my guest", antwortete ich entspannt. Sie lachte mich bezaubernd an und sprang wie ein Teenager davon. Der kleine Hund flitzte ihr piepsend hinterher. In zwei Stunden würden wir uns wiedersehen.

Die Erzählung ist meiner Mutter zum 20. Todestag 1997 - 2017 gewidmet.

Besonderer Dank gilt Prema.

Werner Hetzschold

Eine fiktive Reise durch Osteuropa und durch versunkene, längst vergessene Landschaften mit längst verklungenen, berühmten klangvollen Namen

Sehr oft führte ihn sein Weg nach Salzburg. Jetzt ist er alt geworden, empfindet nunmehr die Reise auch per Bahn als anstrengend und mühsam. Auf das Auto hat er in den letzten Jahren völlig verzichtet. Den Straßenverkehr erlebt er als ein ewiges Chaos, gefährlich, unüberschaubar, voller tragischer Überraschungen. Der alte Mann sitzt in seinem winzigen Zimmerchen, das früher einmal sein Arbeitszimmer gewesen ist, hinter seinem mit Büchern beladenen Schreibtisch, vor sich eine riesige Europa-Karte, für die er erst einmal Raum schaffen muss, um sie entfalten zu können. Vor wenigen Jahren noch konnte er die Karte ohne Brille lesen. Diese Zeit ist für immer vorbei. Das Alter hinterlässt auch bei ihm seine Spuren. Er plant eine Reise durch Ost-Europa, will berühmte Städte mit klangvollen Namen und Persönlichkeiten besuchen, die einst dort lebten, arbeiteten, ihre Spuren hinterließen. Er plant eine Reise durch Landschaften, deren einstige Namen im Heute vergessen sind, der Geschichte zugeordnet werden, die aber immer wieder in der Literatur auftauchen, auch in der modernen. Zunächst wird ihn sein Weg nach Salzburg führen, dann nach Oberösterreich. Von Linz geht es weiter nach Böhmen. Prag kennt er sehr gut. Dann wendet er sich Schlesien zu und Galizien. Ob er nach Pommern, Preußen, Masowien, Litauen, Lettland, Estland, Wolhynien, Siebenbürgen oder Transsylvanien, Walachei, Bessarabien, Bukowina, Banat gelangt, weiß er noch nicht. Das hängt davon ab, wie er sich gesundheitlich fühlt. Es ist auch möglich, dass er von Galizien die Heimreise über die Slowakei nach Mähren, von dort nach Niederösterreich, die Steiermark und Kärnten nach Hause wählt. Er wird sehen, was die Zukunft bringt, wie sie sich gestaltet.
Mit dem Zeigefinger fährt er auf der Landkarte die Strecke zwischen seinem Bahnhof und Salzburg ab. In Gedanken, in Fahrtrichtung sitzend, betrachtet er verträumt die Landschaft, die in seinen Augen zu den schönsten der Welt gehört. Hier unmittelbar vor den Alpen gibt es Berge, die typisch für das Mittelgebirge sind, mit Weiden, Feldern und Wäldern. In unmittelbarer Umgebung der vielen Seen, die ein Ergebnis

der letzten Eiszeit sind, sind alle Arten von Mooren entstanden, die magisch die an ihnen und ihrer vielfältigen Flora und Fauna Interessierten aus aller Welt anziehen. Und dann die zahlreichen sauberen Dörfer mit ihren reich verzierten Häusern, den Blumen-, Gemüse- und Obstgärten. Dazwischen Wiesen mit Blumen, die für seine Augen ein Genuss und eine Freude sind. Nur die Schmetterlinge, aber auch die anderen Insekten sind weniger geworden. Von Jahr zu Jahr werden sie weniger. Diese bittere Erkenntnis stimmt ihn traurig und nachdenklich zugleich. Er mag eine lebendige, keine sterile Schönheit. Ständig wechseln die Bilder. Jedes eine Schönheit für sich. Der „Meridian", so heißt der Zug, nähert sich Salzburg. Immer häufiger finden in den Zügen Kontrollen statt. Er kennt die Ursachen. Die Menschen auf der weiten Welt befinden sich wieder auf Wanderschaft. So war es auch nach dem Zweiten Weltkrieg. Viele, viele Millionen Menschen waren damals auf der Flucht, in alle Himmelsrichtungen strömten sie auf der Suche, einen Ort zu finden, der ihnen gestattete zu bleiben, um sich dort eine neue Lebensexistenz aufzubauen. Auch seine Eltern, seine Großeltern, viele aus der Verwandtschaft gehörten zu denen, die kreuz und quer durch Europa zogen, ständig auf der Suche nach dem gelobten Land, nach einem Land mit einer vielleicht sicheren Zukunft. Sie verloren sich aus den Augen während dieser rastlosen Wanderungen, aber nicht aus dem Sinn. Sie suchten einander so lange, bis sie sich gefunden hatten oder zumindest die Gewissheit erlangt hatten, dass der oder die aus ihrer Sippe auf dem Wege der Entbehrungen und seelischen Schmerzen an Schwäche, an Krankheiten verstorben waren.

Der „Meridian" hat sein Ziel erreicht. Auf den Bahnsteigen patrouilliert Polizei. Die Polizisten kontrollieren Reisende, die wie Ausländer, wie Fremde aussehen. Der alte Mann wird nicht beachtet. Keiner interessiert sich für ihn. Weder die deutsche noch die österreichische Polizei. Sie lassen ihn laufen, wohin er will. Er kennt den Weg ins Zentrum. Viele, viele Male ist er diesen Weg gegangen. Immer wieder fasziniert ihn diese Stadt. In der Innenstadt gibt es Straßen, die jeweils noch heute von einem Gedicht geadelt werden. Nach dem ersten Weltkrieg veränderte Österreich sich radikal. Die Donau-Monarchie Österreich-Ungarn verschwand nicht nur von der Landkarte, auch aus der Erinnerung. Es gab keinen Kaiser mehr, keinen österreichischen Adel. Wer dennoch wie Herbert von Karajan Wert auf sein „von" legte, wählte es als Teil seines Künstlernamens. So einfach war es für adlige Künstler. Die Gedichte auf den Gedenktafeln, denen der alte Mann an den Häuserfassaden im Herzen von Salzburg begegnet, schrieb der Dichter Georg Trakl. Jetzt steht der alte Mann vor dem Geburtshaus des Dichters. Ihn befällt eine Art Rührung, eine schwer in den Griff zu bekommende Sentimentalität, gepaart mit Wehmut und Trauer. Hier in Salzburg wurde Georg als fünftes von sieben Geschwistern 1887 geboren, hier verlebte er seine Jugend. Der Vater war wohlhabender Besitzer einer Eisenhandlung, gehörte dem gehobenen Bürgertum an. Die Mutter Maria Catharina war eine geborene Halik, entstammte einer tschechischen Familie. Viele Familien in Österreich haben slawische Vorfahren, aber auch aus anderen ethnischen Minderheiten, sie alle waren einst Bürger der Donau-Monarchie, die ihre Wurzeln hatten im heutigen Südpolen, in der Ukraine, in Tschechien, in der Slowakei, in Slowenien, in Kroatien, in Serbien, in Montenegro, in Bosnien-Herzegowina, im Kosovo, in Rumänien und Bulgarien und in Ungarn. Die Mutter hatte ein problematisches Verhältnis zu ihren Kindern. Die Ursache dafür war sicherlich ihre Drogenabhängigkeit, von der die Kinder nichts wussten, die älteren unter ihnen vielleicht etwas ahnten. Für die begüterte Salzburger Bürgerschaft gehörte sie zu ihnen, lebte das Leben einer normalen Ehefrau in diesen privilegierten Kreisen. Seine Kindheit und Jugend verbrachte Georg wie seine Geschwister unter der Aufsicht einer französischen Gouvernante, die ein unerlässlicher Ersatz für die fehlende Mutterliebe war. Sie erzog die Kinder streng im katholischen Glauben, lehrte sie die französische Sprache, machte sie mit der französischen Literatur vertraut. Für Georg ist diese französische Gouvernante ein unermesslicher Gewinn. Sie macht ihn mit den Dichtern Arthur Rimbaud und Charles Baudelaire bekannt. Sie prägen sein Dichtertum.

Auch bei Alexander Puschkin war es ähnlich. Er wurde nicht von seiner leiblichen Mutter umsorgt und gehütet, sondern von seiner Amme, einer Russin. Diese Amme war nicht nur für ihn Mutter-Ersatz, sondern die Bezugsperson, die er liebte. Puschkin erhielt eine standesgemäße Ausbildung, aber seine Liebe zur russischen Sprache empfing er von ihr, seiner Amme. Seine berühmten Dichtungen verfasste er alle in Russisch. Der alte Mann muss an Brecht denken, an den kaukasischen Kreidekreis. Der weise Richter spricht nicht der leiblichen Mutter das Kind zu, sondern der Frau, die sich wie ein leibliche Mutter um ihr nicht leibliches Kind sorgt. Der alte Mann erinnert sich: Als Schüler der Erweiterten Oberschule hatte er im Fach Deutsche Literatur einen Vortrag über Brecht und dessen Werk „Der kaukasische Kreidekreis" gehalten. Eine ganze Unterrichtsstunde füllte er mit seinem Beitrag aus, errang damit nicht nur eine sehr gute Note, sondern vor allem Anerkennung als Redner.

Der alte Mann folgt den Spuren, den Wegen des Dichters Georg Trakl. Er würde sich nicht wundern, wenn der junge Mann, der künftige Dichter, um eine Straßenecke biege und unvermutet, rein zufällig vor ihm stehe. Vielleicht befindet er sich gerade auf dem Nachhause-Weg vom Gymnasium. Das humanistische Staatsgymnasium in Salzburg ist für ihn eine Belastung. Es raubt ihm die Zeit, die er für seine Dichtungen benötigt. Er verlässt das Gymnasium ohne Matura 1905, experimentiert in dieser Zeit erstmals mit Drogen. Drogen werden ihn sein weiteres Leben begleiten. Eine dreijährige Ausbildung nimmt er 1905 in der Salzburger Apotheke „Zum weißen Engel" in der Linzergasse auf.

Der alte Mann überquert die Salzach über die Staatsbrücke, schon befindet er sich in der Linzergasse in der Rechten Altstadt am Fuße des Kapuzinerbergs. Während der Regierungszeit der Fürst-Erzbischöfe war sie die wichtigste Verkehrsader zwischen Salzburg und Linz. Hier mitten in der belebten Altstadt erlernte Georg das Apotheker-Handwerk. Für ihn bot es gleichzeitig den Vorteil, dass er schnell und leicht an die Drogen gelangen konnte. Seine beiden Theaterstücke „Totentag" und „Fata Morgana", zwei Einakter, wurden im Salzburger Stadttheater uraufgeführt, bescherten ihm keinen Erfolg, stürzten ihn in eine Schaffenskrise, ließen seinen Drogen-Konsum rapide ansteigen. Nach Beendigung seiner Ausbildung zum Apotheker beginnt er das Studium der Pharmazie in Wien. Gedichte von ihm werden nun auch in Zeitungen außerhalb Salzburgs gedruckt. Finanzielle Schwierigkeiten kommen nach dem Tod des Vaters auf die Familie zu.

Der alte Mann hat es immer geahnt, jetzt weiß er es, der Vater war das Zentrum der Familie, regelte und ordnete das Alltagsleben, gewährte der Familie diesen hohen Lebensstandard. Nachdem Georg den akademischen Grad Magister der Pharmazie erworben hat, nimmt er seinen Militär-Dienst bei einer Sanitätsabteilung in Wien als Einjährig-Freiwilliger auf. Depressionen quälen ihn. Er betäubt sie mit Drogen. Wie die Literaturwissenschaftler später herausfinden, gelingt ihm in dieser Zeit der Durchbruch als Dichter. Seine schwermütige Lyrik ist voller Musikalität. Nach seinem Militär-Jahr als Freiwilliger unternimmt er den Versuch, sich eine Existenz als Apotheker in Innsbruck aufzubauen, scheitert aber. Ein Jugendfreund vermittelt Georg Kontakte zu führenden Literaten. Seine Gedichte erscheinen regelmäßig in renommierten Zeitungen und Zeitschriften. Er findet Eingang in die Literatur- und Künstlerszene Österreichs. Er lernt Karl Kraus, Oskar Kokoschka und Adolf Loos kennen. Seine Ängste, seine Depressionen nehmen zu, gipfeln in Panik-Attacken. Er meidet fremde Menschen, hat Angst vor ihnen. Seine kontinuierlichen Rausch-Zustände versetzen ihn in ein Leben zwischen Euphorie und Betäubung.

Der alte Mann denkt einen Augenblick nach. Hat nicht auch Paracelsus im letzten Jahr vor seinem Tod in der Linzergasse gewohnt? Einen tollen Namen hatte dieser Arzt und Wissenschaftler. Er hieß Theophrastus Bombastus von Hohenheim. Schon einmal hatte sich Paracelsus in Salzburg aufgehalten. Das war im Jahre 1525 gewesen, während der Bauernkriege. Er sympathisierte mit den Bauern. Nur mit Schwierigkeiten konnte er sich der Obrigkeit entziehen. Heimlich flüchtete er aus der Stadt. Auf dem Sebastians-Friedhof bei der Sebastians-Kirche wurde er begraben.

Der alte Mann überlegt. Vielleicht stattet er ihm noch einen Besuch ab. Momentan beschäftigt ihn der Dichter Georg Trakl. Eine Position als Militärmedikamenten-Beamter quittiert er nach wenigen Wochen. Ruhelos wie ein Getriebener reist er auf der Suche nach einer geeigneten Arbeitsstelle und nach Verlagen für seine Gedichte zwischen Salzburg, Innsbruck und Wien hin und her. Wie ein Besessener arbeitet er an seinen Gedichten, veröffentlicht seinen zweiten Gedichtband „Sebastian im Traum". 1914 im August bricht der Erste Weltkrieg aus. Trakl findet als Militär-Apotheker in der Armee Verwendung, erlebt und überlebt die Schlacht bei Gródek, wird zum Sanitätsleutnant befördert. Georg erkennt, dass er den Verwundeten kaum helfen kann. Diese bittere Erkenntnis stürzt ihn in Verzweiflung, Er wird Augenzeuge, als 13 Ruthenen vor dem Sanitätszelt auf Bäumen gehängt werden. Ein Nervenzusammenbruch erlöst ihn. Kein Ausweg bietet sich ihm. Er will sich erschießen, doch er wird daran gehindert. Er wird in das Militärhospital in Krakau eingeliefert. Er entzieht sich dem Leben, indem er eine Überdosis Kokain nimmt.

Der alte Mann bleibt vor einer Tafel mit einem Gedicht von Georg Trakl stehen. Nur wenige Gedichte wurden zu seinen Lebzeiten veröffentlicht. Die Germanisten bewerten seine Gedichte höchst unterschiedlich. Der alte Mann seufzt. Er weiß, die Bewertung von Lyrik ist eine individuelle Angelegenheit. Trotz objektiver Kriterien entscheidet letztlich der persönliche Geschmack. Wenn der Leser keinen Zugang zum Text findet, legt er ihn beiseite, auch wenn die studierten Germanisten den Text als große Kunst bezeichnen. Der alte Mann hat die Vermutung, dass der Drogenkonsum, die Drogenabhängigkeit Trakls sich auf Form und Inhalt seiner Gedichte ausgewirkt haben, auch wenn diese Feststellung unausgesprochen blieb. In vier Phasen haben die Germanisten, Sprach- und Kulturwissenschaftler seine Schaffensperiode aufgeteilt. Sehr viel

Kluges haben sie geschrieben. Sie gelangten zu dem Ergebnis, dass die vier Phasen fließend ineinander übergehen. Jahrelang hat Trakl an seinen Gedichten gebastelt. Immer wieder feilte er an ihnen, veränderte sie. Er strebte höchste Perfektion an, tauschte Verszeilen aus, erfand neue Sprachbilder, fasste Strophen zu einer neuen Strophe zusammen oder entwickelte aus einer Strophe ein neues Gedicht. Immer wieder untersuchen die studierten, klugen Leute seine Gedichte, inwieweit der sprachliche Einfluss der französischen Dichter Verlaine, Baudelaire und Rimbaud sich in ihnen widerspiegelt, immer wieder suchen sie für ihn nach sprachlichen Vorbildern.

Der alte Mann überquert eine Fußgänger-Brücke. Sie heißt der Traklsteg. In Innsbruck gibt es einen Traklpark, eine kleine Grünfläche am Inn. Oft soll Trakl sich dort aufgehalten haben.

Der alte Mann hält inne, verweilt einen Augenblick, denkt nach, setzt seinen Weg fort. Unvermittelt steht er vor dem Geburtshaus von Wolfgang Amadeus Mozart. Viele Male hat er das Museum in der Getreidegasse Nummer 9 besucht. Hier verbrachte Mozart seine Kindheit und Jugend. Wieder stehen vor dem Haus Reisegruppen aus aller Welt. Das Geburtshaus zieht nicht nur als Museum viele Mozart-Fans aus aller Welt an, sondern es ist auch eine Pilgerstätte, ein Wallfahrtsort, der auf dem Programm jeder Reisegesellschaft steht, die als eines ihrer Reiseziele Salzburg angibt. Diesmal verzichtet er auf einen Rundgang durch die Wohnräume, in denen Mozart gemeinsam mit seinen Eltern und seiner Schwester Nannerl gelebt hat. Die original rekonstruierte Wohnung gewährt einen Einblick in die Zeit des Komponisten, vermittelt das Gefühl, dass die Familie gerade jetzt nicht zu Hause ist, vielleicht sich auf einer der vielen Reisen befindet. Der Besucher lernt die spannende Lebensgeschichte eines Mannes kennen, der als Wunderknabe gefeiert wurde, zeitlebens auf Reisen war, einen mysteriösen Tod starb. Ihm fällt die Künstler-Novelle „Mozart auf der Reise nach Prag" von Eduard Mörike ein, die zu seiner Lieblingslektüre als Kind und Jugendlicher gehörte. Er erinnert sich, damals wurde ihm in der Schule gelehrt, dass Mozart arm wie eine Kirchenmaus gewesen sei. Später erfuhr er, dass Mozart ein Reitpferd besessen und das Geld mit vollen Händen ausgegeben habe. Ihm fiel auf, dass vieles nicht stimmte, was ihm über Mozart gesagt worden war von Leuten, von denen er damals angenommen hatte, sie müssten alles über Mozart, über dessen Leben und über dessen Epoche wissen. Inzwischen ist er zu der Erkenntnis gekommen, dass Mozarts Vater nicht nur ein großer Künstler war, sondern vor allem im Gegensatz zu seinem Sohn ein erfolgreicher Geschäftsmann. Er vermarktete seine beiden Kinder an den vielen Fürstenhöfen Europas, stellte seine eigene Karriere zugunsten der Karriere seiner Kinder zurück. Überall wurde sein Sohn mit dem Namen Wolferl als Wunderkind gefeiert. Gerade einmal sechs Jahre alt, bereist er Westeuropa, lernt Frankreich, Belgien, Deutschland, England kennen. In Italien vervollkommnet er sein musikalisches Können, zumindest wird das von Leuten erwähnt, die vorgeben es zu wissen. Mit dem Fürstbischof, der weltlicher und geistlicher Herrscher von Salzburg ist, hat Mozart in seiner Position als Hoforganist wiederholt Probleme, weicht nach Wien aus, bemüht sich eine Existenz als freiberuflicher Künstler aufzubauen. Er ist nicht alt geworden, gerade einmal 35 Jahre. Und was hat sich seitdem alles ereignet?

 Der alte Mann steht an der Salzach. Ihm gegenüber auf der anderen Seite am Rand der Stadt erhebt sich der Kapuzinerberg. Die Sonne scheint. Es ist früh am Tage, noch Zeit, den Berg hinauf zu wandern. Dort oben irgendwo hatte Stefan Zweig seine Residenz, dort verbrachte er zwischen dem ersten und dem zweiten Weltkrieg einen Großteil seines Lebens. Bevor er Stefan Zweig kennen lernte, war er schon längst Arnold Zweig in der Schule begegnet, musste den Roman „Der Streit um den Sergeanten Grischa" lesen. Das Buch gehörte zur Pflichtlektüre. In vielen Deutschstunden wurde über den Inhalt des Buches diskutiert. Vor einiger Zeit hatte er irgendwo in einer Zeitschrift gelesen, dass das Buch einen militärischen Justizmord am Ende des Ersten Weltkrieges behandelt. Da war zu lesen, dass dieser Roman die Konfrontation zwischen säkularisiertem Judentum und ostjüdischer Frömmigkeit beschreibt. Von der Auseinandersetzung zwischen aufgeklärter preußischer Tradition und wilhelminischem Kadavergehorsam war die Rede. Der Roman sei ein Spiegelbild des Zusammenbruchs des deutschen Kaiserreiches. Stilistisch betrachtet gehöre es zwischen die Literaturströmungen des Expressionismus und der Neuen Sachlichkeit. Soweit er sich erinnern kann, war von all dem eben Gesagten in der Schule nicht die Rede. Auch blieb unerwähnt, dass Arnold Zweig Jude war. Ihm wurde gelehrt, dass Arnold Zweig wie so viele progressive Künstler aus dem Exil nach Ost-Berlin zurückgekehrt war. Er wurde als sozialistischer Schriftsteller in der DDR geehrt. Seine Werke waren untrennbarer Bestandteil des sozialistischen Realismus. Viele Auszeichnungen erhielt er, auch den Nationalpreis der DDR 1. Klasse. Er war Abgeordneter der Volkskammer der, war Präsident der Deutschen Akademie der Künste der DDR, gehörte dem Kulturbund an. Sein Name hatte Gewicht. Er war einer der führenden Repräsentanten der sozialistischen Kultur und Kunst wie Johannes R. Becher, der als erster Minister für Kultur in der DDR in die Literaturgeschichte eingegangen ist.

Von Stefan Zweig hatte der alte Mann als Jugendlicher nichts gehört. Dieser Schriftsteller war ihm völlig unbekannt. Ein ehemaliger Mitschüler, mit dem er näher befreundet war, der aber gemeinsam mit den Eltern in den Westen gegangen war, hatte ihm zum Geburtstag ein Buch als Geschenk geschickt. Es hieß „Sternstunden der Menschheit". Die Geschichte „Der Kampf um den Südpol" hat er bis heute nicht vergessen. Obwohl Stefan Zweig im Gegensatz zu Arnold Zweig nicht als Verfasser von Pflichtliteratur auf der Literaturliste vermerkt war, lieh er sich Bücher von ihm in der Stadtbibliothek aus.

Und jetzt begegnet er ihm in Salzburg. In dieser Stadt hat Stefan Zweig viele Jahre seines Lebens verbracht. Unmittelbar nach dem Ersten Weltkrieg kehrte Stefan Zweig nach Österreich zurück, lebte in seinem Haus am Kapuzinerberg. Die nationalsozialistische Bedrohung entging dem Schriftsteller nicht, denn für Hitler war auf dem Obersalzberg seine für ihn heile Welt errichtet worden. Dort, umgeben von der Natur in luftiger Höhe, konnte er in idyllischer Umgebung über seine Pläne nachdenken, auf Salzburg herab blicken. Stefan Zweig hatte den Führer der Nationalsozialisten geradezu in Reichweite. Er vertrat den Gedanken eines geistig geeinten Europas, war in gewisser Weise seiner Zeit voraus, indem ihm eine Art Europäische Union in seinen Vorstellungen vorschwebte, die in unserer Zeit von Politikern realisiert wird. Er wandte sich gegen Nationalismus, Chauvinismus und Revanchismus. Als die Nationalsozialisten 1933 im Deutschen Reich die Macht übernahmen, war deren Einfluss auch in Österreich sichtbar. 1934 führte die Polizei eine Hausdurchsuchung in seinem Anwesen auf dem Kapuzinerberg durch. Er war denunziert worden wegen illegalen Waffenbesitzes. Der Pazifist Stefan Zweig nahm diese Drohung sehr ernst, ahnte das sich bereits abzeichnende Unheil, zögerte nicht länger und nahm zwei Tage später den Zug, emigrierte nach London. Seine Bücher durften in Deutschland nicht mehr erscheinen, standen auf der Liste der Bücherverbrennung. Er erlitt als Autor ein ähnliches Schicksal wie Arnold Zweig. Ihre Bücher wurden vernichtet, öffentlich verbrannt. Sie wurden gezwungen Deutschland zu verlassen, verloren ihre Existenzgrundlage. Beide stammten aus dem Vielvölkerstaat Österreich-Ungarn. In Glogau in der Provinz Schlesien wurde Arnold Zweig 1887 geboren, Stefan Zweig 1881 in Wien. Arnold Zweig verstarb 1968 hoch geehrt in Ost-Berlin, Stefan Zweig setzte 1942 in Petrópolis in Brasilien seinem Leben freiwillig ein Ende. Was ist von ihnen geblieben? Ihre Bücher werden wieder gedruckt, sind Bestandteil einer jeden Buchhandlung. In Salzburg erinnert ein Stolperstein auf dem Kapuzinerberg 5 und eine Büste, die 1983 auf dem Kapuzinerberg aufgestellt wurde, an Stefan Zweig. An Arnold Zweig erinnern sich vielleicht heute viele alte Menschen, denen er damals im Literaturunterricht in der ehemaligen DDR begegnet ist.

Der alte Mann schaut vom Kapuzinerberg hinunter auf Salzburg, auf die Stadt, die er so liebt. Wer hat hier noch gelebt, seine Spuren hinterlassen? An ihn erinnert kein Stolperstein, auch wenn er im Jahre 1526 vielleicht durch die Gassen von Salzburg gestolpert ist, häufig betrunken war, wie Zeitgenossen von ihm behaupteten. Paracelsus hatte zu Lebzeiten viele Neider und Feinde, die ihm seine medizinischen Erfolge missgönnten. Auch sprach es nicht für ihn, dass er sich zu den unteren sozialen Schichten hingezogen fühlte. So soll er 1526 für kurze Zeit in Salzburg verhaftet worden sein, weil er Kontakt zu den Bauern hatte, die sich gegen die Herrschaft des Fürstbischofs und anderer Adliger erhoben hatten. Auch als Professor wurde Paracelsus nicht sesshaft. Einst war er ein fahrender Schüler, jetzt ein fahrender Professor. Er wanderte von Stadt zu Stadt, blieb und lehrte, wenn er bleiben und lehren durfte. 1541 hielt er sich erneut in Salzburg auf, bereits vom Tode gezeichnet. Sehr früh war er gealtert. Über seinen frühen Tod waren viele Spekulationen im Umlauf. Es wurde gemunkelt, er sei vergiftet worden, andere behaupteten, er sei erschlagen worden bei einem seiner Saufgelage. Sein Leichnam wurde in Salzburg begraben. Er war keine 50 Jahre alt.

Der alte Mann beschließt seine Reise fortzusetzen. Ein ehemaliger Kollege, jetzt Pensionär mit einer fetten Pension als ehemaliger Berufsschullehrer, hatte ihm empfohlen, eine Bahnkarte zu benutzen, die es ihm erlaubt, mit sämtlichen Zügen für einen Monat quer durch Europa zu reisen. Er ist froh, diesen Vorschlag befolgt zu haben. Für ihn als Regelaltersrentner ist sie erschwinglich. Sein nächstes Reiseziel ist Linz. Die Stadt fasziniert ihn. Nach Wien und Graz ist sie die drittgrößte Stadt Österreichs, liegt an der Donau, hat Theater, Museen und gab der Linzer Torte ihren Namen, deren Rezept, so wird behauptet, das älteste Torten-Rezept der Welt sei.

Er besteigt den Zug nach Wien über Linz, findet einen Fensterplatz in Fahrtrichtung, ist mit sich und der Welt zufrieden. Viele Reisende wählen diesen Zug. Auf den Bahnsteigen ist überall Polizei präsent, führen Stichproben durch, kontrollieren jeden Fahrgast, der als Fremder, damit als Ausländer in Frage kommt. Ein wohlsituierter Herr nimmt ihm gegenüber Platz, betrachtet nachdenklich die Szene, beginnt ein Gespräch. „So viele Fremde überall. Hier bei uns in Österreich überall nur Ausländer! Wohin soll das nur führen? Europa wird von ihnen unterwandert. Bald haben die Fremden Europa voll im Griff, schalten und walten, wie sie wollen. Vor allem in Deutschland sind sie am zahlreichsten. Alle wollen nach Deutschland. Kein Wunder! Die Bundeskanzlerin lädt sie geradezu ein. Es ist nicht zu fassen!"

„Flüchtlinge hat es zu allen Zeiten gegeben", sagt der alte Mann.

„Aber da kamen die Flüchtlinge aus Europa. Sie sprachen alle Deutsch, waren mit der deutschen Kultur vertraut, zumindest mit den Sitten und Gebräuchen in Europa, gehörten dem katholischen oder evangelischen Glauben an, aber nicht wie die momentanen Zuwanderer dem Islam oder anderen uns exotisch anmutenden Religionen. Schon deren Kleidung ist eine völlig andere, zumindest bei den Frauen. Wenn die total schwarz verschleiert sind, weiß ich nicht, ob unter der Burka sich eine Frau oder ein Mann verbirgt. Und Deutsch sprechen sie alle kaum, die meisten überhaupt nicht. Und die Sprache wollen sie auch nicht erlernen, zumindest die meisten. Sie gehen und kommen zum Unterricht, wann sie wollen. Ich weiß das von meiner Schwiegertochter. Sie ist Deutsch-Lehrerin. Und abschieben lassen sie sich auch nicht! Selbst wenn sie kriminell sind, dürfen sie nicht ausgewiesen werden. Es wird höchste Zeit, dass die Regierungsgeschäfte wieder starke Frauen und Männer übernehmen. So jedenfalls kann es nicht weitergehen. Dann hat sich Österreich abgeschafft, dicht gefolgt von Europa. In Frankreich lebten sowieso schon immer mehr Fremde als Franzosen. Die einzigen sind die ehemaligen Ostblockstaaten, die abblocken, ihre Grenzen dicht machen. Nicht mehr lange und es gibt kein Europa mehr. Keine Europäische Union. Dann sind das Relikte aus der Geschichte."

„Die Europäer leisten humanitäre Hilfe, sollen humanitäre Hilfe leisten", sagt die Kanzlerin.

„Das mit den Flüchtlingen nimmt kein gutes Ende! Selbst die alten Ägypter hatten das schon erkannt. Seit ewigen Zeitgen kamen in der Trockenzeit die Nomaden aus Kanaan, aus Syrien mit ihren Herden nach Ägypten gezogen. Die Ägypter gewährten ihnen die Nutzung des Weidelandes am Nil. Nur bevor Fremde nach Ägypten eingelassen wurden, mussten sie sich ausweisen. Akribisch hielt die ägyptische Administration schriftlich fest, wer ins Land wollte, kontrollierte die Fremden kontinuierlich, ihr Sicherheitsdienst verfolgte sie auf Schritt und Tritt. Die Ägypter hatten die ausgefeilteste Buchführung zu ihrer Zeit. Und dann passierte es! Aus irgendeinem Grunde waren sie in der Kontrolle oberflächlicher geworden. Dieser Lapsus rächte sich bitter und nachhaltig. Die Hyksos, so werden sie von der Wissenschaft genannt, war ein Volk der Nomaden, das sich aus vielen semitischen Stämmen von der arabischen Halbinsel zusammensetzte und Ägypten wie ein Heuschreckenschwarm überfiel.

100

Wenn Sie sich für Geschichte interessieren, werden Sie sicher von diesem Volk gehört haben?" Der fein gekleidete Herr blickt den alten Mann fragend an.

Der alte Mann schaut dem fein gekleideten Herrn fest in die Augen, dann sagt er: „Ich habe von den Hyksos gehört und viel über sie gelesen. In der Geschichte treten sie unter den Namen Hapiru und Hebräer auf. Die Wissenschaft sagt, dass der Name Hyksos Hirtenkönige bedeutet, denn sie besaßen viele Ziegen und Schafe. Im Alten Testament heißt es, dass die Israeliten unter der Bezeichnung Hyksos die Amalekiter meinten, es ist auch in der Wissenschaft die Rede davon, dass sie Amoriter oder Kanaanäer waren, in Syrien und Palästina und auf der arabischen Halbinsel beheimatet gewesen sein sollen. Ich bin überzeugt, dass Abraham so ein Hirtenkönig war. In regelmäßigen Abständen suchten gewaltige Heuschrecken-Schwärme ihr Land heim, fraßen es kahl, lösten eine Hungernot aus. Die Hyksos werden auch Herrscher der Fremdländer genannt, eventuell lebten sie auch auf dem Gebiet von Anatolien, damals von den Hethitern bewohnt. Zumindest waren sie sehr mobil. Es gibt Wissenschaftler, die die Ansicht vertreten, dass die Hyksos aus den Steppen Asiens kamen. Sie sollen Pferde als Reittiere benutzt haben. Alle Wörter, die im Zusammenhang mit dem Pferd und dessen Haltung als Reittier oder als Zugtier vor den Streitwagen existierten, haben ihren Ursprung in der Sprache der Hyksos. Wenn sie in fremde Ländereien zogen, nutzten sie immer die gleiche Methode, sie trieben ihr Vieh vor sich her. So hatten sie es auch immer wieder in Ägypten praktiziert. Die Hyksos, nomadisierende Asiaten, waren nach Ägypten gekommen und wieder gegangen, nun aber fielen sie wie Heuschrecken-Schwärme in Ägypten ein und blieben. Vielleicht ist es die Zeit von Joseph und seinen Brüdern, in der in der Bibel berichtet wird. Dieses Thema hat ausführlichst Thomas Mann behandelt. Vier Bände benötigte er. Nicht einen habe ich gelesen. Richtiger muss es heißen, mit dem ersten Band habe ich begonnen, ihn dann irgendwann aus der Hand gelegt, für immer."

„Äußerst interessant", sagt der feine Herr. „Ich habe den Eindruck, Sie interessieren sich für Geschichte. Ich muss gestehen, Thomas Mann ist sehr anspruchsvoll, stellt höchste geistige Anforderungen an den Leser, deshalb ist er nicht jedermanns Geschmack."

Der alte Mann verzichtet auf eine Antwort. Mitunter fürchtet er seine eigene Zunge. Sie kann sehr spitz und scharf sein.

Sein Gegenüber erhebt sich, knickt ihm wohlwollend lächelnd zu und sagt: „Es war wirklich sehr amüsant und erfrischend mit Ihnen zu plaudern."

Der Zug hält in Wels.

Nicht das erste Mal weilt der alte Mann in dieser Stadt, nur damals war er jünger und auch besser zu Fuß. Bei seinem Rundgang durch Linz zieht eine Gedenktafel die Aufmerksamkeit auf sich. Sie erinnert an Richard Tauber. Er gehörte zu den Lieblingssängern seiner Mutter. Von ihr auch weiß er, dass der Richard Tauber wie auch sie selbst ein uneheliches Kind war. Eigentlich hieß er Richard Denemy. Seine Mutter war eine Sängerin, ständig auf Tourneen. Sein Vater war ein zum römisch-katholischen Glauben konvertierter jüdischer Schauspieler, später Opern-Intendant in Chemnitz. Als sein leiblicher Sohn bereits erwachsen war und als Sänger auftrat, adoptierte er ihn. Richard wuchs in Linz bei Pflege-Eltern auf, besuchte dort die Schule. Später zog er zu seinem Vater nach Wiesbaden, der sich um die Ausbildung seines Sohnes kümmerte. Richard Tauber bekannte sich zum Katholizismus, konnte nicht begreifen, dass die Nationalsozialisten ihn als Juden verfolgten, nur weil seine Großeltern väterlicherseits sich zum praktizierten Judentum bekannten. Unmittelbar nach der Machtergreifung Hitlers wurde Richard Tauber in Berlin von einem SA-Trupp als Jude beschimpft, angegriffen und verprügelt. Er war ein gefragter Sänger, gastierte an vielen Theatern, erhielt erste Engagements in London und New York. Nach dem Anschluss Österreichs an das Deutsche Reich emigrierte Richard Tauber während einer Welttournee nach Großbritannien und verblieb dort bis zum Ende des Zweiten Weltkrieges. Mit dem Komponisten Franz Lehár war er eng befreundet. Der Komponist schrieb Operetten, deren Lieder er eigens für Richard Tauber wie ein Maßschneider anfertigte. In Großbritannien hatte Tauber mit seiner Operette „Old Chelsea" großen Erfolg. Er war auch als Dirigent beim London Philharmonic Orchestra tätig und ihm wurde die britische Staatsbürgerschaft verliehen. Mit 56 Jahren starb er an Lungenkrebs, erhielt ein Ehrengrab in London.

Der alte Mann denkt nach. Neben Richard Tauber zählten zu Mutters Lieblingssängern Rudolf Schock und Joseph Schmidt. Seine Mutter hatte ihm erzählt, dass Rudolf Schock aus ganz einfachen Verhältnissen stammte. Der Vater war Arbeiter gewesen und früh verstorben. Die Mutter arbeitete als Putzfrau und Garderobenfrau am Stadttheater Duisburg. Er und seine Geschwister, die alle Berufssänger wurden, unterstützten die Mutter finanziell. Er hatte das immer als Kritik empfunden.

Ihr liebster Sänger war aber Joseph Schmidt. „Ein Lied geht um die Welt" sang seine Mutter, wenn sie glücklich war. Nur fühlte sich seine Mutter selten glücklich. „Ein Lied geht um die Welt" heißt ein deutscher Film aus dem Jahre 1933, hat das Leben des Sängers zum Inhalt. Unmittelbar vor der Bücherverbrennung hatte der Film seine Premiere. Unter den Premieren-Gästen befand sich auch Joseph Goebbels. Er verehrte den Sänger, beabsichtigte ihn zum „Ehrenarier" zu befördern. Joseph Schmidt floh einen Tag nach der Uraufführung wie der Regisseur Richard Oswald. Seine Mutter wusste auch über Joseph Schmidt Bescheid. Er stammte aus der Bukowina, aus einem Ort, der heute zur Ukraine gehört, damals noch zu Österreich-Ungarn, nach dem ersten Weltkrieg zu Rumänien. Er war von äußerst kleinem Wuchs, mit 154 Zentimeter noch kleiner als Napoleon Bonaparte, der es auf 159 Zentimeter brachte. Deshalb blieb Joseph Schmidt eine Karriere als Opernsänger verwehrt, er ging auf zahlreiche Tourneen rund um die Welt, sang beim Rundfunk, wurde als Jude 1942 in der Schweiz in ein Internierungslager eingewiesen. Dort starb er an Herzversagen. Auf dem Israelitischen Friedhof in Zürich ist sein Grab.

 Eine äußerst enge Beziehung zu Linz hatte Adolf Hitler. Für Hitler war es seine Heimatstadt. Dort war er zur Schule gegangen. Linz sollte nach dem Krieg Hauptstadt des Großdeutschen Reiches werden. Diese Information hatte der alte Mann Artikeln und Büchern entnommen, glaubt er sich zu entsinnen. Hitler plante für Linz einen Theater-Neubau, der bereits vor dem ersten Weltkrieg vorgesehen war, aber nicht verwirklicht werden konnte. Hitler, der eigentlich Künstler werden wollte, hatte dafür in seiner Jugend Zeichnungen geschaffen. Am Ufer der Donau sollte dieser Monumentalbau entstehen. Als Kulisse diente ihm Budapest als Vorbild. Ein deutsches Budapest sollte sein Linz werden. Hitler hielt sich auch während des Krieges mehrere Male in Linz auf. In seinem Führerbunker ließ er sich das Modell mit dem von ihm gewünschten neu errichteten Linz aufstellen, betrachtete es stundenlang, in Gedanken versunken, zeigte es seinen Besuchern. Es gibt nicht wenige Bücher über Hitler. Eines hat sein Freund August Friedrich Kubizek über ihn geschrieben mit dem Titel „Adolf Hitler – mein Jugendfreund". Der alte Mann hat das Buch nicht gelesen, dafür das von Brigitte Hamann „Hitlers Wien". Hitler, nur wenige Monate jünger als Kubizek, verband die Liebe zum Theater mit diesem fast Gleichaltrigen, vor allem die Musik von Richard Wagner. Hitler überzeugte Kubizeks Vater, seinen Sohn in Wien am Konservatorium Musik studieren zu lassen. Kubizek arbeitete später als Kapellmeister an verschiedenen Theatern, gratulierte 1933 seinem Freund aus Anlass zu dessen Ernennung zum Reichskanzler, war persönlicher Gast seines Freundes zu den Wagner Festspielen in Bayreuth. Das Buch von Kubizek wird höchst unterschiedlich in der Öffentlichkeit bewertet, auch in Bezug auf die Bedeutung für die historische Forschung. Einige behaupten, dass das, was der Autor über seinen Freund Hitler sagt, alles erlogen sei, andere schätzen Kubizek als glaubwürdigen Zeugen ein und vertreten die Ansicht, das vieles, was Kubizek verkündet, der Wahrheit entspreche. In Zweifel wird die Behauptung Kubizeks gezogen, dass Hitler während ihrer Jahre in Linz und Wien bereits Antisemit war. In Wien hatte Hitler viele jüdische Freunde. Einer von ihnen verkaufte sogar die von ihm angefertigten Bilder. Hitler soll zu diesem Zeitpunkt ein zurückhaltender, scheuer, in sich gekehrter Mensch gewesen sein. Es wird auch die Vermutung geäußert, dass Kubizek, der dem Österreichischen Antisemiten-Bund sich 1908 angeschlossen hatte, später in seinem Buch behauptete, seinen eigenen selbstständigen Eintritt nachträglich auf Hitlers Vermittlung vorgenommen zu haben, um bereits dem jungen Hitler den Anschein zu geben, er wäre schon zu diesem Zeitpunkt Antisemit gewesen. Der alte Mann weiß nur, dass sehr viel über Adolf Hitler geschrieben wurde und noch immer geschrieben wird. Es ist nicht leicht, die Wahrheit von der Lüge zu trennen, zumindest hat es Hitler geschafft, Eingang in die Weltgeschichte zu finden, wenn auch mit äußerst negativen Bewertungen.

Der alte Mann entscheidet sich noch für einen Besuch in das Adalbert-Stifter-Museum, bevor er seine Reise fortsetzt. Das Museum befindet sich im Zentrum, nicht weit von der Donau entfernt. Er ist der einzige Besucher. Vor Jahren hatte er schon einmal dieses Haus besucht. Ungestört kann er sich umsehen, alles in Ruhe betrachten. Nicht weit von Linz entfernt wurde der Schriftsteller, Maler und Pädagoge in Oberplan in Böhmen geboren. Damals gehörte Oberplan, in Südböhmen gelegen, zu Österreich, heute befindet es sich in Tschechien. Nach dem Ersten Weltkrieg wurde die Tschechoslowakei gegründet. Das Selbstbestimmungsrecht der deutschsprachigen Bevölkerung wurde von den Siegermächten ignoriert und damit auch die Existenz der eigenständigen Provinzen Deutsch-Böhmen und Sudeten-Land. Im Sudeten-Land waren die Deutsch-Böhmen und Deutsch-Mährer zu Hause gewesen. Nach dem Zweiten Weltkrieg wurden die Deutschen vertrieben, ihr Vermögen wurde laut der Beneš-Dekrete konfisziert. Auch die Deutschen aus Oberplan mussten ihr Land verlassen, das hatte einen erheblichen Rückgang der Bevölkerung zur Folge.

Der alte Mann überlegt, ob er Oberplan einen Besuch abstattet. Das Geburtshaus des Dichters ist heute Museum. Es ist das Haus Motzl am Rand des Ortes Oberplan in Südböhmen, an der Moldau gelegen. Heute heißt der Ort Horni Plana. Die Wissenschaftler nehmen an, dass das Haus schon um 1600 errichtet worden ist. Um 1670 wird ein Matthias

Stifter als erster urkundlich belegter Besitzer erwähnt. In diesem Haus wurde 1805 Adalbert Stifter geboren. Diese Landschaft mitten im Böhmerwald ist eine heile Welt mit der Wallfahrtskirche oberhalb des Ortes. Diese Welt der Abgeschiedenheit und Stille findet der Leser als Kulisse in den Büchern des Schriftstellers. Diese Gedenkstätte an Adalbert Stifter ist das Werk von tschechischen Experten. Sie gaben dem Museum den Namen „Adalbert Stifter und seine Heimat". Wer ist eigentlich Adalbert Stifter? Der alte Mann erinnert sich. Als er Germanistik-Student war, hörte er seinen Namen in Vorlesungen. Sein Name fiel im Zusammenhang mit der Epoche des Biedermeier. Eingeordnet wurde er als österreichischer Schriftsteller. Das erste Mal erwähnte seine Mutter diesen Namen. Wie seine Mutter war er Leser der Stadtbibliothek. Seine Mutter hatte ihm Schriftsteller empfohlen. Wilhelm Raabe, Peter Rosegger, Theodor Storm, Eduard Mörike, Joseph von Eichendorff, Theodor Fontane. Für Stifter waren als Student seine dichterischen Vorbilder Goethe, Herder und Jean Paul. Mit den Frauen hatte Stifter wenig Glück. Entweder verschmähten sie ihn oder ruinierten ihn finanziell wie seine Frau Amalia, die als verschwendungssüchtig beschrieben wird. Stifter selbst empfand seine Ehe mit Amalia als eine glückliche. Sie kümmerte sich um ihn, wenn er krank war, versorgte und pflegte ihn. Über 30 Jahre waren sie verheiratet.

Der alte Mann lässt sich viel Zeit für die einzelnen Räume. In Stifters Arbeitszimmer betrachtet er ausgiebig die Porträts des Schriftstellers und das von seiner Frau Amalia Mohaupt. Viele Stunden hat er im Museum verbracht, als er sich entschließt zu gehen. Es ist spät. Er will nicht im Museum übernachten. Der alte Mann weiß jetzt, dass Stifter leidenschaftlich gern aß und trank. Sechs reichliche Mahlzeiten nahm er täglich zu sich. Verglichen mit Stifter ist der alte Mann ein schlechter Esser. Ihm war auch nicht bekannt, dass der Dichter seinem Leben selbst eine Ende bereitete. Sein Suizid wurde auf der Todesurkunde nicht vermerkt, da Selbstmörder zu Stifters Zeiten nicht auf dem Friedhof begraben werden durften.

Der alte Mann steht vor dem Wohnhaus von Johannes Kepler. Eine Gedenktafel über der Haustür macht darauf aufmerksam. Rechts neben der Tür befindet sich eine weitere Tafel mit Hinweisen. Das Gebäude wird heute als Bildungshaus genutzt. Die Universität in Linz trägt seinen Namen. An dieser Bildungseinrichtung war Kepler von 1612 bis 1626 als Professor tätig. Das Haus wurde 2008 renoviert. Im ersten Stock erwartet der als „Kepler Salon" bezeichnete Veranstaltungsraum sein Publikum. Es ist eine Bildungseinrichtung, die dem breiten, aber interessierten Publikum den Zugang zu den unterschiedlichen Wissenschaften ermöglicht.

Kepler musste Linz verlassen, weil er sich als Protestant weigerte, Katholik zu werden. Sein Leben verlief unruhig. Seine Mutter wurde als Hexe diffamiert, gefoltert und eingekerkert. Unter größten Schwierigkeiten gelang es ihm, ihre Freiheit zu erlangen. Mit seinen Kindern aus erster und zweiter Ehe musste er aufgrund seiner Tätigkeit häufig umziehen. Seine erste Frau verstarb in Linz. Sein beruflicher Werdegang führte ihn von Graz in der Steiermark nach Prag. Für Wallenstein war er als astrologischer Berater tätig. Aus dem Raum Stuttgart stammte er, studierte in Tübingen Theologie am Evangelischen Stift, übernahm eine Stelle als Mathematiker an der Evangelischen Stiftsschule in Graz, wurde Kaiserlicher Hofmathematiker in Prag. Immer wieder war er auf der Flucht vor den ständig zunehmenden religiösen und politischen Spannungen, versuchte ihnen auszuweichen. Er akzeptierte eine Position als Mathematiker in Linz, verließ Böhmen. Wieder hatte er Probleme mit den evangelischen und protestantischen Entscheidungsträgern. Er flüchtete nach Ulm. Eine Professur in Rostock konnte er nicht realisieren. Bei einem Aufenthalt in Regensburg starb er mit 58 Jahren.

Der alte Mann setzt seine Reise fort. Obwohl er sich dort oft aufgehalten hat, zieht es ihn immer wieder in sein geliebtes Prag. Er liebt die Stadt an der Moldau, die Altstadt, die Burg und Umgebung. Er wandert durch die Gassen, will mit eigenen Augen sehen, was sich verändert hat.

Zlatá Praha – Goldenes Prag!

Wer hat hier nicht alles gelebt? Namen von Schriftstellern fallen ihm ein: Franz Werfel, Rainer Maria Rilke, Berta von Suttner, Franz Kafka, Max Brod, Egon Erwin Kisch, Jaroslav Hašek …

Unvermittelt fällt ihm der Schwejk-Stoff ein, der zahlreiche Male erfolgreich verfilmt und für das Theater und den Hörfunk bearbeitet wurde. Gleichzeitig entsinnt er sich, dass er irgendwann in seiner Jugend irgendwo gelesen hat, dass der Autor sein Werk „Der brave Soldat Schwejk" im Selbstverlag herausbrachte, weil kein Verlag sich für das Buch finden ließ. Und heute gehört es zur Weltliteratur. Interessant, wie sich die studierten Literaturwissenschaftler, Verleger, Lektoren irren können. Der Autor selbst ist die reale Personifizierung seiner Kunstfigur und hat ein ähnliches, nicht langweiliges, mit vielen Überraschungen gesegnetes Leben geführt. Im Ersten Weltkrieg diente er in der kaiserlich und königlichen Armee des Vielvölker-Staates Österreich-Ungarn. Er gehörte dem Böhmischen Infanterie-Regiment „Freiherr von Czibulka" an und war an der Ostfront eingesetzt. Ohne Gegenwehr ließ er sich von den

Russen überrennen mit dem Ziel, von den Russen gefangen genommen zu werden. Er trat in die tschechische Legion ein, später in die Rote Armee. 1918 wurde er Mitglied der kommunistischen Partei Russlands, übte die Funktion des politischen Kommissars aus. Mit seiner russischen Frau ging er 1920 zurück nach Prag. Zu diesem Zeitpunkt war er noch mit seiner ersten Frau Jarmila formal-juristisch verheiratet. Während des Krieges erkrankte er an Tuberkulose. Wie sein Vater starb er an einer Alkoholvergiftung. 39 Jahre war er jung.

In Prag war auch Franz Werfel zu Hause. Bei ihm finden sich folgende Angaben in Bezug auf Geburtsdatum und Geburtsort. Er wurde am 10. September 1890 in Prag im Königreich Böhmen in Österreich-Ungarn geboren. Er ist ein österreichischer Schriftsteller jüdisch-deutsch-böhmischer Herkunft. Er gehörte dem lyrischen Expressionismus an. Der alte Mann kennt von ihm nur den Roman „Die vierzig Tage des Musa Dagh". Als Jugendlicher war er begeistert von diesem Roman. Noch immer ist das Thema aktuell. Erdogan bestritt und bestreitet noch immer den Krieg mit den Armeniern und dessen Folgen. Für Erdogan existiert dieser Krieg nicht. Auf dem Schiller-Platz in Wien gibt es seit dem Jahre 2000 ein armenisches Werfel-Denkmal. In einen Granit-Pfeiler sind die Worte verewigt „In Dankbarkeit und Hochachtung. Das armenische Volk." Die armenische Staatsbürgerschaft wurde ihm 2006 verliehen – eine späte Auszeichnung. Werfel war mit Alma Margaretha Maria Schindler verheiratet. In den Augen des alten Mannes sammelte Alma in ihrer sozialen Funktion als Ehepartnerin Persönlichkeiten der Kunst-, Musik-, Literaturszene wie andere Briefmarken. Sie war mit dem Komponisten Gustav Mahler, mit dem Architekten Walter Gropius und mit dem Schriftsteller Franz Werfel verheiratet. Sie war die Geliebte des Malers Oskar Kokoschka und vieler anderer prominenter Persönlichkeiten. Sie verwandelte ihr Haus in einen Salon für Künstler, unabhängig davon, ob in Wien, Los Angeles oder New York. Sie selbst trat kaum als Künstlerin in Erscheinung. Bücher wurden über sie geschrieben. Werfel führte eine glückliche Ehe mit ihr, zumindest sagte er das immer wieder.

Der alte Mann schlendert durch die Altstadt. Überall begegnet er der Geschichte dieser einzigartig schönen Stadt. Vor einer Buchhandlung bleibt er stehen, wirft einen Blick auf die Bücher, die geschmackvoll ausgelegt, die Aufmerksamkeit auf sich ziehen. Auch Bücher von ihm liegen aus, in tschechisch und deutsch. Gedichte sind es. Eigentlich heißt Rainer Maria Rilke René Karl Wilhelm Josef Maria Rilke. 1875 wurde er in Prag geboren, deshalb ist er von Geburt ein Österreicher wie alle, die vor Ende des Ersten Weltkrieges in der Donau-Monarchie zur Welt kamen. Vor allem sein umfangreicher Briefwechsel ist für die Literaturwissenschaft eine Fundgrube. Das Verhältnis zwischen Mutter und ihrem einzigen Sohn war problematisch. Sie sah in ihm das Bild ihrer geliebten Tochter, die älter als der kommende Dichter, frühzeitig verstorben war. Ihr Sohn sollte ihre Tochter ersetzen, ihre Rolle einnehmen. Sie kleidete ihn als Mädchen. Lange Haare und schöne Kleider sollten den mädchenhaften Zustand noch unterstreichen. Sie gab ihm den Namen René für ‚der Wiedergeborene' im Französischen.

Dem alten Mann ist klar, dass eine solche Erziehung und Behandlung nicht förderlich für den Jungen sein konnte, der offensichtlich sehr sensibel und feinfühlig war, sich von anderen Jungen charakterlich unterschied. Seine Mutter, Tochter einer begüterten Prager Fabrikantenfamilie, war ein anspruchsvolles, sorgenfreies Leben gewohnt, das sie nicht in der Ehe mit Rilkes Vater fand, der nach einer missglückten Karriere beim Militär als Bahnbeamter sein Auskommen suchte. Sein Einkommen wird nicht so gewesen sein, dass es den Vorstellungen der Mutter gerecht wurde und ihrem gesellschaftlichen Stand auch nur annähernd gemäß war. Da die Hoffnungen auf ein ihrer Herkunft entsprechendes Leben sich nicht erfüllte, ließ sie sich 1884 scheiden, da war ihr gemeinsamer Sohn gerade einmal neun Jahre alt. Der verträumte und begabte Junge, der Verse schrieb und schön zeichnen konnte, wurde auf eine Militär-Realschule in St. Pölten geschickt, um sich dort auf eine Offizierslaufbahn vorzubereiten. Der militärische Drill versetzte den Jungen in einen traumatisierten Gesundheitszustand und fügte seiner zarten Psyche emotionale Verletzungen bei, die ihn seelisch und körperlich schwächten, zu Krankheiten führten. Nach sechs Jahren durfte er seine militärische Ausbildung beenden. Er durfte seine Ausbildung an der Handelsakademie in Linz fortsetzen, die er wegen einer nicht standesgemäßen Liebesbeziehung zu einem älteren Kindermädchen unfreiwillig beenden musste. Eine sozial abgesicherte Laufbahn beim Militär oder in der Wirtschaft war nunmehr für ihn verschlossen. Er kehrte nach Prag zurück, durfte sich bei Privatlehrern auf das Abitur vorbereiten, bestand es und nahm ein Studium der Literatur, Kunstgeschichte und Philosophie an der Karls Universität auf, das er später an der Ludwig-Maximilians-Universität München fortsetzte. Wieder verliebte sich Rilke in eine ältere, diesmal verheiratete Frau, die viel in der Welt herumgekommen war. Es ist die Intellektuelle und Schriftstellerin Lou Andreas Salomé.

Der alte Mann setzt sich auf eine Bank, denkt nach. Den Namen dieser Frau hat er im Zusammenhang mit berühmten Intellektuellen häufig gehört. Wer ist diese Frau? Er muss sich konzentrieren. Ihre Biografie ist ihm nicht unbekannt. Er muss nur ordnen, was zu was gehört. In St. Petersburg wurde sie geboren. Wann? Er überlegt. 15 Jahre älter als Rilke war sie. Dann muss es 1861 etwa gewesen sein. Sie entstammt einer deutsch-russischen Familie, in der Deutsch, Russisch und Französisch gesprochen wurde. Ihr Vater war ein Nachkomme südfranzösischer Hugenotten, war aber in Russland aufgewachsen, hatte mit großem Erfolg eine militärische Laufbahn eingeschlagen, gehörte dem Generalstab an, war vom Zaren geadelt worden. Louise von Salomé war eine äußerst gebildete und vielseitig interessierte Frau, die im Kontakt mit zahlreichen interessanten Persönlichkeiten der unterschiedlichsten Disziplinen auf künstlerischen und wissenschaftlichen Gebieten stand. Ihr Verhältnis zu den Männern war höchst widersprüchlich. Sie vermied sexuelle Beziehungen, zumindest gegenüber den vielen intensiv gepflegten, auf geistig hohem Niveau stehenden Männer-Bekanntschaften, lehnte zahlreiche Heiratsanträge ab, wahrte stets ihre totale Unabhängigkeit als Frau. Rilke gehörte zu ihrem engsten Freundeskreis wie Paul Ree und Friedrich Nietzsche, wie Otto Brahm, Richard Dehmel, Knut Hamsun, Gerhart Hauptmann, Erich Mühsam, August Strindberg, Henrik Ibsen und Frank Wedekind. Sie analysierte die Werke der Schriftsteller, Dichter, eigentlich aller Künstler unter dem Aspekt der Psychologie. Sie befasste sich intensiv mit der Position der Frau in der Ehe, deren Rechte und Pflichten, die diese Rolle mit sich brachte. Sie stellte die Frage: Wie muss eine Ehe beschaffen sein, um auch der Selbstverwirklichung, besonders der Frauen, Raum zu lassen? Anna Freud, die Tochter von Sigmund Freud, sagte, als das Buch von Lou Andreas-Salomé über Nietzsche erschien, dass sie die Psychoanalyse vorweggenommen habe. Die leidenschaftliche Liebe und Zuneigung hielt zumindest für Rilke ein Leben lang an. Von Anfang an las er ihr seine Gedichte vor, änderte seinen Namen René in Rainer um, weil dieser Name in ihren Ohren männlicher klang, sie war für ihn Mutter und Geliebte zugleich. Ihr zu Liebe erlernte er die russische Sprache, bereiste mit ihr Russland. Er verlor die Kontrolle oft über sich, sie hatte ihre Emotionen immer fest im Griff, war offensichtlich ein ausgeprägter Verstandesmensch. Rilke glaubte, ohne sie nicht leben zu können, sie aber wusste genau, ohne Rilke verliefe ihr Leben in den von ihr vorgegebenen Bahnen. 1937 äußert Sigmund Freud in seinem Nachruf auf diese äußerst kluge Frau, die eine weitgereiste Schriftstellerin, Erzählerin, Dichterin, Essayistin und Psychoanalytikerin war, dass sie dem großen, im Leben ziemlich hilflosen Dichter Rainer Maria Rilke zugleich Muse und sorgsame Mutter gewesen war.

Dem alten Mann schmerzen die Füße. Er sollte in ein Restaurant gehen, einen starken Kaffee trinken, vielleicht ein Stück Kuchen verzehren. Er wählt den Altstädter Ring, wählt ein Café, von dem er den Platz mit Jan Hus überschauen kann. Die Sonne meint es gut mit ihm, verwöhnt ihn mit wohltuender Wärme. Ihm gehen die vielen Persönlichkeiten durch den Kopf, die hier gelebt und gewirkt haben. Er überlegt, ob er am Abend ins Theater gehen soll. Wie früher! Er wird den Besuch des Theaters davon abhängig machen, wie er sich am Abend fühlt. Ein Prager, dem er auf der Grundschule begegnet ist, heißt Egon Erwin Kisch. Er gehörte zu den Auserwählten, die im Lesebuch der Grundschule mit einer Geschichte geschmacksbildend und unterhaltend auf die Kinder einwirken sollten. Zu Hause wurde Egon Erwin Kisch nicht erwähnt. Er wurde offensichtlich von Mutter nicht für würdig befunden, in der Stadtbibliothek ausgeliehen zu werden, wahrscheinlich kannte sie ihn auch nicht, vielleicht hatte ihn ihr niemand empfohlen, sonst hätte sie ihn sicher gelesen.

Der alte Mann lernte ihn als erster in der Familie kennen, den rasenden Reporter. Das wird der Grund gewesen sein, dass Mutter ihn nicht kannte, weil er ein rasender Reporter war. Und in den Augen der Mutter war ein Reporter kein Dichter, auch kein Schriftsteller. Er war ein Berichterstatter, er berichtete, schrieb nicht wie ein Dichter oder Schriftsteller in formvollendeter Sprache. Der alte Mann weiß genau, dass der Lehrer sagte, dass Egon Erwin Kisch ein tschechoslowakischer Schriftsteller sei, der in Prag geboren worden war. Mit keiner Silbe wurde erwähnt, dass er Jude war. Dem ersten Juden, mit dem er es in der Schule zu tun hatte, war eine Jüdin. Sie hieß Anne Frank. Im Wohnviertel hieß es, dass eine jüdische Familie wohnte. Das waren ganz normale Leute. Sie fielen überhaupt nicht auf. Die Frau arbeitete bei der Straßenbahn und er bei der Deutschen Reichsbahn. Im Westen hieß sie Bundesbahn, im Osten Deutsche Reichsbahn. Das Der oder Die ein Jude oder eine Jüdin war, wurde im Osten nicht hervorgehoben; sie alle waren Bürger der Deutschen Demokratischen Republik.

Der alte Mann steht vor dem Geburtshaus von Egon Erwin Kisch, freut sich über die Gedenktafel, die dort angebracht ist. In diesem Renaissance-Haus „Zu den zwei goldenen Bären" wohnte und arbeitete der Tuchhändler Hermann Kisch gemeinsam mit seiner Familie. Hier in Prag besuchte der spätere rasende Reporter verschiedene Schulen und Universitäten der Stadt. Der alte Mann erinnert sich, dass in dem Lesebuch von damals Geschichten enthalten waren, die mit der Kindheit und Jugend des kleinen Egon und des jugendlichen Egon zu tun hatten und lustig waren. Schon als Jugendlicher reist Egon viel, schreibt Reportagen über die Orte, die er in Österreich und Bayern aufsuchte. Er ist Student für ein Semester an der Technischen Hochschule in Prag, wechselt an die deutschsprachige Karl-Ferdinands-Universität. Nach dem Studium ist er vielseitig tätig als Reporter, Redakteur, Journalist, schreibt für die deutschsprachige Zeitung „Prager Tagblatt". Unter dem Titel „Prager Streifzüge" hat er eine ständige Rubrik, berichtet über die Prager Halb- und Unterwelt, zu der er enge Kontakte hält, viele Erfahrungen sammelt, die er später in seinen Reportage-Bänden „Aus Prager Gassen und Nächten" verwendet. Im Auftrag der „Bohemia" fährt er ins Ausland, lernt Neapel, Konstantinopel, Piräus kennen, reist nach London und Antwerpen. 1913 verlegt er seinen Wohnort nach Berlin, schreibt für die Zeitung „Berliner Tageblatt", wirkt als Dramaturg am Berliner Deutschen Künstler-Theater, dient 1914 seit Beginn des Ersten Weltkrieges beim Infanterieregiment 11 in Südböhmen. Während des Ersten Weltkriegs lernt er viele Anarchisten, Pazifisten und Demokraten kennen, seine kritische Haltung zu sozialen und politischen Fragen und Problemen nimmt zu. Die österreichisch-ungarische Monarchie verliert ihre Existenz. 1919 wird Kisch Mitglied der Kommunistischen Partei Österreichs. In der Zeit der Weimarer Republik entwickelt er sich zum rasenden Reporter. Quer durch Europa, quer durch die Welt reist er, schreibt darüber Reportagen, Bücher. Über die Sowjetunion berichtet er, der Titel ist „Asien gründlich verändert". Er informiert seine Leser über die Sowjetrepubliken in Zentralasien. Voller Begeisterung beschreibt er die politischen und sozialen Veränderungen im ersten kommunistischen Staat der Welt, verschweigt aber die Hungersnöte, die Lager für Zwangsarbeiter, die Verfolgung der Kirche, die Verbote für die Ausübung jeder Religion. Für den alten Mann ist das eine Strategie und Taktik, die immer wieder genutzt wird, um das Staatssystem, für das sich der betreffende Chronist begeistert, im positiven Licht erscheinen zu lassen. Indem er die negativen Ereignisse ausblendet, ist er nicht mehr der objektive Berichterstatter, er ist subjektiv, ergreift Partei. Und das sollte ein Journalist nicht tun. Von ihm wird Objektivität gefordert, nur halten sich die allerwenigsten Journalisten an diese Maxime. Der alte Mann misstraut allem und jedem, auch jedem Bericht, ist überzeugt, diese Berichte spiegeln den parteilichen Standpunkt der Schreiber wider, die von ihrer Zeitung bezahlt werden. Und diese Zeitungen repräsentieren immer Parteien. Von seiner Position als Kommunist äußert er sich über Amerika, über die Vereinigten Staaten. Unter dem Titel „Paradies Amerika" billigt er den Vereinigten Staaten deren technologischen und wissenschaftlichen Fortschritt zu, bringt aber gleichzeitig in seiner Funktion als Kommunist seine Kritik an. Er wendet sich historischen Reportagen zu, vor allem unter historischem Aspekt. Geschichten werden erzählt, die ihm in Prager Kneipen übermittelt worden sind, besinnt sich auf seine Wurzeln, verfasst die Sammlung „Geschichten aus sieben Ghettos", veröffentlicht Kriminalgeschichten aus seinem Prag. Als Dramatiker ist er tätig. Das Schauspiel „Die Hetzjagd" hat in Form der Tragik-Komödie die Geschichte des Oberst Redl zum Inhalt, der als Spion enttarnt wurde, Selbstmord beging, homosexuell und an Syphilis erkrankt war, die so weit fortgeschritten war, dass er hätte bald sterben müssen. Die Nationalsozialisten weisen Egon Erwin Kisch 1933 aus Deutschland aus nach Verbüßung einer Haftstrafe. Gleich zu Beginn ihrer Herrschaft ist er ihr Gegner, beteiligt sich am Widerstand. Nur unterwegs ist er zwischen 1933 bis 1946 in Amsterdam, Paris, Madrid, Australien, Mexiko, die Vereinigten Staaten. Während der Nazi-Diktatur sollte er aus dem Gedächtnis der Leser gelöscht werden. Seine Bücher wurden verbrannt. Nach dem Zweiten Weltkrieg kehrt er nach Europa zurück, nimmt am politischen Leben in der Tschechoslowakei teil. 1948 stirbt er, liegt begraben auf dem Friedhof Vinohrady in Prag.

Der alte Mann setzt sich auf eine Bank an der Moldau. Er hat das Bedürfnis allein zu sein, von niemandem gestört zu werden. Seinen Gedanken, seinen Träumen will er sich überlassen, will einfach abschalten, nur geht das nicht. Bei künstlicher Intelligenz mag das möglich sein, so per Knopfdruck. Als Jugendlicher hat er immer Egon Erwin Kisch beneidet, weil er durch die ganze Welt reisen, sich alles ansehen konnte. Für ihn existierten keine Grenzen und wenn, dann überwand er sie. Schon als junger Mann fühlte sich der alte Mann als Kosmopolit, bekannte sich dazu, auch wenn es nicht vorteilhaft war, eine solche politische Ansicht zu vertreten. Auch heute ist er noch immer Kosmopolit, ist glücklich darüber, dass er sich auf dem Globus frei bewegen kann. Damals als junger Mann konnte er nicht dorthin gehen, wonach ihm gerade war. Das Ländle war eingezäunt. Nur Privilegierte konnten fahren, wohin sie das Verlangen hatten, auch in die nicht-sozialistischen Länder. Der alte Mann lächelt. Er wurde in Deutschland geboren. Das Territorium, auf dem seine Eltern während des Krieges eine Bleibe gefunden hatten, verwandelte sich später in eine Region, in der die Administration der Deutschen Demokratischen Republik das Sagen hatte. Er wurde zu einem gelernten, wohl ausgebildeten DDR-Bürger, durchlief die Bildungseinrichtungen dieses Ersten Deutschen Arbeiter- und Bauernstaates auf deutschem Boden, wusste genau, wo und wann er etwas wie zu sagen hatte. Es gab zwei Meinungen, eine offizielle und eine persönliche, eine individuelle. Der alte Mann muss schmunzeln, als er feststellt, dass es inzwischen wieder so in Deutschland ist. Keiner sagt, was er wirklich denkt, aus Angst, er wird missverstanden und in die rechte Ecke gestellt. Niemand wünscht sich, aufgrund seiner Ansicht als Klassenfeind, das war früher in der DDR das passende Wort, jetzt muss es heißen, als rechtsradikal, als ausländerfeindlich, als fremdenfeindlich bezeichnet zu werden. Erschreckend gleichen sich die Bilder. Was er als menschenverachtend in der DDR als junger Mann zurückließ, findet er heute wieder in der Bundesrepublik Deutschland: Misstrauen, Angst, Stigmatisierung, Menschenverachtung. In der DDR hieß es, von der Sowjetunion lernen, heißt siegen lernen. Schon lange ist dieser Slogan nicht mehr aktuell, weil diejenigen, die ihn damals propagiert haben, ihn nicht mehr zeitgemäß finden. Nichts ist so beständig wie die Änderung. Immer wieder bestätigt sich diese Feststellung. Der alte Mann kehrt zu seinem Egon Erwin Kisch zurück. Er wusste zu leben. Als Sterbender wurde er gepflegt von seiner Frau und seiner Freundin. Zwei Frauen kümmerten sich um Egon.

Wer kümmert sich um ihn, wenn er stirbt? Wer wird sich an ihn noch erinnern? Er weiß nicht, welchen Status der Egon nach dem Ende des Zweiten Weltkrieges, westlich des Eisernen Vorhanges in der Bundesrepublik Deutschland hatte, er weiß nur, dass er in der Deutschen Demokratischen Republik zu den führenden sozialistischen Autoren gehörte, Jahrzehnte lang fortwährend neu publiziert wurde. Er hat immer Kisch beneidet, weil er so ein aufregendes, abenteuerliches Leben als Kosmopolit führen konnte. Ihm war so ein Leben nicht vergönnt, auch nicht den Brüdern von Egon Erwin Kisch, deren Existenz als Juden im Konzentrationslager endete. Zu einem Freund soll einmal der Kosmopolit Egon Erwin Kisch gesagt haben: „Weißt du, mir kann eigentlich nichts passieren. Ich bin ein Deutscher. Ich bin ein Tscheche. Ich bin ein Jud. Ich bin aus gutem Hause. Ich bin Corpsbursch. Etwas davon hilft mir immer."

In Gedanken verloren sitzt der alte Mann noch immer auf seiner Bank, wendet seine Aufmerksamkeit der Moldau zu, spricht mit ihr: „Ich werde Abschied nehmen müssen von Prag. Ich werde weiter ziehen. Wer weiß, wohin mich noch die Füße tragen. Ich habe noch so viel vor. Als nächstes Reiseziel avisiere ich Brünn. Sie ist die kleine Schwester Prags."

Wolfgang Hachtel

Am Lech in Tirol

Der Tiroler Lech ist der letzte Wildfluss im nördlichen Alpenraum und einer der letzten Wildflüsse in Mitteleuropa. Zum Teil noch völlig ungezähmt bahnt er sich seinen Weg durch das breite Tal zwischen den Allgäuer Alpen im Norden und den Lechtaler Alpen im Süden. Ihn wollten wir kennenlernen – auch, damit wir für Euch etwas schreiben können. Eine Woche lang begleiteten wir den Fluss auf dem Lechweg von Steeg hoch oben in Tirol bis nach Füssen unten in Bayern.

Ein Geflecht aus Flussarmen und Schotterinseln ... wie ein Labyrinth präsentiert sich dem Wanderer der Tiroler Lech. Niedrige Temperaturen, wenig Plankton und ein hoher Gehalt an Mineralien ergeben zusammen mit dem Sonnenlicht die markante hellblau-türkise Farbe seines Wassers.

Regenfälle und heftige Gewitter können diese schöne Farbe innerhalb weniger Stunden ändern. Schlammig, braun wälzt sich der Fluss danach durch das Tal! Während solcher Hochwasserereignisse zeigt sich der Lech wild und ungestüm. Und er kann im Sommer bis zu hundertmal mehr Wasser führen als im Winter bei Niedrigwasserstand. Bei solchen Hochwassern wird das gesamte Flussbett überschwemmt. Die Wassermassen tragen die Kies- und Schotterbänke ab und lagern das Material an anderen Stellen wieder an.

So scheint in diesem Labyrinth nichts beständig zu sein. Das wirklich Beständige ist die stetige Veränderung durch den meist noch kaum gezähmten Fluss. Kiesbänke und Schotterinseln entstehen und verschwinden, Flussläufe werden verlegt, verzweigen und vereinen sich.

Da der Lech die Vegetationsentwicklung immer wieder stört, wirken diese Lebensräume karg. Auch ist es trotz der Nähe zum Wasser auf den Kiesbänken oft trocken und heiß. Wasser rinnt durch die großen Hohlräume des Bodens schnell ab und wird kaum gespeichert, und die Kiesbänke sind der vollen Sonneneinstrahlung ausgesetzt – ein extremer Standort. Hier können nur Spezialisten aus der Tier- und Pflanzenwelt existieren, die besondere Überlebensstrategien entwickelt haben. Andererseits: Sobald die ständigen Veränderungen ausbleiben, werden sie rasch von anderen Arten verdrängt.

Neu in der Wildflusslandschaft entstandene Lebensräume werden zunächst durch Pionierarten besetzt. Die wichtigste ist der gelbblühende Alpen-Knorpellattich, der die frisch aufgeschütteten Schotterflächen immer wieder neu erobert und sich mit einer tiefreichende Pfahlwurzel verankert.

Wir entdecken das Kriechenden Gipskraut, das Alpen-Leinkraut, die Zwergglockenblume und die Weiße Silberwurz, die wir hier gar nicht vermuteten; wir kennen sie von den alpinen Gipfelregionen. Es sind sogenannte Alpen-Schwemmlinge. Ihre Samen werden mit dem Schmelzwasser über die Seitenbäche zum Lech transportiert, wo sie aufgehen und blühen, weil das Kleinklima der Schotterflächen dem der Gebirgsgipfel sehr ähnlich ist – Trockenheit, Wind, hohe UV-Strahlung, große Hitze im Sommer und starke Kälte im Winter hier wie dort.

An Uferbereichen mit sandig-schlickigem Untergrund gedeiht der Zwergrohrkolben, eine typische Pionierart großer alpiner Flussauen. Ohne Umlagerungen der Flussarme und des Bodens würde die konkurrenzschwache Pflanzenart von höher wüchsigen Arten wie Schilf oder Weiden schnell überwuchert. Er benötigt zum Überleben eine natürliche Dynamik, die immer wieder unbewachsene Standorte für seine Neuansiedelung schafft. Hier sind optimale Bedingungen für den Zwergrohrkolben, da er eine lichtliebende Pflanze ist und keine Beschattung verträgt.

Auf den Kiesbänken und vegetationsfreien Ufern beobachten wir Flussuferwolfsspinnen bei ihren Jagdausflügen. Mit etwas Glück kann man ihre Wohnröhren im sandigen Boden entdecken; deren Eingang liegt versteckt unter Holz oder Treibgut. Die Wohnröhren werden bevorzugt in dem in der Tiefe feuchten Sand, etwa einen Meter von der Uferlinie entfernt, angelegt.

Die Gefleckte Schnarrschrecke gehört zu den größten einheimischen Heuschrecken. Im Flug zeigt sie ihre leuchtend rosa bis rot gefärbten Hinterflügel. Der Flug kann über 50 Meter gehen. Dabei erzeugt sie einen schnarrenden Ton. Auch ihr Vorkommen ist an große, frische und vegetationsarme Kiesbänke gebunden.

Mit Glück können wir auf den weiten Schotterbänken sogar den seltenen Flussuferläufer beobachten. Er eilt an der Wasserlinie entlang, wo er Würmer, Schnecken, Kleinkrebse und Insekten erbeutet. Beim Auffliegen lässt er ein leises, sehr hohes „hididi" hören. Beim Flug, oft nur knapp über den Wasserflächen, lässt er auf schnelle Flügelschläge kurze Gleitphasen folgen. Auch der Flussregenpfeifer ist hier zuhause.

Ausgedehnte Auwälder säumen den Lech. Sie sind auf regelmäßige Überflutungen angewiesen, die immer wieder neues Sediment mitbringen und Nährstoffe anschwemmen.

In den Auen am Oberlauf gedeiht ein dichtes Gebüsch mit Tamarisken, Lavendel- und Purpurweiden. Da ist oft kein Durchkommen, ein mitteleuropäischer Dschungel! Der Boden aus abgelagertem Grobsand und Kies kann fast kein Wasser speichern. Trotz des nahen Flusswassers ist Trockenheit das Charakteristikum dieser Auwälder. Zu den ersten Auwaldpflanzen, die sich auf jungen Schotterflächen ansiedeln, gehört die Deutsche Tamariske, ein bis zu zwei Meter hoher immergrüner Strauch mit aufrechten, rutenartigen Ästen und sehr kleinen, länglichen Blättern. Ein weites Wurzelwerk verankert sie im Boden, ihre Äste sind sehr elastisch, sodass sie auch bei größeren Hochwassern nicht weggeschwemmt wird.

Flussabwärts entwickelt sich auf Uferterrassen ein Trockenauwald mit Kiefern, Schneeheide und Wacholder. Er zählt zu den artenreichsten und buntesten Waldtypen in Mitteleuropa. Der Wacholder kommt hier auch als Baum mit einer Wuchshöhe von bis zu acht Meter vor. Seltene Orchideen wie die Fliegenragwurz und der Frauenschuh blühen, und auch Alpenschwemmlinge sind zu finden, die wir schon auf den Kiesbänken entdeckt haben: Weiße Silberwurz, Stengelloser Enzian oder die Aurikel, ebenfalls die Zwergglockenblume, das Alpen-Edelweiß und das Alpenleinkraut.

Am Unterlauf des Tiroler Lech bei Reutte ist ein Auwald mit Weichhölzern verbreitet. Durch das ebene Gebiet, aber auch durch Verbauungen kommen ruhigere Flussabschnitte vor. Bei Hochwasser werden Sand und feine Erde angeschwemmt. Neben Weiden wächst hier die Grauerle; ein echter Grauerlenwald kann sich entwickeln, in dem Laubfrosch und Karmingimpel heimisch sind.

Die Seitentäler des Lechtals verdanken den Gletschern der Eiszeiten ihr heutiges Aussehen. Das Eis des mächtigen Lechgletschers, entstanden in der Würmeiszeit, schuf ein markantes Trogtal. Der Gletscher blockierte die kleineren Gletscher der Seitentäler, sodass Hängetäler über dem Haupttal entstanden. Dadurch wurden eindrucksvolle Schluchten oder Wasserfälle am Ausgang der Seitentäler geformt.

Die Bäche der Seitentäler versorgen den Hauptfluss mit Wasser und sorgen für einen Nachschub von Geröll und Schotter. Die Seitentäler sind meist nur schwer zugänglich und daher Refugien für Tiere und Pflanzen. Hier können wir Wasseramsel und Wasserspitzmaus beim Tauchen beobachten.

Brunnwässer nennen Einheimischen die kleinen, langsam fließenden Nebengewässer des Lechs, die von Hangwässern gespeist werden. Sie fließen am Talboden entlang, bis sie ohne großen Höhenunterschied in den Lech münden. Für Molche und andere Amphibien stellen sie sehr wichtige Laichgewässer dar. Wasservögel, wie z.B. die Stockente, nutzen diese wertvollen Biotope als Kinderstuben und ziehen ihre Küken groß. Fische laichen in den stillen Brunnwässern ab und Jungfische bleiben hier einige Zeit, bevor sie in größere Bäche abwandern. Bei Unwettern oder Hochwässern, wenn der Lech sich braun durch das Tal wälzt, bringt er viele Schwebstoffe mit sich. Dann sind Brunnwässer bedeutende Rückzugsgebiete für Fische, denn im Lech selbst würden sie ersticken.

Zwischen Stanzach und Forchach führt der Lechweg führt entlang der Schotterbänke durch die charakteristische Wildflusslandschaft. Wir nehmen uns die Zeit, Steinmännchen zu bauen, gemütlich Brotzeit auf einem der Treibholzstämme zu halten und an einem der ausgewiesenen Plätze zu grillen. Dabei entstehen dann schon die ersten Ideen, was wir schreiben können über den Lech, ein wilder Kerl, der oft einfach macht, was er will – ein richtiger Wildfluss eben.

Marko Ferst

Rittergut Frankenfeld

Ruhig strömt die Aller, besäumt von Weiden dahin, Felder soweit das Auge reicht. Steinbuhnen zwingen den Fluß schneller sein Bett zu passieren. Ein Stück weiter hält ein Deich anlandendes Hochwasser vom Dorf Frankenfelde fern.

In diesem Jahr brennt die Sonne schon monatelang über das Land, alle Grasflächen sind verdorrt, die Farbe Hellbraun dominiert. Nur dort, wo große Sprenger die Felder wässern, dürfte die Ernte üppiger ausfallen. Regentage sind zu einem äußerst knappen Gut geworden.

Auf einer Wiese direkt am Fluß sind zahlreiche Wohnwagen der sengenden Hitze ausgesetzt. Besser ergeht es dagegen den zeltenden Gästen, deren leichte Unterkünfte unter hohen, alten Bäumen im Schatten stehen. Ihnen konnte nur ein Sturm gefährlich werden. Nachts wird es in den Zelten schnell angenehm kühler.

Unentwegt bringen Schwalben ihrem Nachwuchs Insekten unter das Dach des großen Rittergut-Gebäudes mit imposanter Architektur aus einem längst vergangenen Zeitalter. Es ist teils ein Backsteinbau, teils Fachwerk mit weißen Gebäudefronten. Schmiedeeiserne Tore öffnen den mit Steintürchen und Bögen verzierten repräsentativen Eingang aus Mauerziegeln.

Tagsüber tummeln sich jede Menge Wespen, dort wo man sein Geschirr abwaschen kann. Da heißt es auf der Hut zu sein. Auch viele andere Insekten scheinen hier heimisch. Mücken aber ärgerten die Camper nicht.

Die Siedlung selbst soll eine der ältesten in der Gegend sein, schon in der Zeit Karl des Großen könnte sie bestanden haben. Um 1360 läßt sich die Familie, der einst das Rittergut gehörte, am Ort nachweisen.

Hinter dem Gebäude findet sich ein Gehege für Ziegen. Eine Familie hatte vom türkischen Gemüsehändler in der Stadt einen ganzen Sack Grünzeug erhalten, jede Menge Petersilie und anderes. Dosiert in kleinen Portionen, knabbern die Mäuler die frische Nahrung flink hinweg. Jedoch der Bock drängelt sich unentwegt vor in seiner Freßgier. Nur mit viel Geschick läßt er sich austricksen, damit auch die kleineren Ziegen etwas abbekommen.

Auf den umliegenden Wiesen des Ortes, egal wo man sich umsieht, kann man eine charakteristische Zeichnung erkennen. Feine, schmale

118

Güllestreifen entdeckt man überall, wo man genauer hinschaut. Immerhin, die Nase erfuhr nichts von dem Austrag. Zu hohe Nitratwerte im Grundwasser vielerorts in Niedersachsen funken ihre eigenen Warnzeichen.

In einer frühen Nacht soll es eine Mondfinsternis geben. Nun lassen sich Wolken nicht entdecken, so ganz klar scheint der Himmel wiederum auch nicht zu sein, jedoch das gesuchte Gestirn will nicht aufgehen. Ob es sich hinter dem Blätterwerk der hohen Bäume und anderem dichten Gebüsch versteckt? Irgendwann kann man den Kupfermond entdecken, wenn man an dem neuen Haus des Gutes vorbeigeht. Es wurde nach einem Brand aufgebaut. Zwischen zwei Scheunendächern läßt er sich plötzlich ausmachen. Später in der Nacht ist er wieder der alte.

Verläßt man das Dorf, so durchfährt oder durchschreitet man eine über hundert Jahre alte Lindenallee.

Hanna Fleiss

Die kleine Stadt

Du schlenderst durch die fremde kleine Stadt.
Und nichts, was irgend drängte, du hast Zeit.
Du sehnst dich nach der Welt voll Einsamkeit,
die noch den Charme vergangner Tage hat.

Aus Blumenhöfen tönen Frauenstimmen,
und durch Gardinen siehst du Köpfe spähen.
Tief über Dächern kreisen schwarze Krähen,
und frühe Sterne sieht man silbern glimmen.

Hier lässt die Stille enge Gassen schweigen,
und nur dein eigner Schritt stört diese Welt.
Hier wurden Uhren längst schon abgestellt,
die ernst vom Dunkel vieler Stunden zeugen.

Die Differenz zur großen Stadt fällt auf.
Still sitzt du auf der Bank im letzten Licht.
Du bist mit dir im guten Gleichgewicht,
bedenkst still deines Erdenlebens Lauf.

Sehr langsam nur verlässt du das Quartier.
Vielleicht hast du ein wenig Glück verspürt,
ein Stück von dem, was deine Seele rührt.
Du gehst und nimmst die kleine Stadt mit dir.

Hanna Fleiss

Pappelschnee

Nun ist die Zeit des Flugs der Pappelsamen.
Die Luft ist blütensatt, durch Laub fällt schräg
das Licht des Tags, und vor uns still ein Weg.
Und fern, so fern die Stadt mit ihren Dramen.

Uns ist, als wolle uns die Welt beschenken.
Ein Teich ruht still, man ahnt ihn lange kaum,
ins Wasser neigt sich tief ein Weidenbaum,
und Pappelschnee sinkt nieder in die Senken.

Der Anblick lässt uns wortlos weitergehen,
bezaubert von des Junimonats Pracht,
der so viel Schönheit uns hat zugedacht,
vom Tag, an dem die Pappelsamen wehen.

Hanna Fleiss

Friedhof, wüstgefallen

Totenwelt, wie sie daliegt und stumm
himmelwärts starrt. Das da hat doch mal
lachen können, lief wie wir herum,
litt dieselbe Angst, dieselbe Qual.

Namen Schall verflognen Zeitenwindes,
Status, noch im Grab der Herr Magister,
Knochen, Schädel eines Menschenkindes,
Nummernschild im Gräberfeldregister.

Mal der Unvergessnen, steingehauen –
alle hofften auf das bessre Morgen,
Väterglauben voller Gottvertrauen.
Keinen hat die Welt am End geborgen.

Hanna Fleiss

Großstadt

Gesichtslos treibt die Stadt in ihren Morgen,
ein Wolkensturz drückt auf das müde Grau.
Vor Ampeln probt man ersten Blechkotau.
Wer schläft, muss erst den Traum entsorgen.

Befeuert tritt die Stadt in die Pedalen,
es kreischt, es dröhnt, es rattert und es stöhnt –
man hat sich hier mit allem ausgesöhnt,
muss man am Ende auch dafür bezahlen.

Und wie von bittrer Wut und Trotz beseelt,
ergibt die Metropole sich der Nacht –
erschöpft, ein wunder Heros nach der Schlacht,
von dessen Ruhm Legenden man erzählt.

Hanna Fleiss

In der Fremde

So fremd fühl ich mich dieser Welt,
da ist ein Schmerz, er will nicht enden.
Erstickt halb unterm Wuste der Legenden,
spür ich mein Hiersein unverstellt.

Nur noch die Ahornbäume grüßen mich,
die Vögel, die darin seit Zeiten nisten.
Man hält mich hier für einen Pessimisten,
ein wenig sei ich wohl absonderlich.

Noch immer schmerzt das dumme Herz.
Und wären nicht die alten Straßen,
die Bücher, die mich nicht vergaßen -
ich lebte längst schon anderwärts.

Hanna Fleiss

Globetrotter

Man reist sein Leben lang nur hin und her,
mal Kleinstadt und mal Riesenmetropole.
Daheim sieht man sie nur mit Aureole,
vergisst die Plackerei und die Beschwer.

Ein jeder aber bleibt auch gern zu Hause.
Das Zimmer dort in Bumsstadt war ganz nett,
doch schläft man süßer ein im Ehebett,
in seiner eignen, angewärmten Klause.

Man ärgert sich gehörig und man flucht.
Doch Reisen bildet, und man weiß Bescheid,
so tut man gleich was für die Eitelkeit.

Die fremde Gegend irritiert, man sucht.
Und wie gewohnt, plant man Verspätung ein.
Ansonsten steht man rum und ist allein.

Hanna Fleiss

Reiseträume

Man müsste reisen, reisen, weit fort reisen,
und wenn man's schafft, ans Ende dieser Welt,
wo Menschen leben können unverstellt,
ein solches Paradies, ich würd es preisen.

Fast täglich lässt man die Gedanken kreisen,
hat seine Pläne längst schon aufgestellt,
reist mit dem Zeigefinger stolzgeschwellt,
man will es sich, nur einmal noch, beweisen.

Doch dummerweis fehlt überall das Geld.
Im Feuer hat man noch ein kleines Eisen,
doch ob es reicht, das bleibt dahingestellt.

In seiner Klause kann man leicht verwaisen,
beackert mühsam bloß sein kleines Feld.
Ach ja, man müsste. Müsste mal verreisen.

Helmut Tews

Vor dem Abflug

Durch die Sperre drängen, hasten
Menschen ohne je zu rasten -
starren cool auf Handytasten.

Reisekleidung, Reisetasche,
Reisefieber, Reisemasche -
Baby nuckelt an der Flasche.

Kleiner Hund, der macht Pipi,
Tüten schlackern um die Knie -
früher gab´s mehr duty free.

Zigaretten glimmen schneller,
Münzen scheppern auf den Teller -
vor dem Kloraum tief im Keller.

Polizisten blicken streng,
an der Hüfte ein Pengpeng -
nicht zu brauchen im Gedräng.

Trennungsschmerz läßt Tränen fließen,
könnte damit Blumen gießen -
wenn sie sich entsalzen ließen.

Helmut Tews

Ehemalige Zonengrenze im Harz

Frühjahr 1995

Ich gehe
gehe spazieren.

Ich ducke mich nicht
schaue nicht rückwärts
bin ganz gelöst.

Auf dem Kolonnenweg
auf den zwei Spuren
es ist Frühling
nichts weiter.

Hier stampften die Stiefel
hier radierten die Reifen
hier schoß der Tod aus den Läufen
hier sickerte Blut
das schreit noch
ganz leise.

Ich gehe spazieren.

Helmut Tews

Zonengrenze im Harz

September 1963

Drüben steht dein Bruder
er schaut – fernglasbewehrt – herüber
zwischen euch Stacheldraht – Minen – Verbot
auch du schaust – fernglasbewehrt – hinüber
ein Blick ohne Leben, kalt blinkende Optik
seltene Tiere betrachtet man so
neugierig, ängstlich – mit Liebe
drüben steht dein Bruder.

Siegbert Dupke

Lissabon, Lisbonne, Lisboa

Im Süden die Tejo Mündung,
sundbreit bei der Hängebrücke.
Wir fuhren im Zug darüber,
Panorama vor Cristo Rei.

Kernstadthügel, die Vorstädte
von Queluz bis Cascais am Meer.
Entfernt unten der Belém Turm,
deutlich das Seefahrer Denkmal.

Dom und Kirchen im Häusermeer,
am Ufer dominiert Traumschiff,
kleiner ein Fährboot zur Metro,
dem Westbahnhof Cais do Sodré.

Rolltreppe in steile Altstadt
der Festungsmauern, nostalgisch
die Elektrische, maurischer
Gassen Flair oder das Pflaster.

Pombal kannte Chaos und Stil,
Pessoa zwei Sprachen, Mäzen
Gulbenkian Kulturen. Stadt
des Fado, auch des Tratado.

Ponte Vasco da Gama und
Ostbahnhof Calatravas am
Park der Nationen, ja und
Indien vertritt längst Goa.

Siegbert Dupke

Begrenzte Poesie

Sie mündet nahe Bonn,
er lässt die Romantik
der Burgen hinter sich.
Lyrik verträgt Fakten.

Aus Frankfurt halten in
Siegburg Züge nach Köln,
queren die Sieg, den Rhein,
in Köln auch Sysch un Rhing.

Siegbert Dupke

Am Rhein in Köln

Türme hochgotisch gesponsert,
deshalb untertänigst spontan
Hohenzollern Brückenachse,
Bahnnetzgleise nahe zum Dom.

Kriegszerstörung chancenhaltig,
Stadtbahn und Straßen im Tunnel,
Stil, Kunstterrasse, Konzertsaal,
Brücke stromabwärts verbreitert.

Peter Schuhmann

Ausgeflogen

Der Vogel flog gen Süden,
nur du verbliebst am Ort.
Wärst gerne mitgeflogen,
doch band dich hier ein Wort.
Als aber Frühling nahte,
da blicktest du hinaus
und sahst ihn wiederkehren,
in ein verlassnes Haus.

Peter Schuhmann

Ulminiszenz

In Ulm, und um Ulm, und um Ulm herum,
Fällt ein Stein lange, und wenn, fällt er krumm.
Denn gleich am Münster, dem Spatzengezelt,
kam einer relativ praktisch zur Welt.
Wie dem auch sei, ob geteilt oder nicht,
Durch jene Ader, die bläulich sich bricht,
Schachtelten viele die Hoffnung ins Boot
Und fuhren stromabwärts in ihrer Not.
Der schneidernd strebte nach himmlischen Höhn,
Stürzte jäh ab, um dann unterzugehn.
Und jene Rose, die treu widerstand,
Brach man, nun blüht sie im ewigen Land.
Doch schien dies manchem die Story vom Gaul,
blickt dem Geschenkten man doch nicht ins Maul.

Peter Schuhmann

Hafenbar

In die Bar zum „Blanken Hans"
gehn Matrosen gern zum Tanz,
um bei Shanty-Weisen
Frauen aufzureißen.
Und da liegen sakrosankt
ab und zu die Nerven blank,
streiten rauhe Kerle
sich um eine Perle.
Dann fliegt auch einmal, was klar,
neben Flüchen Inventar,
und im Rauf und Runter
ging manch Schiffer unter.
Doch der Sturm so mancher Nacht
hat es an das Licht gebracht,
und begann die Reise
als Matrosenwaise.
In der Bar zum Blanken Hans
strahlen Augen von dem Glanz
weißer Schaumeskronen,
die vor Trübsinn schonen.
Und es spült gar manchen Schrank
bei der Bierflut von der Bank,
doch der Wirt, ein Ire,
schleppt sie vor die Türe.
In der Bar zum Blanken Hans
hängt über der Bar ein Kranz,
für die, die in Krisen,
schon ihr Leben ließen.
Und es liegt in manchem Blick,
Wehmut vor verflossnem Glück
und der Wunsch beim Gehen,
auf ein Wiedersehen.

Peter Schuhmann

Randnotiz

Jüngst trieb des Nachmittags um Drei
im Rhein bei Köln ein Fass vorbei.
In Peking fiel ein Reissack um,
und in Timbuktu, fidibum,
fiel von der Palme eine Nuss.
Wieso ich dieses schreiben muss?
Nun, in dem Fass ertrank die Laus,
der Sack begrub die Mücke,
und auch die Nuss voll Tücke,
schlug einer Ameise aufs Haupt.
Wer's glaubt!

Peter Schuhmann

Verrannt

Ein Esel lief nach Erzurum
und wußte dort nicht mehr warum.
Drauf ging er seinen Weg zurück,
doch als gegangen er ein Stück,
vergaß auch hierfür er den Grund,
blieb fortan stehn zur selben Stund
und ward, als was er nie gegolten,
seitdem als Widerborst gescholten.

Peter Schuhmann

Gestrandet

Mancher flieht auf eine Insel,
die zwar Unterschlupf gewährt,
aber durch Tristesse und Stürme
immerzu das Fernweh nährt.

Peter Schuhmann

Traumflug

Wieder hüllt die Nacht mich Stillen
In ihr düsteres Gewand,
Und der Geist löst sich vom Willen
Für den Zug ins dunkle Land.
Fliegt entlang der Küstensäume,
Halb noch Land und halb schon Meer,
Über tags durchmessne Räume,
Die nun fremd und schattenschwer,
Zu dem Hort der heilgen Quellen
Wo er von den Wassern trinkt,
Und nach einem kühlen Bade
Sich geläutert aufwärts schwingt.
Doch wie hoch sein Flug ihn führet,
Und wie weit die Reise geht,
Wenn der erste Strahl ihn rühret,
Ist er wieder heimgekehrt.

Peter Schuhmann

Abflug

Im Sonntagsfrieden liegt das Dorf,
und nur der Brunnen plätschert leise.
Vom Nest hebt sich der letzte Storch
und macht sich auf die weite Reise.
Die Not der Zeit sehr wohl im Blick,
dreht er zum Abschied eine Runde.
Hört, wie die Turmuhr zwölfmal schlägt
und fliegt davon zur selben Stunde.
Ein Mensch sieht ihm mit Wehmut nach,
als zög ein guter Geist von dannen.
Der Brunnen schweigt. Verwaist der Sitz,
fehlt einer, ihren Traum zu bannen.

Peter Schuhmann

Eines Tages

Auf einem kahlen Bergvorsprung
wuchs eine kleine Blume,
und hatte nicht viel Platz daselbst
und wenig Erdenkrume.
Sie träumte von dem Sonnental
auf andrer Bergesseite,
sah bloß, vom kalten Wind umweht,
auf eine karge Weite.
Da kam ein Vogel müd' und matt,
und ließ am Sporn sich nieder.
Und von dem Blümlein rann ein Körnlein
sacht in sein Gefieder.
Ward aufgenommen auf dem Flug
hin über Gipfels Wehen.
Und übers Jahr sprosst's drüben auf.
Blümlein hat's nie gesehen.

Peter Schuhmann

Sonne Bengalens

Dies ist ein kleines Teegedicht.
Ich schrieb es, weil ich Tee so liebe.
Am liebsten jenen aus Darjeeling,
den brühe ich mir auf im Siebe.
Steht er dann vor mir goldgelb leuchtend,
wie eine zarte Morgensonne,
entzündet schon das erste Schlückchen
ein kleines Feuerwerk der Wonne.
Dann seh im Geist ich grüne Hänge,
atme die milde Luft der Täler,
und fühl, vom Blütendufte trunken,
dem Himmel mich ein Stücklein näher.

René Oberholzer

Die Reise

Er hat alle Koffer gepackt
Sie stehen im Flur bereit
Er öffnet die Türe
Und tritt ins Freie

Der Himmel ist grau
Regen liegt in der Luft

Er holt einen Schirm
Und schaut seine Koffer an
Dann schliesst er die Türe
Und folgt dem Schwarm der Raben

René Oberholzer

Mildes Abendrot

Schwimmen in einem Becken
Mit hellblauem Grund
Wie in einem Bild
Von David Hockney

Schwimmen in einem Becken
Bei kühlen 16 Grad
Und leicht frösteln
Nach der 10. Länge

Sehen das offene Meer
Und viele fremde Boote
Wie dunkle Särge
Vor dem milden Abendrot

René Oberholzer

Hoch im Norden

Mit dir urlauben
Auf der Insel
Im herzförmigen See

Dabei die Nähe ausloten
Und dich umarmen
In einem Ruderboot

Dabei die Wolken studieren
Und sie interpretieren
Bis Regen aufzieht

Dann zurückrudern
Zur Blockhütte
Und dich wärmen

Und dann dich lieben
Am Kaminfeuer
Bis zur Erschöpfung

Und später Abschied nehmen
Von den Bäumen
Die weiterhin schweigen werden

René Oberholzer

Die Wiederaufnahme

Der Regen bringt mich zurück nach Siena
In das lärmige Restaurant
Oberhalb der Piazza del Campo

Bringt mich zurück nach Volterra
In dem die Sicht aufs Umland
Versperrt war

Bringt mich zurück nach Pisa
In dem ich ein schiefes Foto
Von dir gemacht hatte

Es ist an der Zeit
Die Dinge ins rechte Licht zu rücken
In Pisa in Volterra in Siena

Ich schreibe an diesem Gedicht weiter
Und warte
Auf die nächste Hochwetterlage

René Oberholzer

Collobrières

Der blaue Himmel
Ein Backofen

Die Kastanienbäume
Schattenplätze

Der Waldboden
Unser Bett

Grillenkonzerte
Eine heisse Zeit

René Oberholzer

Saint-Tropez

Der Himmel über dem alten Hafen
Ein hellblaues Zelt

Die Häuser an den Uferstrassen
Kulissen für ein Theaterstück

Es könnte den Titel tragen
Der gleichgültige Frieden

Marko Ferst

Väterchen Frost

Gläsern, der Drache
strahlt im Sonnenleuchten
Winterthrone
warten auf Kinder
an der Weihnachtstanne
Märchenpanoramen
aus Eisblöcken, Reliefs
Künstler mit Meißel und Wasser
Schliff für die neue Jahreszahl
Pferde dampfen
vor ihrem Kufengefährt
die Eisgiraffe staunt

Djed Moros als roter Riese
an seiner Seite
Snegurotschka in Blau halbhoch
Rutschbahnvergnügen
für den kleinen Nachwuchs
Plastik mit Griff
als Hosenschutz
mit beheizten Kabinen
behängt das Riesenrad
Blick über die Schneestadt
Wellen ins Land dahinter
ein theaterblaues Dach, wuchtig
hütet die Bühne

Mit wehendem Mantel
Lenin bleibt
auf seinem Sockel
und zeigt hin
zu den Augen
der strengen
Rathausfront
russisch-baschkirisch beflaggt
ob auf das Steinpodest

so ganz aus Bronze
steigt bald Putin ...
genug provoziert hat er
so verdient man sich
den Spott allerorts
ein ehrlicher Abgrund

Drei Schweinchen
die Eisaugen
mit Rubelmünzen signiert
wer hat sein Haus
aus Stein gebaut
auf das ihm
der Wolf nichts umpuste
oder andere Gauner?
an diesem Neujahrsmorgen
fallen in manchem Heim
kleiner aus die Geschenke
aus den weißen Weiten
der Ölpreis beziffert die Inflation

Tjubing
so heißt der Luftreifen
Fahrt aufnehmen
auf der bebretterten Rampe
eisbeschichtet
ein Ruck
und los geht es
auf die abschüssige Bahn
in die lange Strecke
Frostkristalle
an Schal und Mützen
heißer Schwarztee mit Zitrone
wird gereicht
im Kiosk nebenan

Himmelblau
die Roschdestwo-Bogorodskij-Kirche
Goldkuppeln, Kreuze
drei Balken, einer schräg

in der Dämmerung
im Kircheninneren
ein Kerzenort
geheimnisvoll, dunkel und still
über der zentralen Straße
schwebt grünweißblaues Ornament
aus Lichterminiatur
auf der baschkirischen Bühne
das Ballett rundet
nach Tschaikowskis Noten
Schwanensee

Wann wird
ein neuer, anderer Salawat Julajew
endlich siegreich sein
ansetzen zum Sprung
mit seinem gewaltigen Pferd
über den weißen Fluß
Waldweite zu Füßen
überwunden sein
die Phalanx
immer neuer Zarenhöfe
die Kryptik der Macht?
einst Bauernaufstände
neue Umbrüche lauern

Das junge Jahr
wechselt sich ein
Riesengeschenke
vor geschmücktem Tannenbaum
täuschen
zum Mitternachtsläuten
hält der Präsident Ansprache
fernsehern
Brücken harren
auf eine lichtere Wegstrecke

Ufa 2016

Betti Fichtl

Urlaubsgedanken

Höre noch
die Rufe
der silbernen Möwen
zwischen Himmel
und Meer.

Sehne mich
nach den Wellen
im Nordwind
ihrem ewigen
Da capo
das an die Dünen tost.

Will den kühlen Sand
barfüßig spüren
im Morgenaufgang
mit einer
ahnenden Sonnenflut
die Zeit aus Kristall
berühren
ihre feinen Splitter
bis zu einer Wiederkehr.

Betti Fichtl

Afrika

Brennende Erde
in glühender Sonne
eine rote Endlichkeit.

Sengende Lüfte
mit dem Echo
der Wildnis
über ihren Spuren.

Trommeln
und Tänze
in den Dörfern -
ein stilles Sehnen
nach einem
Wiedersehen.

Afrika

Betti Fichtl

Meernacht

Sterneninseln
um das
Kreuz des Südens
über dem
Karibischen Meer.

Zärtlich
singt
der Südwind
zur Musik
der Wellen
brandend
an den Strand.

Zauber
der südlichen Nacht.

Achim Franz Willems

Elafonisi, Kreta, 1983

warum so tun
als wäre man glücklich gewesen
hier war ich es

gestrandet im irgendwo
am südwestlichen zipfel von kreta
wo noch platz war für eine sehnsuchtsvolle erwartung

gedichte begannen hier am wasser
gedankenlose spiele über wiedergeburt
über horizontbildende körper

von unserem glück
über das wir in den augen anderer lesen konnten
ganz zu schweigen

am strand von elafonisi
der bis zu den weißen bergen reicht
hier habe ich gelebt

mit dieser freiheit ohne folgen
so gut ich eben konnte
und fühle mich heute seltsam traurig

Kathrin Maier

Eine Stadt im Wald

Eine Stadt im Wald
Mit Häusern aus Bäumen
Mit Dächern wie Tannen
Wald und Berge
Polen hört hier auf
Hier fängt die Hohe Tatra an

Die Kälte mag schon bald kommen im September
Kalter Dunst verkürzt die Klarheit der Spätsommertage
Doch warm diese Erde vom Verzeihen – miłość[1]
Herb das Gras der Weiden
Stille und Schafblöcken ergibt diese Musik in den Tälern
Und im Haus Fiedel und Bass
Sie singen – miłość

Eine Stadt im Wald
Die aufwärts läuft gegen das Ende der Sackgasse
An der einem Skispringer entgegenfliegen landeinwärts
Doch raus aus dem Wald die Gipfelstürmer weit über hohe Berge
Ein Lift mag ihn hochheben diesen Blick gegen Norden über das Land
Wo im Süden die Berge stehen
Und klar die Seen liegen wie die Wahrheit – miłość

Die Liebe staut sich in den Tälern und Hütten
Der Wind der polnischen Küste treibt diese quer durch das Land
Und hier, am Ende der Sackgasse, steht sie in der Luft
Man geht darin, man lebt darin, man atmet sie – miłość
Manche Skispringer (nur die Polnischen)
Fliegen dahin getragen auf dieser Woge zum Sieg – miłość

---

[1] Polnisches Wort für „Liebe"

Buntes Markttreiben, Kinderlachen. Eine Frau reicht Käse über die Theke.
Ihre Perlenkette um den Hals leuchtet rot. Sie deutet auf ihren Mann, Górale.
Die Muscheln auf seinem Hut flüstern – miłość
Ein Strauß von Blumen auf ihrer Kleidung
Spiegelt den Blütenzauber auf den Grasweiden im Frühjahr
Zähigkeit und Hoffnung auch hier in den Bergen – miłosc

Eine Stadt im Wald
Landeinwärts der Schritt bergab – Landeinwärts der Blick auf Polen – miłość
Zakopane

Felix Buehrer

Sumpfland

Baton Rouge in feuchter Hitze,
Mississippi, Mückensommer.
Hier holt der Horizont sogar
den Mond aus dem Morast hervor.

Eine raue Hand schlägt die
Saiten einer Blechgitarre an.
Der mohnversessene Portier
sitzt müde beim Empfang.

Der Abend liegt in tiefem Blau,
und ich hock da und frage mich:
All das Mitgeschleppte
weiterschleppen?

Die Fratzen aus dem heißen Sumpf,
ich seh sie ohne hinzuschaun.

Felix Buehrer

Livingston (Louisiana)

„Help me! Take me outta this bottom!
‚Cause this water is gonna rise!"

Hilfssheriffs zerren Katie Mae
aus ihrem alten Plymouth,
dessen Dach noch aus den Fluten ragt.
Dann retten sie auch Reno, ihren Hund.

Dauerregen lässt die Pegel in den Häusern
bis ins erste Stockwerk steigen.

Aus den Wassermassen werden viele
nur noch tot geborgen. Governor John Bel
verhängt die Ausgangssperre. National-
gardisten jagen Plünderer per Boot.

Und aus den Heilanstalten schwimmen
Regenmacher und Propheten fort.

Felix Buehrer

Das Rot in der Ferne

Schwimmen ans Ufer
und stehen im Sand.
Du in deinem Kleid
aus Fallschirmseide.

Nie ein kühneres
Rot gesehen als
jetzt in der Ferne:
Pompejanisch Rot.

Im Gehen sagst du:
„Den Rest des kühnen
Rots, den brauchen
wir landeinwärts."

Mit dem Rot im Rücken
gehn wir in die Städte:
du mit Schorf am Hals,
ich mit Geigerzähler.

Petra Dobrovolny-Mühlenbach

Stein und Licht

Unsere Reise nach Irland vom 10. September bis 1. Oktober 2014

Auf den Spuren einer uralten Kultur und ihrer Weisheit – Begegnungen mit den alten Steinen – Ein Heilimpuls für die Harmonie des Landes – Irlands Gastfreundschaft: Bed and Breakfast – Ein Schloss und eine wiedergeborene Bedienstete – Die Initiation im Hügelgrab von Newgrange – Das Geheimnis von Tara: Der verrückte Stein – Irlands Auge

Die Strahlen der Sonne erreichen mich durch den schmalen Gang, auch von der kleinen runden Öffnung in der sechs Meter hohen Kuppel über mir fällt Licht. Ich stehe mitten in der zentralen Kammer eines der Grabhügel von Loughcrew. Im Umkreis von drei Metern stehen würdevoll grosse uralte Steine. Im Halbdunkel betrachte ich ihre geheimnisvollen eingravierten Zeichen. Der schmale Gang ist genau auf den Sonnenaufgang zur Zeit der herbstlichen Tag- und Nachtgleiche ausgerichtet: Die Zeit der Ernte und des Dankes. Ich spüre eine Geborgenheit und tiefen Frieden. Auch Freude, dass ich zu diesem Zeitpunkt an diesem Ort sein darf. Wie es dazu kam, möchte ich im Folgenden erzählen.

„Warum nicht wieder mal nach Irland fahren?", hatten wir uns gefragt. Vor fast 40 Jahren bereisten wir das Land zum ersten Mal. Es war uns in guter Erinnerung geblieben: Castlegregory, Brendan Point, Cliffs of Moher, Pubs mit Guiness und irischer Musik, Begegnungen mit lieben Menschen. „Was wollt ihr denn dort? Da regnet es doch nur!" sagen jetzt unsere Bekannten und raten uns: „Ihr müsst unbedingt ein Auto mieten!" Doch das wollen wir nicht. Wir reisen ohne Smartphone, ohne Laptop und ohne Auto.

Im Juli buchen wir den Flug Zürich-Dublin und zurück. Am 10. September geht es los. Wir wissen nur: Wir möchten nach Cork und weiter in den Südwesten, wo Irlands Küste vom warmen Golfstrom umspült wird. Diese Gegend war bereits mindestens 5000 Jahre vor unserer Zeitrechnung besiedelt. Stammten diese Menschen aus Lemuria? Oder Atlantis? Feststeht, dass sie Spuren hinterlassen haben in Form von grossen Steinen – Megalithen – und Grabhügeln, den sogenannten „passage tombs". Seitdem ich den Steinkreis von Clendy bei Yverdon am Neuenburgersee kennengelernt habe, faszinieren mich Steinkreise und das Wissen, welches sie hüten. Die Archäologie ordnet diese Steine dem Eisen- und Bronze-Zeitalter zu, die „Monumente" sollen 5'000 bis 9'000 Jahre alt sein. In den Counties Cork und Kerry gibt es über 100 von ihnen. Die meisten befinden sich auf privaten Grundstücken, sind schwierig erreichbar und manchmal nicht zu finden. Die Wege sind mangelhaft oder irreführend beschildert. Auch wenn die Farmer einen finanziellen Beitrag dafür erhalten, dass sie die Orte zugänglich machen, sind die meisten Grundstücksbesitzer nicht an fremden Besuchern ihrer Viehweiden interessiert. Viele Steinkreise wurden im Verlaufe der Zeit abmontiert und für Grenzmauern zweckentfremdet. Werden wir einen Steinkreis „in Funktion" besuchen können?

Kaum in Dublin gelandet, erfahren wir, dass der nächste Bus nach Cork bzw. Corghaih bereits in einer halben Stunde fährt. Gute 3 Stunden werden wir ohne Halt unterwegs sein. Im kleinen Flughafenrestaurant geniessen wir noch schnell das erste Guiness und geräucherten Lachs mit Rührei und dunklem Brot. Dann geht es mit dem grossen Bus schaukelnd über den Highway durch zunehmend einsamere Gegenden in Richtung Südwesten, links und rechts ziehen mehr oder weniger flache Wiesen an uns vorbei, manchmal grüsst eine alte Ruine. Eine junge Holländerin erzählt mir während der Fahrt von ihrem Alltag: Sie habe ihren Mann, einen Iren, während der Ferien in Australien kennengelernt. Da er in Irland bleiben wolle, sei sie zu ihm gezogen. Sie fände als Ergotherapeutin hier aber keine Stelle und arbeite bei einer IT-Firma, welche für ihre Kunden grosse Mengen an Daten speichere und archiviere. Oft sässe sie tagelang bis zu 10 Stunden am PC, hätte dafür aber auch mal 3 Tage hintereinander frei. Sie verdiene 2'300.- Euro pro Monat. Ihr Mann sei Lehrer und unterrichte vor allem lernbehinderte Kinder. In Cork könne sie mir das Café Electric empfehlen.

In der zweitgrössten Stadt der Republik angekommen, rollen wir unsere Koffer die stark befahrene Sommerhill Road hinauf. Es kommt uns unendlich weit vor, doch plötzlich stehen wir vor dem House Gabriel. Ich hatte es zwei Tage zuvor im Internet entdeckt und ein Zimmer für zwei Nächte reserviert. Zum Glück liegt es etwas abseits von der verkehrsreichen Strasse und hat einen schönen Garten, in welchem weisse Gänse grasen. Das Haus gehörte einmal einer christlichen Bruderschaft, welche in Cork ein paar Schulen gegründet hat.

Wir erhalten ein kleines Zimmer im Parterre mit Aussicht auf Garten, Hafen und Stadt. Die Damen sind sehr nett: „O, you are from Switzerland! What a wonderful country!" und freuen sich über unsere kleinen

Schokoladen mit der Aufschrift „Thank you for flying SWISS". Bald finden wir einen Platz an der spätsommerlichen Nachmittagssonne vor dem Café Electric am Quay. In der kommenden Nacht träume ich: Ich stehe mitten in einer alten kleinen romanischen Kirche. Sie ist ausgeräumt: Es gibt keinen Altar, kein Kreuz, weder Statuen noch Wandmalereien. Nur unverputztes Mauerwerk. Es heisst: Die Kirche werde neu eingeweiht. Das ganze Kirchenschiff wird von goldgelbem Licht durchflutet. Es gibt nur Stein und Licht. Ich spüre Geborgenheit und Frieden. Schliesslich erwache ich mit einem Glücksgefühl. Noch ahne ich nicht, dass „Stein und Licht" das Leitthema unserer Reise sein wird.

Am nächsten Tag finden wir ein wunderbares vegetarisches Restaurant gegenüber dem Café Electric, auf der anderen Seite des Quay, und gleich daneben einen Healthy Food Store mit einem reichhaltigen Angebot. Wir suchen auch das Tourist Office zwecks Planung unserer Weiterreise auf. Gerade am kommenden Wochenende scheinen viele Leute unterwegs zu sein, vieles ist ausgebucht. Das „Channel View B&B" kurz vor Baltimore (!) hat noch ein Zimmer für uns, mit Aussicht auf ein Schiffswrack, eine Kirchenruine und einen alten Friedhof mit traditionellen irischen Sonnenkreuzen. Eine mystische Stimmung liegt über der Landschaft und lässt uns spüren, dass wir tatsächlich in Irland angekommen sind.

Einige kleine hiesige Orte gaben ihren Namen neugegründeten in den USA, die heute zu Millionenstädten herangewachsen sind. Im Hafendörfchen Baltimore mit zwei Pubs, einem Hotel und einem „Tante-Emma-Laden" geniessen wir bei Bushe's leckere Krabbensandwiches mit Murphy's, einem Bier ähnlich wie Guiness, welches uns aber noch besser schmeckt. Ein Professor für Zoologie führt mit seinem speziell dafür gebauten Schiff „Walewatching" durch. Die heutige Tour ist jedoch ausgebucht. Stattdessen erleben wir einen schönen Spaziergang über die Hügel mit Sicht auf den Atlantik, sowie eine Hochzeit in der kleinen Dorfkirche und besichtigen die alte normannische Burg, die von einem Ehepaar vor etwa 20 Jahren restauriert wurde und bis heute von ihm bewohnt wird. Dabei erfahren wir eine erstaunliche Geschichte: Vor etwa 150 Jahren wurde Baltimore von algerischen Piraten überfallen. Mit Hilfe eines einheimischen Verräters nahmen sie 106 Männer, Frauen, sogar auch Grossmütter und Kinder gefangen und brachten sie als Sklaven nach Algerien. Auf einer Gedenktafel sind alle Opfer namentlich aufgeführt.

Am Sonntag gibt es in dem 15 Kilometer entfernt gelegenen Städtchen Skibereen ein „Food Festival": Einheimische Produkte wie Brot, Schafskäse und Kürbisse werden feilgeboten, alte Rezepte wiederbelebt,

153

wie hausgemachter Essig mit wilden Beeren. Sonntags fahren hier keine Busse, doch wir haben Glück: Bei der Hinreise nimmt uns eine lustige Gruppe aus Dublin in ihrem kleinen Bus mit, auf der Rückreise ein Farmer-Ehepaar, das aber in Skibereen wohnt und in einer Stunde zu Hause Gäste erwartet. Der nette Landwirt, ein Nachkomme der Hugenotten – Georg meint, er sähe aus wie unser alt-Bundesrat Adolf Ogi –, setzt seine Frau zuerst zu Hause ab und fährt uns anschliessend einfach aus Gefallen nach Baltimore, wobei er uns auf einem Umweg noch einen wunderschönen Salzwassersee namens Lough Hyne zeigt. Die drei Tage in Baltimore vergehen wie im Flug, und am Montagmorgen, den 15. September nehmen wir ein Taxi zum ca. 40 Kilometer nordwestlich gelegenen Hafenstädtchen Bantry. In dieser Gegend möchten wir länger bleiben und Steinkreise erkunden. Um einen passenden B&B-Ort zu finden, besuchen wir erstmal das lokale Tourist Office. Der Andrang ist gross, eine ältere Dame – fragt nach unseren Wünschen und schüttelt den Kopf. Alles sei ausgebucht, der nächste Bus nach Glengarriff führe erst am Nachmittag, nein, sie könne uns nicht weiterhelfen. Georg schnappt sich eine Gratis-Broschüre mit B&B-Adressen in Irland, und wir gehen erstmal in den nächsten Pub. Ich finde sofort eine Adresse: Island View. Georg bringt es tatsächlich fertig, dass die bereits erwähnte Dame vom Tourist Office die von uns gewünschte Nummer wählt. Und siehe da: In 20 Meter Entfernung klingelt bei unserer zukünftigen Gastgeberin das Handy! Sie sei gerade in Bantry beim Einkaufen, habe für uns ein Zimmer frei und könne uns in einer halben Stunde mit ihrem Auto mitnehmen. Imelda ist auch überrascht: „We almost bumped into each other! This has never happened to me!"

Das 20 Kilometer entfernte Dorf Glengarriff besteht aus einer mit grossen Blumenkübeln geschmückten Hauptstrasse, einem kleinen Hafen mit Seerobben, drei Hotels und Restaurants, Souvenirläden und natürlich zahlreichen Pubs. Diese Gegend wurde öfters vom Prince of Wales besucht. Deswegen wurde hier das berühmte Hotel Eccles gebaut. Auch Filme mit weltbekannten irischen Schauspielerinnen wurden hier gedreht. Von unserem Zimmer aus haben wir eine wunderbare Aussicht auf die Berge, das Meer und die nahe gelegene kleine Insel Garinish mit einer mediterranen Flora, denn die Winter sind in dieser Gegend besonders mild.

Zehn wunderbare Tage liegen vor uns, nur an einem einzigen Tag regnet es. Vor dem Frühstück geht Georg jeden Morgen schwimmen, wobei ihn am ersten Tag die Seerobben begrüssen und sich ihm prustend auf fünf Meter Distanz nähern. Man sagt uns, dass dies für diese eher scheuen

Tiere sehr ungewöhnlich sei. Besonders geniessen wir Imeldas liebevoll zubereitetes Frühstück mit einem Ei, geräuchertem Lachs, Porridge mit Honig und Früchten. Klassisch irisch wären auch noch „sausages and bacon", doch das ist nicht so unser Geschmack. Wir plaudern und lachen viel mit den Einheimischen und den Touristen aus aller Welt. Glengarriff ist Ausgangspunkt für Ausflüge zum „Ring of Beara", den Insider noch schöner finden als den nördlicheren „Ring of Kerry", vor dessen Ausgangsort Killarney das bekannte Muckross House liegt. An einem Tag nimmt uns Imelda dorthin mit. Der Ort quillt über vor Touristen vor allem aus den USA. Hier finden wir den einzigen Pub auf unserer Reise, in dem als Hintergrundmusik irische Musik gespielt wird. So hatten wir es allgemein auf unserer früheren Irlandreise erlebt, doch jetzt gibt es in den Pubs nur computer-generierte zu laute und seelenlose Musik. Wenn wir dann nach irischer fragen, bekommen wir zur Antwort: „Wir können das nicht ändern, der Computer bestimmt die Musik."

Durch das noble Muckross House – einem Mansion, d.h. Herrenhaus – aus dem 14. Jahrhundert führt uns eine junge Dame, die wie eine Serviertochter gekleidet ist. Mit grosser Begeisterung erzählt sie die Geschichte so lebendig, dass wir das Gefühl haben, bei den Lords und Ladies persönlich zu Gast zu sein. Jederzeit könnte jemand der noblen Verstorbenen erscheinen. Die Dame zeigt uns ihr „most favorite" Zimmer, Möbelstück usw. Es besteht kein Zweifel: In einem früheren Leben war sie sicher eine Bedienstete der Herrschaft an diesem Ort.

An einem Tag mieten wir Fahrräder und machen uns von Glengarriff aus auf in Richtung Westen, die Küstenstrasse entlang. Es geht ständig bergauf und bergab, jedenfalls müssen wir tüchtig strampeln, während LKWs und PKWs uns mit rasender Geschwindigkeit überholen. In Irland gibt es kaum Radwege, auch nur wenige Wanderwege. Oft sind die Strassen so schmal, dass es gefährlich wird. Auch uns vergeht bald das Vergnügen. Georg entdeckt einen Wegweiser „Standing stone", und wir biegen auf einen kleinen Seitenweg ab. Schliesslich werden wir für unsere Mühe belohnt: Zuerst entdecken wir ein Dolmen, zu welchem wir über ein Viehgatter klettern und sodann von neugierigen Kühen umringt werden. Etwas weiter finden wir auch auch den grossen Stein: Er steht felsenfest verankert tapfer in der Mitte eines Feldes, welches gerade von einem Bauern mit einem riesigen Bagger umgeschichtet wird, und schaut hinunter auf die Küste und das Meer. Wir sind froh, dass wir am Abend die Fahrräder wieder abgeben und uns ein Murphy's genehmigen können.

Am nächsten Tag machen wir uns zu Fuss den steilen Hang am Ortseingang von Glengarriff hinauf zu den „Heights", es soll dort ein Steinkreis geben. Doch stattdessen finden wir oben auf dem Plateau eine ganze Reihe alter Steine. Manche stehen auch im Kreis, sind jedoch nicht ohne weiteres zu erkennen, da sie nicht ganz ausgegraben wurden. Hier hätten die Archäologen noch viel zu tun. Wir geniessen die wunderbare Aussicht: Ein weiter blauer Himmel, über den der ständig wehende Wind weisse Wolken treibt, unten in der Ferne die grüne zerklüftete Küste und der Atlantik.

Am nächsten Tag regnet es nach einer unüblich langen Trockenzeit wieder einmal, doch es bleibt nach wie vor um die 20 Grad warm. So habe ich Zeit, den Zustand von Irland zu analysieren. Es geht dabei um die Frage nach einer vorhandenen Disharmonie, die das energetische Gleichgewicht stört. Ich prüfe 21 Planetenfrequenzen und komme zu folgendem Ergebnis: Die Sarosperiode, welche sich aus den Zyklen von Sonnen- und Mondfinsternissen ergibt, ist ausgefallen. Dies ist die Folge von einem oder mehreren Schocks. Bei der dramatischen Geschichte Irlands kein Wunder! Als Folge davon zeigt die irische Bevölkerung eine Tendenz zur Depression sowie zum Suchtverhalten. Die Jupiter-Frequenz – Expansion und Erneuerung – ist um 50% geschwächt: Die Jungen wandern immer noch aus, die Bevölkerung ist überaltert. Der Schlüssel zu neuem Gleichgewicht ist also die Wiederbelebung der Sarosperiode. Ohne sie nützt keine auch noch so gute Therapie, weil der Organismus erstarrt ist und auf nichts mehr Resonanz zeigt. Ich speichere die für Irland nötigen Heilinformationen in einen kleinen Bergkristall aus dem Himalaya.

Am Tag darauf, dem 22. September, der Tag- und Nachtgleiche, steht der Neumond in der Waage: Neubeginn in Harmonie. Der Planet Erde tritt in einen purpurfarbenen Photonengürtel ein, wo er die kommenden 2000 Jahre bleiben und Impulse aus höheren Dimensionen empfangen wird. Irland hat für unsere Erde ein bedeutende geomantische Aufgabe: Nirgends sind die Spuren der megalithischen Kultur noch so präsent wie hier. Also machen wir uns auf die Suche nach einem geeigneten Steinkreis, bei dem ich meinen kleinen Bergkristall hinterlassen werde. Wir hoffen einen zu finden, der seine Funktion noch vollständig erfüllt. Der Taxichauffeur meint es gut mit uns: Er bringe uns lieber zu einer restaurierten Burgruine, die viel interessanter sei, dann könnten wir ja immer noch zum Steinkreis den Berg hinauf wandern, doch da gäbe es nur fünf Steine sehen, also nichts Besonderes. So stärken wir uns im Innenhof der Ruine erst einmal mit einem Picknick. Zum Glück scheint wieder die

Sonne, und im Dorf gibt es einen Pub, der nach getaner Arbeit auf uns wartet. Wieder ist der Weg schlecht gekennzeichnet, wir verpassen sogar den Steinkreis und entdecken ihn zufälligerweise plötzlich 50 Meter unter uns. Das Tor neben dem Viehgatter ist dick mit Oel verschmiert, Georgs frisch gereinigte Hose leidet. Doch wir freuen uns über die wunderbare Hügellandschaft, die Sicht auf das entfernte Meer, den warmen Wind und… die Steine! Fünf kleinere in einem Kreis, zwei grosse – die höchsten noch stehenden Steine von Irland sollen es sein – im geringen Abstand daneben: Ein langer schmaler etwa vier Meter hoher männlicher, daneben ein runder weiblicher Stein. Im Sonnenlicht sehen wir, wie sich ihre Schatten zu einer Linie vereinen: Sie sind auf die Tag- und Nachtgleiche ausgerichtet. Stein und Licht! Wir sind zur richtigen Zeit am richtigen Ort! Ich hinterlege meinen kleinen Himalaya-Kristall und singe ein Gebet für diesen Ort mit dem Wunsch, dass er zu seiner ursprünglichen Kraft erwachen und Irland stärken möge für die Aufgabe Harmonie und Frieden in die Welt zu auszustrahlen. Als ich meine Meditation beende und meine Augen wieder öffne, sehe ich eine junge Frau mit einem Kinderwagen die schmale Strasse den Berg heraufkommen. Welch hoffnungsvolles Zeichen!

Wir wandern weiter den Hügel hinauf und entdecken plötzlich einen weiteren, noch grösseren Steinkreis. Wir klettern über ein Viehgatter und sehen ihn uns näher an: Er ist auf die Stellungen des Mondes ausgerichtet. Einige Steine sind umgefallen, andere sind nicht mehr am richtigen Platz. Die energetische Ausstrahlung dieses Kreises ist im Vergleich zum vorherigen sehr geschwächt. Das betrübt uns. Wir ahnen noch nicht, dass wir am nächsten Tag einen Steinkreis entdecken, welcher aktiv von der Bevölkerung genutzt wird! Wir fahren in das 30 Kilometer nördlich von Glengarriff gelegene kleine Städtchen Kenmare, welches sehr pittoresk, aber nicht so von Touristen überlaufen ist wie Killarney. Zu unserem grossen Erstaunen finden wir fünf Minuten zu Fuss vom Zentrum entfernt einen wunderschönen mit Bäumen umgebenen Steinkreis, der den verstorbenen Seelen zur Reise ins Licht dient: 15 imposante Steine, 13 davon stehen, zwei liegen in der Mitte des Kreises aufeinander. Der Kreis ist auf den Sonnenuntergang ausgerichtet, die Präsenz der Ahnen, die darauf warten, die Verstorbenen ins Licht zu begleiten, ist deutlich spürbar. Neben dem Kreis steht ein Baum mit bunten Bändern: Ein letzter Gruss der Angehörigen. Ein grosser Frieden liegt über dem Platz, keine schwere Trauer, eher Freude und Hoffnung auf ein späteres Wiedersehen… Wir freuen uns darüber, dass diese wunderbaren alten Steine hier ihren Dienst erfüllen können.

Fast wären wir noch länger in Glengarriff geblieben, doch Imelda möchte am 26. Oktober ihren Bed & Breakfast Place schliessen. Und in einem Bookshop in Bantry finden wir ein spannendes Buch über das nördlich von Dublin gelegene Newgrange, dem grössten und bekanntesten Hügelgrab. Diese Gegend scheint uns eine Reise wert. Am 25. September nehmen wir Abschied von Glengarriff, von den Seerobben, von Imelda und ihrem „Island View" und all den lieben Menschen, denen wir in diesen zehn Tagen begegnen durften. Wir werden die leckeren Fischgericht von Annemary O'Shea's Take Away vermissen und auch unser abendliches Fussbad im Meer, denn jetzt geht's via Cork nach Dublin in den County Meath nach Navan, einem Städtchen am River Boyne zwischen Newgrange und dem Hill of Tara. Je mehr sich unser Bus Dublin nähert, um so stärker wird der Verkehr. Vier Millionen Menschen wohnen in dieser Agglomeration, die Hälfte der Gesamtbevölkerung des Landes. Dublin ist ein starker Magnet. Im Unterschied zu Cork, der zweitgrössten Stadt des Landes, wo die Rezession sehr spürbar ist und aus der Fassade einiger zerfallender Häuser der Sommerflieder wächst. Am Abend erreichen wir Navan und das herausgeputzte Athlumney Manor mit seinem gepflegten Garten und den vielen Begonien in den Farben der Morgenröte. Hier werden wir drei Nächte in der Obhut von Pat Boylan, einem ehemaligen Hotelmanager, und seiner Frau Pauline, die vor allem in der Küche wirkt und das Frühstück vorbereitet, verbringen. Pat meint, ich solle meinen aus dem Co. Cork mitgebrachten Honig erst gar nicht ins Frühstückszimmer bringen, das sei nicht erlaubt, er serviere mir zum Porridge lieber Honig vom Boyne Valley, der sei unübertrefflich gut!

Am ersten Morgen lernen wir beim Frühstück zwei ältere etwa 80-jährige englische Damen kennen. Sie seien alte Schulkameradinnen, würden sich schon eine halbe Ewigkeit kennen. Sie kämen gerade von einer „Friedenstagung" aus Nordirland, wollten heute Newgrange besuchen, bevor sie das Mietauto abgeben und im Dubliner Hafen die Fähre nach Hause nähmen. Wir möchten auch zum 17 Kilometer entfernt gelegenen Newgrange, und von Navan aus fährt kein direkter Bus dorthin, also fragen wir sie, ob wir mitfahren dürfen. Sie sind delighted to take us! Ruth liest die Karte und navigiert, Helen sitzt als routinierte Fahrerin am Steuer. Sie meint verschmitzt: „Driving in Ireland is easy, it's like in England!" Nach 20 Minuten erreichen wir das „Visitors' Centre" und können wählen zwischen einer ein-, zwei- oder dreistündigen Tour mit einem Shuttle Bus, denn es gilt zwei Grabhügel oder Tumuli zu besichtigen: Newgrange und Knowth. Der dritte, Dowth, ist noch nicht ausgegraben. Wir wollen alles sehen. Diese Hügelgräber sind 500 Jahre älter als die ägyptischen Pyramiden und 1000 Jahre älter als Stonehenge! Sie wurden von der UNESCO als eines der ältesten von menschlicher Hand erschaffenen Monumente der Welt klassifiziert.

In Knowth erzählt der Guide von den erstaunlichen astronomischen Kenntnissen der damaligen Erbauer des Hügels, der nicht nur als Grabstätte, sondern auch zu Versammlungen mit Ritualen diente. Auf den grossen Steinen, die das Fundament bilden, sind Gravierungen an der Aussenwand sichtbar, die wie ein Kalender den Lauf der Gestirne angeben. Darunter befindet sich auch die Darstellung der Sarosperiode, dem Zyklus der Mond- und Sonnenfinsternisse. Stein und Licht! Die zentrale Kammer des nächsten Tumulus, Newgrange, ist genau auf den Sonnenaufgang zur Zeit der Wintersonnenwende ausgerichtet. Hierher leuchten die Strahlen der Sonne durch den schmalen 12 Meter langen Gang jeweils am 21. Dezember, auch heutzutage noch! Um dies zu demonstrieren, löscht der Guide nach einer Vorwarnung das Licht und schaltet dann eine Lampe ein, die dieses Ereignis simuliert. Auch wenn dies nun künstliches Licht ist, die 24-köpfige Gruppe mit Touristen aus aller Welt ist sehr beeindruckt. Der Lichtstrahl fällt auch auf den am Eingang zur Kammer stehenden riesigen Stein und erhellt eine grosse darin eingravierte Triskele: Diese Symbol besteht aus drei gleich grossen kreisförmig miteinander verbundenen Spiralen. Die Bedeutung: Geburt – Leben – Tod – Wiedergeburt. Ist es nicht dies, was uns Menschen weltweit verbindet? Die Wintersonnenwende wurde damals als Zeichen für die Wiedergeburt gefeiert. Mindestens 200'000 Menschen aus allen Ländern besuchen jährlich diesen Ort und lassen sich von diesem Erlebnis berühren. Ist dieses eine Initiation oder eine Wiedererinnerung an eine zutiefst menschliche Ur-Spiritualität? Sterben ist nicht das Ende, sondern ein Übergang. Und der Lauf der Sonne zeigt uns dies, auch der Sonnenkreis der alten irischen Kreuze betont die Wiedergeburt.

Diese Sonnenkreuze können wir am nächsten Tag in Kells bewundern. Hierher waren damals die schottischen Mönche von der Insel Iona vor den Wikingern geflohen. Sie hatten ihre begonnene kunstvolle Handschrift der Evangelien mitgenommen und hier vollendet: Das berühmte Book of Kells. An diesem Ort wurden auch die ersten „high crosses of Ireland" angefertigt: Sie sind gut vier Meter hoch und ihre Halbreliefe erzählen Geschichten aus der Bibel. Der Längs- und Querbalken sind durch den Sonnenkranz miteinander verbunden: Nicht der Tod wird betont, sondern die Auferstehung, das ewige Leben!

Von Kells aus möchten wir weiter zum abgelegenen Ort der weniger bekannten Hügelgräber von Loughcrew. Der nette Buschauffeur – wir sind die einzigen Fahrgäste – bedauert, dass er uns nicht dorthin bringen kann, das sei sowieso „in the middle of nowhere", er fahre nur bis Oldcastle, am besten nähmen wir dann ein Taxi. Wir haben Glück: Der Barmann des dortigen Pubs bestellt uns einen Taxifahrer, der gleich neben den Grabhügeln aufgewachsen ist und weiss, wo man den Schlüssel zur inneren Kammer erhalten kann. Zu Beginn sind wir die einzigen Besucher des westlichen Hügels, dem T-cairn. Eine Sage erzählt: Eines Tages sei eine Hexe auf ihrem Besen über den Himmel geritten und hätte an diesem Ort grosse Steine hinunterfallen lassen. Das finde ich natürlich sehr interessant: Es ist nämlich offiziell nicht eindeutig geklärt, wie die grossen Steine, die nicht von hier stammen, hierher transportiert worden sind. Gab es damals eine – oder mehrere – weise Frauen, die dank geistiger Kraft, die Fähigkeit hatten, Materie, also auch Steine, an einem Ort zu dematerialisieren, um sie an einem gewünschten Ort wieder zu materialisieren? Für Nicht-Eingeweihte musste dies so aussehen, als seien die Steine vom Himmel gefallen. Wer weiss… Dieser Hügel ist dreimal kleiner als Newgrange. Georg schliesst die eiserne Gittertüre auf, lässt mich hinein und schiebt unterdessen Wache. So kann ich mich ganz auf die geheimnisvolle Atmosphäre einlassen. Kurze Zeit später kommen Mütter mit Kindern und Hunden, alle wollen unbedingt mit lautem Geschrei den Hügel erklettern. Dann taucht plötzlich ein Archäologie-Professor mit 90 Studierenden auf, er hat aber keinen Schlüssel und möchte ihn auch von uns nicht ausleihen. Denn der Besuch von 90 Leuten würde dem kostbaren Monument mehr schaden als nützen.

Unser Taxifahrer bringt uns nach Rückgabe des Schlüssels nach Kells, wo gerade der Bus nach Navan und Dublin abfahrbereit steht. Wir beschliessen das Abendessen zu verschieben, denn dies ist die Gelegenheit einen weiteren sagenumwobenen Ort zu besuchen: Den „Hill of Tara", zehn Kilometer südlich von Navan in Richtung Dublin gelegen. Man hatte uns gesagt, da sei nichts ausgegraben, eigentlich gäbe es dort nichts zu sehen ausser zwei Kreise mit je zwei ringförmigen mit Erde und Wiese bedeckten Erdwällen am Aussenrand. Eigentlich hätte man die beste Sicht auf die Gegend aus der Vogelperspektive, zu Fuss sähe man nicht viel, nur eine grosse Wiese mit guter Aussicht auf das weite Land, ein Besuch lohne sich nicht. Und doch muss es ein besonderer Ort sein: Hier wurden die alten irischen Könige gekrönt, einige bezeichnen diesen Ort als das Herz Irlands. Kurz vor der Abenddämmerung kommen wir an, gute 30 Minuten zu Fuss von der Bushaltestelle entfernt. Die meisten Besucher sitzen im kleinen Restaurant vor der Kirche mit einem alten Friedhof, einige Hundebesitzer sind auf dem Abendspaziergang.

Die grünen Ringe liegen etwas abseits, eingehüllt in sanftes grünes Licht. Zurzeit ist dort niemand.

Ein kleines Hügelgrab liegt vor den „Ringen". Hinter diesem stand einmal eine 1,50 Meter hohe runde Steinsäule, „Stone of Destiny", „Stein des Schicksals" genannt. Dieser wurde in die Mitte des inneren „Rings" verlegt und diente im Jahre 1462 als Grabstein für die 400 an einem Tag gefallenen irischen „Revolutionäre" bzw. Aufständischen. Die Energie dieses Ortes kommt mir durch die tragischen Ereignisse in der Vergangenheit immer noch sehr geschwächt vor.

Ich mache mir meinen eigenen Reim auf diese Geschichte: Der jeweilige Königsanwärter von Tara erlebte in der inneren Kammer des Hügelgrabs eine Initiation und wurde anschliessend neben dem „Stone of Destiny" gekrönt. „Tara" bedeutet „place of great prospekt", Platz der Vorsehung. Bei der Initiation wurde dem Anwärter das Dritte Auge geöffnet. Er wurde fähig „in die Ferne" zu sehen, also Ereignisse im Voraus zu erkennen. Die Krönung verlieh ihm dann noch eine besondere Macht, denn der „Stone of Destiny" kennzeichnete an dem Ort die Erdachse, die Axis Mundi. Solche Steine waren auch im alten Griechenland bekannt. Sie heissen „Omphalos-Steine", sie stehen an einem Brennpunkt von Kraftlinien. Omphalos heisst „Bauchnabel" oder auch „Zentralpunkt". Der uns bekannteste steht im Apollo-Tempel von Delphi. – Es gibt Leute, die behaupten, dass die heutige Steinsäule von Tara eine billige Kopie sei. Der ursprüngliche Stein stünde jetzt als sogenannter „Coronation Stone" in der Westminster Cathedral, wo die britischen Könige und Königinnen gekrönt werden. Stein und Licht … und Schatten.

Auch wenn oder gerade weil der Stein „verrückt" wurde und vielleicht nicht mehr der echte ist, mein Weg hat mich in diesem Moment hierher geführt. Ich lege meine Hände auf den Stein und singe ein Gebet: Möge dieser Ort von seinem Schock geheilt werden und zum Wohle aller wieder zu seiner ursprünglichen Kraft zurückfinden.

Am nächsten Tag nehmen wir Abschied von Pat und Pauline, von ihrem schönen Manor, an dem sich so viele Gäste freuen, von Navan und dem River Boyne und fahren mit dem Bus via Flughafen Dublin zum 20 Kilometer entfernten Portmanock an der Westküste von Irland. Hier wollen wir die letzten zwei Tage noch einmal das Meer bzw. die Irische See geniessen. Wir besichtigen auch das berühmte Castle aus dem 12. Jahrhundert in Malahide, welches 700 Jahre lang der Familie Talbot gehört hatte. Besonders gefällt uns der lange Strand von Portmanock, der zu ausgiebigen Spaziergängen einlädt, weit und breit sind weder Hochhäuser noch überdimensionierte Hotelbauten zu sehen. In geringer Entfernung erblicke ich eine kleine Insel, über der wie ein Heiligenschein eine kleine weisse Wolke schwebt. Da habe ich eine Idee: Ich nehme den zweiten kleinen Bergkristall, in den ich ebenfalls Heilinformationen für Irland gespeichert habe, aus meiner Tasche und werfe ihn mit Segenswünschen in hohem Bogen Richtung Insel ins Meer. Am Abend stelle ich beim Betrachten der Landkarte fest, wie die Insel heisst: Irlands Auge!

Wir feiern den Abschied von Irland im Restaurant Larimar. Der Chef ist ein Berber aus Algerien, dessen Fischgerichte zauberhaft schmecken.

Am nächsten Tag landen wir pünktlich um 13.30 Uhr nach zwei Stunden Flug in Zürich. Die Herbstsonne begrüsst uns, auch hier sind die Temperaturen noch angenehm mild. Wir vermissen nur den Wind und den Geruch des Meeres. Ich weiss, dass ich bald wieder den Steinkreis am Neuenburgersee besuchen werde. Wer weiss... Vielleicht ist er auf geheimnisvolle Weise verbunden mit den Steinen von Irland und deren Licht.

Meine Diashow zu dieser Reise finden Sie auf Youtube unter „Sacred Stones of Ireland: An Initiation to the Circle of Life"und den Steinkreis vom Neuenburgersee unter „A Sacred Stone Circle: A Pilgrimage to Ancient Wisdom."

Petra Dobrovolny-Mühlenbach

Bern – Kauai'i hin und zurück

Unsere Reise auf die „andere Seite" unserer Erde im Oktober 2012

Vor der Reise: Wie es dazu kam

Ein Freund fragte mich: „Machst du schon wieder Ferien?"
„Ich mache eine Studienreise, es ist eine Suche!", entgegnete ich. „Wonach suchst du denn, etwa nach dem Paradies?"
„Ja, ob davon noch etwas übrig geblieben ist, ich suche nach dem letzten Stück Lemuria, nach dem Aloha-Spirit, nach Göttinnen, nach einer Kultur, die im Einklang mit der Natur lebt."
„Na dann, viel Spass! Bin gespannt auf deinen Bericht!"
Wie ich auf die Idee kam: Es begann mit der Schöpfungsgeschichte der Waitaha, deren Lektüre in mir den Wunschtraum von einer Reise nach Hawai'i auslöste. Hawai'i heisst der 50. Bundesstaat der USA. Er besteht aus sieben Hauptinseln. Hawai'i gehört zum Kulturraum des sogenannten polynesischen Dreiecks „Osterinseln – Neuseeland – Hawai'i " auf der wässrigen Halbkugel unserer Erde. Im Oktober 2006 fand ich das Buch „Song of Waitaha" – Das Vermächtnis einer Friedenskultur in Neuseeland in dem Schaufenster der esoterischen Buchhandlung Kalisha in Bern. Georg schenkte es mir zum Geburtstag. Hier der Text des Buchrückens:
„Und in der Leere Tiefen war ein grosser Klang …
Im Anfang rief Io Mata Ngaro, Gott der Götter, Vater und Mutter der Ungeborenen und Schöpfer aller Wesen, das Universum ins Dasein. Und alle die Sterngeborenen waren Brüder und Schwestern, Glieder einer Familie. Und das Geschlecht der Menschen begab sich auf dem Weg der Geburt in die Welt des Lichts. Und ihr Geist erhob sich frei empor. Und sie fielen in die Welt des Dunkels, wo das Böse lauerte, um die Kinder von Tane auf die Wege der Schmerzen und des Leidens zu schicken. Und sie wandten sich wieder dem Lichte zu und standen aufrecht im Kreis des Friedens.
Song of Waitaha ist das Dokument einer bislang unbekannten Prä-Maorikultur in Neuseeland, die mit diesem Buch ihre Geschichte, ihr reiches kulturelles Erbe und ihre tiefe Spiritualität zum ersten Mal der Oeffentlichkeit zugänglich macht.

163

Im 2. und 3. Jahrhundert besiedelten die Vorfahren der Waitaha von der Osterinsel aus Neuseeland. Sie waren ein Volk des Friedens, matriarchal geprägt, äusserst tolerant und zutiefst ihrem Kulturimpuls verpflichtet, Mutter Erde zu hegen und zu pflegen. Sie lebten in Harmonie mit und in Verantwortung für die Natur. Ihre Mythen und Legenden faszinieren ebenso wie ihre navigatorischen Leistungen bei den weiten Fahrten über den Pazifik (eben auch bis zu den hawaiianischen Inseln), ihre einfühlsame Pädagogik bei der Erziehung der Kinder, ihre astronomischen Kenntnisse und ihr differenziertes Wissen um die Qualitäten von Steinen und Wasser. Alldem liegt eine tiefe Spiritualität zugrunde, die in Einweihungsschulen gepflegt und stets nur von Mund zu Ohr weitergegeben wurde, bis Ende des 20. Jahrhunderts die Aeltesten beschlossen, nach 37 Generationen ihr spirituelles Wissen mit der Welt zu teilen und das Buch „Song of Waitaha" veröffentlichten.

Eine solche Kultur der Sanftheit gegenüber Mensch und Natur, der Hochachtung der Frau und der multikulturellen Wurzeln gegenüber erscheint uns heute wie eine Utopie, aber sie ist historische, bis heute bewahrte Realität. So ist dieses einzigartige Werk ein altes und zugleich ungemein aktuelles Vermächtnis. "

Das Buch mit den heiligen Liedertexten der Waitaha fasziniert mich, es strahlt einen Frieden aus, den ich nicht kenne, mir aber sehr für die ganze Welt wünsche und erhoffe. Wird der Prozess ab dem Jahr 2012, wenn unser Planet mit dem sogenannten Aufstieg beginnt, uns in diese Richtung bringen? Ich wünsche es mir und komponiere mit ein paar Zeilen des Textes das Stück „New Morning" für mein viertes Album „Journey of Peace". Es wird später der Soundtrack zu meiner Diashow auf Youtube „Kauaʻi Moments 2012".

Im Jahre 2009 gibt mir eine Freundin, die Hawaiʻi kennt, einen Lesetipp: Das Buch „Haifischfrauen" von Kiana Davenport. Die Autorin beschreibt in diesem Roman die Geschichte von Hawaiʻi anhand des Lebens ihrer Grossmutter und Mutter, die trotz widrigster politischer Umstände ihre Würde und ihren Stolz bewahrten und in Verbindung blieben mit ihrer weiblichen Schöpferkraft, um ihr Leben trotz allem so souverän wie möglich zu gestalten. Ich kann das Buch kaum aus der Hand legen, bis ich die etwa 700 Seiten gelesen habe.

Ich beschäftige mich mit dem Thema 2012 und auch mit Lemurien, lasse diese Inspiration in meine Musik und mein Schreiben (Märchen) einfliessen. 2011 erscheint das Buch „Die 12 Stränge der DNA" von Lee Carroll, der das Engelwesen Kryon channelt. Dort werden die 7., 8. und 9. Stränge oder Schichten unserer Gene als „lemurisch" bezeichnet. Die Erfahrung dieses besonderen Friedens haben wir also in unseren, wenn auch noch schlafenden Genen! Wunderbar! Die Schichten 7 und 8 seien vor 100.000 Jahren von den Plejadiern auf die Erde gebracht und den

Menschen, den damaligen Lemuriern, als Schöpferenergie weitergegeben worden. Die Lemurier sind die Vorfahren der Hawaiianer, im Nordpazifik lebte damals die älteste und am höchsten entwickelte menschliche Zivilisation. Hawaiianisch hat immer noch etwas mit der lemurischen Ursprache zu tun. Ihr Gruss- und Abschiedswort lautet „Aloha!" Es bedeutet die Kraft der Liebe, aber auch: „Ich grüsse und ehre den göttlichen Atem in dir!" Der göttliche Atem ist die Schöpferkraft.

Ebenfalls im Jahre 2011 erscheint das Buch „Synchrone Welten – Geomantie des zwölfdimensionalen Lebensraums" von Marko Pogacnik, der seit fast 20 Jahren jedes Jahr einmal nach Bern und ins Seeland kommt, um hier mit Gruppen geomantisch harmonisierend zu wirken. Gemäss Pogacnik gibt es vier Pole auf unserer Erde, durch die die Schöpfergeister der Form mit Hilfe der vier Elemente wirken. Diese Pole befinden sich in Sibirien (Element Erde), Australien (Feuer), Nordwest-Kanada (Luft) und Amazonien (Wasser). Sie werden durch zwei weitere Pole des Elementes Aether miteinander verbunden. Davon liegt der eine im Bereich der Schweiz – bei der St. Petersinsel im Bieler See! – und der andere im Bereich von Hawai'i! Ich staune, als ich das lese. Die Schweiz und Hawai'i sind auf geheimnisvolle Art miteinander verbunden! Ist diese Verbindung das, was die Welt im Innersten zusammenhält?

In meinen Genen schläft Lemuria, mein Wohnort ist geomantisch mit Hawai'i verbunden: Grund genug dorthin zu reisen!

Nach weiterem Nachforschen entscheide ich mich für eine der sieben Hauptinseln, nämlich für die älteste und ursprünglichste namens Kauai'i, auch „the Garden Isle" genannt. Hier darf kein Haus höher sein als eine Kokospalme, d.h. höchstens drei Stockwerke hoch. Im Juli buchen wir den Flug für den 3. Oktober von Zürich nach Los Angeles mit einer Übernachtung, am 4. Oktober weiter nach Lihu'e auf Kauai'i, Rückflug ohne Übernachtung am 29. Oktober mit Ankunft zu Hause am 31. Eine weite Reise auf die „andere Seite" unseres Erdballs steht uns bevor. Wir freuen uns, und Georg schenkt mir die Reise zum 60. Geburtstag.

Reise und Ankunft

Wir schaffen es, Büro und Haus auf unsere vierwöchige Abwesenheit und die Koffer für unser Abenteuer vorzubereiten. Der Taxifahrer, der uns zum Bahnhof Bern fährt, staunt über unsere Destination, dort sei es wohl wärmer. Das ganze Einchecken am Zürcher Flughafen verläuft wie am Schnürchen, der grosse Vogel, ein Airbus der Swiss, hebt sich majestätisch in die Lüfte. Wegen starker Winde über der Karibik führt uns die Route über Hamburg, Island, Grönland, Kanada, dann nach Süden den Rockies entlang über die Filmstudios von Hollywood nach Los Angeles International Airport LAX. Ein ruhiger zwölfstündiger Flug mit gutem Wetter und herrlicher Fernsicht über die Eisberge der Antarktis, doch wir müssen die Fenster nach dem Abendessen verdunkeln, damit die Mitreisenden schlafen können. Doch unsere Blähungen nach der eigentlich leckeren Pasta mit sehr vielen Steinpilzen vom Zürcher Vegi-Restaurant Hiltl lassen uns nicht schlafen. In der Vorfreude auf unser Reiseziel nehmen wir das gelassen, zum Glück hat Georg wenigstens ein kleines Fläschchen Magenbitter dabei. Ich beginne ein weiteres Buch von Kiana Davenport zu lesen: Der Gesang der verlorenen Frauen (Song of the Exile), es ist unglaublich traurig und doch auch unglaublich hoffnungsvoll.

Wir landen 20 Minuten zu früh in LAX, unser Parkplatz ist besetzt, wir müssen noch 30 Minuten auf dem Rollfeld warten. Die lokale Zeit: 16.30 Uhr, Aussentemperatur 23 Grad. Endlich können wir in die riesige Empfangshalle für die Prozedur der Immigration. Es sind gerade viele Menschen angekommen, bei denen sich die USA überlegen, ob alle wirklich willkommen sind. Es gibt einen Stau, wir müssen lange warten. Wir können uns schliesslich sogar gemeinsam der kritischen Prüfung des Immigration Officers unterziehen, der über meinen Pass immer wieder den Kopf schüttelt. Das Foto entspricht nicht meinem aktuellen Aussehen, vor allem zweifelt er am Geburtsdatum: „Are you really so old?" Ich schaue ihn liebevoll an und erkläre mit Nachdruck: „Look, I'm coming here to celebrate my 60th birthday, that will be in a few days as you can see from my passport. This journey is a present from my husband." Georg fügt strahlend „Yes, of course!" hinzu, und der Officer staunt ein „Wow!", nimmt uns die Fingerabdrücke ab, macht ein Fahndungsfoto, und plötzlich sind wir „welcome".

Wir erlösen unsere Koffer von ihrer einsamen Runde auf dem Förderband und geraten in eine Gruppe von etwa 200 türkischen Reisenden, die gründlich nach Drogen inspiziert werden. Lange warten wir auf einen freien Schalter bei der Gepäckkontrolle, wo wir dann aber zu unserem Erstaunen durchgewinkt werden. Ein kühler Wind empfängt uns in der halb offenen Vorhalle des Flughafens aus altem Beton, es riecht nach Abgasen, Busse und Taxis rauschen vorbei. Bald hält der Shuttle Bus vom Hilton Hotel. Er erinnert uns an alte ägyptische Touristenbusse, beim Eingang muss eine steile Treppe überwunden werde. Der Chauffeur, „I'll do it for you!", wuchtet sämtliche Gepäckstücke aller Fahrgäste kunstvoll in das Kofferabteil und vor dem Hotel auch wieder hinaus.

Wenigstens trägt er einen breiten Gurt, um sich vor (weiteren?) Leistenbrüchen zu schützen.

Nach einer erfrischenden Dusche sinken wir in unsere Betten und die vielen weichen Kissen im achten Stock des Hotels mit Sicht auf weitere Hotels und den Flughafen. Die Fenster kann man nicht öffnen, Klimaanlage. Doch Tee können wir uns machen. Georg meint, er wolle nie wieder in die USA reisen, solange die Kontrollen so absurd seien. Er ahnt noch nicht, dass es noch schlimmer kommt. Jedenfalls nimmt er sich vor, auf die nächste Reise mehr Magenbitter mitzunehmen. Um ein Uhr klopft ein Gepäckträger, der uns mit fremdem Gepäck beglücken möchte, irrtümlicherweise an unsere Türe und weckt uns aus dem ersten Tiefschlaf. Doch wir sind froh, dass es erst ein Uhr ist, in der Schweiz wäre es neun Uhr, und wir schlafen bald wieder ein. Die Nacht ist ruhiger als jene damals beim Frankfurter Flughafen, als wir nach Teneriffa flogen. Die Landebahnen liegen parallel zum Hotel, es wird also nicht überflogen.

Um acht Uhr starten wir zu Fuss ins nahegelegene Quartier, um Ausschau nach einem leckeren Frühstück zu halten. Auch möchten wir den Boden unter den Füssen spüren, nach dem langen Flug und vor dem nächsten sechsstündigen. Hohe Bürohäuser, Hotels auf der einen, Flughafengebäude auf der anderen Seite des sechsspurigen Zubringers in das Zentrum. Die Sonne scheint, es ist angenehm warm, schliesslich finden wir im Hotel Mariott eine kleine Früstücksbar mit Sitzplätzen in einem kleinen Garten. Grüntee in Pappbechern und zwei Tüten Chips aus „real potatoes" haben wir gewählt, das übrige Angebot an Frühstücksvarianten aus sehr künstlich aussehenden Fertigprodukten spricht uns nicht gerade an. Gegen elf Uhr heisst es für uns wieder in den Shuttle-Bus zu steigen, dieselbe Zeremonie „I'll do it for you!" mit dem Gepäck, der Lautsprecher sagt die Terminals an und singt die Namen der dazugehörenden Fluggesellschaften wie ein Mantra, endlich kommen wir bei „United" an, wir sind die letzten, die aussteigen. Unsere Koffer sind bereits durchgecheckt nach Lihu'e, wir können sie einfach „drop off", doch es folgt eine Personenkontrolle einschliesslich Röntgen, die wir als sehr menschenunwürdig empfinden. Die Atmosphäre ähnelt derjenigen eines Militärgefängnisses, das Röntgenbild bekommt man gar nicht gezeigt. Wir erholen uns mit einem kleinen Whisky an der Bar und bald sitzen wir in einem etwas kleineren Flugzeug, welches voll besetzt ist.

Wenn man etwas essen möchte, muss man bezahlen, nicht-alkoholische Getränke sind gratis. 4000 Kilometer haben wir vor uns, wir werden mit „Aloha!" begrüsst, lernen auch gleich, dass auf Hawaiianisch „Mahalo"

Thank you bedeutet. Die Passagiere sind gut gelaunt und in freudiger Erwartung, Kaua'i muss wirklich ein besonderer Ort sein. Der Steward trägt einen Lei – so heisst der Kranz oder die Halskette – aus dunkelbraunen Kukui-Nüssen, der Pilot stellt allen eine Quizfrage, bei der man viel rechnen muss, doch jemand gewinnt und erhält einen Reiseführer über Kaua'i und viel Applaus. Alle zehn Minuten kommt eine Stewardess mit einem riesigen Abfallsack vorbei: „Trash! Recycling!" Das nervt Georg ein wenig. Der Flug verläuft sehr ruhig, die sechs Stunden kommen uns nicht wie eine Ewigkeit vor. Ein Formular für die Zollkontrolle müssen wir noch ausfüllen, ob wir keine Insekten oder Schlangen usw. im Gepäck hätten, „to keep Kauai'i clean". Irrtümlicherweise kreuze ich an, dass wir alles Verbotene dabeihaben, doch das hat keinerlei Konsequenzen. Ohne weitere Kontrollen können wir in der Ankunftshalle unser Gepäck in Empfang nehmen.

Aloha! Die Luft ist tropisch warm, das Sonnenlicht für unsere Augen sehr stark, obwohl es bereits nach 17 Uhr ist. Ich möchte gerne vor Einbruch der Dunkelheit in unserem Hotel, dem Aston Islander-on-the-Beach, ankommen, meine Füsse sehnen sich nach Meerwasser. Im Büro der Autovermietungsfirma überreiche ich der zuständigen Kundenberaterin meinen Führerschein. Sie runzelt die Stirn, faltet ihn mit den Fingerspitzen auseinander, als sei es ein archäologisches Fundstück, welches im nächsten Moment in Staub zerfallen könnte: „Is this your driver's license?" Ich weiss, es sollte im Kreditkartenformat sein. „Yes, mam, this is a Swiss driver's license, and this is my international one!" und ziehe noch ein graues Papier aus meiner Tasche, welches ich ihr feierlich überreiche. Das scheint sie doch zu überzeugen, und sie tippt die Angaben in den Computer. Dann entdeckt sie, dass wir einen „Nissan Sentra" reserviert haben. „Do you really want such a small car?" Ich möchte jetzt nicht die Wagenkategorie wechseln: „You know, we Europeans are used to smaller cars!" Sie nickt verständnisvoll und befindet es als nötig, dass wir eine Versicherung abschliessen für den Fall, dass Georg mit dem Autoschlüssel in der Badehose baden geht: „Oh, this really happens!" In diesem Fall sei die Firma 24 Stunden am Tag und sieben Tage pro Woche bereit, uns aus der Patsche zu helfen. „It's only five Dollars a day!" Na gut. Dafür zeigt sie sich grosszügig mit dem Abgabetermin, der könne ruhig zwei Stunden später sein, damit wir nicht länger als nötig am Airport bleiben müssen. Sie erklärt uns anhand der Karte den Weg zum Hotel, und wir werden zum Nissan geführt, der bei uns in Europe als Mittelklasse-Wagen gilt. Ich versinke im Fahrersitz, so dass ich kaum über die Kühlerhaube schauen kann. Der Wächter des Parkplatzes, der noch einen Kribbel unter den Mietvertrag setzen muss, schaut uns etwas verwundert an: „Where are you from?"

„From Switzerland!"

„Oh, do you know Roger Federer personally?" Georg sagt überzeugt: „Yes, of course!", die Barriere öffnet sich, wir haben freie Fahrt, Roger sei dank. Unser Nissan, den ich wegen der silbernen Farbe „Silverwing" taufe, findet wie von alleine seinen Weg zum Resort. Kurz vor Sonnenuntergang kommen wir an, unser Zimmer im zweiten Stock mit partial ocean view wartet schon auf uns. Unsere Füsse freuen sich auf die erste Begrüssung mit dem warmen Pazifik. Ich kann es kaum fassen: Wir sind tatsächlich angekommen, auf Kauai'i, im Paradies. Hawai'i bedeutet „mein kleines Zuhause", und wir spüren das auch so.

"Aloha is the spiritual key, it signifies the sentiments of affection, sympathy, kindness and love.
Aloha is the native spirit of friendliness and hospitality – the essence of Hawaiian culture.
Aloha represents the Hawai'ians' love of life – their art of living. For their wealth was not in aggressive accumulation of things but in their joy in sharing and giving."
So steht es im kleinen „Visitor's guide: Hawai'i this and that" von LaRue W. Piercy.

An der Royal Coconut Coast

Die Wellen des Pazifischen Ozeans rauschen uns sanft in den Schlaf, am Morgen wecken uns rufende Vogelstimmen, bei uns zuhause zwitschern sie eher. Bereits um sechs Uhr stehen viele Leute mit ihren Kaffeebechern in der Hand am Strand und warten andächtig auf den Sonnenaufgang. Besonders wenn der Horizont nicht bewölkt ist, bietet sich uns ein überwältigendes Spektakel. Wir können es oft geniessen, da wir hier an der Ostküste sind. Der glühend orange Sonnenball erhebt sich aus dem Meer, sein Feuer scheint noch eine Zeit lang in den Ozean zu tropfen. Hier trauen wir uns vorsichtig etwa zehn Meter weit ins Wasser hineinzugehen und uns von den Wellen schaukeln zu lassen, ohne dass es uns davondriftet. Das Wasser ist mindestens 28 Grad warm und wirkt wie ein Thermalbad. Richtig schwimmen kann man hier nicht so gut.

Wir kundschaften zu Fuss die nächste Umgebung aus. Am Strand reiht sich ein Resort nach dem anderen, nach etwa 15 Minuten erreichen wir ein Shopping Center mit Restaurants und dem „Foodland". Hier finden wir alles, was das Herz begehrt, vor allem Produkte aus der Region „Kauaian grown": reife Ananas, Bananen, Mangos, Avocados, Papayas und dem hiesigen wilden Ingwer. Dieser schmeckt wunderbar mild, wir lassen ihn scheibchenweise in einem Glas Hahnenwasser ziehen. Das Wasser kommt direkt von den vulkanischen Bergen und ist viel reiner als wir es uns von zuhause gewohnt sind. Im „Home style cooking" Restaurant geniessen wir Miso soup, Reis und Gemüse mit Tofu. Hier kochen zwei ältere Schwestern, Filippinas, die eine sehr liebevolle mütterliche Atmosphäre verbreiten. Darüber vergisst man das Plastikgeschirr, das abgenutzte dunkelbraune Metall-Kunststoff-Mobiliar und die riesigen Propeller-Ventilatoren an der Decke. Das Restaurant ist wie ein grosser Familientisch und immer gut besucht.

Am zweiten Abend entdeckt Georg in der Nähe vom Resort einen Heiau, einen heiligen Versammlungsplatz der alten Polynesier, der auch heute noch genutzt wird. Deswegen informiert ein Schild darüber, dass dies kein touristischer Aussichtspunkt sei, sondern ein „sacred ground", Sonnenbaden, Meditieren, Hochzeiten, Massagen, sogar das Sitzen auf den Steinen sind verboten. Hier wurden und werden nach der Ankunft in und vor der Abreise von Kauai'i Zeremonien abgehalten. Ich möchte dies auch tun, zumindest möchte ich den Engeln dafür danken, dass wir gut angekommen sind. So bitte ich die Spirits des Ortes um Erlaubnis und betrete die Mitte des Platzes. Sofort spüre ich eine sehr starke Energie aus der Tiefe der Erde bis zu meinen Füssen. Es ist wohltuend, ich danke und bitte um Schutz für unseren Aufenthalt hier auf Kaua'i. Etwas kitzelt mich am Kronenchakra. Ich blicke nach oben: Die Wolken haben sich inzwischen verzogen, und genau über mir prangt der mittlere Stern des Gürtels von Orion. Mir fällt ein Song aus dem Musical „Hair" ein: „They twinkle above us, we twinkle below!" Ich fühle mich verbunden mit Himmel und Erde. Welch ein Glück am Vorabend meines Geburtstags!

Am nächsten Morgen beschenkt mich Georg mit einer Ananas und einer noch grünen Kokosnuss, die voll von süssem Saft ist. Am Abend gehen wir zum neben dem Resort gelegenen „Coconut Market Place", wo es Boutiquen und Restaurants gibt. Wir hören einheimische Musik, sehen viele Leute, wir gehen näher und geraten in ein Fest! Das Zentrum für polynesische Kultur feiert heute seinen ersten Geburtstag! Es ist kein Fest für Touristen, die zwar auch willkommen sind, sondern für die Einheimischen. Eine ältere Lehrerin namens Valletta Jeremiah von der Nachbarinsel O'ahu, eine Meisterin und Hüterin der alten Tänze und Gesänge, spricht zuerst auf Hawaiianisch, dann auf Englisch den Segen für die Menschen und den Ort. „Möge Frieden und Liebe von hier ausstrahlen, mögen die Menschen von der Schönheit und Harmonie der Tänze bezaubert werden." Georg schenkt mir einen betörend duftenden Lei aus weissen und dunkelroten Aloha-Blumen. Wir lassen uns bezaubern von den Hula-Tänzerinnen jeden Alters, den Liedern, der Ukulele und werden zum Buffet eingeladen. Einen schöneren Geburtstag hätte ich mir nicht vorstellen können.

Drei Tage später nehme ich in dem Zentrum an einem Hula-Tanzkurs teil und erfahre mehr: Dieser Tanz war in uralten Zeiten Sache der Männer. Sie erzählten mit Gesten und Gesang von ihren Jagden und Kämpfen. Bald übernahmen die Erzählkunst auch die Frauen und hörten trotz dem Verbot durch die Missionare nie damit auf. Die Bewegungen sind unglaublich weich und fliessend. Mein Muskelkater fühlt sich nicht so weich an.

Der alten Meisterin begegnen wir noch einmal beim Unterrichten des Poi-Ball-Tanzes, der nach alter Tradition mit einem kleinen weissen Ball in jeder Hand durchgeführt wird. Ich darf das Lied dazu mitsingen, der Text steht auf einem grossen Poster. Die Lehrerin lobt das grosse Engagement ihrer etwa 30 Schülerinnen im Alter von 15 bis 50. Sie seien die Garantie dafür, dass das wertvolle Erbe eine Zukunft habe. „You don't know, how much this means to me." Ich kann ihre Rührung sehr gut nachvollziehen: Hier darf endlich wieder eine alte weibliche Kraft ihren Ausdruck finden, nicht als Show für Touristen, nicht für das Archiv eines Museums, sondern in neuer Lebendigkeit. Zum Abschied umarmt mich Valletta lange und herzlich. Wir zwei Frauen, jede von einer Hälfte von Mutter Erde, die beide seit Jahrzehnten auf ihre Weise ihren Beitrag leisten für Mutter Erde und die Schöpferkraft der Frauen. In diesem Moment erfüllt sich für mich der Sinn meiner Reise nach Kauai'i.

Am nächsten Tag machen Georg und ich mit Silverwing einen Ausflug in den Südwesten zur tiefsten Schlucht der Inselgruppe von Hawai'i, dem Waimea Canyon. Der Himmel ist klar, die Hitze gross. Auf dem Weg dorthin fahren wir zunächst durch ärmliche Dörfer und entlang von grossen Feldern, die von etwa drei Meter hohen Zäunen umgeben sind. Das finden wir seltsam, denken aber nicht weiter darüber nach. Dann kurven wir den Canyon Drive hinauf, halten bei den Parkplätzen zu den Aussichtspunkten an, der Blick in die tiefe Schlucht aus rotem, schwarzem und ockerfarbenem Vulkangestein ist schwindelerregend. Am äussersten Punkt, wo die Strasse nicht mehr weitergeht, geniessen wir den Blick über die Nordküste der Insel (Na Pali Coast). Die steilen Berge sind mit Farn und Büschen in wunderschönen Grünschattierungen bedeckt, weit unten liegt der Ozean türkisblau ausgebreitet, über uns zum Greifen nah der kobaltblaue Himmel mit wenigen weissen Wölkchen. Dieses Gebiet soll das regenreichste der Erde sein. So steht es auf einer Informationstafel, die allerdings sehr alt aussieht. Denn Wasserfälle sind keine in Sicht, und der Fluss auf dem Grund des Canyons ist ausgetrocknet. Hier wurde der Hollywood-Film „Jurassic Parc" gedreht. Wir müssen denselben Weg wieder an die Ostküste zurückfahren, denn Kauai'i kann wegen dieser steilen Nordküste per Auto nicht ganz umfahren werden.

Meine Hula-Tanzlehrerin hatte mir empfohlen Kamokila, ein altes hawaiianisches Dorf, welches als Freilichtmuseum und manchmal als Filmkulisse dient, zu besuchen. Es liegt für uns in der Nähe, eine kleine sehr steile Strasse führt zum Wailua River. Hier befindet sich auch die Einstiegsstelle für Kanufahrten, weswegen die meisten Touristen hierher kommen. Wir sind die einzigen, die die idyllisch gelegene Hüttensiedlung aus Holz und Blättern der Kokospalme besichtigen. Ein Pfauenweibchen schenkt mir eine Feder. Neben dem kleinen Doctor's House befindet sich ein Noni, ein indischer Maulbeerbaum (Morinda citrifolia) mit stinkenden Früchten, deren Saft angeblich fast alle Krankheiten heilen. Darum wird seine Frucht „Götterfrucht" genannt. Der „Doctor" kannte mindestens 200 Heilpflanzen und deren kunstgerechte Zubereitung für die Phytotherapie. Georg gefällt das Haus des „Prime Ministers", das einzige, welches aus Lavasteinen besteht. Dieser Minister war dafür zuständig, Streitigkeiten zu schlichten. Ich bin begeistert vom Geburtshaus. Das Kind wird auf glücksbringende grüne Ti-Blätter geboren.

Am 15. Oktober, nach fast zwei Wochen, nehmen wir Abschied von der Royal Coconut Coast. Wir freuen uns auf einen Tapetenwechsel. Mit Silverwing und rassigen Ukuleleklängen einer CD von Troy Fernandez geht's an die Nordküste nach Hanalei. Wir hatten diesen ca. 60 Kilometer entfernten Ort bereits zweimal kurz besucht, um dort eine Unterkunft für zwei Wochen zu finden. Zunächst hatten wir durch die Vermittlung einer „Vacation Rental – Firma" drei Appartements auf dem über der Bucht gelegenen Hochplateau Princeville besichtigt. Das Angebot hatte uns nicht so überzeugt, auch wollten wir näher am Strand sein. So ging Georg seiner Nase nach, fragte und wurde fündig: Eigentlich würde er nur an Freunde vermieten, meinte der Hausbesitzer namens Doug, doch er schaute trotzdem in seiner Agenda nach und, o Wunder, das kleine Guesthouse war frei! Wir seien nur gut beraten auf dem Weg zum Strand die Kokospalmen im Auge zu behalten, denn die Nüsse seien jetzt zum Herunterfallen reif. Nun können wir uns noch mehr auf dieser paradiesischen Insel niederlassen: Wir geniessen das Schwimmen, wenn die

Wellen nicht gerade zu hoch sind, ausgiebige Spaziergänge am Strand bei Sonnenuntergang, den angenehm kühlen Mittagswind auf der grossen überdeckten Terrasse. Im 200 Meter entfernten Village, dem Zentrum von Hanalei, gibt es alles für unser eigenes „home style cooking". Weiteres entdeckt Georg auf dem „Farmers' Market, der zweimal pro Woche stattfindet. Hier gibt es sogar auch den Saft der stinkenden Noni-Frucht, welche zur Stärkung des Immunsystems empfohlen wird. Im Village lockt mich der Laden mit Heilsteinen und Kristallen, gems and crystals. Die typischen Steine von Kauai'i sind Kalzit und Peridot, Lavastein sowieso. Stunden verbringe ich auch im Bio-Laden, der in seiner Abteilung „Nahrungsergänzungsmittel" die ganze Palette einer Naturapotheke anbietet. Wunderbar! In ganz Hanalei und den nachfolgenden Orten gibt es übrigens keine einzige „klassische" Apotheke.

„Oktober ist Haifisch-Saison!"

Jeden Morgen ausser sonntags erhalten wir die lokale Tageszeitung „The Garden Island", serving Kauai'i since 1902. Darin wird von In- und Ausland alles Mögliche berichtet. Die Schwester von Obama hat auf O'ahu für ihren Bruder Wahlpropaganda gemacht. Ihr Motto war: „Ihr wählt nicht einfach einen Präsidenten, Ihr wählt eine Lebensweise!" Dann wird von Unfällen mit Haien bei der Küste Südkaliforniens berichtet. Georg fragt den Lifeguard am Strand, welcher gern Auskunft gibt: „Octobre is shark season!" Wir fragen unseren Hausbesitzer Doug, der jeden Morgen um fünf Uhr für drei Stunden surfen geht. Es gäbe für ihn nur freundliche Haie, meint er, er ströme keinen Aasgeruch aus, weil er weder Fleisch noch Fisch esse, also sei er für Haie uninteressant. Das beruhigt uns sehr, wir hatten nicht gewusst, dass wir eine „friendly-shark-diet" halten.

Doug erzählt uns auch, dass es die meisten Unfälle zu Wasser wie zu Lande mit deutschen Touristen gibt. Sie seien zu übermütig, hätten zu wenig Respekt vor dem Ozean und seien beim Autofahren nicht sehr rücksichtsvoll. Ich hatte schon bei unserem früheren USA-Aufenthalt erfahren, wie angenehm das Autofahren hier ist. Alle sind sehr höflich, und ich ertappte mich manchmal dabei, dass ich meine Ellenbogenmentalität als Fahrerin zurücknehmen musste. Hier auf Kauai'i fällt das noch mehr auf: Nie höre ich ein Hupen, es gibt keine Lichthupe, niemand drängelt sich vor. Sobald Fussgänger in Sicht sind, wird das Tempo sofort gedrosselt. Meistens beträgt die erlaubte Höchstgeschwindigkeit sowieso nur ca. 50 km/h (25 bis 35 mph, an wenigen Stellen ist sie höchstens ca. 80 (50 mph)!) Nie sehen wir überfahrene Tiere. Dabei laufen hier die Hühner – zwar nicht sehr zahlreich – beim Flughafen, bei Tankstellen oder an Stränden frei herum. Sie wurden damals von den Polynesiern nach Hawai'i gebracht, sind schlanker und kleiner als bei uns und können etwas fliegen. Bei Sonnenaufgang wecken uns die Hähne. Nicht nur im Strassenverkehr, auch sonst ist das öffentliche Miteinander sehr angenehm: Sobald wir jemandem in die Augen schauen, werden wir freundlich gegrüsst, oft mit einem zusätzlichen „How are you?", manchmal ergibt sich ein kurzes Gespräch. Nirgends liegt Abfall herum, noch nicht einmal Zigarettenstummel, nirgends Graffiti, die Strände sind sehr sauber, nie werden wir von Zigarettenrauch belästigt. In den USA gibt es den „smoking ban", Rauchende müssen zu ihrem nächsten Mitmenschen ein paar Meter Abstand halten, vor Eingangstüren und bei Haltestellen ist Rauchen verboten. Paradiesisch… für Nichrauchende!

Ferienlektüre

Im Bücherschrank unseres Studios finden wir ausführliche Hintergrundliteratur über die Geschichte von Hawai'i. Und Georg entdeckte in einem Geschäft noch ein kleines aufschlussreiches Büchlein, aus dem ich bereits zitiert habe: „Hawai'i this & that. Answers to the most frequently asked questions von LaRue W. Piercy. Am meisten interessiert uns natürlich das Schicksal der ursprünglichen einheimischen Bevölkerung. Es fiel uns auf, dass sich auf dem Hinflug weder unter dem Bordpersonal noch unter den Passagieren „echte" HawaiianerInnen befanden, welche hier als „local people" bezeichnet werden. Um so mehr freuten wir uns über die Begegnungen mit ihnen im Kulturzentrum an der Royal Coconut Coast, wovon ich bereits berichtet habe. Dann sahen wir sie meistens am Wochenende mit ihren Familien das Strandleben geniessen. Aus dem erwähnten Büchlein erfahren wir die Zusammensetzung der Ethnien des Bundestaates Hawai'i: Insgesamt 1,22 Mio. Einwohner, davon nur 7% native Hawaiians, 3% Pacific Islanders, 14% Filipinos, 17% Japanese, 5% Chinese, 2% Black or Afro Americans, 8% other Asians, 22% mixed (2 or more races: Die Liebe macht's möglich!) und 24% Caucasians, also Weisse. Jetzt wissen wir auch, dass wir Kaukasier sind!
Im Buch „Haifischfrauen" von Diana Davenport hatte ich bereits einiges über das traurige Schicksal der „native" Hawaiians erfahren, nun habe ich Zeit und Ruhe, mich dem zweiten Roman „Der Gesang der verlorenen Frauen" zu widmen. Die Erzählungen schildern Menschen und Begebenheiten in der Zeit von 1920 bis etwa 1980, ein sehr gut und

authentisch beschriebenes Stück Jazz-Geschichte ist auch dabei. Der begabte Musiker namens Keo träumt davon in New Orleans und später in Paris Karriere machen zu können. Der Sprung nach New Orleans gelingt ihm, alle warnen ihn vor Paris, denn Frankreich befindet sich vor dem Einmarsch der Deutschen. Als dann polnische und jüdische Musiker in den KZs verschwinden, ist er als Ersatz sehr begehrt, wird „Hulamann" genannt und spielt für die Nazis. Diese laden ihn sogar nach Berlin zu einem Konzert ein, feiern ihn, doch bei der Rückfahrt bringen sie ihn an der deutsch-französischen Grenze beinahe um, er gehöre zu einer „Schlammrasse". Er überlebt, verliert Sunny, seine Verlobte und Mutter seiner zukünftigen Tochter, da diese sich nach Schanghai aufgemacht hat, um ihre behinderte Schwester zurück nach Honolulu zu holen. Er sucht sie vergeblich, denn sie wird zusammen mit tausenden anderer Frauen von den Japanern in Sexarbeitslager verschleppt, wo sie den Soldaten Tag und Nacht als „Trostfrauen" dienen müssen. Als eine der wenigen überlebt sie, kehrt nach Honolulu zurück, kann sich aber nicht mehr im Alltag zurechtfinden. So oder ähnlich erging es vielen anderen Männern und Frauen von Hawai'i. Viele kamen unter den verschiedensten Eroberungen um oder starben an Krankheiten und gebrochenem Herzen. Einer der beliebtesten hawaiianischen Sänger, Izrael Kamakawiwo'ole, kurz „Iz" genannt, schrieb im Booklet zu seiner CD „Facing Future":
„Facing backwards I see the past,
our nation gained, our nation lost
our sovereignty gone
our lands gone
all traded for the promise of progress
what would they say…
what would we say?
Facing future I see hope
hope that we will survive
hope that we will prosper
hope that once again we will reap the blessings
of this magical land for without hope I cannot live
Remember the past but do not dwell there
Face the future where all our hopes stand."
Gilt das nur für Hawai'i oder für die ganze Welt? Iz starb vor 15 Jahren, noch heute stehen seine CDs in den Hitlisten, Millionen von Menschen gibt er Hoffnung. Seine Interpretation von „Over the Rainbow" ist zum Lied des Friedens für die ganze Menschheit geworden.
Ich analysiere den Zustand von Kauai'i anhand einer Liste mit Planetenfrequenzen. Auffallend ist der hohe Vergiftungsfaktor. Darüber staune

ich, denn der Boden scheint hier sehr fruchtbar zu sein, und das tropische Klima erlaubt drei Ernten pro Jahr. Könnte die Vergiftung eine Folge der Reaktorkatastrophe im japanischen Fukushima vom Jahre 2011 sein? Jedenfalls speichere ich die nötige Heilinformation in einen Herkimer Diamanten, einem kleinen Bergkristall aus dem Himalaya. Diesen übergebe ich am Strand von Hanalei dem Pazifik.

Das Brot wächst auf den Bäumen

Nördlich von Hanalei besuchen wir einen botanischen Garten in Limahuli, dedicated to the preservation and survival of tropical plants, emphasizing rare and endangered species. Der Fussweg schlängelt sich die angebauten Terrassen den Berghang hinauf, die Atmosphäre gleicht der eines Tempels, für etwa eine Stunde sind wir die einzigen Gäste. Wir erfahren, dass sich die Flora und Fauna der Insel seit der Ankunft von James Cook und den Missionaren dramatisch verändert hat. Vor allem einheimische Bäume wurden verdrängt, die Berghänge sahen ursprünglich anders aus, viele Vogelarten sind längst ausgestorben. Seit 1964 und seit der Zeit von Präsident Clinton versucht man dem entgegenzuwirken.

Beeindruckt sind wir vom Brotbaum, dem „Breadtree", von dem wir aus unserem Resort an der Ostküste bereits eine heruntergefallene Frucht mitgenommen hatten. Die grosse runde und aussen grüne Frucht kann bis zu vier Kilo schwer werden. Man kann sie kochen, bis sie weich wird, danach bei Bedarf noch braten oder frittieren. Sie schmeckt wie eine Kombination von Brot und Kartoffeln. Wir finden sie sehr lecker, vor allem sehr nahrhaft. Es gibt ein Projekt, das den Anbau von Brotbäumen in den Hungergebieten in Afrika fördert.

Sunset Drink

Eines Abends verspricht der Sonnenuntergang bei der Bucht von Hanalei besonders schön zu werden. Ich überrede Georg zum Fünf-Sterne-Hotel St. Regis auf dem Plateau Princeville zu einem Drink zu fahren. Nach gut 15 Minuten erreichen wir die hohe Eingangshalle, wo bereits einige Autos Schlange stehen. Ich frage einen netten Herrn vom Personal: „We would like to come for a sunset drink. Where can I leave the car?" „Right here!" Ich schaue ihn erstaunt an, es dauert eine Weile, bis ich begreife, dass ich ihm einfach den Autoschlüssel übergeben kann, er wird sich um den Parkplatz kümmern. Georg fragt noch: „And how long can we stay?" Wir könnten bleiben solange wir möchten. Auf der grossen

Terrasse haben wir einen atemberaubenden Blick über die ganze Bucht, zwei Sessel haben gerade noch auf uns gewartet. Die Szene beginnt sich rosa und in vielen anderen Pastelltönen zu färben. Die natürliche Show genügt nicht, sonst wären wir nicht in Amerika, ein etwas einheimisch aussehender Barmann veranstaltet noch eine Zeremonie: Er bläst lange in ein Muschelhorn, dessen Ton weit über die Bucht reicht, erklärt den Aloha-Spirit, der bewirke, dass so viele Liebes- oder Hochzeitspärchen gerne hierher reisen, schliesslich entkorkt er mit einer grossen Machete erfolgreich eine Flasche Champagner. Das Publikum klatscht Beifall, und die Sonne verschwindet hinter den Hügeln der Na Pali Coast.

Tsunami-Alarm und Evakuation

Die Tage in Hanalei gehen jetzt sehr schnell vorbei, langsam müssen wir an das Packen denken. In der Zeitung lesen wir vom Erdbeben in Westkanada, dem Monsterstorm Sandy und darüber, wie sich die Ostküste darauf vorbereitet. Die Bilder von den bereits entstandenen Schäden in der Karibik machen Einruck. Wir hoffen, dass wir wie auf dem Herflug wieder die Nordroute für den Rückflug nehmen können. Am vorletzten Abend um 19 Uhr klopft Doug an unsere Türe: „I've got to talk to you guys for a minute. There is a tsunami alarm!" Eine Folge des starken Erdbebens an der Westküste Kanadas. Doug ist sehr ruhig und gefasst, er wundere sich, dass die Sirenen noch nicht losgegangen seien. Normalerweise würden die Bewohner sechs Stunden im voraus gewarnt, doch dieses Mal seien es nur drei Stunden. Wir sollen unsere Sachen ins Auto packen und nach Princeville hinauffahren. Es könne sein, dass nach Mitternacht die Entwarnung käme. Für den Fall, dass wir früher zurück seien als er, zeige er uns, wo er den Schlüssel zum Guesthouse verstecke.

In drei Stunden soll es also soweit sein. Die Katzen dösen weiterhin friedlich auf den Polsterkissen der Terrassenmöbel vor sich hin, Ratten zeigen sich keine. Wir spüren, dass keine grosse Gefahr im Anzug ist. Doch ich beginne langsam den Koffer zu packen, während Georg meint, wir könnten noch in aller Ruhe das bereits zubereitete Abendessen geniessen. Plötzlich setzt ein starker Regen ein, die Sirene ebenfalls. Mit der Gemütlichkeit ist es vorbei. Wir packen, zum Glück hört der Regen bald auf, so dass wir alles trocken ins Auto bringen können. Dann heisst es: „You have to leave in 3 minutes!" Wir gehören zu den Letzten. Bald reiht sich Silverwing in die Autokolonne Richtung Princeville ein. Wir sind froh, sobald wir die kleine einspurige Brücke über dem Hanalei-River hinter uns haben. Ein Tsunami würde diese Brücke als erstes unter sich begraben. Im Dunkeln der Nacht finde ich mich in der Gegend, die wir ja schon von zwei Besuchen kennen, zurecht. Nicht weit vom Sunset-drink-Hotel halten wir an einer Stelle an, von der aus sich ein guter Blick auf die hohe Steilküste und das Meer bietet. Ein paar Leute haben dieselbe Idee, schauen beim Geländer hinunter: Im Moment sind keine Veränderungen feststellbar. Es ist gespenstisch ruhig. „A nice evening, isn't it?", sagt Georg scherzend zu einer Frau, als sei dies ein ganz normaler Abend. Sie lacht, wir kommen ins Gespräch. Es stellt sich heraus, dass sie seit drei Tagen im Ferienhaus gegenüber wohnt, ebenfalls Petra heisst, aus Karlsruhe stammt und seit ein paar Jahren mit ihrem Mann in Kalifornien lebt. Der Regen setzt wieder ein, und wir werden zu ihnen ins Haus eingeladen. Natürlich läuft der Fernseher und bei angeregtem Gespräch mit Drink verfolgen wir live die Geschehnisse auf dem Bildschirm, der meistens den Strand von Honolulu, und menschenleere Strassen, jedoch nichts von Kauai'i zeigt. Die Sendung ist ein für uns eigenartiges Gemisch aus dürftigen Nachrichten und Unterhaltung. Der Tsunami als Sensation? Es kommt eine Welle nach der anderen, sie sind sehr niedrig, aber man könne es nicht gut im Voraus abschätzen. Die offiziellen Stellen lassen sich viel Zeit bis zur Entwarnung. Etwa um 0.30 Uhr starten wir, denn wir wollen die Gastfreundschaft nicht zu sehr strapazieren. Fast drei Kilometer vor der Brücke müssen wir wegen einer Polizeisperre wieder anhalten. Damit hatten wir nicht gerechnet. Die Autofahrer links und rechts schlafen. Georg will die Polizei fragen, doch plötzlich beginnen sie die Sperre zu öffnen. Wir erreichen Hanalei gegen 1.10 Uhr, finden die Katzen schlafend vor der Tür und den versteckten Schlüssel. Bei Kerzenlicht geniessen wir ein Glas Rotwein. Gegen zwei Uhr kommt auch unser Vermieter zurück und schaltet den Strom wieder ein. Er sei bei Bekannten seiner Mutter in Princeville gewesen und vor dem Fernseher eingeschlafen, so langweilig und nichtssagend sei die Berichterstattung gewesen. Um ca. 2.30 Uhr spürt Georg, wie die Erde bebt, wohl vom „untergetauchten Tsunami", wie zuvor am Fernsehen erklärt wurde. Der Rest der Nacht verläuft ruhig. Wir sind froh, dass wir uns noch einen Tag und eine Nacht von dem Schreck erholen können. Am anderen Mittag besuchen uns unsere unfreiwilligen Gastgeber von Princeville, und wir plaudern über das Reisen zu schönen Orten dieser Erde.

Am Montag, den 29. Oktober heisst es Kofferpacken und Abschied nehmen. Die ganze Zeit kreisen Helikopter über der Gegend, um mögliche Schäden festzustellen, doch alles ist unbeschadet davongekommen. Unser Abflug ist erst um 21 Uhr, Meile für Meile geniessen wir die Fahrt mit Silverwing die Küste entlang und halten bei Sonnenuntergang noch einmal beim jetzt fast menschenleeren Islander-on-the-Beach, dessen Gäste beim Tsunami evakuiert worden waren. Georg gönnt sich das letzte Fussbad im Pazifik, ich gehe noch einmal zum Kukui Heiau, um den Spirits für ihren Schutz zu danken, um überhaupt für alles zu danken, was wir auf dieser wunderbaren Insel erleben durften. Dann geben wir Silverwing bei der Autovermietung ab, erleichtert darüber, dass er uns bis zum Schluss stets zu Diensten war.

Bereits beim Eingang des Flughafens, also noch vor dem Einchecken, werden unsere Koffer geröngt und versiegelt. Dann folgt eine Kontrolle nach der anderen, als wir denken, jetzt seien wir genug geröngt worden, kommt noch die „landwirtschaftliche Quarantäne", wir dürfen unsere Avocado, Grapefruit, die Trauben und die Drachenfrucht nicht mitnehmen. Georg ist völlig entsetzt und will dem Officer klar machen, dass dies unser Reiseproviant sei, dass wir die Früchte also nicht auf dem Festland einführen würden. Doch es nützt alles nichts. Zu unserem Staunen finden wir dann im Flugzeug in unserer Tasche noch einen Apfel und eine Banane, die wir dann um so mehr geniessen.

Morgens um fünf Uhr landen wir nach einem ruhigen Flug in LAX und begeben uns erstaunlicherweise ohne weitere Kontrollen zum nächsten Terminal. Um 20 Uhr werden wir mit der Swiss nach Zürich weiterfliegen, unser Gepäck können wir erst ab 16 Uhr einchecken, eine Gepäckaufbewahrung gibt es natürlich nicht. Auch ist alles im Terminal noch geschlossen, nur Mc Donalds und ein Café haben geöffnet. Auf den Anzeigetafeln steht meistens das Wort „cancelled", der Hurrikan an der Ostküste legt weiträumig den Flugverkehr lahm. Ursprünglich wollten wir nach Santa Monica und unsere Füsse noch einmal in den Pazifik stecken, doch wohin mit dem ganzen Gepäck? Auch meldet sich die Müdigkeit nach dem Nachtflug. Wir entscheiden uns wieder für das Hilton Hotel, welches wir bereits vom Hinflug kennen. So können wir wenigstens die Beine hochlegen und ein bisschen schlafen.

Unser Abflug um 20 Uhr ist pünktlich angesagt, wieder müssen wir alle Kontrollen über uns ergehen lassen. Vor ein paar Tagen las ich eine kleine Notiz im „The Garden Island", in der stand, dass in den sieben grössten Flughäfen der USA, also auch in LAX, die Röntgenapparate für die Personenkontrolle wegen der Gefährdung der Gesundheit bald durch andere ersetzt werden. Ich staune: Es bewegt sich doch etwas! Bis jetzt hatte ich nichts davon gehört, dass Gesundheitsgefährdung bei Flughafenkontrollen überhaupt ein Thema ist!

Unser grosser Vogel hebt ab, unter uns das Lichtermeer der Küstenstädte Kaliforniens. Wegen der Wetterverhältnisse wurde wieder die nördliche Route gewählt. Es geht über Las Vegas, Salt Lake City, Winnipeg, Hudson Bay, nur am äussersten Rand von Sandy spüren wir ein Rütteln. Über Paris und Basel erreichen wir am anderen Nachmittag Zürich. Ground temperature: Zwei Grad, in unserem Garten liegt Schnee. Gleichzeitig mit dem Erdbeben in Kanada und dem Tsunami war der Winter plötzlich nach Europa gekommen.

Das ungewollte Souvenir

Wir sind dankbar, dass wir gesund und munter wieder nach Hause gekommen sind. Mit Freude packt Georg seine grossen Ingwerwurzeln aus Kauai'i aus. Diese möchte er im Keller überwintern und im Frühjahr einpflanzen. Beim Öffnen meines Koffers flattert ein mir unbekanntes Merkblatt der Transport Security Administration TSA entgegen, eine „Notice of the Baggage Inspection": „To protect you and your fellow passengers, we are required by law to inspect all checked baggage… If the TSA security officer was unable to open your bag for inspection because it was locked, the officer may have been forced to break the locks on your bag. TSA sincerely regrets having to do this, however TSA is not liable for damage to your locks resulting from this necessary security precaution." Zum Glück ist mein Kofferschloss unbeschädigt, aber offen geblieben nach der „inspection". Ich finde das unmöglich! Und den Flyer ein Meisterstück der sprachlichen Manipulation. Was heisst denn in Zukunft noch „sincerely regrets"? Und das alles in Sorge um meine Sicherheit und die von anderen? Warum konnte ich den Koffer nicht selbst bei der Kontrolle öffnen? Welcher Gegenstand war denn so verdächtig?
Ein paar Tage später wird Barack Obama wieder zum Präsidenten und eine Frau aus Honolulu in den Senat gewählt. Wir freuen uns darüber. Bei Youtube mehren sich Beiträge mit Vermutungen, dass HAARP, die grosse militärische Antennenanlage in Alaska, wesentlich zu Sturm Sandy beigetragen hätte.
Mein Freund fragt mich: „Und, wie war's?"
„Paradiesisch!"
„Und die Göttinnen? Bist du ihnen begegnet?"
„Ja, sie sind gerade mal fünf Jahre alt und tanzen Hula!"
„Und deine Erkenntnis?"
„Wenn du ins Paradies möchtest, wirst du geröngt. Wenn du wieder zurück reisen willst, wirst du noch öfters geröngt. Sie können dich noch so viel röntgen, denn das, was du mitnimmst, bleibt unsichtbar."
In meinen Meditationen sehe ich die vier Ecken der Welt: Ostsibirien, Nordwest-Kanada, Australien und die Osterinseln. Ich halte die Quer-

achse von Mutter Erde in meinen Händen, in der linken die Bucht von Hanalei, in der rechten die St. Petersinsel im Bielersee, in welchen ich ebenfalls einen Himalaya-Bergkristall mit Heilinformationen geworfen habe. Ich sehe die Vortexe (Wirbel) über beiden Orten. Und ich sehe den Aloha-Spirit, der ein zartblaues Band der Liebe spinnt von Ort zu Ort, von Mensch zu Mensch rund um unsere Erde.

Sechs Jahre später: Des Rätsels Lösung

Gerade in der Zeit, in der ich diesen Text noch einmal für die Veröffentlichung in diesem Sammelband überarbeite, wird vom Schweizer Radio eine Sendung über Kauai'i ausgestrahlt: Umweltschäden im westlichen Teil der Insel machen von sich reden. Der Basler Syngenta-Konzern testet seit den 90er Jahren auf Kauai'i über 70 Sorten Pestizide, und amerikanische Agrochemie-Konzerne legen grosse Versuchsfelder zur Erforschung von genmanipuliertem Mais an. Dies alles geschieht in der Nähe der Häuser und Schulen. Schon mehrmals musste eine Schule nach Pestizidspritzungen evakuiert werden: Die Kinder bekamen Asthma-Anfälle, mussten erbrechen oder fielen in Ohnmacht. Erst im Jahre 2017 wurde Syngenta zu einer hohen Geldstrafe wegen Umweltbeschädigung verurteilt.

In letzter Zeit haben Krebserkrankungen bei Erwachsenen und Missbildungen bei Neugeborenen drastisch zugenommen. Die Lehrkräfte, die sich zu einer Nicht-Regierungs-Organisation zusammengeschlossen haben, treffen sich zum Schutz nur in Privathäusern und werden als Unruhestifter bezeichnet. Wenigstens konnten sie durchsetzen, dass 2018 endlich ein Gesetz zum Verbot des allergiftigsten Pestizids verabschiedet wurde. Doch es tritt erst in drei Jahren in Kraft, und es gibt immer noch über 70 Pestizide und eingezäunte Versuchsfelder! Ein Arzt sagt im Interview, es sei nicht bewiesen, dass die erhöhte Krebsrate mit der Genforschung oder die anderen Erkrankungen mit den Pestiziden zusammenhingen. Die einheimische Bevölkerung hätte schliesslich einen ungesunden Lebensstil.

Jetzt weiss ich, warum der Vergiftungsfaktor bei meinen Messungen so hoch war! Ich freue mich nun erst recht, dass ich die Gelegenheit hatte, einen kleinen Himalaya-Kristall mit Heilinformation auf Kaui'i zu hinterlassen.

Meine Diashow zu dieser Reise finden Sie auf Youtube unter „Kauai'i Moments 2012".

Petra Dobrovolny-Mühlenbach

Zauberhafte Karibik

Unsere Reise nach Barbados und Grenada
vom 17. Januar bis 20. Februar 2014

Woran denken Sie beim Wort „Karibik"? An Kokospalmen, tropische Früchte und Blumen, weisse Sandstrände, türkises Meer, Sonne, Passatwinde, heisse Rhythmen, Rum, Punch, …

Eine unserer Schweizer Bekannten hat sich auf Grenada niedergelassen und führt dort ein Resort mit einer Marina. „Warum ausgerechnet Grenada?", fragen wir uns und planen eine gut vierwöchige Reise in die Karibik zu den Kleinen Antillen, den „Inseln unter dem Wind" oder den „West Indies". Wir möchten dem Winter entfliehen und ein für uns neues Stückchen unseres wunderbaren Planeten kennenlernen.

Via Genf und London Gatwick fliegen wir während zehn Stunden nach Barbados. Nach Grenada gibt es keinen direkten Flug, wir würden am besten erst in Barbados den Weiterflug buchen. In London steigen wir in eine Boeing 777. Nur 20 Prozent der Mitreisenden scheinen Touristen zu sein, 10 Prozent sind „Bajans" – so heissen die Einheimischen von Barbados –, 70 Prozent sind südindische Baufachleute. Während wir zur Startbahn rollen, sprüht ein Steward Insektizid über unsere Köpfe. Dies sei eine gesetzliche Vorschrift des Staates Barbados. Falls jemand darauf allergisch sei, solle er oder sie die Augen schliessen und kurz den Atem anhalten. So einfach ist das.

Noch an demselben Tag – der Zeitverschiebung von fünf Stunden sei Dank – landen wir nach einem ruhigen Flug um 18.30 Uhr auf Barbados, von oben gesehen wird deutlich: Es ist eine ziemlich überbaute Insel. Nach Hong-Kong ist Barbados der am dichtesten besiedelte Staat der Erde.

Zuerst die Prozedur der „Immigration" mit ausgefüllten Formularen, warum wir nach Barbados kämen, wo genau wir übernachten würden usw. Ein Visum benötigen wir nicht. Wir werden an die ewigen Kontrollen bei unserer letzten Reise in die USA erinnert. Anschliessend geht es mit dem Gepäck zur Zollkontrolle, welche jedoch, da nach Bürozeit, nur darin besteht, dass wir ein hellblaues Formular abgeben, auf dem wir schwören, dass wir weder Tiere noch Lebensmittel noch Medikamente,

Drogen oder Waffen mitführen. Ein freundlicher einheimischer Taxifahrer gibt uns zum ersten Mal das Gefühl, dass wir nicht als potenzielle Kriminelle, sondern als Gäste willkommen sind. Er erklärt uns, dass die Insel zu 60 Prozent vom Tourismus lebe und wie jede karibische Insel ihr eigenes Bier braue. Wir haben für eine Woche an der Südküste unweit vom Flughafen ein Appartement gebucht über eine hier seit 30 Jahren ansässige deutsche Dame, deren Ferienwohnungen zwar ausgebucht sind, doch ihr Nachbar hätte noch etwas frei… drei Nächte mussten wir im Voraus bezahlen. Es sei jetzt Hochsaison, die Insel sei ausgebucht, wir hätten schon vor einem Jahr reservieren sollen, wurde uns gesagt. Die tropische Hitze hüllt uns ein, wir sinken todmüde in die Betten. Das Fernsehen des nur durch eine Türe getrennten Nachbarn und die bald einsetzende „Musik" einer nahen Kareoke-Bar lassen uns aber nicht schlafen. Den besten Teil dieser „Sinfonie" steuern die karibischen Zikaden bei: Sie tönen so wie das akustische Warnsignal eines zurücksetzenden LKW, nur weniger mechanisch. Für die nächste Nacht können wir in ein als ruhiger angepriesenes Appartement umziehen. Hier entfällt zwar der nachbarliche Fernseher, die Kareoke-Bar ist wieder bis mindestens zwei Uhr in Betrieb und beschallt uns mit nicht enden wollenden Varianten von „I did it my way". Sie wurde gerade neu eröffnet. Der Besitzer hat früher in einer chemischen Fabrik mit lauten Maschinen gearbeitet und ist schwerhörig. Als Georg um Mitternacht mit ihm das Gespräch sucht, verdächtigt er uns: „Do you want to destroy my business?" Nein, das wollen wir nicht, wir möchten nur in Ruhe schlafen. Ein Gast einer weiteren Nachbar-Bar klärt uns auf: „You know, in the Caribic, we've got the problem of noise pollution!" Nach der dritten Nacht – zum Glück hatten wir keine weiteren Nächte Miete im Voraus bezahlt – ziehen wir wieder um. Georg hat in der Nähe direkt am Strand im Appartment Hotel „Salt Ash" ein Studio im Parterre mit direktem Zugang zum Strand für uns gefunden, wo uns die Meereswellen in den Schlaf begleiten. Bei der Strandbar treffen sich viele Stammgäste und Einheimische, samstags abends zum BBQ, sonntags mittags zum Lunch. Dann wird die Musik leiser gestellt, denn alle möchten sich in Ruhe unterhalten, und die Atmosphäre ist friedlich und gemütlich. Wir wohnen nun mittendrin in diesem Geschehen und lernen auch nette Leute kennen, die uns einiges über die hiesige Korruption erzählen. Links und rechts von „Salt Ash" wurden bereits verboten hohe sechs bis achtstöckige Appartmenthotels gebaut, „Salt Ash" selbst hat die Besitzerin aus Altersgründen an einen Konzern verkauft, es sei nur noch eine Frage der Zeit, bis die Bagger kämen... Solange, und wer weiss, ob sie tatsächlich kommen werden, ist dieser Ort ein „Biotop de Résistance" mit Kultur und der integrativen Kraft einer Dorfgemeinschaft.

Wir unternehmen mit dem kleinen Bus, einer Art Sammeltaxi, unter dröhnenden Bass-Rhythmen einen Ausflug in die nahe gelegene Hauptstadt Bridgetown. Ab 1627 liessen sich auf Barbados britische Siedler nieder und bauten mit Hilfe afrikanischer Sklaven die Zuckerrohrindustrie auf. Nach gut 200 Jahren wurde der Sklavenhandel verboten, 1873 wurde das Parlamentsgebäude – eine kleinere Ausgabe desjenigen in London – fertig gestellt. 1966 wurde Barbados selbständig, blieb jedoch Mitglied des Commonwealth. Wir besuchen das Museum sowie das berühmte Waterfront Café. Georg kauft von einem Strassenhändler eine frische Kokosnuss. Zuerst trinken wir den köstlichen Saft, dann lassen wir die Frucht mit der Machete aufschlagen und können so das noch weiche weisse Fruchtfleisch auslöffeln. Wir staunen über das Einkaufszentrum „Little Switzerland" und finden bei einem Marktstand auf der Brücke Kräuter, Gewürze und Gemüse, um unsere „supermarket diet" zu bereichern.

In der zweiten Woche unseres Aufenthaltes wird auch im „Salt Ash" die Musik der Strandbar immer lauter. Wir buchen den Flug nach Grenada. Unsere seit ca. 15 Jahren dort lebende Bekannte, bei der wir eine Unterkunft buchen wollten, hatte uns vorgewarnt: Gerade am Wochenende unserer Ankunft findet die grösste Segelregatta des Jahres statt mit Live-Musik bis spät in die Nacht... So verzichten wir im „Le Phare bleu" zu buchen und reisen auf gut Glück. Nach einer knappen Stunde Flug, während dem wir mit dem Ausfüllen der Immigration-Formulare beschäftigt sind, landen wir – wieder mit Insektizid besprüht und durchgeröngt, auch die Schuhe – auf der um zwölf Grad über dem Äquator gelegenen kleinen Insel Grenada. Auch hier sind wir potenziell kriminell, denn wir können der Immigrationsoffizierin nicht angeben, in welchem Hotel wir wohnen werden. Wir erklären den Grund, und dass wir ja von Barbados des Lärmes wegen flüchten, um auf Grenada Ruhe zu finden. Der für unseren Fall herbeigerufene Chef-Immigration-Officer nickt verständnisvoll und meint überzeugt: „I'm sure, you will like Grenada more than Barbados!"

Beim Ausgang hält mir plötzlich jemand seine Hand hin und sagt: „My name is Augustin Murain, I am your driver!" Wir sind damit einverstanden, es ist ja auch weit und breit kein anderer Taxifahrer in Sicht, und sagen ihm unsere Wünsche. „No problem, I know a good place for you!" Plötzlich scheint alles ganz einfach zu sein. Eine viertel Stunde später setzt er uns in einem ihm bekannten kleinen Hotel, dem „Grand Anse Beach

Palace" ab: ein Volltreffer! Durch den kleinen Garten mit zwei Kokospalmen, Rosen und Orchideen führt der Weg zu einer Türe, welche sich direkt zum schönsten und längsten Sandstrand von Grenada öffnet. Wir bleiben zehn Tage, bis zu unserem leider fest gebuchten Rückflug nach Barbados. Während des ersten Wochenendes beschert uns die grösste Segelregatta des Jahres eine „festliche" Beschallung der gesamten Bucht von 15 bis 20 Uhr mit einer technisch generierten Bass-Musik.

Ab Montag, den 3. Februar können unsere Ferien an unserem Traumziel endlich beginnen. Die Sonne brennt hier ab mittags noch heftiger als auf Barbados, das Meer ist mit 23 Grad (anstatt 28) etwas kühler. Ab und zu fällt auch hier für fünf Minuten ein tropischer Platzregen, gefolgt von einem Regenbogen. Das Meer ist in dieser Bucht sehr ruhig und ohne gefährliche Unterströmungen, das Schwimmen ein Genuss. Die Besitzerin des Hotels rät uns, nach Einbruch der Dunkelheit nicht mehr am Strand spazieren zu gehen. Es wurden schon Touristen überfallen und Wertsachen gestohlen. Meist verbringen wir die Abende bei herrlichen Sonnenuntergängen auf unserem überdachten Balkon, auf dem sich auch die kleine Küche befindet. Morgens fahren wir mit dem kleinen überfüllten Bus in die etwa fünf Kilometer entfernt gelegene Hauptstadt St. George's. Hier befindet sich auch die Anlegestelle für die riesigen Kreuzfahrtschiffe, auf deren Route Grenada ein klassischer Halt ist. Das Lebensgefühl auf dieser vulkanischen Insel ist anders als auf Barbados: Wir fühlen uns leichter, irgendwie wacher und etwas aufgeputscht. Auf Barbados waren wir teilweise der karibischen Trägheit verfallen. Auch die Einheimischen sind hier ständig wie unter Strom und sehr herzlich. Sie machen sich lustig über die „Bajans": „They are not as smart as they think they are." Die Lebenshaltungskosten sind hier halb so hoch wie auf Barbados (und in der Schweiz). Vor allem bietet hier die Natur mehr Früchte und Gemüse. Eine Rundfahrt durch das Innnere der Insel mit unserem Driver Augustin beeindruckt uns: Gepflegte Dörfer mit bunt bemalten Häuschen mit den typischen karibischen Veranden, Bambuswälder, Obstbäume und Felder prägen die Landschaft, welche einen tiefen Frieden ausstrahlt. Eine Landflucht gibt es nicht, denn viele benötigen Garten und Feld, um sich selbst zu versorgen. Die Arbeitslosigkeit liegt bei 38 Prozent. Einige wandern aus auf die nahe gelegene grössere Insel Trinidad. Augustin fährt uns an Wasserfällen vorbei zum „Grand Etang", dem Kratersee des erloschenen Vulkans in der Mitte der Insel. Dieses grosse Trinkwasserreservoir liegt in einer fast unberührten Landschaft. Der Pavillon aus verrostetem Metall neben dem Parkplatz trägt nicht gerade zur sonstigen Schönheit dieses Kraftortes bei. Auf der Weiterfahrt erhalten wir Anschauungsunterricht in Botanik, denn Augustin war Lehrer, bevor er wegen des Mobbings seiner Schüler den Beruf wechselte. Er zeigt uns Zimt- und Nelkenbäume. Alles ist in Hülle und Fülle vorhanden, man kann einfach zugreifen, auch bei den Bäumen mit roten Früchten, welche „French Passion" heissen. Er pflückt uns eine Muskatnuss, die herrlich duftet. Sie wird auch als Heilmittel verwendet: Muskatöl wirkt schmerzlindernd und durchblutungsfördernd. Die Muskatnuss ist sogar auf der Flagge des Landes abgebildet.

Uns gefällt die kleine Hauptstadt, deren bunte Häuser sich an die Hügel rund um die Hafenbucht schmiegen. Dieses Jahr feiert Grenada am 7. Februar seine 40-jährige Unabhängigkeit von „den Engländern", die Mitgliedschaft im Commonwealth besteht weiterhin. Im kleinen Museum erfahren wir mehr: Portugiesen haben die Insel entdeckt, dann folgten die Spanier, die zunächst die Carib-Indianer auf die Arawak-Indianer hetzten und zum Schluss sämtliche noch verbleibenden Ureinwohner töteten oder in den Selbstmord trieben. Die Spanier brachten die ersten Sklaven aus Westafrika auf ihre Plantagen. Die nächsten „Herren" waren die Briten, welche noch mehr Sklaven brachten, bis die britische Navy (!) dem Menschenhandel über den Atlantik ein Ende bereitete. Ausser den Gewürzen wächst hier auch Kakao, und es gibt eine Schokoladenfabrik mit dem Namen „From tree to bar". So entdecken wir, wie Schokolade wirklich schmeckt. Doch ist sie in Europa leider nur in der Londoner Edelconfiserie „rococo" erhältlich.

Vor allem in der Nähe der Anlegestelle für Kreuzschiffe verkaufen zahlreiche einheimische Frauen wunderbar duftende Gewürze. Doch sie haben ein hartes Brot: Amerikanische Touristen – weitaus in der Mehrzahl – dürfen gar keine Lebensmittel mit nach Hause nehmen, nur europäische – davon kommen die meisten aus UK, Deutschland, Schweden, Italien – wären potenzielle Kunden, doch nur falls sie nach Grenada nicht noch eine andere karibische Insel besuchen. Denn auch die Inseln untereinander verbieten die Einfuhr von landwirtschaftlichen Produkten. Plötzlich merke ich, dass mir ein Grenadier etwas zuruft und heftig winkt: In seiner Bude verkauft er Pan steel drums, die er auch gleich gekonnt vorführt. Endlich: Die berühmte karibische Steeldrum-Musik, die ein so leichtes und fröhliches Lebensgefühl vermittelt! Kein Vergleich zu dem schrecklichen Musiklärm, vor dem wir bisher ständig fliehen mussten! Der Musiker meint, dass ich das mit etwas Übung auch könne und drückt mir eine Blechtrommel in die Hand…

Wir lernen auch ein deutsch-österreichisches Ehepaar kennen, welches seit fünf Jahren das „Schnitzelhaus" im Hafen führt. Auf der Speisekarte stehen natürlich Schnitzel aller Art, sogar auch ein vegetarisches, Apfelstrudel, Pizza und einheimisches Bier vom Fass mit dem Namen „Carib". Ihnen hätte das „Schmuddelwetter" in Berlin nicht mehr gepasst, sie hätten sich eine Insel mit zwölf Stunden Sonne am Tag gesucht und seien schliesslich auf Grenada gelandet, wo die Bürokratie es ermögliche ohne allzu grosse Hürden ein Geschäft zu führen. So hat sich auch eine weitere deutsche Dame, eine Schmuckdesignerin, auf Grenada niedergelassen und fertigt hier Schmuck aus dem nur hier vorhandenen grünen „Grenadith", einem vulkanischen Halbedelstein, an. Aus Grenadith hatten die Arawaks vor Jahrhunderten Amulette geschnitzt. Georg schenkt mir einen Anhänger und ein paar Ohrhänger als bleibendes Andenken. Wir besuchen auch Jana Caniga, unsere Schweizer Bekannte, eine ehemalige Nachrichten-Moderatorin vom Schweizer Fernsehen, die seit Jahren zusammen mit ihrem Partner in einer für uns eher abgelegenen Bucht ein hübsches Hotel „Le Phare bleu" mit Boutiquen und einer Marina führt. Sie ist jedoch so sehr mit ihren Gästen beschäftigt, dass sie uns bittet, ein anderes Mal zu kommen. Wir entdecken eine amerikanische Hobby-Farmerin, die an ihrem Stand ein aussergewöhnlich breites Sortiment an Gemüse und Früchten von Rettichen bis Mandarinen und frischen Eiern anbietet. „Please, come again!", meint sie nach unserem Einkauf und schenkt Georg ein Sträusschen Majoran.

An einem Samstag kommen wir gerade im Hafen vorbei, als ein Fischer aus seinem kleinen Boot seinen frischen Fang – wohl eine grosse Makrelenart – verkauft. Georg fragt nach dem Preis. „10 E.C. Dollars für 3 Fische." Ein US Dollar macht 2.7 Eastern Caribbean Dollars. Georg versteht zunächst, dass dies der Preis für einen einzigen Fisch sei und sagt „OK" und bezahlt mit einer 10er Note. Der Fischer packt erst drei, dann noch einen in eine Plastiktasche und hält dem erstaunten Georg freundlich grinsend vier Fische für denselben Preis hin. Alle rundherum lachen und haben ihren Spass an Georgs Ausruf: „My God, what shall I do with so many fishes!" Doch Georg weiss auch gleich die Lösung: Drei Fische geben wir Anna-Maria vom Carenage-Café gegenüber, deren Küche wir bereits Tage zuvor genossen haben. Wir bitten sie, uns für den nächsten Tag einen Fisch zuzubereiten, über die anderen könne sie frei verfügen. Zufrieden ziehen wir „nach Hause" und bereiten den vierten Fisch mit wunderbaren Gewürzen und Taro-Gemüse auf unserer Balkonküche zu, um ihn beim Sonnenuntergang zu geniessen.

Zu dem Fischsegen gesellt sich noch ein „Kokonuss-Segen", denn Georg findet eines Tages am Strand fünf gerade heruntergefallene Kokosnüsse. Der Gärtner des Hotels öffnet sie für uns mit der Machete, und es gibt genug für alle. Die zehn Tage vergehen wie im Flug, bald heisst es Abschiednehmen und Muskatnüsse im Koffer verstecken. Das gleiche „Immigration-Ritual" erwartet uns wieder auf Barbados, als wären wir noch nie hier gewesen. Ich trage meinen neuen Sonnenhut, den mir ein Grenadier von Hand nach Mass geflochten hat. Dies gefällt dem „bajan Officer" gar nicht. Ich darf den Hut nicht importieren, sondern muss ihn beim Zoll in Quarantäne geben. Dort könne ich ihn vor dem Besteigen des Flugzeugs nach London wieder abholen. Dies alles geschähe aus Schutz der einheimischen Kokospalmen. Mein Hut besteht aus einem gesunden, kräftig grünen Palmblatt, während ich auf Barbados nur Kokospalmen mit braunen gefleckten Blättern gesehen habe. Georgs italienischer Strohhut dagegen interessiert niemanden. Ich finde mich damit ab, dass ich die restlichen neun Tage auf Barbados unbehütet verbringen muss. Wenigstens wird unser Gepäck mit all den Muskatnüssen, Gewürzen und dem restlichen Kokosfleisch gar nicht mehr beachtet.

Unser nächstes Appartment, ein Bungalow innerhalb des kleinen Resorts „Maresol" in dem uns bereits bekannten Quartier St. Lawrence Gap, liegt direkt am Meer. Bei Flut werfen sich die Wellen sehr heftig – es geht auf Vollmond zu – gegen die Brüstung und bedecken die vordere Hälfte unserer Terrasse mit Sand. Bei Ebbe wandern zunehmend immer mehr Touristen an uns vorbei in die nächste Bucht und beneiden mit entsprechenden Kommentaren unsere priveligierte Wohnlage. Die eher Besorgten beruhigt Georg mit dem Spruch: „You know, we've got life jackets!" Zwitschernde Finken, ein gurrendes Taubenpaar und ab und zu ein schwarzer Kolibri schauen bei uns vorbei. Die goldgelben Trompetenblumen umhüllen uns vor allem bei Sonnenuntergang von ihrem Spalier her mit einem betörenden Duft. Es ergreift uns wieder die karibische Trägheit. Die Bars und Discos befinden sich ausser Hörweite bzw. werden durch das Getöse der Wellen überdeckt.

Kulinarisch hat Barbados – auch in den Restaurants – nicht so viel zu bieten. Etwa 90 Prozent der Lebensmittel werden von amerikanischen und britischen Lebensmittelkonzernen importiert und sind dem Geschmack der Touristen aus diesen Ländern angepasst. So gibt es auch nur britische und etwas Schweizer Schokolade, jedoch keine aus Grenada. Die Milch kommt aus Holland. Eine Flasche kalifornischer Rotwein kostet im Supermarket 15 US Dollars. Bei einem fahrenden Gemüsehändler findet Georg immer leckere tropische Früchte wie Papayas, Bananen, Ananas und Anonas, sowie Kürbisse, Yamswurzeln, Kassawa und süsse Kartoffeln. Der Duft von Georgs „home style cooking" erreicht vor allem die bei uns vorbeiwandernden Touristinnen… Wir entdecken auch einen besonderen Magenbitter: „Angostura", von einem Schweizer auf Venezuela erfunden, auf Trinidad hergestellt, distribué par la France by appointment of Her Majesty the Queen. Diese Mischung schmeckt überraschenderweise so gut, dass wir Angostura auch über Früchte und

Reisgerichte träufeln und sogar das lokale Bier damit aufbessern. Auf Barbados wurde zur Zeit des Zuckerrohranbaus der Rum erfunden. Hier gibt es die älteste Rum-Distillerie der Welt auf dem hiesigen Mount Gay. Der klassische karibische Drink besteht aus weissem Rum, Orangen- oder Zitronensaft, geriebene Muskatnuss und ein paar Spritzern Angostura. Eiswürfel nach Bedarf. Prost! Aber mit Vorsicht!

Die lokale Tageszeitung „Midweek Nation" spricht uns mehr an als diejenige von Grenada. Diskutiert werden hier Themen wie die Wirtschaftskrise, die Regierung wird heftig kritisiert, weil sie nur redet und redet, aber nichts unternimmt. Vor allem Regierungsmitglieder, die im Ausland aufgewachsen sind, hätten gemäss der Meinung einiger Leserbriefe nur realitätsfremde Lösungen im Kopf und dächten nur an den eigenen Reichtum. Auch ausländische Investitionen in Hotelgebäude, welche die Insel noch mehr zubetonieren, werden als nicht unbedingt vorteilhaft für die Zukunft Barbados' willkommen geheissen. Ein kanadischer Leserbriefschreiber bekennt als Tourist seine Liebe zu der so freundlichen Bevölkerung. Als Beilage zu seinem „Letter to the Editor" fügt er eine Audiospur bei, die er um drei Uhr nachts mit seinem iPhone bei geschlossenen Fenstern und Türen aufgenommen hat: Eine ohrenbetäubende Disco-Musik. Da müsste doch etwas unternommen werden, trotz all seiner Liebe zu Barbados, gäbe es doch ein Recht auf Nachtruhe…

Die Zeitungen berichten fast nichts über die Olympischen Winterspiele in Sotschi, dafür einiges über die Ueberschwemmungen in UK und die Winterstürme in den USA. Wegen der zunehmenden Liberalisierung von Cannabis in den USA wird dieses Thema auch hier diskutiert. Grenada beklagt sich, dass 42 Cannabis-Abhängige im Land verhaltensgestört seien und das einheimische Sozialsystem belasten. Die Ärzte fordern vor einer bedenkenlosen Freigabe zuerst noch eine gründlichere Forschung des medizinischen Nutzens von Cannabis, der etwa in der Schmerztherapie vermutet wird. Ich staune über die Klarheit der Argumente, die ich bei ähnlichen Diskussionen in der Schweiz vermisse.

Wir geniessen weiterhin unsere Sunsetdrinks bzw. Sundowners auf unserer Terrasse mit ein paar Spritzern vom karibischen Ozean, die Meeresschildkröten strecken ihre Köpfe aus dem Wasser und blinzeln uns zu. Es gibt Stammgäste die schon jahrzehntelang oder schon in der zweiten Generation nach Barbados kommen und ein bis zwei Jahre im Voraus buchen. Vom 15. Dezember bis zum 15. April ist wegen der Winterzeit in der nördlichen Hemisphäre hier Hochsaison. Wegen der hohen Nachfrage – alle möchten Wärme, Sonne und Meer – kosten die Unterkünfte dann doppelt so viel wie in der Nebensaison.

189

Beide Inseln haben ihre besonderen Eigenschaften: Auf Barbados geniessen wir das türkise, sehr saubere und 28 Grad warme Meer. Am Strand und im Quartier laufen einheimische Männer herum, die irgendetwas – Kosmetik, Musik-CDs mit Raubkopien, kitschige Kunstgegenstände usw. sehr aufdringlich verkaufen wollen. Auf Grenada wurden wir nie belästigt. Auf Barbados ist die männliche Prostitution sichtbarer als die weibliche. In den Tageszeitungen ist die Gewalt von Schulkindern ein grosses Thema. Sie bilden Schlägerbanden, die sich untereinander sehr brutal bekämpfen und auch vor einem Mord nicht zurückschrecken. Auf Grenada schmeckt das Leitungswasser viel besser als auf Barbados. Auf beiden Inseln werden ausser von Touristen keine Kinderwagen benutzt. Die kleinen Kinder werden getragen. Die Frauen rauchen nicht, nur vereinzelt ältere Männer. Alle schwatzen gerne und sind immer für einen Spass zu haben. Aus meiner Frequenzanalyse ersehe ich, dass beide Inselstaaten energetisch noch sehr unter den Folgen der Kolonialisation leiden und hinterlasse an verschiedenen Orten kleine Himalaya-Kristalle mit entsprechender Heilinformation.

Am 19. Februar heisst es Abschied und meinen grenadischen Sonnenhut aus der Quarantäne des „bajan" Zolles befreien. Die Boeing 777 lässt schnell den Karibischen Ozean hinter sich, bei strahlend blauem Himmel beginnt der neunstündige Nachtflug über den Atlantik nach London. Das Wetter in London: Bedeckt, regnerisch, Temperatur um drei Grad. „By landing it will look a bit different from Barbados, I'm afraid!" scherzt der Kapitän. Nach einem ruhigen Flug landen wir wohlbehalten um fünf Uhr morgens beim Flughafen London Gatwick, welcher gerade öffnet. Der englische Regen begrüsst uns, zum Frühstück bestellen wir Guinness und scrambled eggs. Um 6.30 Uhr geht es – nach den üblichen nochmaligen Kontrollen – weiter nach Genf, wo wir unbesprüht nach anderthalb Stunden von strahlendem Sonnenschein und verschneiten Bergen empfangen werden. Vor drei Tagen landete hier unerlaubterweise während der Nachtpause der Schweizer Luftwaffe unbemerkt ein aus Aethiopien entführtes Flugzeug. Bei diesem Wetter ist das Heimkommen nicht allzu schwer. Unser Garten spürt schon den Frühling: Tulpen und Osterglocken strecken ihre Blätter bereits handbreit aus der Erde. Unser Igel und die Berner Bären halten aber noch Winterschlaf und träumen von… der Karibik.

Empfehlung für eine Heilmeditation für unsere Erde: Meinen Videobeitrag „Recovering the Ley Lines of Mother Earth – A Meditation you can join" finden Sie auf Youtube.

Cleo A. Wiertz

Der Duft der Meere

Wie verschieden doch die Meere waren! Lea war schon gut über zwanzig, als sie das erste Mal ans Mittelmeer fuhr. Eigentlich war es nur ein kurzer Ausflug von Castillon-du-Gard aus, im April, vor der Badeperiode also; von Schwimmen konnte keine Rede sein, es war noch zu kalt dazu. Aber schon mit den Füssen darin herum zu patschen war für sie, die bis dahin nur Schwimmbäder, überschwemmte Wiesen und Bäche gekannt hatte oder Flüsse wie den Rhein, in dem sowieso kein vernünftiger Mensch badete, ein Genuss. Das Meer war für sie ein einziges, lockendes Versprechen. Sie fand kleine, rosa Muscheln, die mit ihren ausgebreiteten noch verbundenen Schalen wie winzige Schmetterlinge aussahen, sog den leicht modrigen Geruch nach Schlick und Fisch ein und leckte neugierig an ihren Fingern. „Es ist ja tatsächlich salzig!", rief sie verzückt aus.

Später lernte Lea die Nordsee kennen, mit ihrem regelmäßigen, alles bestimmenden Rhythmus von Ebbe und Flut und dem strengen, fast tranigen Geruch; und die Ostsee, deren Geruch im Sommer überlagert wurde vom harzigen Duft der Kiefern hinter der Düne und die den Badenden an den allermeisten Tagen milde empfing und in Sicherheit wiegte. Was sie nicht daran hinderte, sich von Zeit zu Zeit bei Sturm zu wütenden Wellenbergen aufzutürmen, die auf halbe Höhe der Leuchttürme hoch gischteten und die Uferdämme zum Beben brachten. Lea hatte es erlebt, in Warnemünde – der Sturm war so mächtig gewesen, dass sie sich mit beiden Händen an der Rampe der Treppe hatte festhalten müssen – um nicht fortgerissen zu werden.

Auf Rügen war sie einmal sogar im Januar in der Ostsee gewesen. Nach einem Sturm war ein Teil der Steilküste herunter gebrochen und hatte die Strandpassage unter meterhohem Schlick begraben. Statt zwei Kilometer bis zum Treppenaufstieg zurückzugehen, um wieder auf den Pfad in der Höhe zu gelangen, wagte sich Lea mit einem Freund ins bauchtiefe, sacht wogende Wasser. Es waren nur etwa dreißig Meter, die sie so zu gehen hatten in der Abenddämmerung, die Schuhe und die ausgezogenen Hosen, in die der Fotoapparat gewickelt war, hoch aufgestemmt in einer Hand, mit dem anderen Arm balancierend und nach dem zweifelhaften Halt von Ästen abgestürzter Bäume tastend. Das Wasser mochte acht

Grad haben und roch so metallisch und schwärzlich, wie es aussah. Nie im Leben war Lea so kalt geworden, und es dauerte eine ganze Woche, bis das Taubheitsgefühl aus ihren Zehen verschwunden war. Aber sie fand es herrlich…

Als sie später mit Rüdiger in der Karibik war, erschien Lea der Ozean immens, obwohl sie sich in Wirklichkeit nie weit vom Land entfernten. Aber wenn sie das Wasser so sah, vom Boot aus, wirkte es wie eine einzige kompakte und zugleich ständig sich verändernde Masse, grau mit silbernen Reflexen gegen die Sonne hin, tiefblaugrau mit weißer Gischt auf der sonnenabgewandten Seite. Einmal hatten sie nach dem Verlassen der Bucht, in der sie abends zuvor vor Anker gegangen waren, stundenlang kein lebendes Wesen gesehen, keinen Fisch, keinen Vogel. In der Ferne tauchte dann und wann ein Segel auf, aber es wirkte irreal, man stellte sich kein wirkliches Schiff mit Menschen an Bord dabei vor. Die Landmassen der Inseln waren dunstverhangen. Das Boot rollte gleichmäßig. Unter ihnen waren einhundertfünfzig Fuß Wasser. Nicht viel, verglichen mit den Tiefseegräben; aber schon diese wenigen Meter gaben Lea das Gefühl, winzig zu sein, dem Meer ausgeliefert. Merkwürdigerweise machte es ihr keine Angst, aber es versetzte sie in eine Befindlichkeit der Fremdheit, der Nichtzugehörigkeit…

In den Buchten, wo sie schnorchelten, war das anders. Hier konnte sie sich zuhause fühlen, als ein lebendes Wesen unter anderen, in dieser bunten Unterwasserwelt, wo es schwarzweiß und braun, grün und gelb und blau und rot und violett auftauchte und wieder verschwand oder wo sie sich staunend und entzückt in einem ein Meter breiten und tiefen Band winziger sardinenartiger Geschöpfe wiederfand, sie zogen an allen drei Seiten der Bucht entlang, es mussten Millionen sein… Lea war selig eingetaucht in das fast körperwarme Wasser, konnte sich nicht lassen über die bunten Fische, die Korallen. Es brauchte eine Weile, bis sie sich ans Schnorcheln gewöhnt hatte; der erste Versuch, mit einer sandverstopften Maske, wäre ihr fast zum Verhängnis geworden, aber später genoss sie diese Art des Spazierengehens unter Wasser.

Manchmal sahen sie vom Boot aus Schwärme kleiner Fische springen, dahinter jagte ein großer her, die Pelikane profitierten von der Panik. Es waren braune, als einzige in der Familie Stoßtaucher, sie segelten flach über der Wasseroberfläche quer über die Bucht, stiegen mit kraftvollen Flügelschlägen auf und stürzten dann fast senkrecht ins Wasser. Immer und immer wiederholte sich das Manöver. Sie kamen zu fünft, zu acht, zu zehnt in Formation angeflogen, dicht über der Wasseroberfläche, um dann einer nach dem andern kopfüber in die Fluten abzustürzen. Ein paar Meter weiter kamen sie wieder hoch, mit vollen Schnäbeln. Lea und Rüdiger sahen stundenlang diesem Schauspiel zu. Ab und zu tauchten auch andere Vögel auf, gelegentlich ein Reiher, der dann bewegungslos am Ufer auf Beute lauerte, ein Fregattvogel, eine Möwe. Einmal kam ein Paar von Austernfischern, schwarzweiß mit roten Schnäbeln, sie hörten ihre hellen Rufe, hiiiä, hiiiä. An Land gab es Ziegen, ganze Trupps streiften durch das Buschwerk oder spazierten auf dem Strand herum, unermüdliche Fressmaschinen, selbst die Kakteen und die angeschwemmten Korallenfächer waren angeknabbert. Kleine Zicklein riefen mit heller Stimme nach ihren Müttern.

Einmal, als sie mit dem Dinghi an Land ruderten, begegneten sie einer Meeresschildkröte. Sie erschien Lea riesig und urweltlich fremd. Die schwarz und weiß gefleckte Muräne dicht beim Strand hingegen, die ihr doch hätte Angst machen können, kam ihr wie ein Spielzeug vor. Sie betrachtete sie lange.

In der Muränenbucht hatten sie das Glück, für eine Nacht allein vor Anker gehen zu können. Irgendwann wachte Lea auf, ohne dass sie hätte sagen können, warum. Leise stand sie auf, um Rüdiger nicht zu wecken, und ging an Deck. Schnuppernd sog sie die Nachtdüfte ein. Stärker als der eigentliche Meeresgeruch war der Duft der Frangipani-Blüten, der vom Ufer her zu ihr hin wehte. Der blauschwarze Himmel über ihr war sternenübersät, und um sie herum im Wasser wimmelte es von winzigen, phosphoreszierenden Wirbeln. Es war wie ein zweiter Sternenhimmel und das schönste, was Lea je gesehen hatte. „Komm schnell!", rief sie in die Kajüte hinunter, und das Drängen in ihrer Stimme machte, dass Rüdiger sofort an Deck kam. Er, der doch das Meer so viel besser kannte, war genauso verblüfft und entzückt wie Lea. Gemeinsam versuchten sie, mit dem Salatseiher eins von den kreiselnden Leuchtwesen einzufangen, aber es rutschte selbst durch das engmaschigste Sieb. Auch später konnten sie nie herausfinden, was es eigentlich gewesen war. „Unsere Wundertierchen", sagte Lea, wenn sie später darauf zu sprechen kam.

An den Atlantik kam sie erst in mittleren Jahren. Wie hatte sie ihm entgegengefiebert! Als sich in der Vendée die erste Gelegenheit zum Baden bot, hatte sie nicht gezögert. Es war Mitte August und schönstes Sonnenwetter, das Wasser hätte also eigentlich relativ warm sein müssen; aber auflandiger Wind hatte in den Tagen zuvor kaltes Wasser gegen die Küste getrieben. Als Lea ins Wasser stieg, hatte es 16 Grad, es wirkte wie ein Schock, und ihre Handgelenke fingen nach wenigen Minuten an zu schmerzen. Sie drehte prustend eine Runde und flüchtete zurück ans Ufer. Bei späteren Urlauben, in der Bretagne, empfing sie der Ozean milder, selbst im September, aber nie vergaß sie diese erste eisige Umarmung.

Es wäre ihr schwer gewesen zu sagen, welches Meer sie am liebsten hatte. Felsige Küsten liebte sie mehr als flache, das war klar; endlose Sandstrände kamen ihr immer ein wenig fade vor, wenn sie auch gerne Muscheln suchte und immer wieder beharrlich die Spülsäume absuchte, in Erwartung eines ungewöhnlichen Fundes.

Lea war zu wenig vertraut mit der Brandung, um sich bei heftigem Seegang ins Wasser zu wagen, aber wenn die Wellen nicht allzu hoch waren, genoss sie es. Sie war immer eine ausdauernde Schwimmerin gewesen und fand leicht zu einem steten Rhythmus, ohne Anstrengung. Im Schwimmen konnte sie sich selbst vergessen. Oft, wenn sie zurück zum Strand kam, fand sie Rüdiger in Sorge; er konnte nicht verstehen, dass sie es so lange aushielt im Wasser, dass sie anscheinend nicht müde wurde. Er selbst, obwohl er gerne ans Meer ging, hatte immer nach ein paar Minuten schon genug und blieb lieber am Strand, lang ausgestreckt in der Sonne, bis die nasse Badehose ihm am Körper wieder getrocknet war. Das wiederum konnte Lea nicht verstehen; wenn sie aus dem Wasser kam, war ihr kalt, sie musste sofort ihren nassen Badeanzug ausziehen und sich in etwas Warmes hüllen.

Zuweilen ertappte Lea sich bei dem Gedanken, wie es wäre, wenn sie einfach weiter hinausschwämme, fort vom Strand, fort von sich selbst, fort aus ihrem Leben… Es wäre, so sagte sie sich, ein schöner Tod.

Hans-Jürgen Neumeister

Chefchaouen[1]

Marokko, faszinierend bereits lange vor meinem Oldie-Backpacker-Trip per Bahn, Bus & Schiff nach Down Under ... ohne zuvor jemals dort gewesen zu sein. Faszination aus jener Zeit, in der mich Märchen aus Tausend und einer Nacht verzauberten, Aladins Wunderlampe kindliches Dasein erleuchtete, und ich staunend auf Ali Babas Teppich durch die Lüfte sauste, um orientalische Welten aus der Vogelperspektive zu erkunden.

Im Mai 2011 tauchte ich erneut in längst vergangene Träume ein, mäanderte jetzt allerdings bodenständig mit einheimischen Verkehrsmitteln durchs Land, wobei Marrakesch die Startlinie darstellte, und die Reise in Tanger enden sollte, etwa drei Monate später. So der Plan ... entlang eines roten Fadens mit eingeknüpften Zwischenzielen, farblich geordnet. Besaßen doch Marokkos Ortschaften ihre eigene, typische Kolorierung, die sich noch heute finden lässt und sie danach benennt.

Casablanca, die weiße, Marrakesch, die orangene, Chefchaouen, die blaue Stadt. Will heißen, dass ihre Häuser – zumindest in der Altstadt – in diesen Farben leuchten. Ja, leuchten, da ihre Eigner permanent dafür sorgen, dass ihr Domizil wie frisch angemalt erscheint. Mittags – in der grellen Sonne – fühlte ich mich oft geblendet durch die Leuchtkraft der Farbtöne, als enthielten sie spezielle Farbpigmente.

Im Moment weilte ich noch in Al Hoceima, wobei Chefchaouen im Rif-Gebirge auf meinem Trip durchs Land der *mille et une nuit* mit den schier unendlichen Hanffeldern die dreizehnte Etappe darstellte. Doch statt des eingangs erwähnten fliegenden Teppichs, der wunschgemäß Reisevehikel hätte sein sollen, blieben mir nur die Verkehrsmittel, wie sie die Einheimischen ebenfalls im Alltag benutzen, um von einem Ort zum anderen zu gelangen. Hinzu kommt, dass ein Ungläubiger eh noch nie Zutritt zu den Andockstellen der Ali-Baba-Teppichflug-Liga erhielt. Außerdem liegen diese Stellen tief im Verborgenen und das uralte Passwort »Sesam öffne dich« funktioniert nicht mehr; die Magier des Wunderreichs tauschten es gegen ein neues aus, das weniger leicht gehackt werden kann.

Also hieß es – da der Bus um zehn Uhr abfahren sollte –, einige Zeit vorher am Busbahnhof zu sein, auch wenn er dann nicht pünktlich abfuhr, wie meistens. Immerhin vermochte ich so das Umfeld in aller Ruhe zu sondieren, was mir sowieso besser gefiel, als auf den letzten Zacken einzutrudeln.

Doch merkwürdigerweise hielt keines der *petit taxis* in Hotelnähe, obschon ich heftig mit den Flügeln schlug. Weiß der Geier wieso. Aber der Taxi-Sammelplatz lag in der Nähe, dort fände ich sicher eins.

Dann brauchte ich jedoch nicht bis dorthin zu laufen, da ein freundlicher Polizist sämtliche Autos stoppte, damit der silberhaarige, mit Rucksack plus Daypack ausstaffierte Senior gefahrlos die Straße überqueren konnte. Mein Dankeschön-Satz im besten Englisch-Deutsch-Französisch begeisterte ihn derart, dass er mich ansprach, um zu erfahren, woher ich käme und wohin ich wolle. Anschließend winkte er eines der blauen *petit taxis* mit maisgelbem Dach heran, das den ungewöhnlichen Vogel zum Busterminal bringen sollte. Sicher der Schock des frühen Tages für den *taxi driver*, bevor er den Fremdling mitsamt Rucksack und Daypack an den Stadtrand beförderte, dem Startpunkt der Regional- und Überlandbusse. Die Polizei – dein Freund und Helfer selbst hier, im Norden Marokkos in Al Hoceima.

Die Strecke hätte ich zwar auch per pedes schaffen können, doch bei der Entfernung verbuchte ich gerne ein paar Dirham fürs Taxi im Reisekassenbuch – eine Ausgabe, die unterm Strich der Bequemlichkeit diente. Wobei sich der Busbahnhof nicht von den anderen unterschied, an denen ich bisher einen Bus enterte. In dem einfallslos gestalteten Areal lungerten Menschen herum, saßen und lagen auf Bänken, warteten auf ihren Bus. Womöglich auf den gleichen, der auch mich entlang meines roten Fadens ein weiteres Stück voranbringen sollte. Aber noch stand er nicht in seiner Haltebucht.

Da mir die Abfahrtzeiten der CTM-Busse ungünstig erschienen, hatte ich mir einen Regionalbus ausgeguckt, weil Tickets und Sitzplätze dort ebenfalls Nummern besaßen. Und so gab es kein Gedränge um die besten Plätze, zumal es sich bei einer Fehlbesetzung rasch auflöste, wenn man den passenden Fahrschein vorzeigte.

Aber im Gegensatz zur namhaften Konkurrenz gab es in den regionalen Fahrzeugen nur eine *climatisation naturel*, bei der die vordere Tür die gesamte Fahrt über geöffnet blieb und permanent für eine frische Brise sorgte, was ich bei den affigen Temperaturen durchaus zu schätzen wusste. Wie auch meinen Platz ganz vorne auf der rechten Seite des Busses, zugleich Meeres- und Sonnenseite. Liebte ich es doch, die landschaftlich reizvollen Aspekte Marokkos nicht nur auf den Chip der Kamera zu bannen, sondern sie gleichermaßen innerlich zu speichern. Was sich beides leider auf dieser Fahrt – wie so oft – nicht realisieren ließ, da die meisten Passagiere die Vorhänge vor die Fenster zogen, um die Sonne auszusperren. Verständlich. Auch wenn es die Aussicht auf das vorbeiziehende Panorama verhinderte.

Und obschon mein Nachbar nichts gegen den gleißenden Lichtball unternahm, konnte ich wegen der verschmierten Scheibe nicht fotografieren. Ein unerwünschter Weichzeichner, den man mir da vors Objektiv schob. Wenigstens funktionierte der Anpassungsmechanismus meiner Augen, die sich über den Schleier hinwegsetzten und innerlich brauchbare Bilder lieferte.

Seltsamerweise bekam ich, da Mittelmeer und Sonne linker Hand lagen, kein Gefühl für die Fahrtrichtung. Sie stimmte nicht, denn das Gewässer dehnte sich auf der falschen Seite aus. Ich hatte es rechts vermutet und danach meinen Platz ausgesucht.

Dieses Empfinden änderte sich, als das Meer hinter einem Hügel verschwand, und wir in die traumhafte Landschaft des Hinterlandes eintauchten. Aufklärung brachte eine Landkarte, die zeigte, dass wir ein Stück zurückfahren mussten, um dem Schlenker der Küstenstraße folgen zu können. Sie führte durch endlos vorbeiziehende Felder, auf denen etwas wuchs.

Aber was? Getreide oder eine andere mir bekannte Pflanze konnte es nicht sein. Ein Gedanke blitze auf: Mann, *wir knattern doch durchs Rif-Gebirge*. Demnach mussten diese seltsamen Rispenpflanzen Hanf sein, dessen feinstoffliche Auswirkungen dafür sorgten, dass der Bus durch die zahllosen Kurven driftete, als stünde der Fahrer unter seiner Wirkung. Hin und her ging es im Schaukelgang, und Kindheitserinnerungen stiegen auf, in denen unser Schulbus in gleicher Weise einer ähnlich kurvigen Landstraße folgte.

Schnurgerade Abschnitte, um Stoff zu geben, gab es so gut wie nie, sodass die Fahrt äußerst geruhsam verlief. Sieben statt sechs Stunden benötigten wir dann auch für eine Strecke von rund 220 Kilometern. Wobei viele kleine Baustellen neben Fahrzeugen, die wegen der Kurven nicht überholt werden konnten, hauptsächlich für die Verzögerung sorgten.

Im Ort Issaguen – etwa auf der Hälfte – legte der Fahrer am Busbahnhof einen etwas ausgedehnteren Stopp ein, auch deshalb, um weitere Fahrgäste zusteigen zu lassen. Eine prima Gelegenheit für mich, nicht zu-, sondern auszusteigen, mir die Beine zu vertreten und einen *Café nous-nous* [2] zu schlürfen, meinen Lieblingskaffee, stark und kräftig im Geschmack, trotz Milch. Selbst in der Hitze weckte er durch die Bummelfahrt verschüttete Lebensgeister.

Dennoch, insgesamt keine gute Idee, das Aussteigen! Denn als ich zu-rückkehrte, quoll der Bus beinahe über: Mein Platz hatte einen neuen Be-sitzer gefunden. Nach einigem Palaver und dem Vorzeigen des Tickets mitsamt Sitznummer und was Sitznachbarn verbal beisteuerten, trollte sich der Typ.

Dass ich – beziehungsweise der Bus – immer tiefer ins bisher für Tou-risten wenig zugängliche Rif-Gebirge vordrang, merkte ich unter ande-rem daran, dass das nächste Städtchen – Bab Berred – ohne Straßen-pflaster auskam. Die Ortsdurchgangsstraße, ein erdiger Zwischenraum zwischen den Häusern im Format einer vierspurigen Autobahn, schlän-gelte sich wie ein in die Länge gezogenes Waschbrett durch den Ort. Da-rauf hüpfte und sprang der Bus, als hätte der Fahrer Känguru-Benzin ge-tankt. Zudem wimmelte es ameisengleich von Menschen, Zelten, Eseln, Hunden, Karren, Autos und Mopeds, die inmitten des Wirrwarrs kaum ein Durchkommen zuließen. Ein Tohuwabohu, das mich vermutlich kei-ne zehn Minuten überleben ließ, falls ich es wagen sollte, den Bus zu verlassen. Und das, obwohl ich es mochte, im Gewusel marokkanischer Städte zu baden … wie in allen Ländern zuvor. Doch das hier, die ge-samte Atmosphäre, wirkte eher bedrohlich und entsprach der Warnung des Lonely Planet[3], sich als Ausländer in den Hochburgen des Mariua-na-Anbaus nicht unters Volk zu mischen. Polizeiliche Dienststellen gäbe es dort nirgends, weshalb niemand bei Schwierigkeiten jeglicher Art mit Hilfe rechnen könne.

Na denn. Ohne den Beweis antreten zu wollen, vertraute ich weiterhin unserem Bus, der sich pausenlos hupend durch die Menge quälte, bis wir den Stadtrand erreichten, der Fahrer hochschaltete, und wir erneut mit äußerst gemütlicher Reisegeschwindigkeit durch die Hanffelder ju-ckelten. Ein ebenso faszinierender wie sedierender Anblick: Das leicht bewegte Meer tausender grüner Pflanzen, in dem sich ihre Rispen wel-lenförmig an den Hügeln brachen. Eine Choreographie aus dem Ballett der Natur, die mich friedlich Kilometer um Kilometer begleitete und der Hanf weiterhin Wirkung zeigte, jedoch ohne den zündenden Funken.

In diesem Tanz wies mein Sitznachbar zur Linken auf einen Rastplatz, an dem wir baustellenbedingt just vorbeikrochen. Ein Paar mit Kind stand bei einem Golf mit Düsseldorfer Kennzeichen.

Landsleute, die auf eigenen vier Rädern durch Marokko cruisen und ein Päuschen einlegen?

Doch nein, eine marokkanische Familie, wie ich bei genauerem Hin-schauen erkannte. Eine, die sich in Deutschland etabliert hatte und in der alten Heimat Urlaub machte, Verwandte besuchte. Etwas, das mir

198

zuvor anhand weiterer Autos mit D-Zeichen bereits begegnete, ich aber ebenfalls annahm, dass es Deutsche seien, die in der eigenen Karosse Marokko erkundeten.

Auch wenn dieses Ereignis meine Schläfrigkeit erst einmal beendete, ging mir die Schleichfahrt mittlerweile gehörig auf den Senkel ... nach millionenfach angeschauten Hanfpflanzen boten sie mir nichts Neues mehr. Wie ein Kind wollte ich endlich Chefchaouen erreichen, dabei wusste ich, dass ich 'ne Ecke vorher, in Dardara aussteigen müsste, da der Bus nur bei genügend aussteigewilligen Fahrgästen bis in den Zielort fährt. Mein Pech, dass ich als Einziger diesen Wunsch hatte, so, wie ich auch meilenweit den einzigen Westler repräsentierte. Doch Letzteres kannte ich, zumal es mir gefiel, quasi als Solist durch die Lande zu ziehen.

Dann hielt der Bus, worauf ich – da ich noch nicht damit gerechnet hatte – beinahe hektisch auf ein marokkanisches *»Sprung auf marsch, marsch«* des Fahrers reagierte, flugs meine Klamotten schnappte und nach draußen hüpfte. Und da stand ich, mit einem *Verdammtjuchee* auf den Lippen und: *Hier schmeißt der Döspaddel mich raus, mitten in der Pampa? Was soll ich hier? Wo ist Dardara?*

Ein staubiger Platz und hügeliges Gelände lagen vor mir, in dem sich ein paar Häuser in einer Senke versteckten. Der Bus röhrte auf, rauschte davon und gab den Blick in die andere Richtung frei. Und oh Wunder: Dort stand ein Peugeot 206, der der Farbgebung nach ein petit taxi sein könnte. Sein könnte? Weil derartige Vehikel bisher noch in jeder Stadt andersfarbig durch dieselbe fuhren.

So auch hier. Diesmal in hellem Blau mit fahlgelbem Dach und einem sich ans Auto lehnenden Typen, dem Lenker des Gefährts. Freudestrahlend, pausenlos redend und viel zu schnell für meine dünnen Sprachkenntnisse, eilte er mir entgegen. Mir, der innerlich jubelte, dass mir der marokkanische Himmel das Taxi schickte, und ich nicht laufen musste. Dauerte es doch, bis mein Retter mich schließlich in Chefchaouen in Nähe der Plaza Uta el-Hammam – und damit in der Altstadt – ablieferte. 30 Dirham verlangte er, die ich gerne zahlte, obschon ich höchstwahrscheinlich einmal mehr den Touristentarif gelöhnt hatte.

Sei's drum. Hauptsache, ich hatte mein Ziel erreicht, obwohl es mir nicht leicht fiel, ans Endziel Unterkunft zu gelangen, schmiegt sich der historische Ortskern doch an einen Berg. Hinzu kommt, dass kein Taxi in die ebenso engen wie steilen, stellenweise mit Stufen ausgestatteten Gassen der Medina hineinfahren darf ... auch nicht kann. Wie es heißt, gehört sie zu den hübschesten in Marokko. Und in diesem Schmuckstück galt es, das Hostal Gernika zu finden – eine mit Sternchen versehene Empfehlung des Lonely Planet, die in einer der berganführenden Gässchen liegen sollte. Auf Schusters Rappen, und wie anfangs gesagt, mit fettem Rucksack auf dem Buckel und 'nem Daypack vor der Brust.

Transpiri, transpira!

Um den Aufstieg zu erleichtern, hätte ich meine Bagage umgekehrt aufzäumen sollen: Den kleinen Tagesrucksack auf den Rücken und das schwerere Teil nach vorn, damit es mich den Berg hochzieht, und nicht abwärts zu befördern versucht. Da die menschliche Gestalt dafür eher weniger geeignet ist, blieb alles an Ort und Stelle.

Im Gernika empfing mich eine waschechte Spanierin, außer ihrer Muttersprache nicht eines Wortes Englisch, Französisch oder Deutsch mächtig, derweil ich nur mit einigen Brocken in ihrer Sprache dienen konnte. Dabei ist im nördlichen Marokko eher Spanisch angesagt, aus früheren Verbindungen zu *España* – die Exklaven Ceuta und Melilla zeugen noch heute davon –, kaum die nasalen Laute unserer westlichen Nachbarn, wie im restlichen Teil des Landes üblich, und marokkanisches Arabisch.

Erfreut über den Alemannen, überließ sie mir eines ihrer Zimmer, wie die Fassade blau angemalt, jedoch in einem Dunkelblau, das permanent den Eindruck vermittelte, mich unter nächtlichem Firmament aufzuhalten beziehungsweise zu nächtigen. Dabei gilt es doch als beruhigende Farbe, ist demnach bestens für Schlafräume geeignet, oder? Was sicher zutrifft, denn ich schlief prächtig in jenem Gemäuer.

Eines der winzigsten, bis ins Detail liebevoll gestalteten Badezimmer, in dem ich je die dazu gehörenden körperlichen Bedürfnisse erledigte, komplettierte die Unterkunft. Bevor ich das Bad betrat, musste ich mir überlegen, wie und wohin ich mich drehen wollte, und in welcher Reihenfolge. Eine falsche Entscheidung hätte mir einen Knoten in die Extremitäten gezaubert. Und ob ich den ohne Hilfe jemals lösen könnte? Keine Ahnung.

Jene Detailverliebtheit bezog sich aber nicht nur aufs Bad, sondern zog sich bis in den Frühstücksbereich durch, ja selbst bis ins Frühstück. Schließlich mümmelte ich hier eines der genussvollsten, wie ein Bild komponiertes *desayuno* [4] meiner Reise. Außer in der Markthalle in Casablanca, wo ich mir eine aus der Meeresvielfalt zusammengestellte erste Mahlzeit des Tages mit Austern etc. gönnte, hatte ich so etwas bisher noch nicht. Inklusive Kaffee, der, wie fast überall, ausgezeichnet schmeckte.

Und wie es sich für ein marokkanisches Haus gehört, führte eine Treppe auf die Dachterrasse, mit einer Aussicht, die sich weit über einen Teil der Altstadt in Richtung eines an den Hang gebauten moscheenähnlichen Gebäudes erstreckte, auf der mich Sonnenuntergänge aber ebenso begeistern konnten, halt so, wie diese Breiten sie fast abendlich bieten.

Mit mir hatte eine dänische Familie eingecheckt, deren Sohn in der Schule Deutsch lernt, sich allerdings nicht traute, seine Kenntnisse an mir auszuprobieren. Was mich wiederum an meine Schulzeit erinnerte, in der es mir genauso erging, als ich die ersten *English Native Speaker* traf.

Der Aufenthalt im Gernika gestaltete sich jedoch weit internationaler, da zwei junge Frauen aus Polen, Studentinnen genauer gesagt, und ein Ami-Pärchen – etwas weniger betagt als ich, 62 und 60 Lenze zählend – ebenfalls der Lonely Planet Empfehlung folgten. Mit gewissen Auswirkungen: Denn Dominika, eines der Mädchen, lernte Abdul kennen – Student wie die Mädels, der die Semesterferien in seinem Heimatort verbrachte. Und jener Jüngling wollte ihr und Ursula, ihrer Freundin, den Talassemtane-Nationalpark zeigen, der praktischerweise vor den Toren der Stadt begann. Und nicht nur den beiden, sondern mit den Amis und mir im Schlepptau.

Just for fun.

Etwas, das meinem Reisebudget natürlich gefiel. Hätte doch eine Buchung bei der Tourist-Info mit Eintritt, Guide plus Trinkgeld, Taxi etc. 1000 Dirham und mehr verschlungen, beim damaligen Kurs über 100 Euro. Okay, die »Brücke Gottes« und ein Wasserfall lagen nicht in Abduls Sightseeing-Programm, da es zu Fuß zu lange dauerte, dort hinzugelangen. Stattdessen führte er uns in ein sehr spezielles Abenteuer, von dem ich noch Enkeln und Enkelinnen berichten kann, falls meine beiden Sprösslinge jemals dafür sorgen werden. Entsprach jener Spaziergang doch weitgehend der von mir so genannten Traumzeit, wie ich sie des Öfteren zuvor auf großer Fahrt durch 18 Länder erlebte.

Hier jedoch traf unser Fünfer-Gernika-Trüppchen erst einmal Abdul kurz nach dem Frühstück am verabredeten Ort, der Laakel-Moschee, von der aus er uns durch das nördliche Stadttor Bab el-Majarrol und weiter auf Feldwegen tiefer und tiefer ins Gelände Richtung Park führte. Ein sonnig blauer Himmel, der bei der Auswahl des Hellblaus an den Häusern Pate gestanden haben musste, überspannte Chefchaouen und die Landschaft gleichermaßen.

Anfangs tauchte ab und an noch die eine oder andere Hütte auf gartenähnlichen Grundstücken auf … zu Fuß, per Moped, gegebenenfalls mit einem Karren erreichbar, um selbst angebaute Kürbisse, Zucchini, Tomaten und so weiter heimzuschaffen. Danach begleiteten uns endlose Felder mit dem skurrilen Grünzeug der gesamten Region, malerisch von lilablühenden Oleanderbüschen unterbrochen. Doch verschmälerte sich der Weg allmählich, bis nur ein Holperpfad übrig blieb, auf dem wir ziegengleich über Stock und Stein und Hügel zockelten. Wobei ich zugebe, nicht annähernd so gut klettern zu können wie besagte Viecher und stolperte daher wenig elegant durch die Gegend.

Mit Abdul vorne weg, wanderten wir schließlich auf Betonrohren weiter, durch die Quellwasser aus den Bergen in Richtung Stadt gurgelte. Man hatte sie in einem exakt ausgeklügelten Gefälle verlegt, damit das Wasser weder zu schnell noch zu langsam lief und dabei kühl und frisch blieb.

Um sich in der Hitze des Tages daran erfrischen zu können, fanden sich in gewissen Abständen Trinkstellen an den Rohren. Ein Loch, in dem ein Stück Wasserleitungsrohr steckte, diente als Überlauf, durch den das kostbare Nass verlockend in eine Schüssel plätscherte. Durstige Feldarbeiter, ebensolche Wanderer und Tiere durften sich dort bedienen. Köstlich rann er einem durch den Hals, dieser Lebensborn, was mich – wie so manches hier – erneut an Kindertage erinnerte, in denen Wasser noch ohne Einschränkung aus jeder Quelle getrunken werden konnte.

Auf unserem langen Marsch lernte ich erstmals jenes Kraut aus der Nähe kennen, das bereits Heerscharen von Usern beschauliche Stunden zu schenken vermochte. Männliche und weibliche Pflanzen wuchsen in trauter Zweisamkeit auf den Feldern, hübsch anzusehen, zumal sie sich auch hier dem Wind überließen, wie zuvor vom Bus aus beobachtet. Und oh Wunder: Zwischen ihnen tauchten urplötzlich Gestalten auf, Naturgottheiten vermutlich, sich dann jedoch als Frauen in wehenden Gewändern und Tüchern entpuppend, die sich aus dem grünen Meer bedienten – für den heimischen Gebrauch, den kleinen Verdienst nebenher womöglich.

Einer dieser typischen Triller, den alle Evastöchter in moslemischen Ländern beherrschen – wie ihn der ein oder andere im Original und aus Filmen kennt – flog uns zur Begrüßung quer übers Tal entgegen. Wir antworteten in gleicher Weise: *so well as possible*. Ein Postkartenbild, mit unserer persönlichen Note musikalisch unterlegt, unvergesslich auf meine innere Festplatte gebannt ... insgesamt gesehen der erbauende Part des Ausflugs, wenn man so will. Wobei sich der anstrengende Teil eher ungewöhnlich – halt speziell – gestaltete. Balancierten wir doch zeitweilig akrobatengleich, nur auf den bereits erwähnten, etwa 40 Zentimeter dicken Wasserrohren aus Beton. Sie überquerten streckenweise meterhohe Senken wie ein Viadukt, was zumindest ein Minimum an Schwindelfreiheit bedingte wie auch die Fähigkeit, ohne Balancierstange und Netz auf die gegenüberliegende Seite zu gelangen.

An anderen Stellen hatten fleißige Handwerker linker Hand die Rohre mittels Mörtel an haushohe, teils konvexe Felswände geheftet, an deren Bauch man sich wie ein Flummi anpassen und mit Spidermanfingern festhalten musste. Ein Ausgleich bot sich rechts, wo es steil hinunter ging, was für zusätzliche Spannung sorgte. Hier nur wenige, dort zehn, fünfzehn Meter tief. Wobei ich ein genaueres Maß nicht zu wissen brauchte; schließlich strebte ich an, da durch, besser, da hinüberzugelangen, den anderen zu folgen ... mitsamt Daypack auf dem Rücken und Kamera in der Hand – ohne zu ahnen, dass weitere aufregende Passagen vor uns lagen. Doch eine Umkehr erschien mir mit jedem passierten Teilstück unmöglicher, trotz sich steigernder Anforderungen. *Wie willst du bloß allein den Weg zurück schaffen? Vergiss es, Alter!*

Das Hirn auszuschalten, sei der einzige Weg, der auf die andere Seite führt, behaupteten die Könner. Doch wie kriegt man das gebacken, da alles in einem sich Flügel wünscht?

Was mich eh wunderte, ist, dass ich an keiner Stelle den Sog verspürte, der einen in den Abgrund zu ziehen droht, wenn man davorsteht. Selbst dort nicht, wo es gefühlte hundert Meter hinunterging. Runterzuschauen machte mir hier nichts aus.

Dennoch: Als Einzige, die selbst die dramatischsten Passagen problemlos meisterten, erwiesen sich Abdul, Ursula und Roger, der Ami. Letzterer half sogar Cathy seiner Frau, und Dominika, solche Stellen zu bewältigen. Was bedeute, dass er dieses Stück Wasserrohr abwechselnd mit einer der beiden an der Hand überqueren musste.

Aber auch ich benötigte bei der schwierigsten Kletterpartie Hilfe, indem er sich mein Daypack schnappte, es rüberbrachte und mir anbot, mich anschließend ins Schlepptau zu nehmen. Doch ohne Gepäck (bis auf die Kamera), schaffte ich die Felsvorsprünge des am stärksten überhängenden Felsens im Alleingang, wie ein Freeclimber. Wobei ich erstmals die Erfahrung machte, wie sicher es sich anfühlt, nur mit den Fingern buchstäblich an einem winzigen Stück Felsvorsprung zu kleben. Kaum zu glauben, zumal ich mir das nie vorzustellen vermochte. Jedenfalls legten die weniger geschickten – wie auch ich – an jener Stelle ihre Meisterprüfung ab. Denn alles, was es danach noch zu nehmen galt, erwies sich als Kinderspiel. Beispielsweise ein Felsspalt, durch den das Rohr führte. Derart schmal und mit gegensätzlich schräg verlaufender Felswand, dass wir ihn nur mit total verdrehtem Körper passieren konnten ... ich, mit dem Daypack in der einen und der Kamera in der anderen Hand. Ein fülligerer Mensch müsste hier erst abspecken.

Minuten später liefen wir dann wieder auf einem normal begehbaren Wald- und Wiesenweg, auf dem ich inbrünstig verkündete, froh, dass die Strapazen hinter mir lagen: »Das wird keine meiner Lieblingsbeschäftigungen.« Und so wanderten wir zurück in Richtung Gernika, wobei es allen reichte, was Abdul uns an Abenteuer geboten hatte. Dennoch – oder gerade deshalb – lautete das Gruppen-Dankeschön: »Wir laden dich nachher zum Essen ein, in ein Lokal deiner Wahl«.

Abends spazierten wir dann mit unserem Guide durch einen Teil der Medina, den ich bisher noch nicht abgeklappert hatte. Vorbei an älteren Herren auf Bänken, Stühlen und Treppenstufen, die sich unterhielten, ihm ein paar Worte zuriefen und winzige Haschischpfeifchen rauchten. Eine Szene, wie sie dörflicher kaum sein konnte, die ich allenfalls aus der Kindheit kannte und zuletzt auf meinem Trip mit Dolly, einer sechsundzwanzigjährigen Ente, durch die Dörfer Rumäniens erlebte.

Angekommen bei einem x-beliebig erscheinenden Haus in der Gasse kletterten wir über eine Art Hühnerleiter für Erwachsene auf die Dachterrasse, wo sich unter aufgespannten Tarnnetzen Tische und Bänke im gesamten Bereich ausbreiteten. Trotz allgemeiner Geschäftigkeit gelang es Abdul in lebhaftestem Palaver mit den übrigen Gästen, zusammenhängende Plätze für uns zu organisieren. Worauf ein Rundumblick ergab – noch vor der Auswahl der Speisen – dass sich einige wild aussehende Typen übers Dach verteilten.

Gewöhnungsbedürftig ... *wo steckten nur ihre Dolche?*

Aber weilten wir nicht im Rif-Gebirge und saßen in einem Wirtshaus? Und hatte uns nicht beim Eintritt eine Art marokkanischer Köhlerliesel mit einem freundlichen »Salam Aleikum« begrüßt? Jetzt löste sich das Stillleben im Dunst der qualmenden Tüten auf, die von einem zum anderen wanderten. Nichts Ungewöhnliches, wenn sie denn wie gewöhnlich ausgesehen hätten. Solche Joints hatte ich jedoch nie zuvor gesehen, dick und lang wie eine Havanna. Mannomann.

Hieß es nicht, dass auch in Marokko Besitz und Rauchen von Hasch verboten sei, vor allem Ausländer sich nicht dabei erwischen lassen sollten? Bekannt ist aber ebenfalls, dass der Anbau (noch) legal erfolgt, trotz Intervention anderer Staaten. Die BRD vorne weg. Wen wundert's? Der König folgte also dem Druck, scheiterte jedoch am Widerstand der Bauern im Norden des Landes, da sie von jetzt auf gleich in die absolute Armut zu stürzen drohten. Ein Volksaufstand lag in der Luft. Deswegen fördert die Regierung den Ökotourismus im Rif-Gebirge, bis er genügend Einnahmen bringt, was noch eine Weile dauern dürfte – parallel zum erlaubt-verbotenen Hanfanbau. Obgleich, wie ich inzwischen zu bestätigen vermag, dieses Gebiet zu den schönsten Gegenden Marokkos zählt und eine Menge Potenzial hätte. Es ist traumhaft dort ... selten sah ich eine reizvollere Landschaft.

Am Duft des Haschischs vorbei, servierte man uns schließlich eine Mahlzeit aus der Küche des Hauses und des Landes, wie es leckerer kaum sein konnte: in mehreren Gängen, aufgeteilt in Portionen und Portiönchen. Jeder stibitzte beim anderen, um ja alles zu probieren. Es unterschied sich deutlich von dem, was in den Restaurants auf den Tisch kommt, in denen Touristen im Allgemeinen ihre Essenserfahrungen machen, auf die Geschmacksnerven der Westler abgestimmt. Obwohl es dort ebenfalls beachtlich schmeckte, wie ich zuvor herausfand! Aber dieses Lokal entsprach einem vor den *normalen* Touris verstecktem Kleinod marokkanischer Küche, dem ich unbedingt noch einmal in Pfannen, Töpfe und Schüsseln schauen wollte. Also hielt ich Ausschau nach Orientierungspunkten, um jenes Gasthaus wiederzufinden. Doch sämtliche, bekanntlich des Nachts graue Katzen, verhinderten es, ich fand das Haus am darauffolgenden Tag nicht mehr. Zumal die Mädchen wie auch die Amis bereits um sechs Uhr in der Früh' Richtung Marrakesch starteten, und wie und wo ich Abdul erreichen konnte, ich hatte keine Ahnung.

¡Carajo!, um es spanisch auszudrücken.

Es galt also erneut, in der mir verbleibenden Zeit durch die bläulich leuchtenden Gässchen zu stromern ... eh meine Lieblingsreisebeschäftigung.

Hatte ich bisher um die Lehmbauten der Kasbah einen Bogen gemacht, da sie mir zu kommerzialisiert erschien, wollte ich das jetzt ändern. Es lohnte sich, ich bedauerte jedoch, dass momentan kein Konzert in ihren Mauern stattfand.

Auch zur im Lonely Planet als Besonderheit gepriesenen kleinen Kirche oberhalb der Stadt müsste ich hinaufwandern, bevor ich abreise. Von der Dachterrasse des Gernika aus wirkte sie wie eine Kapelle auf der Alm, freilich mit der Optik einer Moschee. Wobei sie nicht die Bajuwaren erbauten, sondern die Spanier in früheren Zeiten, also mit katholischem Ursprung. Sie bekam jedoch das jetzige Aussehen durch einen Umbau, mag zuvor teilweise zerstört worden sein. Womöglich beschreibt sie der Lonely Planet deshalb als Rudiment eines islamischen Gotteshauses, was es definitiv nicht ist, zumindest nicht mehr, denn das muselmanische Kirchlein macht einen ebenso kompletten wie stabilen Eindruck. Doch ob Ruine oder nicht, bot sich mir nach meinem Aufstieg eine grandiose Aussicht über den gesamten Ort und den Jbel el-Kelaâ, quasi den Hausberg Chefchaouns.

Der Weg dorthin führte an dem Wasserfall Ras el-Maa hinter der östlichen Stadtmauer vorbei, den ich mir längst zu Gemüte geführt hatte, und bei dem ich mich fragte – wie manches Mal zuvor – wieso derartige Wasserfällchen in aller Welt dermaßen hochstilisiert werden. Schließlich hatte ich bereits andere Kaliber bewundert. Aber nett anzusehen, gewiss ... ein gefälliges Spiel mit dem Wasser halt. Allerdings bekam das Szenenbild eine weitere Bedeutung, sobald eine Prozession aus 20, 30 Mullahs dorthin pilgerte. Dann steppte beinahe der Bär, denn die hohen Herren flanierten, diskutierten, gestikulierten, bildeten Grüppchen und schlürften vom kühlen Nass aus Bechern, die sie an einem dekorativen Band um den Hals trugen, bevor sie den Rückwärtsgang einlegten.

An was erinnerte mich das bloß?

Ich hab's ja nicht so mit Religionen jeglicher Art. Sorry also. Da gefielen mir die Frauen – die Teppichwäscherinnen – die ebenfalls das Gewässer nutzten, deutlich besser. Den Wäscherinnen zuzusehen, wie sie die Teppiche ins klare Wasser tunkten, sie hin- und herwälzten, mit Besen und Bürsten bearbeiteten, falteten, schwer von Nässe auf die umliegenden Dächer schleppten, um sie zum Trocknen auszubreiten, wirkte archaisch. Dieser Eindruck blieb lange hängen, wie auch Chefchaouen mit seinen Blautönen.

Beides und noch viel mehr nahm ich mit, sobald ich in Richtung Tanger und gen Heimat aufbrach. Kribbelig wie selten. Denn in *Tangier* – im Sprachgebrauch der Engländer – erfüllte sich die tausendste plus eine Nacht meiner Reise. Einem Felsspalt, der sich in Hafennähe in einer Klippe auftat, übergab ich den imaginären fliegenden Teppich, um mich per Fähre nach Barcelona bringen zu lassen und einige Tage später mit dem Zug zur spanisch-französischen Grenze ... und so weiter, und so fort.

Noch hatte ich keine Ahnung, wie sich die Heimreise gestalten würde, daher fuhr ich weiterhin ins Blaue, wobei die Koloratur der letzten Stunden und Tage langsam verblasste.

[1] Etwa Schefschauen gesprochen, übersetzt bedeutet es: »Blick auf die Gipfel«, die den Ort einrahmen, nahezu von jeder Stelle aus zu sehen.

[2] Ein Kaffee, der je zur Hälfte aus Milch und Kaffee besteht.

[3] Backpacker-Bibel/Reiseführer

[4] el desayuno, das Frühstück

Hans-Jürgen Neumeister

Banda Aceh & mehr – Etappe 47

Von Freitag, 15.08. bis Donnerstag, 28.08.2008

Banda Aceh, Etappe 47 … zugleich die siebenundvierzigste Perle, die ich auf meinen roten Reisfaden fädelte. Noch lag das Ziel in weiter Ferne, als ich am 31. Juli 2007 meinen damaligen Heimatort, die Rattenfängerstadt Hameln, verließ und aufbrach, um per Bahn, Bus & Schiff nach Australien zu gelangen. Nichts wies damals darauf hin, dass ein Weitreise-Greenhorn wie ich es jemals bis dorthin schaffen könnte. Dabei hatte mich der Name dieser Stadt – ähnlich Kuala Lumpur – bereits lange vor dem Beginn der Reise angefixt, keine Ahnung wieso. Gleich Marco Polo zog ich von einer Etappe, von einer Perle zur nächsten. Und dafür sage ich Dank: dem Universum, einem höheren Selbst … oder wem auch immer.

Im Augenblick weile ich im indonesischen Medan und bin damit allenfalls auf dem Weg zu jenem Ort, von dem es einst hieß, dass man sich wegen heftigster politischer Wirren nicht dorthin trauen solle. Und erst recht nicht, als er 2004 eine traurige Berühmtheit durch den Tsunami erlangte. Hinzu kam, dass es sich 2008 in der Region nicht einfach, eher noch beschwerlicher als anderswo in Indonesien umherreisen ließ.

Doch als ich frühmorgens in Medan mit einem *becak* (Moped mit Beiwagen, ähnlich einer Rikscha) zum Busbahnhof rollte, stellte sich eine leichte, sanfte Freude ein. Allerdings nicht jene Euphorie, die mich von Anfang an auf meiner Expedition begleitete, ergänzt in letzter Zeit durch eine stetig wachsende Reiseroutine.

Nu haste es bis hierher geschafft und siehst bald die Orang-Utans in Bukit Lawang, ging es mir durch den Kopf … *trotz der scheiß Hardcore-Bedingungen hier im Land. Klasse, klopf dir doch mal auf die Schulter, Hannes!*

Klappte zuvor alles beinahe von allein, musste ich hier oft beweisen, dass ich das Ziel verdiente, wie auch jetzt. Ein Gefühl, das mir begegnete wie ein grollender Freund und daher bei der Begegnung registrierte, dass wir am Busbahnhof vorbeisausten. Und obschon ich protestierte, lieferte mich der *becak-driver* nicht dort ab, sondern knatterte bis zu der Stelle, wo die Minibusse starten, und ich mir in den Bart brummelte: *Okay, dann fährste halt damit.*

Doch er gab weiterhin Gas, und fuhr bis zu einem der *local busses*, die ein Stück weiter ihren Standplatz hatten. Am Busbahnhof fahren offenbar nur die Überlandbusse zu festgesetzten Zeiten ab; der hier blubberte dahingegen in dem Moment los, als der Busfahrer meinte, genügend Fahrgäste eingesammelt zu haben. Dennoch hängte sich der Beifahrer zur Tür hinaus, schrie den Menschen auf dem Bürgersteig etwas zu und angelte auf diese Weise weitere Fahrgäste Richtung Bukit Lawang. Was erstaunlich gut klappte. Und das, obwohl jener Bus aufgrund seines Zustandes nach unserem deutschen Verständnis längst ausrangiert sein müsste; obendrein eng und ungemütlich, wie seinerzeit mein erster Bus auf Sumatra von Dumai, Richtung Pekanbaru.

Außerdem hatten gelangweilte Reisende die Sitzflächen aufgerissen und mit fleißigen Fingern Schaumgummi bröckchenweise herausgepult und eine wenig einladende Sitzlandschaft modelliert. Deshalb brachten sich die Fahrgäste ein Stück Karton oder ein Brett mit, was sie auf die Hügellandschaft legten, um bequemer zu sitzen. Mich erinnerte es an das Auto meiner Eltern, als sie ihren Dackel bei einer Einkaufsrunde eine Weile unbeaufsichtigt im Wagen ließen, worauf er seinen Frust ob dieser unwürdigen Art mit ihm umzugehen, an der Polsterung der Rückbank ausließ.

Ansonsten ging die Fahrt wie zuvor über einwandfreie Straßenabschnitte und andere, die beim letzten Raumflug zum Mond hierher gebeamt wurden. Und immer, wenn wir solche Abschnitte im ersten Gang passierten, kam der Gedanke auf: *Jetzt zerlegt es die Karre in ihre Einzelteile, und wir sitzen in der Driete* (in Bremen übliches Wort für Dreck, Matsche, Scheiße etc.). Doch der Veteran schlug sich tapfer. Womöglich deshalb, weil hin und wieder ein Jüngling mitsamt einer winzigen Gitarre den Bus enterte – für eine normalgroße hätte der Platz nicht gereicht – und dem Vehikel einschließlich Fahrgästen ein Ständchen in Form einer flotten einheimischen Weise klimperte.

Gott sei Dank beehrten uns nur zwei jener Barden, da mein Kleingeld dahinschmolz. Wobei der erste den Lohn seiner Bemühungen mit einem Beutel einsammelte, der einem Klingelbeutel in der Kirche glich, und der zweite – weniger professionell – die Gage mit einer leeren Bonbontüte auffing. Und während der just Eingestiegene noch spielte, pflanzte sich ein anderer Bursche in den Sitz vor mir, drehte sich um und startete ein Gespräch in brauchbarem Englisch. Womit er sich als jemand auszeichnete, der mehr als die drei üblichen Worte und Sätze kannte: *Hello!, How are you?, Where are you from?*, wobei ich ahnte, was es mit seinen Sprachkenntnissen auf sich hatte: *Der Kerl will frisches Touristenfleisch für 'ne Trekking Tour oder sonst was angeln.* Doch da ich nicht anbeißen wollte, versicherte er mir, dass er abends nach Bukit Lawang käme, um noch einmal nachzufragen. Außerdem riet er mir, vorsichtig zu sein, wenn mich irgendwer auf irgendetwas anspräche. *»They all are telling lies!«*, behauptete er. Ein wenig überzeugendes Argument, wie ich fand. Dann hüpfte er bei der erst besten Gelegenheit aus dem Bus, um im nachfolgenden nach weiterer Beute Ausschau zu halten.

Am Stadtrand von Bukit Lawang eingetroffen, fuhr ich auch hier mit einem *becak* in den Ort, gemeinsam mit einem Beifahrer, der mir ebenfalls seine Dienste anbot und mir klarzumachen versuchte, dass meine Idee, im *Jungle Inn* zu nächtigen, eine Schnapsidee sei. Zu weit entfernt, zu teuer und vermutlich voll, hieß es. Alles Sprüche, die mich – ohne das Dschungelgasthaus gesehen zu haben – nicht überzeugten, was sich jedoch änderte, als das *becak* am Ende des Weges hielt, und bloß ein Trampelpfad weiterführte. Von hier aus sollte es noch ein zwanzigminütiger Spaziergang bis zu meiner bisherigen Wahlunterkunft sein, die ich deshalb ausgesucht hatte, weil sie am dichtesten an der Orang-Utan-Station lag. Das aber relativierte sich in diesem Moment; denn in der Schwüle mit den gefühlten 80 Kilo des Rucksacks und Daypacks zwanzig Minuten dem ansteigenden Pfad zu folgen, das wollte mir nicht gefallen. Und so folgte ich dem Rat des Aufdringlings, mir das auf der anderen Seite des Flusses angesiedelte Wisma Bukit Lawang Indah anzuschauen, das ich jedoch nur über eine schaukelige Hängebrücke zu erreichen vermochte. Zuvor galt es freilich, die typisch indonesisch-asiatischen Stufen zu bewältigen, die allerdings mit ihrem wechselnden Steigungsverhältnis zwischen 30 und 50 Zentimetern nicht nur einen gewöhnungsbedürftigen, sondern auch einen rekordverdächtigen Eindruck machten. Immerhin kam man so mit wenigen Stufen aus, die zugleich ein hervorragendes Trainingsfeld für eine Bergbesteigung boten.

Ob ich die Jungs bedauern sollte, die diese Stufen und die gesamte, schwingende Länge der Brücke täglich mehrmals mit 'ner Kiste Bier, Cola oder sonstiger Getränke an jeder Hand bewältigten? Mit dem Nebeneffekt, dass sie gut trainiert aussahen und erst nach dem zweiten Gang einige Schweißperlen auf der Haut zeigten. Respekt!

Ich jedenfalls benötigte eine Dusche im Anschluss an meine Kletterund Hängebrückenpartie aufgrund der Belastung durchs Gepäck bei der herrschenden Temperatur. Besser gesagt, ein paar Schöpfkellen mit Wasser aus dem Bassin, wie es landauf landab Usus ist, was auch ich mittlerweile zu schätzen und zu genießen gelernt hatte.

An der Unterkunft angekommen, stand sofort fest: *Hier bleibe ich!* Ein netter Laden mit anderen Travellern, die sich über die hölzerne Terrasse verteilten und lecker duftendem Fresschen auf den Tischen. Mein Möchte-gern-Guide versuchte mir dennoch einzureden – nachdem ich deutlich gemacht hatte, keine Tour in den Dschungel bei ihm buchen zu wollen –, dass es zu beschwerlich sei, auf eigene Faust nach unseren behaarten Brüdern und Schwestern zu suchen. Außerdem bräuchte ich ein *Permit,* und es sei nicht sicher, dass sie auftauchen. Bla, bla, bla. Das aber stimmte laut meiner Information nicht, denn der Besuch der *Orang-Utan-Feeding-Station* sollte die einzige Möglichkeit sein, ohne eine zusätzliche Erlaubnis in den Park zu gelangen. Und es sei nahezu unmöglich, dass das neugierige Affenvolk sich nicht sehen ließe. Also beendete ich unser Gespräch, bezog mein Zimmer und wanderte anschließend zur Station. Die nachmittägliche Fütterungszeit stand bevor.

Auf dem Weg dorthin kam ich am *Jungle Inn* vorbei, froh in der anderen Bleibe gelandet zu sein – obschon man es geschickt in den Dschungel integriert hatte und das *Guesthouse* auch ansonsten einen prima Eindruck machte. Aber mit dem gewichtigen Rucksack plus Daypack hätte ich sicher auf dem permanent ansteigenden Pfad mehr als die angegebenen zwanzig Minuten gebraucht und mich in der schwülen Feuchtigkeit des Tages total verausgabt.

Wenig später stand ich an dem dahinschießenden Fluss, dem letzten Hindernis, das die Affen noch von mir trennte, und das ich nur mit einer Einbaum-Seilfähre zu überqueren vermochte. Einen simplen Einbaum hatte man dazu mit Seilen, Rollen et cetera versehen, und ein netter Mensch auf der anderen Flussseite half beim Ziehen. Anschließend erzählte er mir von der Arbeit der Station und dem Leben der Tiere ... in nahezu akzentfreiem Deutsch. Demnach schien der Knabe einige Jahre in unserem Land gelebt zu haben, so mein Eindruck. Doch nein, seine Kenntnisse resultierten *nur* aus der Schulzeit und einem vierwöchigen Besuch in Deutschland, verriet er mir. Mannomann, immer diese Sprachtalente. Alle Achtung! Und wieder einmal könnte ich neidisch auf die ach so Sprachbegabten werden.

Und dann sah ich sie endlich, die orangefarbigen Orang-Utans. Wow! Wobei das Wort Orang Mensch und Utan Wald bedeutet. Vier Stück an der Zahl und später noch einen, der solo durch die Bäume turnte. Und obwohl ich bloß auf die ausgewilderten Kameraden aus der Pflege- und Aufzuchtstation traf; beeindruckte es mich kolossal, wie sie wenige Meter entfernt in den Ästen hingen, ähnlich den Pandas damals in China.

Damit reichte es mir dann dschungelmäßig, auf mehr konnte ich seit meinen Dschungelcamp-Erfahrungen auf Siberut – einer der Mentawai Islands westlich von Sumatra – (noch) nicht wieder einlassen. Falls ich überhaupt je einen solchen Trip wiederholen möchte, mussten wir hier doch gleichfalls durch den, immerhin für Besucher aufbereiteten Dschungel kraxeln, was sämtliche Urwald-Erinnerungen mit Franziskus und seinem Clan wachrief, zumal ich auch hier nach fünf Minuten schweißgebadet durch den Busch lief. Dabei überlegte ich noch zuvor, mir womöglich zwei Tage und eine Nacht zu gönnen, da es hier angeblich anders laufen und sein sollte. Schließlich heißt es, dass der Gunung Leuser National Park einer der schönsten und bekanntesten Parks in Indonesien sei. Aber aufgrund des *Schwitzanfalls* verspürte ich jedoch keine Lust mehr, ihn ausführlicher kennen zu lernen, trotz landschaftlich reizvoller Kulisse und der Infos, die ich von Travelmate Torsten zuvor bekommen hatte.

Also entschied ich mich, morgens in aller Herrgottsfrühe mit dem Bus nach Banda Aceh hochzufahren; etwas, was mich ja eh reizte, aber bisher annahm, es zeitlich wegen Ablauf des Visums nicht mehr zu schaffen. Doch jetzt stellte sich das Gegenteil heraus, zumal mir zwei deutsche Jungs erzählten, dass ich nicht bis Medan zurückmüsse, sondern nur bis Binjai und dort einen Bus in Richtung Banda Aceh nehmen könne. Fein, auch wenn ich keine Ahnung hatte, was mich an jenem Ort und auf dem Weg dorthin erwartete.

In Indonesien feierten sie an meinem Ankunfts- und einzigen Tag in Bukit Lawang ihren *Independend Day,* an dem der Inselstaat 1945 seine Unabhängigkeit erklärte, auch wenn die Niederlande, die ehemaligen Kolonialherren, sie erst 1949 anerkannten. Daher wimmelte es von Einheimischen, die das Wochenende und den freien Montag als Mini-Urlaub nutzten, um auf asiatisch-indonesische Weise auszuspannen und die Freizeit zu genießen. Und so saßen sie komplett angezogen zwischen den Felsbrocken im Fluss, wuschen sich mitsamt Klamotten und plantschten begeistert im Wasser. Manche von ihnen mieteten sich einen LKW-Reifen, den sie den Fluss hochschleppten und in ihrem *wet-suit* wieder hinuntersausten, *again, and again, and again.* Eine flotte Fahrt bei dem Gefälle.

Wobei ich mich nicht darüber mokieren möchte.

Im Gegenteil, es berührte mich, weil es an meine Kindheit und die Nachkriegszeit erinnerte, in der wir uns zwar nicht in einem Fluss, dafür in einem vollgelaufenen Steinbruch gleichermaßen mit solchen Reifen vergnügten. Was jedoch in dieser unkonventionell verbotsfreien Weise in unserer Bundesrepublik heute kaum noch zu finden sein dürfte, und jeder Schlauch zwangsläufig einen Sicherheitsgurt mit angeflanschtem Helm haben müsste.

In Bukit Lawang traf ich auch Willi, einen seit 2000 mit einer Indonesierin verheirateten Rentner, der hier mit seiner Angetrauten im eigenen Häuschen lebt, zu dem ein Biergarten gehörte. Kein Wunder, dass es hoch herging.

»Ich, und nach Deutschland zurückkehren?«, äußerte er sich auf meine Frage, »Undenkbar, vor allem, wenn ich mir über Deutschlandfunk im Fernsehen anschaue, wie es in der BRD zugeht. Neee, das festigt meinen Entschluss doch nur noch mehr.«

Wie guuut ich ihn verstand und gerne genauso handelte. Allerdings fehlten mir die erforderlichen Taler für die Indonesierin, die sich erst nach dem Kauf eines Hauses an meine Seite gesellen würde, ähnlich wie in Thailand.

Stattdessen traf ich erneut im Anschluss an einen Südseetraum à la Gauguin den Typen aus dem Bus vom Abend zuvor und verklickerte ihm, dass ich morgen nach Banda Aceh fahren wolle. Und obwohl ihm das missfiel, hatte er dennoch einen Tipp parat: »Nimm den frühen Bus, dann bekommste in Binjai den Anschlussbus um 10 Uhr und erreichst Banda Aceh noch am gleichen Tag.« Außerdem bot er mir – damit das klappt – die Hilfe seines Freundes an, der *zufällig* am Nachbartisch saß. Der sollte mich früh um sieben Uhr am Hostel abholen, zum Busbahnhof und weiter nach Binjai begleiten und zum richtigen Busbahnhof und dem passenden Bus bringen. Kurzum, sich um alles kümmern. Dafür bräuchte ich auch keine *comission* zu zahlen, da sein Freund sowieso dorthin führe. Und da er selber ein *honest man* sei, könne ich darauf vertrauen, dass sein Kumpel ebenfalls einer sei. *We will see* … ging es mir durch den Kopf.

Und da mein neuer Freund und Gönner am anderen Morgen auch um fünf nach sieben nicht aufkreuzte – und die Zeit, wie es ja am Abend zuvor hieß, knapp bemessen sei – machte ich mich auf die Socken und wanderte zum Busbahnhof. Und dort sah ich ihn – wenige Minuten vor der Abfahrtszeit – gemütlich mit dem Moped auf der gegenüberliegenden Straßenseite vorbeituckern. Den frühen Bus hätte ich demnach mit seiner Hilfe elegant verpasst, fuhr der doch los, kaum dass ich drin saß, obschon ich, anders als bisher erlebt, mutterseelenallein auf meinem Platz hockte.

Allerdings änderte sich das nach dem ersten Halt, denn urplötzlich fand ich mich in einem Bus wieder, der sich mit Kindern füllte … nein, überfüllte. Sitze und Kinderschöße doppelt und dreifach belegt, den Gang derartig vollgepfropft, dass Umfallen unmöglich erschien. Demnach ein Schulbus, den just ein Pick-up überholte, und mit Kids auf der bis zum Überquellen vollgestopften Ladefläche an uns vorbeisauste. Selbst auf dem Dach des Führerhauses hockten sie. Ein Bild, das mir sowohl mit Kindern als auch mit Erwachsenen andauernd begegnen sollte.

In meinem Bus fuhren außer mir nur noch zwei, drei Ältere mit, der Rest bestand aus Steppkes aller Altersklassen, die an unterschiedlichen Schulen ausstiegen, wo ich etwas Interessantes beobachtete: Den Fegedienst, den die Eleven vorm Schulbeginn ausübten und brav ihren Schulhof von all dem Müll befreiten, den sie tags zuvor überall verteilten, und zwar Jungen und Mädchen gemeinsam. Was mir durchaus gefiel, hätte man diese Arbeit bei uns doch eher dem Hausmeister überlassen.

Leider befand sich im Bus keiner, der mir die Fragen, wie es ab Binjai weitergeht, wohin ich dort muss und an wen ich mich wende, zu beantworten vermochte. Denn selbst unter den Schülern gab es niemanden, der Englisch sprach oder sich traute ... was Erinnerungen an meine Schulzeit wach rief, in der es mir ähnlich erging. Auch später, als alle ausgestiegen waren, gab es bei den Neuzugängen in der Erwachsenen-Liga nicht einen, mit dem ich reden konnte. Jetzt hätte ich die Hilfe gebrauchen können, die man mir zuvor angeboten hatte, kam ich doch selbst mit dem *Phrasebook* (bebildertes Wörterbuch) nicht weiter, da ich die Antworten nicht verstand. Also stellte ich mich darauf ein, bis Medan zurückzufahren, um am nächsten Tag erneut Anlauf zu nehmen.

Irgendwo in Binjai angekommen, machte der Fahrer deutlich, dass ich am Ziel angelangt sei und raus müsse. Dann schrie er den Leuten auf der anderen Straßenseite in den Verkaufsbuden etwas zu, worauf mich ein paar Burschen ins Schlepptau nahmen und zu einer Bude brachten, an der ich mir 'ne Fahrkarte kaufen können sollte. Doch hatte man die Hütte für meine Westler-Augen derart perfekt getarnt, dass ich hier weder Bushaltestelle noch Ticketshop vermutete. Auch nicht den Spaß, der ihnen der *Dscherman* machte, nachdem er überraschend vor ihre Füße purzelte. Daher forderten erst einmal die Handys ihr Recht, mit denen die Jungs den Fremdling solo und abwechselnd mit jedem Einzelnen auf die Chips bannen wollten. Ohne Beweisfoto lief nichts.

Lachen musste ich dann jedoch beim Ticketkauf. Jetzt entpuppte sich mein *honest man* als der, den ich in ihm vermutet hatte: Den kleinen Betrüger mit Dackelaugen, der mir treuherzig erzählte, dass eine Fahrkarte von Binjai nach Banda Aceh 200.000 oder 250.000 Rupia kostet, man mir aber nur 150.000 abknöpfte. Und selbst das war noch der Touristenpreis, denn Einheimische zahlen für das Ticket 100.000 Rp, wie ich später von Ruth, einer Irin aus Dublin erfuhr, die – weil sie diesen Preis kannte – ihn auf 130.000 herunterhandeln konnte.

Jetzt begriff ich auch, warum sich alle über den Ausländer freuten, obwohl die Freude und der Spaß nicht durch die zusätzlichen Taler zustande kam. Den Eindruck hatte ich nicht. Aber hier blitzte sie wieder auf, die indonesische Freundlichkeit im Verbund mit einer Portion Schlitzohrigkeit und das Interesse am anderen, dem Fremden. Und so setzte ich die Reise nach Banda Aceh munter fort, obschon sie eher einer Odyssee glich und mir immer noch niemand verraten konnte, wie die Weiterfahrt vonstattengehen sollte. Also vertraute ich meiner einzigen vagen Information, dass ich ungefähr acht Stunden später – gegen 19 Uhr – dort eintreffen würde. Darauf baute ich, bis der Bus mitten in einem wunderschönen Sonnenuntergang am Busterminal in Bireuen hielt und der Busfahrer mir mit Händen und Füßen klar machte, dass ich in einen anderen Bus umsteigen müsse. Endstation halt. Welch Überraschung!

Hatte ich doch im Stillen gehofft, dass jener Ort endlich Banda Aceh sei. Au Mann, wie unterschiedlich können einem lange Busfahrten vorkommen! Nicht umsonst hatte mich diese mehr geschlaucht als die zwanzigstündige zuvor von Padang nach Medan. Und nun sollte sie noch nicht einmal zu Ende sein, obschon es mit den acht Stunden gepasst hätte?

Wenigstens tauchte endlich jemand auf, der meine Fragen halbwegs beantworten konnte, dabei weder was verkaufen und auch sonst nichts von mir zu wollen schien. Wir fahren gleich ab, meinte er und erreichen in vier oder fünf Stunden das Ziel … je nachdem, wie gut wir auf der Super-Motocross-Piste durchkommen. Eine Neuigkeit, die mich belebte und aus der sich neuer Mut schöpfen ließ. Außerdem erwies sie sich in diesem Fall, kaum zu glauben, als korrekt und stellte sich damit als erste Aussage heraus, die auf Anhieb stimmte … ohne Gegenfragen bei weiteren Leuten. Hatten bisherige Erfahrungen doch gezeigt, dass Indonesier nicht zugeben mögen, etwas nicht zu wissen und scheinbar Passendes von sich geben. Mindestens zwei, besser drei Passanten sollte man fragen, so der Tipp von Travelmate Torsten, was ich zuvor hin und wieder bereits ausprobiert hatte und bestätigt bekam. Jedoch begann es bald nach der Abfahrt zu regnen, sodass die Querfeldeinstrecke keine beschleunigte Fahrweise zuließ, und sich fünf Stunden als reale Fahrzeit herausstellten. Leider!

Weil auch der Neuzugang unter den Mitfahrern die Abfahrtzeit nicht herauszufinden vermochte – der Fahrer glänzte durch Abwesenheit –, tappten wir im Dunkeln. Es könne jeden Moment losgehen, hieß es. Den

Bus zu verlassen, um fix noch 'ne Kleinigkeit zu essen ... nicht ratsam. Dabei verlangte mein Magen gegen 19 Uhr sein Recht, und teilte es mir geräuschvoll mit. Dem südlichen Himmel sei Dank, dass ich mir zuvor in Bireuen eine schwarze, klebrige Masse gekauft hatte, die aus dem Saft der Palmen durch langsames Einkochen hergestellt wird und lakritzmäßig aussieht. Doch schmeckt sie anders ... vor allem verdammt lecker. Kein Wunder also, dass bei einem Leckermäulchen wie mir bereits die Hälfte der Ration dran glauben musste. Der Rest rettete mich knapp vor dem Verhungern, was es mir ermöglichte, ein paar andere äußerst wichtige Dinge zu klären: Wo fände ich in Banda Aceh noch eine Bleibe, in der ich mein müdes Travellerhaupt betten könnte, bei einer Ankunftszeit, die um Mitternacht liegen dürfte? Denn schon die ersten Telefonate zeigten, dass ich zumindest bei den preiswerteren Absteigen zu spät kam. Worauf der Typ von vorhin erneut einen Anruf tätigte und mich an einen Kumpel weiterreichte. Und hilfsbereit wie alle Indonesier, nannte der gleich zwei Unterkünfte, weshalb ich abermals den gewissen Braten zu riechen glaubte. Doch Fehlanzeige.

Also rief ich auf sein Geheiß beim teuersten im Lonely Planet (Backpaker Bibel oder Reiseführer) benannten Hotel an, dem Medan, schließlich benötigte ich eine Bleibe, und bekam sie in Form des allerletzten freien Betts, das man mir zu reservieren versprach. Damit fuhr ich beruhigt weiter, obschon sich, als ich endlich dort eintraf, an der Rezeption erst einmal weder mein Name noch ein freies Zimmer finden ließ. Ausgebucht, hieß es. *Verdammte Scheiße ... und wat nu?*

Da stand ich mitten in der Nacht in einer fremden Stadt an einer Hotelrezeption, froh, nicht nur in Banda Aceh angekommen zu sein, sondern auch beim Hotel, und dann so etwas. Lag nicht just eine abenteuerlich anmutende Fahrt durch die nächtliche Stille und gespenstisch wirkende Straßenzüge vom weit außerhalb liegenden Busbahnhof mit einer laut knatternden Motor-Rikscha hinter mir? Mit müden Augen schaute ich auf ein an der Wand hängendes Foto im DIN A0-Format (1189 x 841 mm), das einen respektablen Kutter, Kühlschränke, diverse Möbelstücke, Berge mit sonstigem Hausrat und Gerümpel zeigte, das der Tsunami bis vor den Hoteleingang gespült hatte. Dabei lag das Meer kilometerweit entfernt. Zugleich fühlte es sich an, als hätte auch mir eine imaginäre Welle die Füße weggerissen.

Aber dann, als ich mich bereits auf einer Parkbank oder in einem Gebüsch nächtigen sah, tauchte schließlich unter Stapeln von Papier ein Schlüssel auf, an dem mein Name hing. Puh! Womit sich das Handy, von dem ich vor dem Start in mein Abenteuer (noch) nicht allzu viel wissen wollte, in dieser Situation als genial erwies.

Um *halbeins* lag ich dann endlich und glücklich im Bett, nicht ohne zuvor einen Gute-Nacht-Wunsch von meinem ebenso unbekannten wie hilfsbereiten *Callboy* übers besagte Handy bekommen zu haben, gekoppelt an das Angebot, mir am nächsten Tag Banda Aceh näher zu bringen. *Nachtigall, hör ik dir da schon wieda trapsen?*, zwitscherte es erneut in meinem Ohr.

Doch der Vogel täuschte sich abermals, zumal der Typ (Bobby nannte er sich), einen anderen Eindruck machte, als ich ihn morgens in der Hotelhalle traf. Eine Art indonesischer Lausbub stand vor mir, dem der Schalk aus Augen und Poren blitzte. Wie bei einem deutschen Lausebengel ... etwas, dem ich mich nicht entziehen konnte. Denn: Wie war das doch gleich mit der Chemie? Sie stimmte wieder einmal, ähnlich wie damals in Vilnius/Litauen bei Amedeo aus Bukarest oder Kevin in Guilin/China.

»Ich will nur einen Fremden kennenlernen«, meinte er, »ihm meine Stadt und die Umgebung zeigen und behilflich sein, wenn es irgendwo klemmt.« Mehr nicht.

Und in der Tat war er völlig anders drauf, als alle, die ich zuvor getroffen hatte, arbeitete wie ich im Bereich Gestaltung, ebenfalls selbstständig, machte Yoga und kannte sich recht gut im Feng Shui und in naturheilkundlichen Dingen aus. Außerdem entpuppte er sich als verheirateter, fischessender Vegetarier und frischgebackener Papa, der sich drei Tage lang als angenehmer Begleiter erwies und mich mit dem Moped überall hinkutschierte. Als einzigen Ausgleich bat er darum, auf meiner Reise-Homepage seine Telefonnummer plus E-Mail Adresse anzugeben, da er gerne jedem, der sich meldet, helfen möchte. Daher: 06281263230015 und bobby_agam@yahoo.com

Übernahme der Benzinkosten, zumindest teilweise, lehnte er ab, akzeptierte aber auf unseren Ausritten meine Einladungen zum Essen und schlussendlich das Abschiedsessen in einem Lokal seiner Wahl.

Falls also jemals jemand nach Banda Aceh kommen sollte (und die Daten noch stimmen), ist er bei ihm bestens aufgehoben. Vor allem mit dem Hinweis, dass er an der Westküste in Lampuuk ein *Guesthouse* besitzt, was ich leider erst in Medan nach meiner Rückkehr erfuhr. Womöglich erwähnte er es nicht, weil ich von den vorherigen Erfahrungen mit den Guides erzählte. Schade, denn wenn ich es gewusst hätte, wäre ich gerne dorthin gefahren, um die Insel Sabang dafür sausen zu lassen, zumal der Küstenabschnitt, den er mir zeigte, sich von allem unterschied, was ich bisher an Küsten zu sehen bekam. Ein einsamer, breitgelber Strand mit von Titanen eingestreuten Felsinseln, wild, schier endlos erscheinend, verlor sich in dunstiger Ferne. Das dunkle Grün des Dschungels begleitete ihn, und das Meer wartete sprungbereit darauf – einem blauen Panter gleich –, sich auf die sandige Beute zu stürzen und seinen Teil einzufordern. Natur in ihrer Ursprünglichkeit! Ist vor mir, vor uns, je ein Mensch hier durch den Sand gestapft ... Adam vielleicht?

Wie beim Sündenfall im Paradies stellte sich jedoch später heraus, dass ich mit der trapsenden Nachtigall nicht komplett danebengelegen hatte. Allerdings versteckte sich der Vogel hinter Bobbys Drumherumgerede, sodass ich bis zum Schluss nicht erkannte, dass er mir sein Guesthouse schmackhaft zu machen versuchte. Dumm gelaufen.

Daher ist es das Mindeste, wie ich mich für die Gastfreundschaftlichkeit und alles Drumherum revanchieren kann, die Promotion im Text zu belassen und hier an dieser Stelle noch einmal »danke« zu sagen, zumal ich mit ihm auch erstmals ein komplettes indonesisches Menü ohne Besteck, nur mit den Fingern verspeiste. Unter seiner Anleitung – und wie es sich in muslimischen Ländern geziemt – mit der rechten, als rein geltenden Hand. Und das in einem bis auf den letzten Platz gefüllten Restaurant, in dem auf keinem Tisch der ansonsten für die Touris obligatorische Behälter mit Messern, Gabeln und Löffeln stand. Diese Sorte alles verändernder Kreaturen kannte man anno 2008 hier noch nicht.

Laut Bobby hätte ich zwar ein Essbesteck bekommen können, wollte es aber nicht und wäre, bis ich den Bogen raus hatte, am vollen Teller fast verhungert. Dabei ist es einfach, wenn man weiß, wie's geht. Man muss Daumen, Zeigefinger, Mittelfinger und Ringfinger zugleich benutzen, sich ein wenig Fleisch oder Gemüse greifen, es auf einen Happen Reis legen und alles leicht zusammenpressen und zum Mund führen. Dann klappt es. Nur mit drei Fingern und ohne es zu einem Klumpen zusammenzupressen, wie ich es vor Bobbys *Fingerfoodlesson* versuchte, rieselten mir die Einzelteile wieder auf den Teller.

Ich – ein kirchenbeschädigtes Individuum – verlor aber außerdem durch Bobby die Scheu vor dem Islam, der mich stets in seiner Rigidität an die Katholische Kirche meiner Jugend erinnerte. Nicht vollständig, doch immerhin so weit, dass ich mit ihm zusammen die große Moschee Baiturrahman in Banda Aceh besuchen und betreten wollte. Etwas, was ich mir zuvor in Bukkittinggi oder anderenorts noch nicht vorzustellen vermochte und entsprechende Einladungen ablehnte. Schade, denke ich heute.

Allerdings brauchte ich meinen Mut nicht unter Beweis zu stellen, denn ich durfte zwar aufs Gelände, aber für mich kam dort das Aus, da mir der Imam die Erlaubnis verweigerte, das Gebäude zu betreten. Dabei glaube ich – wie ein Muslim – an eine höhere Instanz (Universum, Gott), wenn auch nicht mit dem Anspruch, dass er der einzige und wahre sei. Also zog ich mir für den Besuch extra eine lange Hose an und hätte mir die Hände, die Füße, das Gesicht und wer weiß was gewaschen, um den Anforderungen zu genügen. Es nützte nichts: Der Hüter der Moschee, besagter Imam, schätzte die Aufwartung eines Ungläubigen nicht. Peng, fertig, aus.

Da Bobby meine Enttäuschung bemerkt hatte, fragte er: *»Are you angry now?«*. Aber Ärger verspürte ich nicht, nur Unverständnis. Jedenfalls blieb von dem versuchten Brückenschlag bei mir nicht mehr viel übrig. Sollen sie sich doch weiter abschotten und bleiben, wo der Pfeffer wächst.

Dabei hätte ich diesen Bau aufgrund seiner Besonderheit liebend gern betreten, obwohl ich durch die sperrangelweit geöffneten Türen in das Innere des Gotteshauses hineinschauen konnte. Im Grunde genommen wirkte das blendendweiße Arrangement mit den dunklen Kuppeln auf mich eher wie ein übergroßes Dach, das auf Säulen und Mauern ruhte. Und es strahlte eine Energie aus, die ich bis weit draußen zu spüren vermochte. Nicht umsonst überstand nur dieses Gebäude unbeschadet den Tsunami im kilometerweiten Umkreis. Und das will was heißen, wie ich meine. Ein Wunder, wird behauptet. Mag sein.

Ich hingegen denke, dass es der massiven Bauweise zu verdanken ist, dass die Moschee den Wassermassen besser standhielt als die üblichen, leichtgebauten Häuser, sodass es nur zu geringfügigen Beschädigungen kam. Allerdings erstaunt es mich nicht, dass dieses Gotteshaus nach Sturm und Flut eine besondere Bedeutung in der Region bekam, wobei Fotos des Geschehens – hier, wie das Foto im Hotel – einem auch Jahre danach die Tragödie erneut nahebringen, selbst wenn man seinerzeit die Berichte im Fernsehen verfolgte.

So liegt an anderer Stelle ein völlig intaktes Pontonschiff, das ehemals weit draußen vor der Küste vor Anker lag. In ihm arbeitet immer noch das Kraftwerk, das damals bereits für Strom sorgte. Jetzt steht es auf seinem flachen Rumpf in Banda Aceh auf dem Trockenen und erzeugt weiterhin Energie. Ein kolossales Teil, hoch wie ein dreigeschossiges Haus und um die hundert Meter lang. Außerdem ist es ein Erinnerungsmal, zu dem Wegweiser und Wege durch einen Park führen, wobei das Tsunami-Museum gleich nebenan kurz vor der Vollendung stand.

Ansonsten ist in der gesamten Stadt viel gebaut worden, doch zu wenig für die kleinen Leute, wie Bobby sagte. Und so gibt es überall verteilt immer noch Flächen, mehrere Fußballfelder umfassend, die wie ein japanischer Steingarten geharkt wirkten ... mit ein paar Mauerstummeln, die stehenblieben oder einer Steintreppe, die in ein imaginäres Obergeschoß weist. Nur die reinen Trümmer hatte man weggeräumt. Ein gespenstischer Anblick.

Bobby vermochte, außer Allgemeinplätzen, selbst nach fast vier Jahren kaum etwas über eigene Erlebnisse zu erzählen. Jedenfalls scheint er das Drama miterlebt zu haben und zeigte mir mit dem Stolz des Überlebenden all diese Dinge und empfahl mir, mich auf der Banda Aceh vorgelagerten, ebenfalls vom Tsunami gebeutelten Insel Sabang umzuschauen und Vergleiche anzustellen. Von ihr heißt es, dass sich dort mehrmals täglich Sonne und Regen abwechseln, was ich zumindest für meine drei Tage bestätigen kann: Aus heiterem Himmel begann es zu schütten, um der Sonnenglut dann wieder Platz zu machen. Tropisch-schwüles Aprilwetter.

Am Ticketschalter der Fähre traf ich Bruno, einen 61-jährigen *Aussie*, der seit einiger Zeit den Ruhestand genoss und durch die Weltgeschichte gondelte. Auch er beherrschte unsere Sprache, da er in der beruflich aktiven Phase für deutsche Unternehmen arbeitete und lange in Deutschland weilte, sich dort gar verlobte ... und abhaute, als es ernst zu werden drohte. Erzählte er mir. Und wie der berühmte Zufall es will, lernte ich später Lina kennen, seine bessere Hälfte. Waschechte Australierin und *Road Girl* mit anderen Reisezielen als der Gatte.

Die Welt erwies sich wieder einmal als klein wie auch das Schiff, auf dem es keinen separaten Raum fürs Gepäck gab. Also verstauten wir die Rucksäcke im Gang, in dem man in unserem Beisein eine Trage mit einem verhüllten Etwas abstellte, das nichts mit dem Verhüllungskünstler Christo gemein hatte. Doch erfuhren wir dann, dass jemand am Tag zuvor am Festland verstorben sei und man den Leichnam zurück ins Heimatdorf brachte.

Was mochte dem alles vorausgegangen sein?, fragten wir uns. Hatte wer stellvertretend für ihn/sie ein Ticket gelöst? Ging die Leiche als Frachtgut durch? Gibt es womöglich für solche Fälle ein Freiticket?

Wissbegieriges Gesocks! Mich jedenfalls beeindruckte erneut die Leichtigkeit, mit der die Menschen hier die Dinge des Lebens gestalten. Etwas, das – wie ich meine – unserer Nation völlig abgeht, und in dem Segler eine Kentererlaubnis brauchen, wie ich von einem Sportstudenten erfuhr, der einen Anranzer mitsamt Verwarnung vom Segelwart bekam, weil er ohne Genehmigung kenterte.

Mannomann, bin ich froh, diesem Land und seinen unzähligen verquasten Bestimmungen auf unbestimmte Zeit entronnen zu sein und mir eine Leiche im Gang einer Fähre wie selbstverständlich erscheint. Zumal ich mich erinnere, dass sich vor zig Jahren bei uns ebenfalls niemand etwas dabei dachte, einen Verstorbenen im eigenen Gefährt von A nach B zu bringen, um die teuren Überführungskosten zu sparen. Warum denn auch nicht? Wobei man in gleicher Weise ein weißes Bettlaken zwecks Tarnung über ihn breitete.

Und heute wie früher war und ist der Tod schließlich teuer genug, selbst auf Sabang, einem Inselkleinod und Taucherparadies, das allerdings damals, als der Tsunami tobte, einiges abbekam. Von den Korallenbänken blieb nicht viel übrig, doch ging inzwischen alles wieder seinen normalen Gang. So gab es verschiedene Tourismusecken, in denen es sich direkt am Meer in Bungalows unterschiedlicher Güte gemütlich hausen ließ; halt etwas zum Relaxen, Schwimmen, Tauchen, Schnorcheln und in der Sonne liegen. Und da meine Ohren beim Druckausgleich leider nicht mitspielen, besitze ich keinen Tauchschein. Daher langte es nur für die Taucherbrille, die mir interessante Einblicke in die Unterwasserwelt verschaffte, auch wenn die Korallen fehlten. Sie existierten seinerzeit nur noch an einigen Stellen im Windschatten der Insel, wo der Tsunami sich nicht austoben konnte. Allerdings musste man sich mit einem Boot dorthin bringen lassen. Doch tummelten sich vor mir im glasklaren Wasser auf meiner Inselseite ebenfalls all die bunten Meeresbewohner, die ich zuvor allenfalls in den Aquarien eines Zoos zu sehen bekam, wobei mich unter ihnen ein orangebräunlicher Fisch besonders beeindruckte, schätzungsweise 80 Zentimeter lang, 50 hoch und 15 oder 20 cm dick. Der Kerl riss sein immenses Maul auf und knabberte genüsslich an den etwa 40 cm langen Stacheln der hiesigen Seeigel, wie unsereins 'ne Möhre futtert. Er hörte erst auf, wenn die jeweilige Stachelmöhre zu Ende ging, wobei er bei seiner Größe reichlich Seeigelstachel verputzt haben dürfte. Und lagen ihm Gesteins- oder Korallenbrocken im Weg, packte er sie ebenfalls mit den Beißerchen, hob sie an und ließ sie ein Stück entfernt wieder fallen. Ein beachtliches Tier, das quasi als Steinbeißer und Unterwasserhebewerkzeug sein Dasein fristete.

Der Tsunami brachte jedoch nicht nur Zerstörung, sondern auch den Frieden in der Region. Vor dem Desaster wurde geschossen und getötet, weil ein Politiker der Provinz Aceh sie vom Mutterland lösen wollte, was mich ein wenig ans frühere Bayern erinnerte, in dem es ähnliche Bestrebungen gab. Immerhin ballerte im damaligen Bajuwarien niemand auf einen anderen – außer dem Förster im Silberwald auf den Wilderer –, und selbst *Saupreißen* durften ungehindert ein- und ausreisen. In den nördlichsten Teil Sumatras zu fahren, war jedoch im Gegensatz dazu kaum machbar, da zu gefährlich. Außerdem benötigte man ein spezielles *Permit*.

Doch inzwischen (2008) ist es recht easy, soweit man in Indonesien von einfach reden kann. Aber ich schaffte es, zumal ich mir von Anfang an wünschte, jene Region zu besuchen und dabei feststellte, dass diesen Wunsch außer mir noch viele andere hatten, denn neben Australiern wimmelte es auf Sabang insbesondere von Deutschen. Dort traf ich eine derartige Menge Landsleute, wie nie zuvor auf der bisherigen Reise. Sie schienen – wie ich – aus Deutschland geflüchtet zu sein. Doch sinnigerweise machten sich die meisten bereits auf den Rückweg, weil ihre Ferien, ihr Urlaub endeten. So, wie sich ja auch die Zeit meiner ersten indonesischen Visa-Runde langsam, aber unaufhaltsam dem Ende näherte ... nicht, ohne vorher noch drei Tage von einem Durchfall behelligt zu werden. Harmlos Gott sei Dank, weshalb ich nicht permanent in Nähe eines Klos bleiben musste, dennoch lästig, zumal sich eine erhöhte Temperatur im Verbund mit einem Schwächegefühl einstellte, und ich wie ein Murmeltier schlief. Und so pennte ich am ersten Tag von 14 bis 20 Uhr wie ein Stein, wachte kurz auf, um mir an einer Garküche Mutterns altes Hausrezept zu gönnen – eine Hühnersuppe auf indonesische Art – und danach bis sieben Uhr anderen morgens weiterzuratzen. Allerdings mit ein paar Unterbrechungen, die mir mein Darm auferlegte. Aber dank der Mittelchen aus der homöopathischen Reiseapotheke ging es dann langsam wieder bergauf.

In Thailand hatte ich bereits Ähnliches erlebt, nachdem ich im Golf des Landes plantschte. Wie hier, in der Andamanen-See, begann das Theater seinerzeit im Anschluss ans Schnorcheln. Wobei ich damals nur die Lippen ins Meerwasser tunkte, hier aber unfreiwillig den einen oder anderen Schluck nahm. Und so erwischte es mich zum falschen Zeitpunkt erneut, da mir eine Nachtfahrt im Bus zurück nach Medan bevorstand. Sie in diesem Zustand anzutreten und bei dem Geschaukel die enge Hocktoilette benutzen zu müssen, fehlte noch in meiner Erfahrungssammlung.

Wundersamerweise überstand ich die zwölfstündige Fahrt bestens, und erst im Hotel begann es dann zu drängeln. Ein gelungenes Timing! Zumal ich gedachte, mich dort in Ruhe auszukurieren, um am Donnerstag, den 28. August 2008 quasi fabrikneu mit der Expressfähre nach Penang in Malaysia zu schippern, zurück auf eine Insel, die mir einige Etappen zuvor bereits zauberhafte Tage bescherte; doch jetzt, um mein Visum um drei weitere Monate verlängern zu lassen.

Würden wir die berüchtigte Straße von Melaka ungehindert passieren können, trotz der Schnellboote der Piraten, die weiterhin – selbst heute noch – die Schifffahrt bedrohen? Inschallah, so Gott will ... oder wer auch immer. Doch das ist, frei nach Michael Ende, eine andere Geschichte.

Hans-Jürgen Neumeister

Zugvogel-Erwachen

Jahreswechsel 2005/2006

Um dem üblichen Silvestergedöns aus dem Weg zu gehen, verbrachte ich jenen Jahreswechsel recht beschaulich. In jedem Fall in bester Gesellschaft ... nämlich mit mir. Wie schon häufiger in den letzten Jahren.

Ich hatte mir etwas Lachsiges gebrutzelt, am längst überfälligen Steuerkram gearbeitet und ein paar Jahreswechselmails geschrieben. Und nachdem ich alles, was es sonst noch an vermeintlich maßgeblichen Dingen im alten Jahr zu tun oder zu unterlassen gab, getan beziehungsweise gelassen hatte, saß ich mit 'nem Schöppchen vom Roten vor der Flimmerkiste.

Da ich den üblichen Silvester-Scherz-Kram nicht mag, flimmerte mir Terranova in die Bude, ein Sender, der sich in jenen Tagen noch wacker schlug. Einen Reisebericht über Polynesien zeigten sie, mit Antoine, einem munteren Franzosen mit ungebändigten Kräuselhaaren, der mit seinem gelben Katamaran, der »Bananasplit«, die Inselwelt erkundete ... diverse Fleckchen Erde mit jeder Menge Wasser drumherum, was mich bereits in der Studentenzeit faszinierte, als ich darüber ein Referat halten durfte, damals eher musste.

Gleich einer Vision schoben sich, kurz bevor 2005 mit Böllern und Raketen endgültig in der Versenkung verschwand, völlig andere Bilder, Szenen und Sequenzen vor die der Flimmerkiste. Ich stapfte – meinen Rucksack auf dem Buckel – die Gangway eines Schiffes hoch, um als Decksjunge, Küchenhelfer (oder was auch immer), für eine Fahrt anzuheuern, die mich auf dem alten Seeweg um Afrika herum in die Südsee und nach Australien bringen sollte. Schließlich faszinierte mich jener Kontinent bereits als kleiner Dotz, auch wenn er bisher für mich nur als »terra inkognito« existierte. Außer einem Bildband und einem Fläschchen mit rotem Sand aus dem Outback gab es zu dem Zeitpunkt wenig Konkretes über diesen Erdteil und überhaupt nichts von Polynesien in meinem Domizil.

Buch und Sand schenkte mir jemand, der bereits dort war und meinen Traum kannte. Seitdem stand beides im Regal, so dass ich jene Dinge praktisch immer vor mir sah. Auch so können Träume überleben.

Diese magischen Requisiten bekamen jedoch rasch Zuwachs. Diverse Reiseführer, Landkarten von Australien, Bücher, die sich mit den Aborigines befassen, ebenfalls Literatur von erfahrenen Travellern über die Vorbereitung einer solchen Reise, eine Weltkarte und ein aus einem Abwasserrohr gebautes Didgeridoo lagen griffbereit überall herum. Die unter mir wohnende Familie drohte mir, ob meines seltsamen Hobbys mit den alles durchdringenden Tönen die Freundschaft zu kündigen. Und das, obwohl ich die sogenannte Zirkular-Atmung, die es erst ermöglicht, das Instrument ohne abzusetzen und sichtbares Atemholen zu spielen, nicht einmal beherrschte.

Wie dem auch sei, nach dieser Einlage in jener Silvesternacht bekam ich vom Jahreswechsel kaum noch etwas mit, denn ich tauchte bei Google in die Welt der Globetrotter ein und ging in ihr für den Rest der Nacht verloren. Allerdings musste ich mir gleich den ersten Zahn ziehen lassen, nämlich den, mal eben auf einem Schiff anheuern zu können. Das sei alte Seefahrerromantik, die im heutigen Deutschland nicht mehr drin ist, las ich dort. Und genau das bestätigten mir dann diverse Reedereien mit knappen, sachlichen, aber auch nett zu lesenden Briefen. Leider.

Niemand in unserem Land der Zeugnisse und Reglements darf ohne spezielle Ausbildung als Crewmitglied an Bord. Und da sich sämtliche »Hand gegen Koje«-Versuche ebenfalls als nichtrealisierbar erwiesen, spielte ich für einen Moment mit dem Gedanken, den alten Weg des blinden Passagiers einzuschlagen. Dabei wusste ich nicht einmal, ob und wie seefest ich bin.

Besonders überraschte mich jedoch die Erkenntnis, dass ich keinerlei Schiss mehr davor hatte, solch einen Trip allein zu machen und zuerst eine Menge Taler dafür sparen zu müssen. Denn bisher gedachte ich meine geträumten Reisen immer nur mit (m)einer Partnerin zu unternehmen und mit reichlich Kohle im Sack. Aber jetzt stellte sich glasklar heraus, dass ich ohne Anhang losziehen wollte, und dass es so viele Euro auch wieder nicht sein müssten. Zumal ich ja 2005 – als wenn etwas in mir es bereits ahnte – die sogenannte vorgezogene Altersrente beantragt hatte, die mir ab Juni 2006 zur Verfügung stünde. Sie sollte die Reisekasse füllen, in einer zwar bescheidenen, doch ausreichenden Form ... wie ich meinte.

Zuvor hatte ich über all die Jahre hinweg an den üblichen Ausreden geklebt, um meine Komfortzone nicht verlassen zu müssen. Sie schienen jetzt wie weggeblasen, als hätte es sie nie gegeben. Damit müsste ich mich nach den erforderlichen Vorbereitungen spätestens am 16. Mai 2007 (meinem Geburtstag) auf den Weg machen können. Eine Vorstellung, die immer wieder tief in mir ein Kribbeln auslöste, verbunden mit einer nie gekannten Euphorie.

Somit war klar, dass ich mir endlich im »zarten Alter« von 64 – in Worten: vierundsechzig einen Traum erfülle und mir die Freiheit nehme – eine Freiheit, von der viele träumen – das zu tun, was diejenigen, die es tun, bereits in jüngeren Jahren machen. Nämlich für ein Jahr, in meinem Fall mit »open end«, um die halbe Welt oder auch weiter zu gondeln. Das aber eben nicht wie ein Normaltourist, sondern zu den Bedingungen der »young generation« mit dem Rucksack, als Backpacker mit eher wenig Knete in der Tasche. Heute an diesem Ort, übermorgen an einem anderen. Nie genau wissend, wann ich wo sein werde. Wenn es sein muss, unterwegs die Reisekasse aufbessern, für Kost und Logis arbeiten (wwoofing) oder was weiß ich, was sonst noch dazugehören wird. Dafür galt es herauszufinden, was ich im Vorfeld machen und tun kann, um die Reise zu dem Abenteuer werden zu lassen, von dem ich geträumt hatte.

Und so spielte ich seit jener Sternstunde in jeder freien Minute meine eigenen »Australian-Games« und brachte nebenher die eingerosteten Englisch-Kenntnisse auf Vordermann, wohlwissend, dass der »Ozzie Slang« eine andere Hausnummer hat.

Es ergaben sich sogar erste Kontaktmöglichkeiten in Down Under, die sich als Anlaufstellen erweisen könnten. Zumal es ja bereits so etwas wie (m)einen sich über den Erdteil schlängelnden roten Faden gab. Gesponnen aus einem allerersten Impuls heraus, als ich die frisch erstandene Karte von Australien entfaltete. Danach will ich meine ersten Schritte auf dem Kontinent in Adelaide und drum herum machen und im Barossa Valley bei einem Glas Wein entscheiden, wie's weitergeht.

Würde es der tasmanische Teufel sein, der mich anlacht? Womöglich gar der sagenumwobene tasmanische Tiger? Und ginge es dann von Tasmanien zurück nach Adelaide und weiter über Alice Springs hoch Richtung Darwin? Um anschließend im Bogen entlang der Nord-, West- und Südküste erneut nach Adelaide und weiter nach Melbourne zu gelangen? Oder sollte es in umgekehrter Reihenfolge laufen, über die Ostküste und den nördlichen Bereich nach Darwin? Wobei unterwegs garantiert Abstecher kreuz und quer den besagten roten Faden ergänzen und verlängerten.

Was aber wann, wie und wo anläge, würde ich erst vor Ort wissen. Während ich das, was mit meiner Wohnung geschehen sollte, bereits genau wusste. Ich wollte sie aufgeben statt unterzuvermieten, wie zuerst geplant, und mein Hab und Gut einlagern. Besser gesagt, nur das, woran mein Herz hängt. Den Rest verscherbele/verschenke ich, um im Falle meiner Rückkehr mit leichterem Gepäck an anderer Stelle ein neues Domizil zu finden. In der Rattenfängerstadt sollte es nicht wieder liegen, das war klar. Und so wechselten erste Dinge – darunter auch gewichtige – bereits den Besitzer.

Es gibt sie also doch, Stunden, Tage oder Nächte, die das Leben eines Menschen verändern. Jedenfalls kam es mir so vor, schließlich hatte ich in jener Silvesternacht meine Weichen neu gestellt und weitreichende Entscheidungen getroffen. Zum einen, es zu tun, und zwar allein ... und zum anderen, mir eine Frist zu setzen, wie mein Jüngster es mit 21 Lenzen auf seiner Reise-Homepage empfohlen hatte. Alles Weitere würde sich finden. Denn Kinder wussten es schon immer, und ihre Eltern sollten daher viel häufiger auf sie hören. Was ich unterwegs noch einige Male tat.

Werner Friedrich Kresse

Reflexionen IGA Berlin

Weltacker, eine Pflanzung zur IGA

Zwei Enkelkinder und ein Opa erinnern sich gern an einen wunderbar angelegten Garten - für uns war es der Garten Eden - aber gewissermaßen war es ein Feld. Parzellen mit unterschiedlichen Pflanzen von rund um den Erdball. Eben auch jene, die in unseren Breiten nicht so richtig, außer in Gewächshäusern, gedeihen. Was gab es da nicht alles zu entdecken?

Aber darum ging es gar nicht. Am Rande des IGA-Geländes sollte bewusst wahrgenommen werden, dass 2.000 Quadratmeter für einen Menschen zur Verfügung stehen, auf denen alles wachsen muss, was zum Leben notwendig ist, dass heißt damit Mensch und Tier satt werden. Auf einer Fläche, schmal wie ein Handtuch, ist das Feld nur zwölf Meter breit, aber 170 Meter lang, sollte gezeigt werden, welche unterschiedlichen Pflanzen wofür gebraucht werden, um den Bedarf abzudecken.

Dorthin machten wir uns auf den Weg. Glücklicherweise hatten wir einen warmen Tag ohne Regen. So wünschten uns Hummeln, Schmetterlinge und Mücken einen schönen Aufenthalt. Bienen surrten von Blüte zu Blüte. Die Kleinen begegneten ihnen achtungsvoll, ohne Angst. Es sind für sie liebe kleine Haustiere, die nicht nur zuckersüßen Honig bringen, für sie gehören blühende Blumen, Gräser und Kräuter, das Gesumme sowie der farbenfrohe Schmetterling zu Wiesen und Gärten, wenn auch die farbenfrohen von manchem Gartenfreund nicht so gerne gesehen werden. Ein Bienenkasten mit einem Schaufenster zur Beobachtung des Bienenfamilienalltags im Bienenstock und dem Suchen - aber nicht Finden der Königin - in diesem Gewusel war sehr aufregend für die beiden.

Unser Weg zum Acker war mehr als interessant. Maulwurfshügel machten uns darauf aufmerksam, dass sie sich hier wohlfühlen und so allerlei für sich finden. Über uns ging es nicht ruhiger zu, Schwalben segelten vorüber, die kleine Meise schaute von der Sonnenblume dem Treiben unter sich zu, stolz spazierte wippend die Bachstelze vor uns auf dem Weg. „Guten Tag", sagte unsere Kleine zu den lieblichen Vöglein und, „fangt schön Mücken, dann kommen sie nicht zu uns."

Ehe wir uns die einzelnen Pflanzen ansahen, versuchten wir einen Überblick auf das Gesamte zu bekommen. Dabei unterhielten wir uns über das Märchen, indem ein Mädchen einen Topf zu seiner Mutter heimbrachte, der guten süßen Hirsebrei kochte, damit waren Armut und Hunger dieser beiden vorbei. Wollen wir immer genug zu essen haben, müssen wir selber dafür sorgen, das sahen wir uns in Ruhe an. Aber mit der Ruhe war es so eine Sache. Der Acker ist nahe an einem See, hier versuchen uns zwei herrlich große Schwäne ihre fünf Jungen wie an einer Perlenschnur vorzuführen, ein Reiher wartet wie eine Salzsäule erstarrt, auf Beute und Wildenten sowie Blesshühner durch ihr Geschnatter immer wieder von unserem Vorhaben abzulenken.

Gemeinsam bestaunten wir, wie die Jamswurzel wächst. Das Kraut überragte weit unsere Kleine mit ihren fünf Jahren. Die eigentliche Wurzel konnten wir nicht sehen, behalfen uns auf dem Nachhauseweg im Supermarkt mit der Betrachtung einer länglichen Süßkartoffel. So ähnlich wird sie auch genutzt, denn es ist eine essbare Knolle, die wie unsere Kartoffel oder wie die Esskastanien verwendet wird. Mais, den kennt doch jeder, meinten sie, aber nicht Zuckerrohr - wie sich herausstellte. Unsere Größere, das 4.-Schuljahr-Kind: „Daraus wird Zucker gemacht?" Ja, ja. Ob wir mal einen Stängel kosten könnten? Der Einwand, wenn das nun jeder machen würde, dann wären sie bald alle weg, wurde etwas widerwillig hingenommen. Aber könnte man vielleicht mal den Oberaufseher fragen, ob man darf. Wir durften, jeder leckte am abgebrochnen Stängel, von süß keine Spur, genau wie die Zuckerrübe, die auch nicht süß ist. Alles muss erst entsprechend geerntet und verarbeitet werden. Was ist denn das, riefen beide gleichzeitig. Hirse, die Körnerausbildung, die kleinen Lampenspitzen waren schon zu erkennen. Inzwischen entdeckte unsere Kleine mit ihren großen, schwarzen, wachen Kulleraugen ein Sonnenküken*. Es durfte erst einmal über die Hand laufen, ehe es auf einem Pflanzenblatt abgesetzt wurde. Wir betrachteten dann etwas Grünes, schilfähnlich Aussehendes. Unser Schulkind las auf der Tafel: Reis. Die Kleine: „Was, das wird mal Milchreis?" Hier wachsen auch Erbsen meinten beide, aber auf dem Schild konnte man lesen, Erdnüsse, die waren bestens bekannt. Natürlich gingen wir nicht gedankenlos an Soja, Mais und Sonnenblumen vorüber. Baumwolle, aus der ist das T-Shirt, das ihr tragt. Die Blüten der Baumwolle sind schneeweiß und sehen nahezu wie Zuckerwatte aus. Daraus wird dann ein feiner Faden gewonnen, erklärte Opa. Mais sprach für sich, die Kolben vom Grill oder gekocht schmecken unwahrscheinlich gut, meinten beide, die kann jeder essen. Sonnenblumenkerne für die Vogelwelt im Winter, die nicht gen

Süden ziehen, aber auch zum selber Knappern und dann gibt es ja noch das Sonnenblumenöl. Maniok, etwas besonderes, eine Wurzelknolle aus der Mehl gewonnen wird und das wie unser Weizenmehl verarbeit wird, aber auch ähnlich wie unsere Salzkartoffel gekocht gegessen wird (hat auch eine Ähnlichkeit mit der Süßkartoffel). Sorghum ebenso für uns fremd, dient zur Sirup- und Getränkeherstellung, liefert Fladenbrot und reichlich Viehfutter. Eine Pflanze mit großen Blättern entpuppte sich letztendlich als Tabak, auch interessant.

Zu Hause suchten wir den großen Weltatlas hervor, breiteten ihn auf dem Tisch aus, knieten uns - wie die Mädchen auf ihre Stühle - in die Atlanten. Schauten nach Australien, was dort bevorzugt angebaut wird für die vielen Schafe und Rinder und natürlich die Menschen. Ach ja, da leben die Kängurus. Sind geschwind mit unserem Finger in Südamerika, wo auch Obst und Gemüse angebaut werden, auch die Yamswurzel ist hier zuhause, staunten dabei, was alles von unserem Weltacker sowohl in Süd- als auch in Nordamerika wächst. In Europa hielten wir uns nicht länger auf. Kartoffeln, Tomaten, Salat kaufen wir in den Supermärkten oder anderswo, die besorgen es für uns vom Bauern, der es auf seinem Feld anbaut. Oder wir essen es ganz frisch aus dem eigenen Garten.

Wo das Zuckerrohr überall wächst, wollten wir aber schon noch wissen, kamen dabei mit Brasilien, Indien und China in Berührung, stellten bei dieser Gelegenheit fest, dass es in den USA große Anbaugebiete für Sojabohnen gibt.

Auf nach Afrika, hieß unsere nächste Route mit dem Finger auf unserer Landkarte. Hier verweilten wir länger. Alle drei wussten wir, es gibt dort wenig zu essen, da Dürre immer wieder alles vertrocknen lässt, Mensch und Tier nahezu vor dem Verhungern sind. Unsere schönen großen Kulleraugen werden noch etwas größer und meinen: „Opa, bei uns regnet es doch so viel, könnte denn nicht ein ganz, ganz großes Flugzeug die schweren dunklen Regenwolken nach Afrika schleppen? Wir hätten mehr Sonne und in Afrika wäre mehr Wasser! Wäre das nicht schön?"

* Marienkäfer

Christlicher Pilgerweg

„Ich bin dann mal…" Michael Duhr, Förster und Theologe, lud jeden letzten Dienstag im Monat zu einem Pilgerweg über das Gelände der IGA ein. Ausgehend vom Erleben der Natur, vom Werden, Wachsen und Vergehen sollten sinnorientierte Beobachtungen und geistliche Impulse aus dem Alltag im Lutherjahr hervorgehoben werden. Als Volunteer - und nicht nur deshalb - interessierte mich diese Begegnung.

Für alle, aus Nah und Fern, die Interesse an diesem Weg hatten, war der Treffpunkt am „Pavillon der Kulturen" (inzwischen abgebaut). Es kamen mehr Frauen als Männer - mehr Ältere als Jüngere. Nach der Begrüßung von Herrn Duhr, stellte sich jeder Pilger kurz vor - woher, wohin, warum. Nach unserem kleinen persönlichen Statement sangen wir gemeinsam zwei Lieder.

„Ich möchte, dass einer mit mir geht" und „Laudate omnes gentes".

Worte auf den Weg, gesprochen vom Theologen „An die Pilger" begleiteten uns auf der Pilgertour.

Nach wenigen Metern eine erste Station. Durch Fühlen wollten wir mit verbundenen Augen langsam nicht zu Sehendes ertasten, eben das berühren, was Sinne weckt. Die Idee, der Gedanke einer Wahrnehmung etwas Vorhandenes, aber nicht näher Bestimmbares erweckte unterschiedliche Gefühlsreaktionen.

Auf dem Weg zum Kienberg, unserer zweiten Station, neben Negro Kaballo, unweit der Riesenameisen, etwas erhöht, mit einem weiten, beeindruckenden Blick hinein in die Stadt wurden von den Pilgern einzelne Texte gelesen, wie „Sommerabend; Herbsttag; vergnügt, erlöst befreit; das Wort", die besonders unsere Verbindung, die des Menschen mit seinem Lebensbereich zum Ausdruck brachten. Pate standen dabei Dichter wie Rilke, Hirsch und die Bibel. Eine Zeitgeistformel für einen freien, nicht begrenzten, weiten, offenen Kosmos.

Nach einigen Schritten erreichten wir unsere dritte Station. Erntezeit, was gepflegt und behütet wurde übers Jahr, gibt die Natur uns für das Leben im Winter.

Jeder bekommt einige Haselnüsse, die für den Winter aufgehoben, vor ungebetenen Gästen versteckt werden müssen, wie es die Eichhörnchen tun. Ebenfalls wie die Eichhörnchen holen wir nach Bedarf die eine oder andere Haselnuss aus dem Versteck. Wer sie nicht wiederfindet, ist arg dran. Wie kommt er über den Winter? Wie sichert er sein Weiterleben?

Unsere vierte Station der Berghang, nicht ganz einfach einen festen Standpunkt einzunehmen, zu finden, was ist, wenn wir ihn nicht finden? Aber der Mensch ist ja nicht allein, wir Pilger halfen uns untereinander, so das jeder seinen festen Platz fand in Mutter Natur als Quell von energie- und lebensstiftenden Kräften.

Der Weg zur fünften Station war etwas ausgedehnter, sollte der Ruhe, Einkehr und Selbsterkenntnis dienen. Nachdenklich, ein jeder in sich gekehrt, gingen wir mit dem Bild einer Schwangeren und dem Text „Glauben heißt für mich, ich bin gewollt" unseren Weg. Sehr wenig wurde dazu gesagt, hier blieb wohl jeder in seinen Gedanken gefangen.

An dieser Station - mitten im Wald - hatte ein jeder die Aufgabe, an Beispielen der Natur, Wachstum und Zerfall, Werden und Vergehen darzustellen.

Am neu gepflanzten Weinhang unsere sechste Station. Weintrauben zu Johannes 15,1-8 sowie 17-18 „Vom Weinstock und der Wurzel". Wie die Rebe aus sich heraus keine Frucht bringen kann, so auch ihr nicht, wenn ihr nicht bei mir bleibt. Ein sehr lebendiges Gleichnis zu unserem Dasein.

Siebente Station, wohl die innigste des gesamten Weges, mit dem Gedanken: Glauben heißt... ich bin nicht geschaffen, um zu sterben, sondern um zu leben. Psalm 39,5; Johannes 14, 1-3 auch 11 1-45; sowie 1. Korinther 15 hinterließen bei der Betrachtung der Grabbeispielgestaltung auf der IGA (inzwischen auch entfernt) einen besonders intensiven Eindruck, denn Entstehen und Geburt; Niedergang und Tod hatte wohl ein jeder der Pilger schon erlebt. Ergänzend regte dabei ein Auszug aus Rilkes Gedicht „Der Turm" mehr zum Nachdenken an als zum Reden.

Die achte Station führte uns zum Christlichen Garten. Hier fand unser Pilgerweg seinen Abschluss mit dem Lied „Bewahre uns Gott, behüte uns Gott." Es wurden auch Texte aus 1. Buch Mose „die Schöpfung" Prediger 3, 1-9 „Alles hat seine Zeit" gemeinsam gelesen. Nach dem Weg-Segen des Theologen verabschiedeten wir uns nach vier sehr beeindruckenden Stunden und gemeinsamen Erlebnissen im Lutherjubiläumsjahr.

Ein MEHR aus Farben

betörte jede Woche einmal das Auge auf der IGA mit einer Blumengala, war es doch sonst so in Mitleidenschaft gezogen durch trübe regnerische Tage. Auf einer Fläche von mehreren Tausend Quadratmetern in einer extra dafür geschaffenen Fantasie-Halle. Jede Woche war zu beobachten, wie immer wieder die wöchentlich neu gestaltete Blumenschau im wahrsten Sinne des Wortes erobert wurde. Der Tag durfte nicht verpasst werden. Fieberten alle womöglich dem Tag entgegen? Wie kam es, dass alle so etwas wie eine Trunkenheit erfasst hatte? War es wie in Carl Mayers Gedicht die Naturgeschäftigkeit?

Vogelflug.
Und Wolkenzug,
Wieseblühen
Und Waldesgrün
Locken aufwärts, locken nieder
Augen, Wünsche, Herz und Lieder.

Oder war es die Poesie, das Liebliche des Alltags? Wie das Tagpfauen-
auge nascht vom süßen Nektar, dem Überfluss an Farben, buntfarbiger
Blumen, zwischen vollkommener Blüte und Schmetterling, versonnenen
Gesichtern, ein Reigen im Tanz.

Der Besucher tauchte immer wieder ein in ein Meer aus Farben. Da waren die Dahlien mit ihren kühnen Farbtönen von Rosé, Violett, Magenta
bis zu zarten Gelbtönen ins Gold übergehend, vom knalligen Rot zu
Orange. Vor Verwunderung hielt man den Atem an, ließ sich verzaubern
inmitten von Aberhunderten von Dahlien. Das Auge konnte sich nicht
satt sehen, entdeckte immer wieder noch nicht Dagewesenes im Bummel
durch die wogenden Blüten der vollendeten Harmonie.

Wer mit der Zeit geht, wusste, dass vor 500 Jahren Martin Luther seine
Thesen zu Wittenberg bekannt machte. Zuhause genügten möglicherweise die Worte aus dem Brevier für jeden Tag. Sie bewegen durchaus,
um kurzerhand den Lutherweg aufzusuchen. Weit musste niemand gehen, denn er war in der Blumenschau mit dem Titel „Das Paradies ist
überall" zu finden. Grünte und blühte es nicht rechts und links dieses
Weges? Auf unserem Weg durch das Paradies begegneten wir der silbernen Lilie, sie erinnerte an die Botschaft, die einst von oben kam. Eine
Botschaft wünschten alle für einen freundlichen Sommer, aber es blieb
bei Regen und Sturm. Niemand weiß warum! Eine Staffelei mit einem
begonnenen Aquarell, wird es ein Stillleben? Ein Granatapfel war schon
zu erkennen vom heiligen Baum im Paradies. An anderer Stelle die Blume für das Mariensymbol, Demut, Weisheit und Dreifaltigkeit, die Ake-
lei. Taufe, Hochzeitstafel, Jahrestage schlossen den Schöpfergeist von
Luther mit Blumen ein.

Er selbst akzentuierte: „Es ist die größte Torheit mit vielen Worten nichts
zu sagen."

Besser als mit dieser Blumenschau konnte man ihm nicht huldigen.
Auch wenn Kirchentag und Expositionen ihn anerkannten, hatten sie
eine andere Sicht.

Ein weiterer Höhepunkt der Sinne, die „Audienz bei der Königin". Ihr
wird Anmut, Frühling, Lebensfreude, Liebe, Weisheit, Zärtlichkeit und

Zauber nachgesagt. Diese fand, wie kann es anders sein, in der Blumen-halle statt. Ein Odeur, leicht wie chinesische Seide, legte sich über al-les. Ein Feuerwerk aus berauschenden Farben empfing den Besucher. Irgendwo liebliches Flötenspiel, ein jeder war verzaubert, in diesem Augenblick hätten Fantasien wie aus Tausend und einer Nacht den Tri-umph davongetragen. Es waren nicht wenige, über sechstausend laden zur Audienz mit solchen betörenden Namen wie Aphrodite, Jungfrau von Orleans, Soraya, selbst eine Majestät Königin von Schweden gab sich die Ehre. Eigens für diese Ausstellung wurde eine Rose mit dem Na-men „Mademoiselle Meilland" gezüchtet. Drinnen in der Blumenhalle, draußen im Garten wechselten die Farbtöne der Rosen von warmem Rot zu Rosa über Apricot und Orange bis hin zu weichen Pastelltönen. Wie könnte man es beschreiben? Vielleicht so, ein warmes Gefühl wie beim Duft eines Parfüms, das Erinnerungen wachruft, die lange entschwun-den waren.

Jeder der Besucher konnte wohl bei den verschiedenen Blumenarrange-ments seine Lieblinge finden. Von Kakteen über Tulpen bis zu Orchi-deen oder nur zu einem besonders schön gebundenem Strauß. Unge-teilte Aufmerksamkeit fand die Blumenschau exotischer Orchideen mit dem Titel „Tropenfahrt zur Orchideenbucht". Sie bezirzte regelrecht mit der Eigenart der Blüten, den vielfältigen Facetten, die allen begeg-neten. So war zu sehen, dass sich immer wieder viele Besucher zu den Orchideen hingezogen fühlten. Für sie ist in jeder Wohnung Platz, ihre Blüte sieht über Wochen prächtig aus. Ist es zudem eine blühende Rispe, nimmt der Blütenstand schier kein Ende. Dabei ist sie anspruchslos in der Pflege. Kein Wunder, dass gefachsimpelt, Erfahrungen ausgetauscht sowie Tipps weitergegeben wurden. Alles wurde dokumentiert. Smart-phone hier, Fotoapparat dort. Form sowie Art der Blüten riefen immer wieder Verzückung hervor. Was es doch nicht alles gibt! Kultiviert für unsere Breiten nimmt die Orchidee mittlerweile einen gewichtigen Platz unter den blühenden Blumen zu jeder Jahreszeit ein. Aus einem Blumen-geschäft ist sie nicht wegzudenken und wird neben der Rose sehr gerne verschenkt. Es sind entfesselte Gefühle bei der Betrachtung einer Orchi-dee. Man lässt sich entführen in eine fantasievolle Welt.

Inzwischen war der Sommer ins Land gegangen. Es war an dem son-nenlieblichen, goldenen Antlitz der Quitten, unser Auge zu entzücken. Die Besucher gingen ein letztes Mal zur Blumenschau, der Floristik-Ausstellung „Des Abschieds goldener Glanz". Was nun erlebt wurde, war einfach schwindelerregend, ließ das Herz übergehen, eine kaum zu beschreibende Vielfalt an Kolorierungen, die je Blumen hervorgebracht haben. Alle Farben des Farbkreises wurden dargeboten. Vom kühlen Blau-Violett bis zu goldgelben Zitrus-Tönen. Hier war noch ein riesiger Rosenstrauß. Bestimmt bestand er aus 70 bis 80 Blüten, dort standen Astern und wetteiferten untereinander mit ihren Farben. Der Anblick war überwältigend. Auch noch der Rittersporn, die Nelken, Fuchsien, Gladiolen, Orchideen, Hortensien wollten uns nicht loslassen, jedoch ein jeder musste weiter. Erntekronen und Kränze der Kirmes vervollständigten das Ganze. Mit dem Smartphone wurde alles mitgenommen, all diese wunderschönen Anblicke wurden gerettet für immer und alle Zeiten.

186 Tage waren vorbei, 28 Arrangements bunter Blumenwelten durften die Besucher erleben. Mit dem Ersten „Aufbruch ins Meer der Farben" waren alle auf dem Passagierdeck eines Schiffes durch die Wellen eines Ozeans gekreuzt, am Ende sind es 28 Reiseberichte geworden über prachtvolle Stauden, bunte Beet- und Balkonpflanzen, Bonsai und Schnittblumen. Dann klopfte der Goldene Herbst an die Tür und reichte nicht nur dem Sommer, sondern auch der „Internationalen Gartenausstellung" in Berlin, dem größten Gartenfestival Deutschlands mit seiner atemberaubenden Landschaft, die Hand. Auf Wiedersehen, Tschüss, bis bald.

Gedankensplitter

IGA, das ist doch alles viel zu teuer.

Ja, und was ist mit dem Botanischen Garten? Was zahlt man dort? Das Einmalige, die Schönheiten der IGA kann man nur 186 Tage sehen, dann nie wieder in dieser vollen Schönheit, nur einzelne spezielle Gärten und Besonderheiten.

Volunteers

Sie sind eingekleidet, uniformiert, verkörpern Achtung und Ansehen. Zwar in Himmelblau nehmen sie sich zwischen den Blumen nicht schlecht aus, wenn die Sonne scheint, aber oft genug zerzausen sie Wind und Regen, dann sehen sie eher beträufelt aus. Stehen rum und frieren.

Schriftsteller

Über Konrad und seine Reise in die Südsee mit Onkel Ringelhuth und dem Zirkuspferd Negro Kaballo etwas zu sagen, ist tatsächlich Wasser zum Walfisch getragen. Der hat sich zum Kinderparadies entwickelt. Alle Eltern haben wohl ihre Probleme damit, die Gören wieder einzusammeln für den Nachhauseweg. Klar halten die polynesischen Riesenameisen auf dem Weg zum Kienberg manchmal ganz schön auf, wenn erst einmal durch Kletterei alles erschlossen werden muss. Ebenso ergeht es jenen, die nicht ausreichend Zeit für Metropolis mitgebracht haben, die „Automatische Stadt" erschloss sich nur den Rangen, den Erwachsenen nicht, die waren zu groß für die kleinen Öffnungen.

Stahl

Tonnen über Tonnen sind aus den USA zu uns herangeschafft. Daraus wurde die sogenannte Rostbrücke gebaut, aus einer Stahllegierung, die vom Hause aus die Patina - eben das Rostbraune - bereits besitzt und auch durch Graffiti unangreifbar ist. Diese Brücke, eine Verbindung über das Wuhlethal, zwischen Hellersdorf und Marzahn ist nicht nur ein Spazierweg, sondern ein herrlicher Weg für Radler, Jogger, Spaziergänger und Eilige zur U-Bahn. Wohl von dem übriggebliebenen Rest wurde eine „schöne Aussicht" geschaffen, auf der Hellersdorfer Höhe. Wofür, für wen, fragt sich der Betrachter. Allerdings gibt es von diesem Stahl noch eine zweite Brücke, die sogenannte Tälchenbrücke, gebaut über eine kleine Schlucht aus den Gärten der Welt kommend zum Kienberg. Letztgenannte überrascht beim Darüberlaufen mit unerwarteten Klängen aus der näheren Umgebung kommend, ähnlich Vogelstimmen, aus Bäumen. Es sind, so die Bezeichnung „interaktive Hörbäume". Dazu gibt es dann noch ein sogenanntes „Klangfernrohr". Alles kann man bewundern, wenn man sich die Mühe macht, auf den Kienberg zu gehen, wobei als Orientierung die polynesischen Riesenameisen dienen, von denen aus der Wolkenhain in Sichtweite ist.

Schöne Aussicht

350 Stufen sind es geworden, will man geradewegs schnell auf den Kienberg laufen, 102 Meter über dem Meeresspiegel, die alten ehemaligen Rundwege gibt es so nicht mehr. Sie sind erneuert und sehr gut begehbar. Neue sind hinzugekommen, sie sind weitläufiger und naturverbundener angelegt. Soll es direkt auf den Wolkenhain mit seiner wundervollen Aussicht gehen, braucht es noch einmal 98 Stufen. Aber überall hilft im Augenblick noch die Gondel bzw. ein Fahrstuhl ab Restaurant, die die Quälerei abnehmen, außer, man nimmt es sportlich.

Horizonte und Campus

Diese zwei Begriffe spielten auch immer wieder einmal eine größere oder kleinere Rolle, nicht so interessant für die von weither Kommenden, aber

234

für Berlin/Brandenburger eine sehr spezifische Neuheit. Dabei stehen Unternehmen, Betriebe, Einrichtungen im Fokus, die sich mit der Umwelt, nachwachsenden Rohstoffen, Energiesparmaßnahmen, der Ernährung aller Menschen auf diesem Erdball auseinandersetzen.

Cottage

Salat mit gebratenem Lammfilet, es dauert und dauert. Wird das Lamm auf der Wiese erst gefangen, um es braten zu können? Nicht möglich, oder? Na ja, aber wo sollen wir heute zum Sonntag sonst hin? Überlaufen ist der kleinste Kiosk, hier können wir wenigstens noch sitzen.

Sultansfest

Orientalisches aus dem Morgenlande. Lieblich bezaubernd, mit Schleiern aus Sultans Lustgarten, ein Labyrinth - Irrgarten. Umwoben vom leicht schwebenden Schleier, dahinfließend sucht ein jeder im Labyrinth die richtigen Wege, um an die Erlebnisse im Garten zu kommen. Eine fantastische Idee der Verführung, des Suchens, Findens und Entschwindens. Erst danach nimmt einen der orientalische Garten gefangen. Liebliche Düfte, erfrischende Fontänen des köstlichen Nass sowie Blumen, die sich gegenseitig übertreffen in Farbe und Form, lassen das Herz höher schlagen, entschleunigen, Entspannung pur.

Gondel

„Ob das da unten der Badesee ist, mal sehen wo die Badestelle ist?" Man glaubt es nicht, die Besucher kommen aus Bamberg und erzählen solchen Unsinn oder war doch in der frühen Planung davon die Rede, da der Badesee immer mal wieder Gesprächsthema ist? Die Gondelfahrt bietet immer etwas Besonderes. Dazu gehört beispielsweise der Blick auf etwas wie aus Stein gemeißelt am Rande eines Gewässers Stehendes, auf einen großen Fisch wartend, der filigrane Reiher. Ebenso, aber etwas scheuer, kann man manchmal ein Reh bewundern. Es hat es wohl nicht mehr geschafft, als die Umzäunung geschlossen wurde, schnell noch zu entwischen. Zu fressen hat es ja genug, da brauchte sich keiner zu sorgen, es ist halt ein wenig einsam in den 186 Tagen, noch nicht einmal Hunde braucht es zu fürchten, da die vom Besuch der IGA ausgeschlossen sind. Was jedoch die Besucher daraus machen, ist wieder einmal Aladins Wunderwelt. Da wird von einem kleinen Rudel gesprochen, wenn nicht sogar von mehr, wer weiß das schon. Die armen Tiere. Also ich weiß nur von einem Reh, wenn ich jedoch mit der Gondel hinschaukele, sehe ich eins und zurück auch eins, dann sind es natürlich zwei, meint jemand.

Bobbahn

Todesmutig in den Bob gesetzt, schon ein bisschen mit Angstgefühlen versehen. Es steht geschrieben, es kann festgegurtet nichts passieren, denn der Bob läuft in Schienen, die die Kufen in einer Art Ring umfassen, dabei ist die Geschwindigkeit 40 km/h alles andere als rasant. Es sind wohl das Gefälle und die scharfen Kurven, die das Luftholen vergessen machen, in diesen wenigen Sekunden. Nach der Sturzfahrt geht es in eine Spirale, die einen angenehm aufnimmt. Insgesamt wird man aber ordentlich durchgeschüttelt. Will man das nicht, kann der Bob von dem Fahrer abgebremst werden, wo bleibt dann der Kick? Es ist wirklich notwendig, den gesamten Körper und vor allem den Kopf an die Stütze anzulehnen, da der Bob zweimal automatisch eingehakt wird und dabei ein starker Ruck entsteht. Das kann dann schon zum Schütteltrauma führen, wenn man nicht aufpasst, meint der eine oder andere.

Kultur

Trotz kühlen Wetters, oftmals bei Regen und Wind, ob tagsüber oder abends, mit einem kleinen Zusatzobolus bis zu 15 € füllt sich die Arena nicht allein, sondern auch die Ränge mit Liegestühlen und Decken auf den Wiesen sind gut besucht und ohne Aufschlag. Kein Wunder, wenn Karat, Frank Zander, Die Prinzen, Dr. Hirschhausen, der Kreuzchor, Daniel Barenboim mit dem 6. Klimakonzert auftreten und letztendlich Carmina Burana in the garden - Orffs Meisterwerk - mit Jugendgruppen, Chor und den Berliner Symphonikern eine wahrhaftig märchenhafte, bezaubernde Inszenierung zelebrieren. Ja, man kann von *der* Aufführung sprechen, mit über 80 Mitwirkenden.

Federvieh

Natürlich gibt es auch am Rande Erlebnisse, die etwas Besonderes darstellen. So z. B., wenn ein Schwan am Teichrand brütet und gut von der Rostbrücke zu beobachten ist und am Ende mit fünf kleinen Schwanenküken - später noch drei - das gesamte IGA-Gelände für sich vereinnahmt. Das Highlight für Groß und Klein. Wohl niemand ist vorbei gegangen ohne, trotz wenig Zeit, ein Foto zur Erinnerung zu machen. Sie sind die Stars im Federkleid, zwei riesengroße, weiße Schwäne und drei kleine graue Junge.

Wetter

Am 177. Tag, zehn Tage vor Schluss, fegt ein fürchterlicher Orkan mit Regen über Berlin und mit voller Wucht auch über die IGA.

Am Tag darauf die Auswirkungen. Auf dem gesamten Gelände, unpassierbare Wege, teils unter Wasser, teils von entwurzelten Bäumen versperrt. Abgebrochene, noch am Baum hängende Äste. Jeden Augenblick können sie sich selbstständig machen. Das muss zwangsweise zur Sperrung des gesamten Waldgebietes und vieler Wege führen. Im Gelände nur wenige Besucher unterwegs, in den Gaststätten, sonst übervoll, bereits um 16:30 Uhr niemand mehr zu sehen. Die Seilbahn nicht benutzbar, die Gondeln schaukeln lustlos hin und her. Sie tragen Trauer.

Feuerwerk

Ein Goldregen ergießt sich von oben kommend über das Gelände und versetzt alle in ergötzliches Erstaunen über die Größe des Funkelns am Himmel. Dem nicht genug, es zeichnen sich am Himmel rote, grüne, blaue Ringe ab, die durchbrochen werden von Blumenkelchen, einer Tulpe oder Narzisse. Jeder Böller zeichnet immer neue Bilder in den Konzertabend. Es hat den Anschein, als ob die Farbenpracht des Feuerwerks am Nachthimmel den Farben der Dahlienschau „Feuerzauber" nicht nachstehen will. Pracht oben, Pracht unten! Diesen Höhepunkt werden die Besucher noch lange im Gedächtnis behalten. Traditionell die Veranstaltung „viva la musica", neu die Dahlienschau „Baia Mexicana" und das Höhenfeuerwerk. Zusammen gibt es wohl kaum etwas Vollkommeneres. Blütenornamente am Himmel, wie das Gesehene in der Blumenschau. Der Himmel, eine Widerspiegelung der Fantasie, geboren aus der Realität. Erregend und zugleich beruhigend die Wirkung des Feuerwerks. Spielerisch leicht, beeindruckend wie die Wirkung eines Glases Champagner.

Werner Friedrich Kresse

Was bin ich nun?

Es ist ein schöner, warmer Sommerabend, so, wie sie halt im August oft anzutreffen sind. Die schwebenden Schwälbchen heben mit sich den Himmel empor, ein letzter Schmetterling sagt adieu, Wespen lassen es sich nicht nehmen, am Drink oder Eis zu naschen. Gartenorchester, Grashüpfer mit ihrem Gezirpe, die Partitur - wie es scheint - verlegt, beflügeln die Fantasie im Rot der untergehenden Sonne. Blumenrabatten wildes Durcheinander von Rosen, Ringelblumen, Zinnien, Rosmarin und Lavendel, einen Reigen feiner Aromen, Duft unterschiedlichster Nuancen sie vermischen sich, von Beerensträuchern und Obstbäumen getragener Reife. Leicht benommen, träumerisch sich jeder selbst überlassen, kehrt Ruhe ein in die kleine Familie.

Dieser Sommerabend verspricht einen kommenden ebenso schönen Urlaubssommertag. Er überlegte, geh ich vor Sonnenaufgang angeln? Soll es am Weiher oder am Kanal sein, wo, wenn mir das Glück hold ist, ein Aal an die Rute geht. Der Unterschied, zum Weiher kann ich laufen, zum Kanal muss der Drahtesel herhalten. Am Ende ist der Zeitaufwand gleich. Aber noch vor dem Aufstehen in die Pedale? Nicht so richtig gut im Urlaub. Egal welcher Ort mich zum beginnenden Tag dabei haben wird, dachte er bei sich, ein liebliches Vogelgezwitscher wird mich auf alle Fälle begrüßen. Das Rotschwänzchen singt als Erstes seine hellen Töne, die nach und nach anschwellen und die Sonne regelrecht zum Aufstehen rufen. Dann stimmt sich die Drossel ein. Es dauert nicht lange und die Amsel gesellt sich dazu. Jubilieren dann noch die restlichen kleinen Sänger ist es *das* Erlebnis.

Eine andere Möglichkeit wäre, überlegte er, ins Freibad zu gehen. Das Gegenteil von Ruhe muss deswegen nicht uninteressanter sein. Mit dem Einen oder Anderen über Gott und die Welt philosophieren, kann - egal was rauskommt - sehr ersprießlich sein. Vor den Mädchen toten Mann im Wasser mimen ist immer erregend oder Tauchen und an einer anderen Stelle im Wasser erscheinen, amüsant. Wenn die Wettervorhersagen stimmen, soll es sehr heiß werden, da ist das Freibad nicht schlecht, aber total überlaufen. Besser wäre wahrscheinlich ein großer See mit schattigen Bäumen, denn das Stehen in der Schlange bis zur Kasse bei dieser Wärme, da schwitzt man ohne Ende. Wenn Torsten, mit dem ich in einer

Fußballmannschaft um Punkte kämpfe, sich als Schwimmmeister nicht so doof anstellen würde, könnte es so einfach sein, aber der Herr „Wichtig" kennt mich ja kaum im Bad. Gemeinsam, wenn überhaupt noch einmal, ein Bier trinken, mit ihm, das überlege ich mir noch.

Also doch lieber See. Der schönste Augenblick des Tages? Der Sonnenaufgang. Ringsum Stille. Die Wasserfläche glatt wie ein Spiegel. Ab und zu ein leises Plätschern. Ein Fisch? Ein Frosch? Eine Ringelnatter? Ein Schwanenpaar gleitet anmutig langsam durchs Wasser, ohne jegliches Geräusch, sie bewegen sich kaum, schaut man nicht genau hin, hält man sie für zwei aufgeblasene Gummitiere, übrig geblieben vom gestrigen Badetag. Die Espen säuseln leise in den Tag. Die Ruhe, Balsam für den gestressten Körper, es geht nicht anders, man muss ins Wasser, schwimmt dem beginnenden Tag entgegen, bevor der große Ansturm wieder einsetzt. Die Wildenten sind natürlich mit dabei, schnattern ein Guten Morgen. Um die Wette mit ihnen zu schwimmen, wer soll das schaffen, Sieger sind immer sie, obwohl sie nebenher fleißig den Kopf mehr unter als über dem Wasser haben. Manchmal kommt ein Haubentaucher vorbei, aber schwuppdiwupp ist er wieder verschwunden und taucht meilenweit entfernt wieder auf, guter Unterwasserspezialist.

Als er als Letzter an diesem Abend nach seinen Eltern und Schwester den Garten verlässt, ist es kunterbunt in seinem Kopf. Das Für und Wider abzuwägen ist wirklich verzwickt. Das Leben zeigt, jeder Tag fängt mit etwas Neuem an, bringt erwartete und unerwartete, völlig überraschende Dinge hervor.

Ja, dachte er, ich könnte sogar mal einen faulen Bummeltag einlegen, mit dem Liebling der Familie - Ajax - dem Mischlingshund durch Feld und Wald strolchen. Das würde uns beiden gut tun, vor allem Ajax, dem Verrückten, hat er doch nicht umsonst von uns den Namen von einem großen Helden des Trojanischen Krieges bekommen. Stöbert er einen Hasen auf, dann fliegt er regelrecht davon, bis er einsieht, zwecklos, Hase fort, ich kaputt. Es wird wahrscheinlich nicht lange dauern, dann bekommt ein kleines Mäuslein einen Riesenschreck. Haha, denkt sich Ajax - die Nase am Mauseloch - na warte, gleich habe dich! Das Mauseloch wird mit dem Schwung der beiden Vorderpfoten erweitert, dass es nur so stiebt. Zwischendurch immer mal lautstark geschnüffelt, jedoch auch hier der ganze Aufwand umsonst! Mein lieber Hund eingedreckt und ich kann sehen, wie das Loch wieder zukommt. Aber Spaß könnte es schon machen, wenn er sich zum Beispiel am Baum hochreckt, weil ihm ein Eichhörnchen davon gelaufen ist, da bellt er nicht etwa laut, sondern gibt freundlich klingende Laute von sich, als wollte er sagen, komm doch wieder runter, ich tue dir doch nichts. Riesige Luftsprünge, die mitunter akrobatischen Einlagen gleichkommen, vollführt der liebe Ajax, wenn er Fliegen in der Wiese fangen möchte. Bei diesen Luftsprüngen fällt er dann auf den Bauch, Rücken oder Purzelbaum schlagend auf die Nase. Nach diesen Kunststückchen würden wir im Gras liegen, zwischen Bienen und Blumen, entspannt den Tag genießen, Ajax würde versuchen, sich Millimeter für Millimeter davon zu schleichen, bis er zu seinem Bedauern feststellt, dass er mich mitnehmen muss, um keinen Ärger zu bekommen sieht er ein, ein lieber, braver treuer Geselle zu bleiben.

Ein Trip an die Ostsee, wenn man Urlaub hat. Warum nicht? Dieser Gedanke könnte zu einem Abenteuer gestaltet werden. Klar, trampen was sonst, dazu wird alles genutzt, was sich bewegt. Pferdewagen auf dem Land unterwegs von einem Dorf zum anderen, per Anhalter, Sattelschlepper mit Frachtgut für den Hafen, selbst ein Stück laufen, eine Übernachtung in einer Scheune, so könnte es peu a peu vorwärts gehen. Nebenbei lernt man Land und Leute kennen. Das wäre sicher mit Bitten, Betteln, Verwünschungen, Ärger verbunden. Ich könnte jedoch den Puls der Zeit so richtig messen. Schlafsack und Matte sind so schwer nicht, der Geldbeutel würde dabei unbedeutend erleichtert. Zeitlos, zum Camping im August, geht jedoch gar nicht, nur mit Tricks, vielleicht so: Karola erwartend mich schon in Reihe Sieben, Station 26 oder ich quatsche ein paar Jungs an, die mich als ihren Freund ausgeben, der schon lange da sein sollte. Das könnte klappen. Und was dann? Unwirtliches Wetter, kalt, Regen und Wind. Dann lieber doch nicht!

Zum Wochenende Pferderennen auf der Galopprennbahn, immer auch mit Wetten verbunden. Ein willkommner Spaß, einmal will das Pferd nicht, dann ist der Jockey indisponiert, am besten man setzt auf einen Außenseiter, einmal ist auch der dran, aber das geht alles erst am Wochenende. Bis dahin sind noch ein paar Tage.

Ihm war bewusst, eine Entscheidung musste getroffen werden. Aber, wie, welche? Seit Tagen schleppte er sich mit einem Geheimnis herum. Sehr unbefriedigend dieser Zustand. Es lag schwer auf seinem Herzen, wie die Wackersteine im Bauch des Wolfes. Fantasien sind verführerisch aber auch bittersüß. Mit der Familie ist darüber nicht zu reden, seine allerbesten Freunde hatten sich in alle Himmelsrichtungen verkrümelt. Ein Orakel so gut wie in Delphi wäre wünschenswert. So stand er aber allein, mit einer Mischung aus Spannung, Befürchtung, Erwartung und Hoffnungslosigkeit in dieser Welt.

Es nagten Schuldgefühle und Gewissensbisse wie eine Schar Mäuse am Käse, an ihm. Ich muss emotional unabhängig werden. So kamen Moral und Gewissen in die Opferschale.

Aber der Augenblick gehörte ihm! Der Duft der Träume reißt wie immer die Zweifel weg, wie der Herbststurm vom Baum die letzten Blätter. Die Entscheidung, ein Zettel, auf dem Küchentisch.

> Ich bin heute nach
> Budapest geflogen!
> Ich rufe am Freitag
> 20 Uhr an.

Nun war auch er ein Flüchtling oder doch ein Ausreisender!

PS.: Des Lebens Kuriosität: drei „Monde" später, gab es keinen Grund mehr, ein Flüchtling oder Ausreisender zu werden. Deutschland war ohne Mauer.

Judith-Katja Raab

All inclusive

Novelle für Reisemuffel

Die Weckersirene. Verfluchte Schreckschraube. Aus der Traum. Blick aufs Zifferblatt – von wegen noch einmal umdrehen, Kissen übern Kopf. Auf in den Kampf. Katzenwäsche, rein in die Klamotten, Beine in den Nacken, Bus zum Bahnhof, in den Zug, ab die Post: Drei Nächte, einen Tag hin, einen zurück, einen zum Ausruhen. Wenn der Weg nicht so weit wäre, der Weg. War`s überhaupt der richtige? Vielleicht der richtige, das Falsche zu tun. Wie viele Knüppel werden zwischen die Beine fliegen? Der Weg ist das Ziel, lehrte Graf Dürkheim, der erste Guru des Zen auf europäischem Boden: der Weg zur Befreiung des Wesens aus den Fesseln des weltabhängigen Ichs hin zu einer Wirklichkeit jenseits der Gegensätze. Was die Leute immer am Reisen finden? Stress nichts als Stress – Fernweh. Geschäftemacherei. Konkurrenz der Sterne in Hotelküchen. Reinster Krampf. Kant aus Königsberg auch nie raus gekommen. Na und? Kein Schaden gewesen.

Da schellte es schon an der Wohnungstür. Frau Bürlimann, die Nachbarin von oben drüber, die nachts ihre Waschmaschine anschmeißt, weil Strom dann billiger ist, die mit dem polternden Schritt und der großen Klappe, breitbeinig, schwergewichtig, vollbusig und rundbäuchig, mit dem Migrationshintergrund der Schweiz, einer der besonderen Art in weltbürgerlicher Absicht, bei der es meist bleibt. Nett auf den Leim gegangen. Wo war die Intuition geblieben? Das Bauchgefühl? Auf was eingelassen? Aus purer Gefälligkeit. Abstruse Idee. Sonderangebot für zwei Personen all inclusive. Alles wegen der dusseligen Bonuspunkte für Bürlimanns Krankenkasse. Das Weib hatte den Bogen raus. Was tut man nicht alles für ein gutes Einvernehmen mit der Nachbarschaft? Lustige Witwe, ihren Mann erfolgreich unter die Erde geärgert, das Eigenheim meistbietend verscherbelt, zwei pubsgesunde Katzen tierärztlich einschläfern lassen, seitdem von tausend Teufeln geritten, auf Marco Polos Spuren und die Reiselust nicht zu bremsen. Jedem sein Räppelchen. Verspricht heiter zu werden.

„Fertig? Ausgeschlafen? Ausnahmsweise?" Muss sie immer so kreischen? Eine merkwürdig meckernde Stimme, die sich in die Höhe schraubt,

242

Silben zerhackt und Konsonanten messerschneidend schärft, dass ein ruckweises Sprecherzeugnis zustande kommt, scherbelnd und flatternd, schrill und scheppernd. Ohne Vorwarnung prallt es auf die Trommelfelle. Sofort schlagen sie Wellen. Der Kopf dröhnt. Plumpe Anspielung auf das Leben einer Eule – Nachtvogel, Tagschläfer. Swenja ist ein Morgenmuffel durch und durch.

Seeluft tut ihren Bronchien gut, sehr gut sogar, hat der Hausarzt sie ermuntert und sie Mut gefasst und sich endlich ein Herz. Raus aus dem Kokon. Rein ins Getümmel. Auf in den Osten, an die Küste, wo Stürme pfeifen, Kraniche auf Tauchstation gehen im Grenzgebiet von Mecklenburg und Vorpommern zur Halbinsel Fischland, die längste weit und breit zwischen Meer und Bodden, dort wo die Fahrrinne nach Stralsund künstlich offen gehalten wird, Süßwasser sich mit Salzwasser mischt, seit der glorreichen Vereinigung zum Nationalpark geadelt. Allein der Name riecht nach Meer und Heringsschwärmen, schreienden Möwen, Fangnetzen, Fischerkaten und Krabbenkuttern. Also los: Dem Leben eine Wende mit sanftem Tritt. Auf eigene Faust bekommt sie den Hintern sowieso nicht hoch. So schlimm wird es nicht werden mit dem Doppelzimmer. Chance neuer Erfahrungen, vielleicht angenehmer. Höchste Zeit nach ungezählten Schlappen und einem Beruf, der am Nagel hängt und ihr eine Aversion gegen Hotelbetten hinterlassen hat.

Verschlafen bestarrt sie das bärbeißige Gebiss und die Kluft zwischen den Schneidezähnen – Natur belassen wie Gott sie schuf. Alm, schrundige Berge und Rindvieh kommen in den Sinn: die Haut von Furchen zerpflügt, vom Wetter gegerbt, mit Kernseife gewaschen und nie gecremt, Damenbart beachtlich, der Schopf – dichtes Rosshaar - schlohweiß gefärbt wie der Gletscher am Großglockner vor 50 Jahren. Laune im Keller. Blick zurück in Sorge. Alles aus? Licht, Heizung, Wasserkocher? Alles aus. Her mit dem Trolley extra klein. Sie rollt ihn in den Hausflur, schließt ab und stolpert über zwei Rucksäcke, eine Reisetasche, einen Koffer auf Rollen und einen Stockschirm.

„So viel?"

„Sie brauchen es nicht zu schleppen", geifert es zurück, so scharf, dass sie fröstelt.

„Tue ich auch nicht."

„Aber die Tür halten Sie mir gefälligst auf!"

Als wenn sie es nicht geahnt hätte. Gift und Galle auf leeren Magen. Ihre Zunge gefürchtet im Block. Gespalten wie die einer Natter. Tratsch im Treppenhaus ihre Spezialität, verächtliches Geschwätz über die, die abwesend sind:

„Aber hör`n Se mal, hör`n Se mal, tsetsetse."

Niemand urteilt schärfer als der Ungebildete. Er kennt weder Gründe noch Gegengründe, sagte der Maler Anselm Feuerbach. Was würde sie erzählen, wenn sie wieder zurück waren? Vor nichts Respekt, am Wenigsten vor dem Nächsten, den man lieben soll wie sich selbst. Doch wer achtet noch die Gebote des Christentums? Frau Bürlimann bestimmt nicht, bienenemsige Protestantin im häuslichen Gehege, blickt über den Tellerrand nicht hinaus, hält die Mitte der Suppe für den Nabel der Welt und sich für das Maß aller Dinge.

Der erste Clinch, den sie mit ihr ausgefochten hat, war der über Religion. Es war partout nicht in ihren zermatteten Schädel gegangen, dass jemand es außer steuerlichen andere Gründe gibt, aus der Kirche auszutreten. Reinster Geiz, krakeelte sie. Sinnlos, ihr beizubiegen, dass es Lehre und Praxis sind, die nicht behagen. Prunk und Protz! Die Limburger Elster von und zu und auf und ab mit ihrem Schloss! Vergoldete Armaturen, Whirlpool und Doppelklos! Die Geldanlagen des heiligen Stuhls! Mit allen Wassern gewaschen! Mündelsicher! Gewinnbringend angelegt! Keine Scheu vor mafiösen Quellen! Waffengeschäfte, Menschenhandel, Luxushotels mit Blick auf den Petersdom, bis ein Bettelorden Konkurs anmeldet. Orden pleitegeiern und leisten Offenbarungseide und die Schafe sollen`s richten. Dazu die Lehre, die leere Lehre, mein Gott, die Lehre, ein Machwerk von Greisen, jenseits von Gut und Böse und achtzigprozentig vom anderen Ufer, die blumige Legenden für bare Münze verkaufen – Jungfrauengeburt, Unfehlbarkeit, Zauberei von Wasser in Wein, aus einer Brotkante die Speisung von Tausenden. Wer so bekloppt, einer Partei beizutreten ohne mit dem Grundsatzprogramm einverstanden zu sein?

Mit solchen Fragen befasst sich Frau Bürlimann nicht. Gegebenes nimmt sie hin wie Plattfüße. Alles ist, wie es ist – basta. Auf mündlichen Mitteilungswegen ein Hinkebein, strich Swenja die Segel. Ihr Lungenvolumen reicht nicht für lange Dispute. Reden, eine ungemeine Anstrengung, und lang dauernde Streitereien Aug in Aug meidet sie mehr aus körperlichen, denn aus intellektuellen Gründen. Äußerlich weniger als eine halbe Portion, innerlich ein Bücherwurm, verschlossen in Schriftzeichen und Gedanken über den Schnee von gestern, der nicht tauen will, gefangen im Vergangenen, einem bröselnden Leben, das sie versuchte, zusammenzupuzzeln, aus sich heraus zu klagen und zu kritzeln, um auf diese Weise die Wunden zu heilen, die das Schicksal geschlagen hat. Wie sehr sie sich aber auch bemüht, die Brüche heilen nicht. Nichts passiert, außer bleibende Erstarrung, Eis, Ödnis. Allmählich ekelt sie sich vor ihrer Vergangenheit und würde am liebsten einen Deckel auf den stinkenden Topf klatschen, damit er aufhört zu gären. Ihr Ich-Imperium gestürzt. Kleinmütig geworden im Laufe der Jahre, im Laufe unermüdlicher Rekapitulation am Schreibtisch, unermüdlicher Artistik am lebensgeschichtlichen Pech, den ständigen Scharmützeln mit Grammatik und Syntax, Sinn-, Satz- und Klangfiguren, Tropen und Topoi, Dramaturgie und Spannungsbögen, Stil und Sprache, vor sich den Bildschirm als einzigen Klebestreifen für die Fliegen ihrer sprunghaften Verzweiflung auf der Suche nach dem legendären Falken, der Leser erschüttert.

Nebelschwaden wabern. Lippen und Zähne kleben. Der Bus gestopft voll, Schulkinder und werktätige Bevölkerung. Frau Bürlimann, einen Rucksack auf dem Buckel, den zweiten samt Reisetasche und Stockschirm in einer Pranke, in der anderen den Koffer, der hinterdrein rumpumpelt und ihr in die Fersen knallt, die Hornhaut gestählten, denen der Aufprall nichts anhaben kann. In Drachenblut gebadet, drängelt sie mit Furcht erregender Miene durch die Masse vorwärts und pufft rechts und links aus dem Weg, was im Weg ist. Ein I-Pümmel kriegt ihre Ladung ins Gesicht. Lauthals schreit er, aua, aber sie bellt:

„Stell dich nicht so an, du blöder Rotzlöffel."

Noch eine halbe Stunde bis zur Abfahrt des Zugs. „Passen Sie mal auf mein Gepäck auf", herrscht sie. „Da hinten gibt`s internationale Zeitungen."

Weg ist sie, außer Reich-, nur in Sichtweite. Mit Kennermiene studiert sie Schlagzeilen und markiert fundierte Kenntnis aller Sprachen, kauft aber nicht eine. Krämerseele. Sie kackt auf den Cent. Seit fünfzehn Jahren besucht sie Englisch- und Französisch-Kurse an der Volkshochschule, nicht wegen der Sprache, mehr aus Gründen des Hirnjoggings und zur Vorbeugung gegen Alterserscheinungen. Ihre Eltern an Alzheimer gestorben. Muffensausen vor genetischer Veranlagung ganz natürlich. Überall hin kutschiert sie, nur nicht nach England oder Frankreich, als fürchte sie die Probe aufs Exempel. Vielleicht geht es ihr auch gar nicht um Konversation, Land und Leute, sondern mehr um G`schaftelhuberei, Zeit totschlagen, Eindruck schinden und dabei sich selbst aus dem Weg gehen. Sie liest, wenn überhaupt, höchstens Reisekataloge und Anzeigenblätter, die allerdings heftet sie ab, geschützt in Klarsichtfolie nach Datum der Sonderangebote, alles andere im Vorübergehen. Bücher überflüssig. Weltliteratur wie die in Swenjas Regalen beeindruckt sie nicht. Im Gegenteil. Ballast, Staubfänger, sagt sie abschätzig. Gibt schließlich Internet, ist ja nicht hinterm Mond. Sobald sie zurück sind, kauft sie sich ein Notebook aus dem Laden, wo man nicht blöd ist und dann geht`s rund.

Mit Kontemplation hat sie`s nicht. Ackert lieber im Schrebergarten. Ihr Gemüse ökologisch, gedüngt mit Pferdeäpfeln und Hühnermist, eigenhändig vom Bauern geholt, mit der Einkaufstasche transportiert und mit Liebe in den Furchen verteilt, und letztlich kauft sie doch Zwiebeln aus Ägypten, Kartoffeln aus Paraguay und Äpfel aus Bolivien im Supermarkt und kröpft sich auf als Verfechterin des Fair Trade und bewusster Verbraucher. So bewusst, dass sie Regenmäntel, T-Shirts, Shorts, Schlafanzüge beim Discounter ersteht, dann natürlich im Dutzend billiger – all die verrufenen Klamotten, an denen das Blut ausgebeuteter Näherinnen aus Bangladesch klebt.

Ein Kaffee wäre kein Schaden, denkt Swenja und blinzelt wie ein Papagei auf der Stange. Fernab gießt Frau Bürlimann sich einen Becher hinter die Binde. Wenn sie sich beeilt, könnte sie sich auch einen gönnen, aber Frau Bürlimann beeilt sich nicht.

Sie denkt nicht dran. Nein und nochmals Nein. Der Minutenzeiger der großen Uhr in der Bahnhofsvorhalle ruckt vorwärts, ruckt und ruckt... zerhackt die Zeit... Noch fünf Minuten, noch vier... Da trödelt sie an – eidgenössisch träge. Jetzt müssen sie sich sputen. Himmel, Arsch und Zwirn – ein Gedränge und Geschiebe durch die Epidemie von Blattläusen, die Bahnhöfe heimsuchen.

Prompt findet sich ein dummer Hund, der Bürlimanns Kladderadatsch in den Zug wuchtet. Untertänig kötert er herum. Statt Dankeschön kriegt er einen Tritt. Hektisch keift Frau Bürlimann: „Den Rest schaffe ich allein", und rafft das Fuder an sich, als fürchte sie, er würde es klauen und mault, früher hätte es Gepäckträger gegeben, später wenigstens Kofferkulis – aber seit dem Börsengang der Bahn, nichts mehr von alledem, in der Schweiz dagegen...

Monotones Gerausche drinnen, draußen Sonne, die knauserig Streifen ins Abteil schickt. Das Koffein wirkt. Aufgepeitscht kramt Frau Bürlimann in den tiefsten Schlünden ihrer Siebensachen, Papiere knistern, Plastiktüten rascheln, das Tablett am Sitz klemmt. Doch Gewalt bricht Eisen, bange ist sie nicht und Muckis hat sie auch vom vielen Gärtnern mit Hacke und Schaufel, wäre doch gelacht, das Mistding nicht zwingen zu können, und mit Gepolter und mehreren Fausthieben bugsiert sie es in die rechte Position - Thermoskanne, Becher, Kuchen, Butterbrote, Schokoriegel, voilà:

„Auch `en Kecks?"

Swenja schüttelt den Kopf, flüstert, nein, danke. Ihr ist schlecht. Mitreisende rollen die Augen himmelwärts, stopfen sich Stöpsel in die Ohren und ziehen Jacken und Mäntel über ihre Gesichter. Frau Bürlimann beißt zu, dass es staubt: „Lecker, sehr lecker. Aus dem Reformhaus, Vollkorn mit Kürbiskernen, gut für die Blase. Ich bevorzuge Naturprodukte. Für mich nur das Beste. Man ist, was man isst."

Sie knispert und knuspert und mampft mit geplusterten Backen, danach ein Stück Rüeblikuchen, nicht eins, nein, zwei Stücke sind`s, Rüeblikuchen, den sie selbst gebacken hat, ganz frisch, riechen Sie mal, wie der duftet, und ein Butterbrot mit zerlöchertem Käse, der wie Schweißmauken stinkt und umso köstlicher schmeckt, je älter er ist, desto besser, behauptet sie, Hand gemacht aus dem Delikatessgeschäft, weil der den Magen schließt, die Fahrt ist lang, verdammt lang und dann noch umsteigen, und wer weiß, wie weit sie laufen müssen bis zum Hotel und wann es dort Abendessen gibt, obwohl sie gerüstet ist und wohlweislich einen Wasserkocher eingepackt hat samt Teebeuteln, denn heißer Tee außer der Reihe in so einem Nobel-Schuppen, der kann mächtig Löcher reißen ins Portemonnaie.

Umständlich bürstet sie Krümel von der Jeans aus grobem Cord im Bundfaltenschnitt, die ihren Hintern besonders breitflächig zur Geltung bringt, sortiert die Fressvorräte neu, überschlägt sicherheitshalber, ob sie reichen und kommt zu dem zufriedenstellenden Schluss, dass sie reichen. Warmes Menue nur am Tag der Ankunft gebucht, morgen Schmalhans Küchenmeister, Frühstück und aus die Maus. Da muss man vorsorgen. Raschelt und knistert wieder mit Tüten, faltet leere ordentlich zusammen, Kante auf Kante, und dann ihre Hände im Schoß, wo die Daumen angriffslustig umeinander rotieren.

Ein Monolog hebt an über gesunde Lebensweise und das Säuren-Basen-Gleichgewicht des Körpers und dass sie entschlossen ist, bald, sehr bald zu den Vegetariern überzutreten, nicht wegen der Tiere, um Himmelswillen, nein, die haben ihren Platz in der Schöpfung, die der Mensch sich untertan zu machen hat, keine Frage, es ist wie es ist, fressen und gefressen werden, einzig wegen der Massentierhaltung und dem, was sich im Fleisch sammelt an Schadstoffen, Antibiotika, Dioxin, das ist ein Skandal, der grenzt an Volksvergiftung, ach was, Völkermord ist das schon. Nicht auszudenken, was da auf uns zurollt mit dem Freihandelsabkommen und dem ganzen Quatsch aus Amerika... Chlorhühnchen, Geschmacksverstärker... ohgottohgottohgott... Da muss man Konsequenzen ziehen, denen die Suppe versalzen, ... wo kommen wir denn sonst hin... Jedenfalls der Gesundheit wegen sollte man sich fleischlos ernähren, einzig deshalb, aus Liebe zum Leib, natürlich auch um abzunehmen. Vegetarier meist schlank, sehr schlank sogar, abnehmen das A und O in der Wohlstandsgesellschaft, wo das Gros Übergewicht mit sich herumschleppt, unbedingt. Die meisten Krankheiten mit Todesfolge rühren vom Übergewicht her, überhöhter Cholesterinspiegel, Leberwerte, Gefäßverengung... ihre Schwester... ihr Schwager... Beweis genug, sich nie vom Fleck gerührt, nur vorm Computer gehockt, sich von Fast Food ernährt, Bratwurst am Stand, Burger King, Mac Donalds, Big Mac und Big Tac, immer big und bigger, eine Unsitte sondergleichen, alles in sich reinstopfen, Fritten und Kartoffelchips und Tiefkühlpizza. Fett und fetter wurden sie, plötzlich hatten sie den Salat... Polen in Not, Krebs, Operation und Chemotherapie, das ganze Programm, zum Schluss abgemagert bis auf die Knochen, wandelnde Skelette, überzogen mit Lederhaut, Morphium gegen die Schmerzen zur finalen Sedierung auf der Palliativ-Station und inzwischen längst unter der Erde. Friede ihrer Asche. Ihr letzter Wille: Seebestattung. Auch das noch! Ein Zirkus, wenn man nicht an der Küste wohnt. Einmal und nie wieder. Wenn allerdings ihr Mann beim Jüngsten Gericht von den Toten auferstehen würde, wäre sie die erste, die ihn zurück ins Jenseits befördert. Ehrenwort. Leberzirrhose und Magenkarzinom, ewig kränklich, ein richtiger Jammerlappen, zum Duschen zu schwach, zu nichts zu gebrauchen, aber immer die Kippe im Maul, Skat gekloppt mit seinen Kumpeln, Flachmänner mit Schnaps im Sack und entsprechend aus dem Mund gestunken und anderen Löchern, und deshalb schliefen sie auch getrennt vom ersten Tag der Ehe an.

Sie schüttelt sich mit nachträglichem Ekel, zischt noch einmal, tot gesoffen und gefressen und geraucht. Das kommt davon. Hätte noch gefehlt, dass er gehurt hätte, hat er auch, anfangs, aber das hat sie ihm vergeigt, und zwar ordentlich. Ihr Gesicht nimmt einen triumphierenden Ausdruck an. Siegreich überlebt und ihm den Fremdgang verhagelt. Macht ihr so schnell keine nach. Swenja lächelt vor sich hin, sicherlich das Beste, was der Ärmste tun konnte – ins Gras beißen.

Warum sie ihn geheiratet hat?

„Schwanger.“

„Und das Kind?“

„Gestorben nach acht Tagen.“

„Plötzlicher Kindstod?“

Sie schüttelt den Weißkopf – Adlerauge sei wachsam -, wirft ihn in den Nacken, der Blick trübe, das Weiße rötlich und sie zückt ein Tempo und drückt es auf die inneren Augenwinkel, wo Wasser nachquillt, und Swenja ahnt, dass die Wunde Schonung braucht, Schweigen und Grabesstille. Gebären heißt, einsam in zwei Stücke gerissen zu werden. Wenn eine Hälfte starb... schlimm, schlimm, obwohl sie allzu gern gewusst hätte,

248

warum sie sich nicht hat scheiden lassen. Wenn aus einer temporären Brutgemeinschaft nichts wird, kann man`s eigentlich bleiben lassen. Aber so etwas tut eine wie Frau Bürlimann nicht, denn das hätte bedeutet, klein beizugeben und klein beigeben ist nicht ihr Ding. Sie hält durch und boxt bis zum Knock out des Gegners.

Ein Witz fällt ihr ein, einer der ein Licht wirft auf die Kluft zwischen Fremd – und Selbstwahrnehmung, ein Witz über Rütlibürger. Eine Gruppe dieser Spezies besuchte eine Abteilung im Auswärtigen Dienst in Brüssel, die mit den Beziehungen zur Schweiz befasst war. Ein Teilnehmer meinte, die EU befände sich derzeit in einer wirtschaftlichen Krise und ginge doch sicherlich geschwächt in Verhandlungen mit einem prosperierenden Land. Auf Augenhöhe und als gleichwertige Partner könnte man sich wohl kaum begegnen. Die EU-Beamtin war etwas irritiert und erwiderte: Selbstverständlich bestünde eine Asymmetrie zwischen einem Verband mit 500 Millionen und der Schweiz mit knapp 8 Millionen Einwohnern, Krise hin oder her. Plötzlich war die Reisegruppe irritiert. Heroisch verschluckt Swenja den Witz. Frau Bürlimann hantiert noch immer mit dem Taschentuch und Swenja fühlt sich unbeobachtet, dass sie es wagt, sich die Nase zu pudern und das Lippenrot nachzuziehen. Schon hört sie die altbekannte Lache aus der Schule der Xanthippe und es feixt von schräg gegenüber: „Das bringt bei Ihnen doch nichts mehr.“

„Sie haben Recht“, antwortet sie pikiert. Den Witz erzählen? Besser keinen Unfrieden riskieren. Nicht auszudenken, wie Frau Bürlimann reagiert. Womöglich macht sie den gesamten IC rebellisch.

„Warum leben Sie eigentlich nicht in der Schweiz?“, fragt sie.

„Viel zu teuer“, kreischt es empört zurück.

„Aha.“

Wieder will der Witz auf die Zunge, und wieder schluckt sie ihn hinunter. Die Klügere gibt nach, selbst auf die Gefahr, dass die Menschheit unter Dummen verreckt. Man sollte sie abschieben, die Bürlimann. Abschieben sollte man sie wie andere auch, die unangenehm auffielen. Unverständlich, warum die Deutschen die Schweizer so innig lieben, masochistische Ader – Narzissmus der geringen Differenz. Schweizer dagegen mögen die Deutschen nicht, überhaupt nicht, höchstens als Steuerflüchtlinge oder zahlende Touristen, statistisch verbrieft. Offensichtlich bemühen sie sich aus Leibeskräften, dass es so bleibt, der tollpatschige Liebhaber von nebenan sich tunlichst schleicht.

Sie packt Puderdose und Lippenstift wieder ein und schaut aus dem Fenster. Das Vertraute untergegangen, verschwunden, die Hauptwerke europäischen Barocks, Balthasar Neumann und Tiepolo, die weichen Hügelkissen, die flüssige Main- und Weinseligkeit, die kreuz und quer zur Fahrtrichtung strömt, und das laue Klima. Die Landschaft nun flach wie ein Brett, Kühe in Schwarz-weiß, Gehöfte zwischen Bauminseln, Fachwerk blitzt, Plantagen so weit das Auge reicht, Obst und nochmals Obst, Apfel, Birnen, Kirschen, Erdbeerfelder, Moore und Dümmersee, die große Stadt an der Leine mit den Niedersachsen, erdfest und sturmgewachsen, denen sie einst zwei Selbstmordversuche verdankte und die sie nie wieder betreten wollte und jetzt presst sie die Nase an die Scheibe, sehnsüchtig nach der Lister Meile, dem Wilhelm-Busch-Museum, den Herrenhäuser Gärten, dem Welfenschloss und der Eilenriede, wo sie so oft gottverlassen und mutterseelenallein spazieren ging, im beginnenden Winter die leergefegten Baumkronen fotografierte, die trostlos den nebeltrüben Himmel äderten. Sie entdeckt die Spitze des Anzeigerhochhauses, wo die Presse ihre Heimat hat und sie um Haaresbreite einen Job bekommen hätte und fragt sich, was gewesen wäre, wenn… wenn. Lange her, so lange, dass es gar nicht mehr wahr ist. Endlich grünt das Gras grüner, Koppeln und Pferde, viele Pferde, die Region der Hengstparaden, nur der Himmel graut unheilschwanger in der typischen Tristesse des Nordens und feinfädiges Silberhaar benetzt die Scheiben.

Frau Bürlimann kreuzt zufrieden die Arme unter dem bombastischen Reaktorbusen und spottet über die deutsche Bürokratie, die lahmarschigen Beamtenhengste, wie sie auf ihren Vorschriften herum reiten, auf ihren Stempeln und Papierstapeln voller Gesetzestexte glucken, schwadroniert über die NSU und den rechten Terror, den Filz und die Blindheit, mit denen die Deutschen geschlagen sind, aber über das Thema diskutiert sie nicht mit Deutschen, aus Prinzip nicht: „Hopfen und Malz verloren."

„Auch besser so." Hat es nötig. Und das nach dem Referendum. Ausländerquote begrenzt. Moscheen verboten. Als hätten ihre Landsleute keinen Dreck am Stecken, scharenweise Roma und Sinti abgewiesen oder eingebuchtet, mittellosen Müttern die Kinder geklaut, während des NS-Regimes Juden an der Grenze geschnappt, die Visa verweigert, wenn sie nicht zahlungskräftig waren oder zufällig weltberühmt und zurück in den sicheren Tod geschickt. Bis heute fremdenfeindlich, xenophob, bis heute fleißig das neutrale Deckmäntelchen zur Schau tragen, klammheimlich aber aus jedem Clinch in Europa Reibach schlagen, Raubkunst bunkern und sonstige Hehlerware und sich wer weiß was einbilden auf die direkte Demokratie und die dusselige Volksabstimmung – in einem Zwergenstaat praktikabel, aber nicht bei 80 Millionen und den bitteren Erfahrungen der Weimarer Republik – und glauben wirklich und wahrhaftig, allerorten beliebt zu sein wegen ihrer unschuldigen Heidis, herzigen Geissenpeter, den Alphörnern, dem Appenzeller, dem Hanfsamenkäse, garantiert drogenfrei, der Baseler Fasenacht, der Engadiner Nusstorte, dem Berner-Sennenhund, der Jungfrau und dem Matterhorn und dem Kauderwelsch, das sie aus chronisch entzündeter Kehle verröcheln und als Sprache verhackstücken: Es si alli so nätt, so nätt, so unheimlich, grauehaft nätt… denn legge Si jetz bitte ihre Chopf uf dä Pflock do… es erliechterte unsch däs Chöpfen cholossal…

„Ach, wir haben in einem Flüsterwaggon gesessen", staunt Frau Bürlimann, als sie aussteigen.
„Merken Sie das jetzt erst?"
„Warum haben Sie nichts gesagt?"
„Ich wollte Ihnen nicht ins Wort fallen."
Umsteigen in den Bus und nervende Zuckelei durch verlassene Nester unter grenzenlosen Horizonten. Weideland noch und noch. Schmucke Häuschen, echte Villen kunterbunt, Marke Pippi Langstrumpf mit heimeligen Fensterläden und Reetdächern, die Gemütlichkeit heucheln, davor Plakate: Ferienwohnung zu vermieten, Zimmer frei. Sieh einer an: Speichel gelegt, die Metamorphose einsamer Seefahrer im Aufwind des Tourismus. Die Gelenke knirschen an der Endstation, doch kein Taxi in der Vorsaison und die meisten Lokale geschlossen oder im Umbau. Swenja schnappt nach Luft: „Ich habe mein Asthmaspray vergessen, eine Katastrophe."
„Das ist aber schön", prustet Frau Bürlimann so ausgelassen wie schadenfroh, startet zum Höhenflug ihrer Ortskenntnis, schließlich hat sie die Reiseunterlagen gebunkert, und reißt das Kommando an sich: „Da lang."
In gefederten Sandalen mit orthopädisch maßgeschneidertem Fußbett, made in Switzerland – sündhaft teuer, watzt sie voran wie es sich für einen Wandervogel schickt. Flach sind die Latschen, damit sie nicht fällt. Nicht schon wieder ein Schlüsselbeinbruch, sonst endet sie als gefallene Frau. Die Söckchen schon im Zug ausgezogen. Elegant sieht sie nicht aus, – überhaupt fern jeder Grazie. Ein sonderbares Phänomen unglücklich verheirateter Frauen, die für eine hübsche Witwenrente jeden Mann so lange im eigenen Saft verschmoren lassen, bis sie ihr Ziel erreicht haben: frei, ungebunden und keinem Aas Rechenschaft schuldig. Ab der Beerdigung nicht mehr nötig, Charme zu kultivieren. Mächtig legt sie sich ins Zeug und je mehr Jammern und Wehklagen im Hintergrund, desto mehr zeigt sie, was in ihr steckt: „Nehmen Sie sich ein Beispiel an mir, zwanzig Jahre älter, topfit, jede Woche Seniorengymnastik."

Swenja astet, keucht, röchelt und hustet und ruft verzweifelt: „Warten Sie doch mal, bitte, einen Augenblick, ich kann nicht mehr, kurz vorm Kollaps."

Doch wer Frau Bürlimann von hinten anspricht, hat schlechte Karten. Ihr signalroter Anorak zeigt Flagge, weht voran und verschwindet nach und nach im Nirgendwo.

Der Weg kerzengerade und behindertengerecht asphaltiert. Ab und zu flitzen Autos vorbei, dicke Schlitten mit einem Stern auf dem Kühler. Hinter dem Damm rauscht das Meer noch unentdeckt, das Wetter wieder klar, der Himmel blau, nur die Brise steif und lausig. Swenja fühlt sich im Stich gelassen, allein auf weiter Flur und die Angst kriecht auf leisen Sohlen den Rücken hinauf und krallt sich in den Nacken.

Irgendwann taucht der Hotelklotz auf, wenig gefühlvoll in die Landschaft betoniert, nicht einer, gleich mehrere, Nebengebäude und Anbauten, im Halbrund formiert, nach der Wende aus dem Boden gestampft, inzwischen auch schon ein viertel Jahrhundert her, kaum zu glauben, wie die Zeit vergeht; der Haupttrakt pompös mit dem architektonischen Anflug der Gründerjahre, klassizistisch angehaucht, auf hochherrschaftlich getrimmt, Säulenvorbau am Portal, Kübelpflanzen neben Sand gefüllten Aschenbechern für Qualmer. Hier und da bröckelnder Putz, seine besten Jahre überstanden – hunderte Balkone mit verschmudeltem Sichtschutz voneinander geschieden wie Starenkästen. Rote Läufer auf den Treppen zur Rezeption. Jedem Himbeertoni seine VIP-Marke samt Allüren vom Feinsten. Einbildung – die beste Bildung: Jeder Gast ein Star oder tut so, als ob, wenn er schon auf künstlerische Talente nicht zurückgreifen kann. Die Türen öffnen sich von Geisterhand dank Bewegungsmelder. Spiegel seitlich der Treppen zur letzten Make-Up- und Kleiderkontrolle vor dem Eintritt ins Allerheiligste der Schickeria von der Stange aus der untersten Schublade.

Die Rezeption in Mahagoni hinter mannshohen Gummibäumen und Zimmerlinden, verstreute Sitzgruppen, mordsmäßig riesige, würfelförmige Sessel in schwarzem Leder und schlichter Kaltschnäuzigkeit, Zeitungen auf klobigen Tischen. Ein Samowar pufft röchelnd Dampfschwaden unter die Decke; vis à vis eine gläserne Front mit Blick auf eine Terrasse und einen angrenzenden Innenhof mit englischem Rasen rund um den Swimmingpool, der seine Ecken mit irgendeinem Immergrüngestrüpp betont; seitlich der einstöckige Anbau der Wellness-Oase mit türkischem Bad, Massage, Öl-, Schlamm- und Schokoladenpackungen und all dem Schnickschnack, den weder Gesunde noch Kranke brauchen und den nur eine Gesellschaft ersinnen kann, die vor lauter Überfluss und Langeweile in Dekadenz dümpelt.

Frau Bürlimann hält bereits gackernd Small Talk mit dem Portier und demonstriert mit ausholenden Armbewegungen und hocherhobenem Haupt Weltgewandtheit. Ihr Gepäck längst auf dem Zimmer, sämtliche Formalitäten unter Dach und Fach. Ihren Informationsvorsprung gibt sie postwendend zum Besten. Arrogant schiebt sie Swenja die obligatorischen Formulare unter die Nase, hier unterschreiben und da, nicht da, sondern da: „Haben sie keine Augen im Kopf? Noch nie in einem Hotel eingecheckt? …", händigt den zweiten Chip fürs Zimmer aus, in der dritten Etage ist es, haben Sie verstanden, in der dritten, den Zeitplan für Frühstück und Abendessen und mit gestrecktem Zeigefinger weitere Instruktionen wie: „Den Aufzug nicht benutzen, damit wir Energie sparen und keine Wasserverschwendung auf dem Klosett."

„Vorläufig muss ich meine Energie sparen", bockt Swenja und erhascht vom Portier ein mitleidiges Lächeln. Es signalisiert, dass er nicht in ihrer Haut stecken möchte.

Frau Bürlimann nimmt Kurs aufs Treppenhaus. Als Swenja den dritten Stock via Lift erreicht, befummelt sie am Ende des Gangs den Mechanismus des Türschlosses mit der Chipkarte. Er hakt.

„Soll ich`s mal versuchen?", fragt sie.

„Nein."

„Dann nicht."

Sie pruckelt und pruckelt.

„Soll ich`s nicht doch mal versuchen?"

„Nein."

Endlich öffnet sich der Sesam. Frau Bürlimann strahlt, rumst über die Schwelle wie ein russischer Eisbrecher durch sibirisches Packeis und stellt hoch befriedigt fest, dass die Doppelbetten auseinandergerückt worden sind, genauso wie sie es telefonisch angeordnet hat:

„Sehr schön, wir sind ja nicht beste Freundinnen."

Begeistert ist sie von den Badeschlappen, die das Haus bereit stellt.

„Gucken Sie mal, die sind aber praktisch, habe ich noch nie gesehen. Die nehme ich mit für Zuhause."

„Gehört zum Standard, ist normal", murmelt Swenja unbeeindruckt.

Frau Bürlimann stutzt, prüft dann geschäftig die Matratze mit der geballten Faust am ausgestreckten Arm, steckt sich ausgehungert die Praline auf dem Kopfkissen hinter den Backenzahn, macht sich über eine Flasche Mineralwasser her, die gratis auf dem Tisch steht, trinkt in einem Zug, gießt eilig nach und inspiziert mit dem Glas in der Hand das Innenleben der Schränke und die Preisliste der Minibar und bemerkt abfällig:

„Brauche ich nicht. Überteuert. Sie etwa?"

Voller Taten- und Erkundungsdrang öffnet sie die Balkontür und schnuppert ins Freie. Im Swimmingpool johlen Halbwüchsige vor Kälte und Frau Bürlimann beschließt: „Morgen früh gehe ich auch schwimmen." Sie beugt sich übers Geländer, schielt rechts und links, nach unten und oben, zieht die Lefzen abwärts und gibt zur Aussicht ihren Senf: „Scheint nicht ausgebucht zu sein. Nur neben uns hängen Sachen zum Lüften... und da hinten auch – gucken Sie mal, unmöglich ... alles einfach über den Stuhl geschmissen, die Hälfte liegt schon im Dreck, eine Ordnung haben manche Leute."

Erst auf den zweiten Blick bemerkt sie das Elend der sanitären Anlage – Badewanne und Waschbecken ohne Tür gleich ums Eck zum Schlafbereich, das Klo mit einer schwingenden Milchglasscheibe provisorisch separiert – optisch, olfaktorisch und akustisch geheimnisoffen.

„Das ist mir noch nie passiert, noch nie... diese Toilette, unmöglich, wenn man dahin geht, macht das doch Geräusche, Geräusche, un-verschämt, eine Zumutung, da hört man doch alle Geräusche...", empört sie sich, kündigt eine Beschwerde an und stapelt aufgebracht sechs Pullover, vier Blusen, drei Flanellhosen, Unterwäsche und weiß der Kuckuck was für Plunder in den Schrank.

„War eben ein Sonderangebot", grient Swenja auf der Bettkante und zappt mit der Fernbedienung in der Hand durchs Fernsehprogramm, während Frau Bürlimann zig Tüten mit Fressalien auf dem Nachtschränkchen und vorm Garderobenspiegel arrangiert.

„Die Wettervorhersage will ich sehen", verlautbart sie und rammt ihr Gebiss in einen Kecks. „Wenn das Wetter morgen schlecht ist, besuche ich das Bernsteinmuseum. Da kann man sehr günstig Schmuck kaufen."

„Wenn morgen das Wetter gut ist, könnten Sie sich vorstellen..."

„Weiß noch nicht, was ich dann unternehme..."

„Ob wir vielleicht..."

„NEIN, SAGTE ICH, ICH SAGTE, DASS ICH KEINE PLÄNE MACHE..."

„Schon gut, schon gut, verstanden..."

„Da, da war sie, da, da."

„Was?"

„Die Wettervorhersage."

„Ist doch egal, wie das Wetter wird, ändern können wir`s nicht, außerdem stimmt die Vorhersage nie. Nachrichten sind wichtiger..."

„Natürlich stimmt die. Das Wetter, das Wetter, ich will das Wetter, ich will... sofort, schnell, zurückschalten gleich ist es vorbei, geben Sie mal her."

Wie eine hungrige Tigerin sich auf ein Opfer stürzt, fällt Frau Bürlimann mit ausgefahrenen Krallen und gefletschten Zähnen über Swenja her, die im Reflex den Arm von sich weg in die Höhe streckt, das Objekt der Begierde fest im Griff, solange sie kein höfliches „würden Sie mir bitte die Fernbedienung reichen?" oder „darf ich bitte einmal die Fernbedienung haben?" hört. Ein Minimum an Benimmregeln darf wohl verlangt werden. Wäre doch gelacht, dieses Weib nicht disziplinieren zu können. Aber für Feinheiten pantomimischer Art ist Frau Bürlimann nicht geschaffen und was als Tadel gemeint ist, kriegt sie in den falschen Hals und versteht ihn als Aufruf zum Handgemenge. Puterrot im Gesicht, grabscht sie, grabscht ins Leere, springt sogar in die Luft, sofern ihre elefantöse Schwere es erlaubt, springt gleich noch einmal für einen weiteren Versuch, der ebenso missglückt und brüllt störrisch wie ein Maulesel: „Her damit, her damit…"

„Erst will ich wissen, was in der Ukraine passiert und wie die Stümper darüber berichten", murmelt Swenja unbeirrt. Plötzlich gellt ein Schrei durch die Berichterstattung, ein gellender Schrei, der einem Kleinkind gleicht, dem die Worte fehlen für das, was es will, die Worte und das Hirn. Der Urschrei einer Neurotikerin. Eine akustische Peitsche, ein Knalleffekt, ein jede Faser durchdringender Schall von straff gespannten, verkratzten Stimmbändern, weit geöffneten Stimmlippen und offenem Rachen, ein kehliger Laut aus pumpender Luftröhre, die den Raum stotternd füllt und durch die Scheiben nach draußen dringt, ein Schrei tierischen Ausmaßes, so unbeherrscht, disskant, verzerrt und dissonant, um nicht zu sagen wahnhaft, dass Swenja zusammenzuckt, ihr Bewusstsein zu einem ausdehnungslosen Jetzt zusammenschmilzt, ein Jetzt, aus dem es kein Entrinnen gibt. Augenblicklich versteinert sie und stiert schier wie vor den Kopf geschlagen. Ein Augenblick, der sich dehnt, ein nunc stans im Angesicht einer Lingua bähbähtiva aus stumpfsinnigem Geplärr aller Register, aggressiv und expressiv, eine stehende Gegenwart mit der Erfahrung von Ewigkeit, die keine Chance zum Atmen mehr erlaubt. Die Schulterblätter fallen ihr ins Kreuz und die Hüftknochen in die Knie. Vor diesem Krawall gibt es keine Fluchtburg. Eine Tobsüchtige treibt ihr Unwesen, eine verstörte Seele, buchstäblich verrückt und hysterisch, fährt aus der Haut, posaunt frei Schnauze angestaute Energien mit selbstzerstörerischer Wirkung in die Gegend, eine Stimme ohne Klang und persönliche Melodie, die sich jeder harmonischen Einstimmung trotzig widersetzt und auf Bestimmung pocht, eine Bestimmung von geiferndem Wau-Wau eines tollwütigen Köters, ein bestimmtes und bestimmendes bissiges Gekläff, als ginge es um Leben und Tod bei herannahender Apokalypse.

Ungeschützt sind Gehörgänge diesem akustischen Faustschlag ausgeliefert, weil Ohren keine Schließmuskeln haben. Ein Alptraum, der wirklich ist, die Abart eines Traums – reine Torheit, was sich da in bewegten Bildern abspielt: Mit verzerrtem Gesicht und geschlossenen Lidern, mit Fäusten, die Frau Bürlimann wütend zuckend wie ein Boxer im Ring vor der Brust in Stellung bringt, schlottert der massige Leib – ein Sumoringer wäre vor Neid erblasst – und so jähzornig explosiv wie rachelüstern überreizt, trappelt sie dabei knickebeinig von einem auf den anderen Fuß, betrommelt im wilden Wahn die verschlissene Auslegeware, als sei sie zum verrotzten Blage regrediert, dem ein anderes auf dem Spielplatz das Sandkastenschäufelchen samt Eimer und Förmchen geklaut hat.

„Das Wetter, das Wetter. Die Fernbedienung, Fernbedienung, sofort die Fernbedienung… ich will die Fernbedienung für das Wetter, her damit."

„Himmel, Frau Bürlimann", flüstert Swenja, nachdem sie den Schock verwunden hat und es ihr wie Schuppen von den Augen rieselt, mit welch einer Amöbe sie auf Reisen ist, einer, die das Pulver nicht erfunden hat, aber damit schießt – volles Rohr. Eilig eine Rolle rückwärts: „Beißen Sie mir bloß nicht in den Teppich – wie Hitler. Hier, werden Sie selig damit."

Vermutlich stimmt das jüdische Sprichwort, dass die ganze Welt auf der Spitze der Zunge steht und dort, wo ohnehin kein Verstand zu finden ist, sich auch jede Vernunft verabschiedet hat. Sie flüchtet auf den Balkon, glaubt zu ersticken. Das Meer rauscht, ohne dass sie es sieht, riecht es aber, schmeckt das Salz in der Luft wie flüchtige Küsse, ersehnt die magische Ruhe, die es verspricht. Wieder und wieder schnappt sie nach Luft, schnappt mit geöffnetem Mund wie ein Fisch in schmutzigem Gewässer und ihr Herz poltert, stolpert, holpert und ist nicht mehr zu bremsen. Was sagte Seneca? Wut ist eine vom Willen gesteuerte Charakterschwäche. Doch was nützt philosophische Weisheit? Damit ist kein Blumentopf zu gewinnen, schon gar nicht bei Frau Bürlimanns vernageltem Geist, der mit dem Zeugnis einer Klippschule für Kritik brilliert: im Widerspruch souverän eine Eins, im Miteinander eine Sechs. Ich denke, also bin ich dagegen. Überhaupt Bildung – schützt nicht vorm Erstickungstod, ist höchstens ein oberflächlicher Trost, Tranquilizer für den Verstand. Befehle in rollendem Furor unter Androhung physischer Gewalt sind älter als die Menschheit, sonst könnten Hunde sie nicht verstehen.

Das also war der Moment, als Frau Bürlimann Scheuerchen kriegte und Swenja mit glasigem Blick in die Weite über den deutschen Idealismus nachzusinnen begann, dass der höchste Akt der Vernunft Schönheit sein könnte, wenn sie aus Wahrheit, Güte und Poesie bestünde.

Sie dreht sich um, lehnt den Rücken an die Balkonbrüstung, mimt kaltes Blut, kaschiert die Luftnot, die peinliche Schnappatmung, mit der sich bei Todgeweihten das letzte Stündlein ankündigt. Sie schließt den Mund und bemüht sich, ihn geschlossen zu halten, Frau Bürlimann provokant im Visier in der Hoffnung, sie mit durchdringenden Blicken nervös zu machen oder wenigstens in Verlegenheit zu bringen. Doch die pfeift ihr was, erhaben über alle Vorwürfe. Bombenfest mit beiden Füßen auf dem Boden der Tatsachen steht sie vor der Glotze, ganz nah, Wunder, dass sie nicht reinkriecht, den Buckel gekrümmt und von unwillkürlichen Muskelzuckungen gepeinigt, aber hartnäckig und halsstarrig. Krampfhaft umklammert sie die Fernbedienung, zappt und zappt und zappt, stößt undefinierbar quietschende Laute aus, halb Wimmern, halb ungeduldiges Jibbeln, die einen Saustall von Ferkeln vermuten lassen, unterbrochen von einem weinerlichen Quengeln im Stakkato, dass Swenja alles vermasselt hat, restlos alles, eben sei sie noch da gewesen, die Vorhersage und nun futsch… vermasselt, ihre ganzen Pläne, hat es sich so schön vorgestellt, so eine Gemeinheit, so viel Scherereien, auf die kann sie verzichten, gut und gerne, wäre sie doch alleine… das Wetter, das A und O im Urlaub, natürlich, was denn sonst und jetzt tun ihr die Finger weh, schließlich leidet sie unter einem Karpaltunnelsyndrom.

„Sie haben ja keine Ahnung, was das für Schmerzen sind."

Endlich hat sie den ersehnten Wetterfrosch auf dem Schirm, ausgerechnet einen Heini, der die Prognose zur Abenteuergeschichte aufbauscht, mit an- und abschwellenden Bocksgesängen und turbulenten Höhepunkten, die der Klimaerwärmung geschuldet sind. Innerhalb des Bruchteils einer Sekunde ist sie stiekum, pst pst, lauscht andächtig, lauscht, was der gute Onkel orakelt: Schauer und empfindliche Böen mit orkanartigen Auswüchsen.

„Also gehen Sie morgen Schmuck kaufen, oder?", fragt Swenja und schleicht zurück in die Höhle der Löwin.

„Weiß ich noch nicht", kontert Frau Bürlimann, schleudert die Fernbedienung aufs Bett ohne das Programm zu beenden und marschiert spornstreichs aufs stille Örtchen, das ruckzuck seinem Namen keine Ehre mehr machte. Sturzbacharctig pullert aufgestautes Harnsäurekonzentrat in die Schüssel. Swenja schaltet die Kiste ab und greift zu Zigaretten und Feuerzeug:

„Ich geh` mal runter eine rauchen."

Mit dem Fahrstuhl abwärts und wurzelt dann vorm Haupteingang. Das Nikotin strömt in die Blutbahn, kitzelt den Rachen pulmonalerotisch, tut gut, verdammt gut, trotz Luftnot. Sie jappt nach dem Kraut, das Entspannung verheißt und Wort hält, Asthma hin, Asthma her. Ein paar Typen gesellen sich dazu, ältere Herren mit grauen Schläfen, die ihre bessere Hälfte hinter sich gelassen haben, durchaus brauchbar und zugänglich. Man ist sich einig, Raucher sind die besseren Menschen und einzig Rauchen die Zigarette verkürzt, nicht das Leben. Swenja versteckt ihren windschiefen Glimmstängel hinter der vorgehaltenen Hand, damit niemand merkt, dass sie freihändig dreht, weil fertige viel zu teuer sind.

Als sie zurückkehrt, liegt Frau Bürlimann bäuchlings auf dem Bett, Brille auf dem Rüssel, vor sich den Wegeplan der näheren Umgebung, auf der Suche nach dem Bernsteinmuseum. Endlich hat sie es gefunden und tippt mit dem Zeigefinger auf die rote Markierung.

„Das ist sehr weit, im nächsten Ort, müsste ich mit dem Bus hinfahren", murmelt sie und krault ihr Kinn. „Sie haben also kein Interesse mitzukommen?"

„Nee. Erstens keine Kohle für Schmuck, zweitens bin ich wegen der Luft hier, keinen Bock meine Zeit in geschlossenen Räumen zu verplempern."

„Gut, weiß ich Bescheid. Ob ich gehe, entscheide ich morgen nach dem Frühstück. Wollen Sie mal meinen neuen Bikini sehen?"

„Sie? So einen Itsy Bitsy Teenie Weenie Honolulu… Im Ernst?"

„Ja, warum denn nicht?" Frau Bürlimanns Stimme droht erneut als Feuer spuckende Rakete ins All zu puffen, dass es dringend geboten ist, jede Kritik für sich zu behalten, etwa, dass ein Bikini selten kleidsam ist, selbst bei jungen Mädchen nicht, und irgendwann vielleicht doch ein Alter erreicht sein könnte, wo es angeraten wäre, die eigene Haut, erschlafft und fahl und ganz und gar nicht mehr erotisierend, besser sittsam zu verschleiern statt mopsfidel und fleischeslustig auf den Markt zu tragen.

Wie ein Zauberer das Kaninchen aus dem Hut zupft Frau Bürlimann Höschen und Oberteil aus einer Plastiktüte und wedelt neckisch mit den Stofffetzen.

„Meinen Sie, er steht mir?", erkundigt sie sich erwartungsfroh und drapiert, während sie den BH unters Doppelkinn klemmt, den spärlichen Slip unter den Bauch, dort, wo er zu sitzen hat, vorausgesetzt er würde sitzen, wie er sollte. Auf dem brachen Venushügel siedelt auf pechschwarzem Grund die knallrote, signalfarbene Blüte einer Rose. Selbst der blindeste Rentner mit Makulardegeneration und anderen altersbedingten Einschränkungen würde dieser Wink mit dem Zaunpfahl zu den einschlägigen Grotten der Wonne nicht durch die Lappen gehen.

„Wollen Sie den wirklich anziehen?", fragt Swenja mit gekrauster Stirn, schluckt trocken, schluckt in einem Rutsch auch die Vokabel scheußlich, und befingert den Knaller in Konfektionsgröße 48 wie eine auszurottende Pflanze. Lustig vor sich hin glucksend in heller Vorlust auf eine passende Gelegenheit präsentiert Frau Bürlimann hastig das Oberteil, ein schmales Stück Elastik, in der Mitte geknotet, wo das verkleinerte Motiv die Stellen der Brustwarzen ins Licht gesteigerter Aufmerksamkeit rückt.

„Wo ist diese Geschmacksverirrung denn her?"

„Finden Sie nicht gut?"

„So was käme mir nicht auf den Leib."

„Nicht? Meinen Sie, zu gewagt?"

„Mh. Ziemlich. Grenzt an Nötigung. Da sträuben sich ja die Schamhaare. Andererseits: Besser ein Rosen- als ein Kohlblatt vorm Geschlecht."

Frau Bürlimann betrachtet das Corpus delikti unschlüssig, drapiert es über dem Pullover, bemerkt: „Vielleicht gehe ich morgen doch nicht schwimmen", und packt es kommentarlos ein.

Zum Abendessen aufwendige Fellpflege, schmeißt sich in Schale, pinkfarbene Bluse aus durchsichtigem Georgette zur schwarzen Hose. Sogar die Augenbrauen nachgezogen, sich mit Puder bestäubt, mit Parfum beträufelt – eine Mischung aus vermufftem Veilchen mit Moschusochse und getrockneter Scholle aus Brunzhausen. Die Barfüße in offenen Sandalen bilden einen unvorteilhaften Kontrapunkt, aber wer guckt schon auf den Boden und studiert Zehennägel? Sie markiert grande Dame und fischt nach Bestätigung: „Wie sehe ich aus?"

„Umwerfend. Im Vergleich zu Ihnen ist die Venus von Milo eine Schlampe", erwidert Swenja. Frau Bürlimann wächst drei Zentimeter.

„Ziehen Sie sich nicht um zum Abendessen?"

„Wozu? Blödsinn. Bin ich Spießer? Jeans sind gesellschaftsfähig, sogar in Opernhäusern."

Sie drückt auf den Knopf zum Lift, während Frau Bürlimann sie abfällig mustert, die Lippen aufeinander presst, zum Trimmtrab durchs Treppenhaus startet und den Wettlauf mit der Technik haushoch gewinnt. Unternehmungslustig begutachtet sie die Hotelbar und nimmt sich vor, zu späterer Stunde dort aufzukreuzen für einen Absacker.

Seite an Seite warten sie in der Schlange, bis der Kellner ihnen einen Tisch zuweist, einen ziemlich kleinen, wo sie über Eck sitzen, so beengt, dass die Ellenbogen Krieg miteinander führen. Keine Minute hält es Frau Bürlimann auf dem Sitz. Sie düst zu den Futtertrögen, umpirscht die Köstlichkeiten des warmen Buffets und fächelt sich gierig die Gerüche zu. Es dampft und brodelt und köchelt aus blitzend polierten Tiegeln und Töpfen, Pfannen, Schüsseln und Becken: Hähnchenschenkel, Truthahnbrüstchen, Lachs- und Forellenfilet, Cordon bleu und Rinderzunge, Lammkoteletts und Goulasch à la Stroganow, Pilze, Paprika, Broccoli, Avocados, kurz: quer Beet durch Stall und Botanik. Aufgeregt nimmt sie wieder Platz und rutscht von einer Pobacke auf die andere.

„Einige verlassen schon das Lokal", stellt sie neidisch fest. „Scheinen hier in Etappen zu servieren. Wir sind die letzten. Vielleicht doch ausgebucht." Der Ober wedelt heran und erkundigt sich, was die Damen zu trinken wünschen.

Ob die Getränke im Preis inbegriffen seien, hakt sie nach und bekommt zur Antwort, dass die leider vom all inclusive Angebot ausgenommen und bar zu bezahlen sind. Nach ausgiebigem Studium der Getränkekarte, wählt sie asketisch eine Flasche Mineralwasser, nachdrücklich eine kleine. Swenja haucht mit verdörrten Lippen: „Ein viertele Wein, trockenen Weißen, fränkischen, bitte…"

„Viertele, viertele… Sie sind hier doch nicht in Bayern", kreischt Frau Bürlimann. Das Dämonische eindeutig das Plötzliche. Einige Gäste linsen herüber. Der Ober zwinkert verständnisvoll, wispert, er wisse schon, was gemeint sei, und macht sich aus dem Staub.

Nicht beruhigen mag sie sich und höhnt und spottet und juchzt und wiederholt blöde ein Viertele, ein Viertele, lacht sich krumm und lacht sich schief mit dieser stoßweis meckernden Zickenlache, einem überaus gehässigen Lachen, das das Innerste trifft, bis ins Mark, als ob ein Skalpell den Bauch aufschlitzt: „Wie kann man in diesen Breiten nur so etwas sagen, wie kann man nur, Himmel, ist es die Möglichkeit? Nie unterwegs gewesen, nie…" Zu allem Überfluss blickt sie in die Runde, auffordernd plump darauf erpicht, Verbündete zu finden. Ihr Oberkörper wiegt vorwärts und rückwärts, nach rechts und links, die Leute an den Nebentischen mit ins Boot zu holen und auf ihre Seite zu ziehen und einige grinsen gequält und wissen nicht recht, was los ist und wie sie reagieren sollen. Unbeirrt klopft sie sich auf die Schenkel und dann sausen die flachen Hände neben das Gedeck, dass es ordentlich bumst. Das Besteck klirrt und Swenja zuckt zusammen, da liegen Messer und Gabel schon unten und sie angelt in der Tiefe, am liebsten würde sie nachrutschen und dort bleiben, abtauchen, untertauchen, verschwinden auf Nimmerwiedersehen und hört von oben herab ihren vollen Namen, Vor- und Nachnamen, auch das noch, morgen steht`s in der Bildzeitung. Bleibt ihr denn nichts erspart, rein gar nichts? Für was wird sie bestraft? Gegen welche Gesetze hat sie sich vergangen?

Und es scheppert und röhrt rostig stupide Schmähsalven noch und noch: also so was, also nein, das gibt`s doch nicht, hör`n Se mal, hör`n Se mal, tse, tse, tse, wie kann man nur… und Swenja richtet sich wieder auf, Zeitlupen langsam und denkt, was Existieren heißt, es heißt, im Bewusstsein seiner Endlichkeit zu leben. Tot umfallen wäre die Lösung... wäre Erlösung. Im Saal recken sich jetzt sämtliche Hälse, drehen sich sämtliche Köpfe in Richtung des Klamauks. Die Menge, die auf leisen Sohlen ums Buffet kreist, wendet sich und zeigt Breitseite… bedrohlich, die vielen Gesichter, fremde Gesichter, fremde Augen, die geil glotzen, bedrohlich glotzen wie gleißende Autoscheinwerfer, die auf verschrecktes Wild zusteuern, Fuß auf dem Gas – eine gnadenlose Rotte.

Der Witz aus Brüssel, der Witz… Warum nicht erzählt? Er hätte die Fronten geklärt, klar gestellt, dass sie etwas in der Birne hat, Respekt erwarten darf, sich verbittet untergebuttert zu werden und mit sich nicht Schlitten fahren lässt. Jetzt wieder eine Gelegenheit, sogar eine günstige, der Madame den Wind aus den Segeln zu nehmen, ihr entgegen zu belfern, sie plattzumachen, dass ihr die Spucke wegbleibt für den Rest ihrer Tage, die Spucke und das Oberwasser. Die Würde des Menschen unantastbar – das Gesetz auch für Ausländer gültig. Was glaubt sie denn, mit wem sie es zu tun hat, Akademikerin, hatte mal einen bombigen Job, einen mit einem Spitzengehalt, das nur wenige verdienen, und das als Frau, auf Tour in Sachen Kultur durch Deutschland, Amerika auch, Pipapo, ihr Urteil gefragt... Dass es sie vom Stengel gehauen, die Gesundheit einen Streich gespielt hat, Pech, Künstlerpech,... die Brocken geschmissen, punktum, biographischer Zenit überschritten, bleibt nicht aus bei Stress, der eine früher, der andere später, Schongang angesagt statt früh die Radieschen von unten angucken. Kein Zuckerschlecken, Rekonvaleszentin in Vollzeit... bis zum Lebensende im Abseits.

Hin- und hergerissen zwischen Wut und hilflosem Entsetzen, das die Sprache blockiert, zweifelt sie, ob sie den Witz jetzt überhaupt auf die Reihe kriegt ohne sich zu verhaspeln und die Pointe zu verknödeln. Ihr Gesichtsfeld schnurrt zusammen. Lichtblitze zucken vor der Netzhaut. Glühwürmchen. Hitze kriecht in den Nacken, in der Herzgegend ein Stich, ein Stocken des Pulses. Der Brustkorb, eingeschnürt wie in ein stählernes Korsett. Alle Fasern vibrieren, kalter Schweiß auf der Stirn. Das Herz pocht bis zur Kinnlade. Sie spürt, wie sie errötet, zittert, mit letzter Kraft gute Miene zum bösen Spiel macht und – kapituliert. Eine Fluppe und Alkohol, ein Königreich für Wein, Wein, stünde er nur schon auf dem Tisch.

Als er serviert wird, reitet das Schrapnell noch immer auf dem arglosen Versprecher herum, doch der Ober macht ein Pokerface und tut Dienst nach Vorschrift. Swenja bestellt ein zweites Glas zur Karaffe. Es ist schneller gebracht als gedacht. Sie schenkt ein, gutmütig wie ein Schaf, versöhnlich gestimmt, denn sie waren sich ja einig gewesen, Distanz zu wahren und bei der Anrede des Sie zu bleiben, damit es nicht zum Äußersten kommt, weil man leichter du Arschloch als Sie Arschloch sagt. Und vielleicht wird es doch noch nett, wenn sie erst miteinander warm geworden sind, jeder die Macken und Mucken des anderen kennt und akzeptiert. Vielleicht gibt es Möglichkeiten, nicht unbedingt zur Freundschaft, aber wenigstens zum geselligen Beisammensein, vorausgesetzt, Frau Bürlimann händelt ihren Ausdruck gepflegt und begreift ihn als Rad an der Speiche des Geistes. Aller Anfang schwer, das leuchtete einst selbst Hegel ein, als er seine phänomenale Logik in Angriff nahm.

Aufgeweckt gluckert das flüssige Gold. Frau Bürlimann beäugt den Strahl mit Wohlgefallen, wenn sie sich auch unter unablässigem Prusten ein mehrmaliges, hör`n Se mal, aber hör`n Se mal, immer noch nicht verkneifen kann. Allerdings kommt es merklich leiser daher und verstummt, als Swenja verkündet: „Beruhigen Sie sich. Es gibt schlimmere Blamagen. Trinken Sie einen Schluck. Die Runde geht auf mich. Wohlsein."

„Wohlsein", zwitschert Frau Bürlimann säuerlich, ist gerade so toll in Fahrt gewesen, nickt gravitätisch und hebt das Glas, schwenkt das edle Tröpfchen, lobt die Klarheit, ganz ohne Schwebstoffe, alle Achtung, schnuppert, spreizt den kleinen Finger ab, nippt, nippt nochmals, schiebt den Schluck auf der Zunge hin und her und lässt ihn übers Gebiss laufen, genießerisch und fachkundig, als habe sie bei der IHK eine Prüfung zum staatlich anerkannten Sommelier absolviert, schluckt, kaut hernach, schnarrt etwas von einem fruchtigen Abgang mit harmonischer Note und schwingt erneut den Vorschlaghammer und der haut zu mit Schmackes: „Nein, also wirklich, international sind Sie nicht."

Heilige Einfalt. Schlägt dem Fass den Boden aus. Swenja kippt ex.

„Herr Ober, noch eine Karaffe, bitte."

Diese Reise ist nur im Suff zu ertragen. Der gute Ton flöten.

„Entschuldigen Sie mich einen Augenblick. Ich geh mal nach draußen eine rauchen. Fangen Sie schon mal mit dem Essen an."

Die Schultergelenke schmerzen, die Beine auch. Jeder Schritt eine Qual. Der Appetit vergangen, als sie wieder am Tisch sitzt. Angeschickert tappt sie zum Buffet, verwirrt von der maßlosen Fülle, die beim bloßen Hinsehen schon sättigt; verwirrt von den vielen Menschen, wohlbeleibt und gut im Futter, die unablässig ein brabbelnd bramarbasierendes Gerede im Schlepptau führen. Ausgehungert schaufeln sie auf die Teller, was drauf passt fürs große Fressen der vielen armen Tiere – kleingehackt, weich geklopft und durch den Wolf gedreht. Der Tod – ein Meister in Deutschland. Halb Europa lässt hier schlachten.

Sie nimmt drei Stangen Spargel und bereut es, weil sie in Gesellschaft schwer zu essen sind, quer schafft`s keiner. Womöglich spritzt die nächste Beckmesserei aus dem verwaschenen Maul mit den rechthaberischen Zähnen. Ein Schälchen Waldorfsalat, der erspart lästiges Portionieren, steht fix und fertig in einer Muschelschale parat, und sie wankt zurück, leert die Karaffe und bestellt eine dritte.

„Mehr nicht?", fragt Frau Bürlimann und äugt neugierig. Sie selbst hat bereits zwei Schüsseln Salat leer geputzt, zwei schmutzige Teller stapeln sich an der äußersten Tischkante. Der Kellner fegt vorbei, türmt sie routiniert auf den Unterarm und erkundigte sich, ob bei den Damen alles in Ordnung sei. Frau Bürlimann nickt begeistert, reißt Lider und Augenbrauen in die Höhe, während ihre Kauwerkzeuge beschleunigt fuhrwerken. Doch so schnell wie er wieder verschwunden ist, kann sie nicht essen und deshalb bleibt ihr der Kommentar im Hals stecken. Einen Moment scheint sie verdutzt, vielleicht auch enttäuscht, stürzt sich aber dann mit allen Sinnen auf die kross frittierten Hühnerflügel, die sie aus der Hand knabbert. Sie leckt sich die Fingerspitzen, schiebt die angenagten Reste beiseite, knöpft sich den nächsten Teller vor und widmete sich andächtig verzückt dem Wiener Schnitzel.

„Ich empfehle die Forellenfilets", nuschelt sie mümmelnd. „Sehr delikat, ganz köstlich, die Meerrettichsoße, sahnig mit einem Hauch Süße, Apfel nehme ich an, oder Preiselbeeren. Möchten Sie nicht die Weinbergschnecken probieren? Probieren Sie mal. Keine Lust? Darf man sich nicht entgehen lassen. Haben Sie gesehen? Den Nachtisch? Vier Sorten. Mocca, Vanille mit Eierlikör, Schokoladensorbet und Tiramisu. Vom Sorbet ist kaum noch etwas da, scheint das Beste zu sein. Da hinten im Eck, auf einer extra Anrichte. Hätte ich fast übersehen. Schade, dass ich nicht alles probieren kann… zu viel, einfach zu viel."

Sie richtet das Rückgrat kerzengerade, wischt sich mit der Serviette die Mundwinkel ab, hebt einen Zeigefinger und artikuliert laut und vernehmlich: „Genauso haben wir in der Schweizer Botschaft auch immer aufgetischt und gespeist, ja es erinnert mich alles sehr an die Schweizer Botschaft. Das nenn` ich Stil. Da bin ich verwöhnt. Ich liebe es, wenn ich bedient werde wie in der Botschaft. Man umgebe mich mit Luxus, auf das Notwendige kann ich verzichten."

Ad infinitum kichert sie über ihr Bonmot und plappert weiter mit gellendem Geschrille und Geschelle, umso mehr als einem Ehepaar am Nebentisch lange Löffel wachsen und vier Stielaugen ehrfürchtig glubschen. Ab jetzt kein Halten mehr, jetzt dreht sie auf, klammert sich an den Blickkontakt, der sie beflügelt, quasselt und gackert abwechselnd, dass sie deshalb auch soviel reist, praktisch nur auf Achse, ist schließlich einen gewissen Standard gewöhnt, den behält man ein Leben lang, wenn man sich einmal in internationalen Kreisen bewegt hat. So ein Umfeld prägt, da bekommt man Schliff, Marokko, Türkei, Kroatien und Ägypten, das war was, Ägypten, all inclusive, Superior natürlich, nur Superior, anderes kommt in Frage, da ist sie eigen…

Swenja stochert im Salat. Wie oft den Sermon gehört, kommt bald aus den Ohren wieder raus. Botschaft, Botschaft, jeder Buchstabe zelebriert. Heiliger Wahn der Selbstüberschätzung und im Grund ein Furz in der Laterne. Schweizer Botschaft, klar. Die musste kommen. Die Röstitante riecht Publikum, zu jeder passenden und unpassenden Gelegenheit flammt ihre Märchenplauderstimmung auf, bringt sie die Schweizer Botschaft aufs Tapet. Mehr Schein als Sein. Mit der dusseligen Botschaft bläht sie sich auf wie ein Pfau, gibt sich politisch bewandert und informiert, tut so, als sei sie in herausragender Stellung dort beschäftigt gewesen, aber wäre sie es gewesen, würde sie kaum in einer Mietskaserne hausen, in einer Wohnung, die ein dunkles Loch ist, wo sich schon tagsüber die Nacht einbürgert, wäre sie es gewesen, würde sie mindestens die primitivsten Grundregeln der Diplomatie beherrschen, Zurückhaltung zum Beispiel, und Kompromissfähigkeit.

In Wahrheit ihr Arbeitsverhältnis seit vierzig Jahren beendet und über Einsätze in der Telefonzentrale nicht hinausgekommen, war nie in Tackatuckaland oder sonstwo stationiert, sondern bodenständig bieder in Bonn. Details verschweigt sie schlitzohrig, sabbelt nur verdächtig oft von Küche und Hauswirtschaft, und dass man sie häufig den Bocuse genannt hat. Kaltmamsell trifft wahrscheinlich eher den Kern der Sache.

Und ihre Reisen… Reisen zum Zeitvertreib, zum Zeit-Totschlagen. Sich durchpfuschen und betäuben. Reisen… unnötig Kerosin verschleudert. Hauptsache: da gewesen, vom ökologischen Fußabdruck nie gehört, bestimmt Quadratlatschen. Zweifel am Bildungswert dieser hirnlosen Globetrotterei angebracht. Bildet sich eine Stange ein, auf die Hummeln im Hintern und bringt an Erkenntnis nichts mit, rein gar nichts. Urlaubswonnen der Gewöhnlichkeit. Drei Wochen lang übern Nil geschippert, die Sonne auf den Pelz scheinen lassen, sich den Wanst vollgeschlagen, dummes Zeug geschwätzt, in die Gegend geglotzt und weiß danach nur übers Wetter zu berichten, die Kabinen, die Kojen und die Kost an Deck, alles erste Sahne zum Spottpreis, aber kein Wort über die Pyramiden, die ältesten Bauwerke der Menschheit. Gizeh und Cheops umsonst erbaut. Kein Wundern, kein Staunen, weder über die riesenhafte Sphinx noch den Tempel von Luxor oder den Tempel von Karnak am rechten Ufer mit seinen 40 Meter hohen Säulen, errichtet von den Pharaonen Sethos und Ramses. Am Tal der Könige blind vorbei gegurkt.

Tut-ench-Amun? Nie gehört. Hatschepsut? Echnaton? Wie bitte? Keinen Dunst von Totenkult und Jenseitsglauben, vom Abstieg in die Barke der Sonne für die ewige Hochzeit mit dem Licht, keine Ahnung von Mystik und Magie, von Götterwelten, Himmelsleitern unter der Obhut des Re, der Rindergöttin Hathor, Mutter des Sonnengottes Horus mit dem Falken zwischen den Hörnern; keinen Schimmer vom Skarabäus, von den Hyroglyphen, die Champollion 1822 entzifferte, vom ägyptischen Totenbuch, dem Weisheitsbuch schlechthin, das die Tiefen der Seele berührt und das Totenreich in wunderbaren Gesängen beschreibt, das Totenreich, in dem Osiris herrscht… Noch nicht einmal dem Kairoer Museum für Altertumskunde einen Besuch abgestattet.

Immerhin hatte sie ihr eine Katzenfigur aus Alabaster mitgebracht als Anerkennung fürs Blumengießen… Bastet, die Katzengöttin – von der allerdings auch noch nie gehört und guckte belämmert aus der Wäsche, als sie es erfuhr. Wahrscheinlich ein Schnäppchen beim Ausverkauf des arabischen Frühlings.

Mit unverbindlicher Hochachtung bricht das Ehepaar am Nebentisch den Kontakt nach und nach ab. Frau Bürlimann schabt letzte Reste aus der Dessertschale, lehnt sich zurück und grunzt hochzufrieden: „Was machen Sie jetzt?"

„Ich gehe ans Meer, solange es noch nicht dunkel ist."

„Das Meer? Wo ist das denn?"

„Nicht gesehen, das Wichtigste von allem? Vorm Eingang, über die Straße, dann durch die Schneise am Damm, auf der rechten Seite ein Strandcafe, nicht zu verfehlen, keine 200 Meter und ein Steg ist auch da. Wenn sie den lang laufen, stehen sie mitten in den Wellen."

„Woher wissen sie das?"

„Habe die Augen aufgemacht, als wir ankamen."

„Aha. Ich setze mich erst mal in die Lounge und schaue mir ein paar Zeitungen an. Vielleicht treffen wir uns später. Für die Bar ist es noch zu früh."

Swenja streift sich den Mantel über, fühlt sich verloren, alt und verbraucht, zerrüttet an Leib und Seele, vermisst die Lebenswärme eines freundschaftlichen Miteinanders und wankt nach draußen, wo sich der Abend mit lieblichen Rosenfingern ankündigt – der Azur blass, der Himmel klar, kein Wölkchen, kein noch so zart gefiedertes Gewölk. Feuer und Flamme für das Meer, die große Mutter, die Ursuppe der Menschwerdung, versessen auf die Sentimentalität des Horizonts in seiner Unermesslichkeit, drängt es sie zum Ort ihrer Sehnsüchte, weg von den Hotelgästen, weg von dieser Frau, dieser Begleitung, die sie ruchlos umwälzt wie ein Bulldozer, den letzten Funken Selbstwertgefühl zermalmt, sie niederschmettert, erniedrigt, öffentlich durch den Kakao zieht und ihren Spaß daran hat. Der Wind, der ihr von vorn ins Gesicht pustet, zwingt sie zur Geduld, zwingt sie langsam zu treten, der Wind, mindestens einer der Stärke sechs. Er orgelt, was das Zeug hält, orgelt die Sprechgeräusche fort. Taub unter Menschen, verschont vom banalen Gewäsch. Kleinere Bäume biegen sich, Sträucher geraten in Aufruhr. Möwen kreischen klagend und gaukeln haltlos über ihrem Kopf, bevor sie abdriften. Aus der steifen Brise eine harte geworden und die fegt, grob und rau, zwickt garstig in die Wangen, zaust die Haare, plustert den Mantel, zwängt sich unter die Kapuze, bölkt die Ohren voll und stopft den Mund, dass Swenja noch schwerer atmet und sich schräg dagegen auflehnt.

Sie klemmt sich hinter Pilgerstrom von Paaren, jungen Familien, Kindern, älteren Herrschaften – all die Stadtflüchtlinge. Wie verlorene Fliegen in der Wüste wimmeln sie übern Strand. Bei Ortsansässigen als Atem von Babylon verschrien. Der Anfang vom Untergang. Die Reisewelle, die zum Tsunami anschwillt. Atem von Babylon – das ist der üble Mundgeruch der Touristen, die scharenweise einsame Flecken torpedieren, Traditionen ausheben, aus dem Vollen schöpfen und die Sau rauslassen. Das ist die gedrillte Mobilität der Massen, in der Exzesse blühen im Schichtbetrieb. Das Geld, das sie bringen, wiegt den Schaden an der Natur kaum auf. Die Natur reicht nicht. Geld, die gemünzte Freiheit für Auserwählte. Ein Ort läuft über. Man steht sich gegenseitig im Weg. Die Idylle verkarstet zum Markt der Eitelkeiten und büßt sich selber ein. Höhenrausch. Raubwirtschaft. Luxus und Lukull. Surfen, reiten, segeln, schwimmen, golfen, grillen, saufen, feiern, bis die Schwarte kracht. Ein friedliches Reich wird umgekrempelt mit irrwitzigen Ansprüchen an Kost, Logis, Wellness und Zeitvertreib, erklügelt von Managern und Animateuren.

Endlich sind die Dünen erreicht, ist ein erhabener Punkt ergattert inmitten grauem Strandhafer, der sich auf den Boden duckt. Sand knirscht unter den Sohlen, klebt im Gesicht. Reise an die See, eine Reise in den Tod, zur ewigen Wiederkehr. Saum der Unendlichkeit: Da breitet es sich aus, das Meer, das salzige, bittere Meer, das sie nun anbrüllt, ihre Seele in Spannung versetzt, bereit, sie zu verschlingen. Die Flut, verursacht vom Mond, seiner Flieh- oder Anziehungskraft. Als fahler Pfannkuchen zeigt er seine Gestalt, schüchtern noch, scheinbar harmlos, als könnte er kein Wässerchen trüben und bringt doch alles in Wallung. Griff nicht

Moby Dick, der weiße Wal des Melville, nach einer Vollmondnacht die Peacock an, die Peacock und Käpt`n Ahab, den verbiesterten Krüppel, in gerechter Rache für den Mord an seinen Brüdern?

Nicht satt sehen mag sie sich am Zauber des tosenden Wassers, dem Sinnbild brausender Leere, unbeherrschbarer Existenz und drohendem Untergang. Die Natur übergießt sie mit Spott, sie und all die anderen, die sich hier versammeln. Was bedeuten ihr Menschen? Menschen, die sich einbilden, der letzte Schrei zu sein, aber das letzte Wort nicht haben. Die Zukunft in den Sternen und nicht in Computer-Algorithmen von Big Data. Die Natur funktioniert ohne die Nachfahren der Affen, folgt eigenen Regeln – Chaos, Zufall und Zerfall. Ein Ausbruch des berüchtigten Magmamonsters im Yellowstone-Nationalpark und wumm – aus mit Berechnung und Größenwahn. Die Sonne unter Gaswolken, Feuerregen und den blauen Planet umhüllt Schwefelsäure.

Der Sturm saust, wütet. Die Gischt beachtlich. Es strömt, sprudelt mit unfassbarer Kraft – eine furchtbare Eleganz der Wassermassen, die in stattlichen Brechern heranrollen, mit fauchenden Kämmen sich über den Sand wälzen, bis zum Deich vorrobben und wieder zurückkriechen, dem beharrlichen Rhythmus der Gezeiten zu genügen und neue Energie zu tanken für die nächste Attacke. Es wogt, wirbelt, grollt, brodelt, zischt, glitzert. Eine magische Schönheit von Linie und Form.

Die schönste aller Frauen, die Göttin der Liebe der antiken Sage, Aphrodite, entstieg dem Meer, gezeugt in einer Woge, geboren aus einer Muschel wie eine Perle. Alte Naturreligionen stellten sich unglückliche Seelen als Wasserwirbel vor, Wellen als Rücken, auf dem ein Mensch ritt und sich aus der gewohnten Starre befreite. Eine Seele, die das Meer berührt, sagt man, geht unter und verändert sich, wird schmiegsam, biegsam, streckt sich in alle Windrichtungen, verwandelt sich in ein Schiff, das an Schätzen nur das mitnimmt, was der Laderaum fasst, und durchquert unbeirrt die gestaltlose Weite, fliegt dahin auf dem Hintergrund des Nichts, das wirklicher ist als greifbare Dinge.

Am Horizont verblutet die Sonne in rot- und orangefarbenen Tönen, tränenrührend, elementar und archaisch, stirbt vollendet, verschüttet ihren strahlenden Saft, verschwendet Rotwein, Weinrot, und tränkt das Wasser, das die irrlichternde Pracht ins All zurückwirft.

Swenja keucht. Erschöpft setzt sie sich auf eine Bank aus wetterfestem Drahtgeflecht, kalt und unbequem, unter einem Schild, das eine Taucherglocke zur Erkundung der Unterwasserwelt für zwanzig Personen und zwanzig Minuten anpreist mit gestaffelten Eintrittspreisen und einer Rabattgarantie für Gruppen. Menschen tollen vorüber, auf dem Weg zu dieser touristischen Attraktion am Ende des Stegs, der mehrere hundert Meter ins Meer führt. Betriebsame Pragmatiker.

Sie starrt auf die weißen Bänder für das Requiem des verfließenden Tages, mag sich nicht losreißen vom krönenden Schaum, dem todeskalten Schaum der kleinen Meerjungfrau aus Andersens Märchen: Doch sie fühlte nichts von ihrem Tod, sah die helle Sonne und über ihr schwebten Hunderte von durchsichtigen, lieblichen Wesen; sie konnte durch sie hindurch... die roten Wolken des Himmels sehen, ihre Stimmen waren Musik, aber so ganz Geist, dass kein menschliches Ohr sie vernehmen konnte, ebenso wie kein menschliches Auge sie erblicken konnte.

Könnte sie doch auch aus dem Takt der Zeit tanzen: Ohne Flügel sich in die Lüfte erheben aus dem Schaum, dem Abschaum, zu den Töchtern der Luft und sich die Ewigkeit mit guten Taten verdienen... Im geheimsten Winkel des Gedächtnisses ist die Tragik eingraviert: Das Schicksal der Nixe, die Menschen um ihre unsterbliche Seele beneidete und verzweifelte, weil sie keine besaß und nach ihrem Tod als Schaum auf dem Meer schwimmen musste, nicht einmal ein Grab bekam, dass jemand sie betrauern konnte, keine Musik der Wellen mehr hören und auch die Sonne nie mehr sehen durfte. Ob sie denn nichts dagegen tun könnte, fragte sie ihre Großmutter, die so alt und weise war, dass sie sich auskannte auf dem unbekannten Land, das über dem Wasser lag. Sie antwortete, nur wenn ein Mann sie so liebgewänne, dass er mit all seinem Denken, Handeln und seiner Liebe an ihr hinge und gelobte, ihr treu zu sein, bis ans Ende aller Zeiten, dann würde er seine unsterbliche Seele mit ihr teilen.

Aber welcher Mann verliebte sich ·in ein Wesen mit einem Fischschwanz? Melusine? Undine? Nixe? Nymphe? Sirene? Verzweifelt bestürmte sie eine Hexe, sie in einen Menschen zu verwandeln. So wurde sie ein Mensch mit zwei Beinen statt einer schuppigen Flosse, aber auf ihre Stimme musste sie verzichten. Wenn ich keine Stimme mehr habe, was bleibt dann von mir?, klagte sie. Deine liebreizende Gestalt, erwiderte die Hexe, dein schwebender Gang und deine sprechenden Augen, mit denen du das Herz eines Prinzen betören kannst. Und die kleine Meerjungfrau verzichtete auf ihre Stimme, fand einen Prinzen, dem sie das Leben rettete und der sie dafür liebgewann, doch nicht lieb genug, dass er ihr Treue geschworen und sie zu seiner Königin gemacht hätte. Vielmehr machte er sie zu seinem Kumpel, einer Begleiterin durch dick und dünn, mit der er punkten konnte, dieser eitle Fatzke – da half kein salbungsvoll flehender Blick, keine rosige Haut, kein blondes Haar, keine blauen Augen, kein schmiegsamer Leib, kein anmutiger Tanz, bis die Füße brannten.

So sind die Typen. Lieder kann eine da singen, Lieder, fruchtlose Lieder von den ragenden Zeichen der Mannbarkeit, hinter denen verrottete Potenzruinen gammeln... Nur das Ego in der Birne, den Lindwurm unterhalb der Gürtelschnalle und da, wo die Emotionen ihren Platz haben, ein Loch... einer wie der andere: Zu doof, zu erkennen, was nicht gesagte Worte besagen, zu dämlich Empfindungen zu erahnen, weil das Wichtigste sich am schwersten mitteilen lässt, zu blind für innere Konflikte sensibler Kreaturen.

Die Hochzeitsglocken läuteten für eine andere, eine Königstochter, die ihn gekapert hatte. Für die kleine Meerjungfrau zerbrach der Traum einer Verschmelzung mit einem Geliebten und der Traum von einer unsterblichen Seele – die Quittung für Zurückhaltung, Schweigen, Langmut, Güte, Hingabe. Da wusste sie, dass sie gescheitert war und sterben musste.

Sie stand an der Reling, sehnte sich zurück, die Augen nach Osten, der Morgenröte entgegen und erwartete den ersten Sonnenstrahl, der sie tötete. Ihre Schwestern tauchten aus den Fluten auf, Arm in Arm, bleich und kahlköpfig vor Trauer und flehten sie an, das Messer zu nehmen, das sie der Hexe zum Preis ihrer Haare abgeluchst hatten: Töte den Prinzen, stoß ihm das Messer mitten ins Herz und kehr zurück zu uns. Eil dich. Wenn sein warmes Blut auf deine Füße spritzt, dann wachsen sie zu einem Fischschwanz zusammen, und du wirst wieder Meerjungfrau, kannst zu uns ins Wasser steigen und noch leben, ehe du zu totem, salzigem Schaum wirst. Doch das schaffte die kleine Meerjungfrau nicht. Wie sollte sie töten, was sie liebte? In hohen Bogen warf sie das Messer über Bord und stürzte sich in die Wogen... und ihr gingen die Augen auf...

Ungestillte Sehnsüchte... ein Wert! Träumen, träumen und nicht aufhören, sich zu sehnen nach einem Geschöpf, ganz anders als man selbst, und das doch auf einer Wellenlänge schwimmt; träumen, träumen, unermüdlich, den Traumbildern folgen und den Reichtum erkennen in zeitlosen Dingen, Sonne, Meer, Himmel, Sterne, Liebe... dunkler Kontinent, unerforschter Dschungel, Tropen, Schlangen und Getier, Fetisch und Trommel, Raubtiernägel. *Wie die Liebe dich krönt, so kreuzigt sie dich...*
* Träumen und wagen, wagen, wieder und wieder den Sprung ins Ungewisse, ins kalte Wasser, und scheitern. Scheitern ein Geschenk, Scheitern ein Gewinn... auf lange Sicht.

Frau Bürlimann? Ach, was. Nicht die – dumme Gans. Zählt nicht. Soll ihr gestohlen bleiben, zwei Tage, dann das Ärgste überstanden, zwei Tage und dann wieder verschließen, sich verschließen, Schotten dicht, die Klausur tragen und ertragen und hoffen, weiter hoffen. Nächste Woche alles vorbei, nächste Woche… vergessen. Vergessen? Kaum. Dieser Tripp muss noch einmal erinnert werden, bevor er dem Vergessen anheim fällt. Der Schatten der erfahrenen Gegenwart wird ihr sonst in aller Zukunft aus der Vergangenheit nachheulen und sie in den Abgrund treiben.

Tiefer und tiefer sinkt die Sonne ins Meer, ist nur noch als schmale Sichel zu sehen und Swenja beobachtet gebannt den Moment des Verschwindens – husch, ein Nu. Das Soll erfüllt.

Gespenstisch, wie schnell es dämmert und der Wind sich wütender bäumt. Die Quelle des Lebens versiegt. Das Blut gestillt im erstarkenden Grau. Der Mond übernimmt das Kommando. Keine Macht der Welt verkehrt den urzeitlichen Rhythmus. Ein Rätsel, was sich der Homo sapiens manchmal einbildet – wie lange noch?

Ein knatternder Klotz versperrt plötzlich die Sicht, ein Klotz in Gestalt eines roten Anoraks mit Daunenfüllung, der aussieht wie eine pralle Monster-Leberwurst im Naturdarm – Frau Bürlimann! Verkniffen brüllt sie: „Was starren Sie hier aufs Meer? So`n Quatsch", zeigt mit der flachen Hand vorm Gesicht einen Scheibenwischer und hastet vorbei, geradewegs auf den Steg zu, der nach Norden führt. Kapuze überm weißen Haar jagt sie mit Riesenschritten über die Holzbohlen wie ein Weihnachtsmann, der einen Termin verschwitzt hat.

Swenja rappelt sich auf, und zuckelt hinterher ohne Ambition auf einen Lorbeerkranz bei diesem Wettrennen, bleibt stehen, stützt sich ab am Geländer, dem Tempo sind die schlappe Lunge und die lädierte Pumpe nicht gewachsen; staunt, wie das Mordsweib voraus sprintet und wundert sich, warum sie es so eilig hat. Angst vorm Schweigen? Dem Horror vacui? Davor, zur Besinnung zu kommen? Oder weil die kränkelnde Begleitung doppelt und dreifach reizt, Stärke und Überlegenheit auszukosten? Am Ende des Stegs stoppt sie ruckartig, verharrt weniger als ein bis drei Sekunden, dreht auf dem Absatz um, zackig wie ein Soldat und prescht zurück mit stampfenden Schritten, prescht mit bitterböser Miene vorbei und schreit schnittig: „Ich kann nicht so langsam gehen wie Sie, ist mir zu langweilig."

Mitten in den Vorbereitungen für den Auftritt in der Bar ist sie, als Swenja ins Zimmer huscht und sich die vor Kälte rotblau gefrorenen Hände reibt.

„Wie ich morgen ohne Asthmamittel überleben soll, ist mir schleierhaft", flüstert sie und fällt erschöpft aufs Bett.

„Wenn Sie zusammenbrechen, kann ich Ihnen nicht helfen. Glauben Sie ja nicht, dass ich Sie auf dem Buckel zum Arzt trage."

„Sie würden mir nicht helfen?"

„Wie denn?"

„Sie haben doch ein Handy dabei."

„Woher soll ich denn Notfallnummern aus dieser Gegend kennen?"

„Gut zu wissen. Wenn Sie sich noch einmal die Haxen brechen, rufe ich auch keinen Krankenwagen mehr, wie damals bei Ihrem Schlüsselbeinbruch. Wo Sie wohl geblieben wären ohne mich."

„Sie sollten in die Schweiz fahren zur Erholung. Bergluft ist bestimmt besser für sie."

„Die Schweizer lassen keinen mehr rein nach dem Referendum. Dichtestress und Überfremdungsangst. Die nehmen sich vom europäischen Buffet nur das, was ihnen schmeckt."

„Also hör`n Se mal, so etwas Dummes habe ich ja noch nie gehört, so etwas Dummes, mein Gott, sind Sie dumm, … wie können Sie so etwas behaupten? In der Schweiz sind Ausländer willkommen. Was meinen Sie, wie viele Ausländer bei uns arbeiten… ", und schon wieder geht sie ins Geschirr mit Geplärr und Geklirr und macht keinen Hehl aus ihrer ozeanischen Verachtung. Stoisch erträgt Swenja den Schwall der Beschimpfung. Bevor er allerdings ins Endlose ausufert, funkt sie dazwischen: „Nach Sonnenuntergang wird es merklich ungemütlich draußen. Morgen gibt es tatsächlich schlechtes Wetter."

Stante pede die Retourkutsche:

„Dann sehen Sie aber alt aus, Sie haben ja noch nicht einmal einen Schirm mitgenommen."

„Wollen uns wieder sprechen. Wo Sie bei dem Sturm wohl bleiben mit ihrem Schirm? Passen Sie auf, dass sie ihn nicht stehenlassen aus Versehen."

„Morgen gehe ich in den Ort zum Einkaufen. Zwischen den Häusern weht es nicht. Ich mache mich auf die Suche nach einheimischen Produkten. Auf Reisen suche ich immer einheimische Produkte zum Essen. Wenn ich zu Hause bin, bilde ich mir ein, ich bin noch im Urlaub."

„Einheimische Produkte – wie das klingt, komisch, so ähnlich wie Eingeborene. "

„Wie wollen Sie`s denn sonst nennen?"

„Regionale, wenn überhaupt. Gibt`s ja kaum noch. Wird sowieso alles woanders zusammen gepanscht."

„Wird es nicht, gibt genügend Bioprodukte. Dafür muss man allerdings etwas mehr bezahlen."

„Bio, Bio. Alles Beschiss, Bauernfängerei, mittlerweile wird sogar Mehl aus China importiert, dank Biosprit, ist für hiesige Bauern lukrativer als die Bevölkerung zu ernähren."

„Nein, das stimmt ja gar nicht. Sie haben ja noch nie… "

„Also, Sie gehen morgen einkaufen", unterbricht Swenja.

„Ja. Und was haben Sie vor?", erkundigt sich Frau Bürlimann unverhofft handzahm.

„Am Strand spazieren gehen."

„Am Strand? Bei Regen?"

„Ist toll bei Regen. Mein Trench ist wetterfest, kein Problem."

„Wenn Sie meinen", spitzzüngig zieht die Fregatte Leine und juxt zum Abschied: „Wappnen Sie sich. Vielleicht schleppe ich einen Kerl ab. Dann müssen Sie entweder auf dem Flur schlafen oder ich hänge Sie aus dem Fenster."

Ein müdes Lächeln zur Antwort. Was soll sie jetzt noch erschüttern? Welche Frechheit? Beine lang, ausruhen. Erst durch Ruhe wird aus einem Sandkorn eine Perle. Den Schatz vergraben, den Wortschatz, der Gedanken gebiert, so viele Gedanken, die wiederum Ideen erzeugen, zu viele, dass man sie sich nicht alle merken kann, viele, die unausgesprochen bleiben, weil das menschliche Antlitz fehlt, das gegenübersteht, zuhört, mit einem Blick versteht und das Denken,ermuntert, Sprache zu werden. Reden ein Akt der Freundschaft, keiner der Macht, miteinander reden, miteinander begreifen…

Vorläufig aber die Schätze vergraben, all die Worte und Gedanken: *Geh, Gedanke, dein Glaube keine Berge versetzt, geh, Gedanke solange dein zum Flug klares Wort dein Flügel ist, dich aufhebt...* * Klarsinn, Klarheit des Lichtgrundes von Leben und Tod gewinnen und die Gedanken in Ketten legen, abführen, einzeln der Reihe nach, ihnen den Prozess machen, zum Tode verurteilen, einkerkern in Satzzellen, zerstückeln, über die Wupper schicken und vergessen, das Geröll der Sterbenswörter. Nicht denken, nichts denken, nicht bewegen. Stille, Anahata, Erwachen aus Irrungen, Verwirrungen, dem profanen Wirrwarr; lösen der Form, der Eigenform; eingehen, vergehen im Einklang mit Himmel und Erde, schicksalsergeben, egal ob Sieg, ob Niederlage; sich fallen lassen, frei floaten durch die Unergründlichkeit. Kein Ich, kein Feind; keine Form, keine Gegenform. Gegensätze null und nichtig. Adieu Eigenwillen, Erfolgssucht, Ehrgeiz. Erbärmlich, sich im Ich zu verkrallen, im guten Ruf, guten Ton und guten Namen – letztlich alles Schall und Rauch.

Entscheidend das Wesen, das vom Geist erfüllte lebendige Wesen. Ohne Absicht das kleine Ich in seiner engen Welt aufgeben, es mit dem Wesen verschmelzen, erst dann erlauscht man den Herzensgrund. Zen-Meister lehren: Lässt man sich selbst ganz fallen, frei, von Grund auf und von allen Dingen, so befindet man sich im Einklang mit der Welt, ist eins mit allen Dingen in der großen All-Einheit.

Memento mori. Trinken aus dem Fluss des Schweigens, nackt im Wind stehen und in die Sonne schmilzen. Hindämmern, hinüberdämmern in ein anderes Land, auf eine Insel im freien Strom des Äthers, eine Insel der Seligen hinter den Sternen…

Rums – die Tür rumpelt auf. Die Stille kaputt, das Dunkel entzwei. Der Lichtstrahl blendet. Übermütig wie ein Backfisch mit überschwappendem Hormonpegel, rotwangig und sichtlich einen in der Krone, kriegt Frau Bürlimann sich nicht mehr ein vor Begeisterung, trumpft auf, schnatternd und klappernd wie klatschender Platzregen, ihr schnurz, ob jemand schläft oder nicht, sämtliche Zen-Übungen zunichte. Fehlgeschlagen, die Methode des Tintenfischs in illusionärer Verkehrung. Die Selbstvernebelung nicht geklappt. Die Wirklichkeit mangelt sich auf wie eine trutzige Festung, ein uneinnehmbarer Fels, gegen den die Brandung einer Sturmflut wirkt wie ein Tropfen auf den heißen Stein: „Überaus nette Bar, sage ich Ihnen, sehr geschmackvoll eingerichtet, dezent, ganz hervorragende Atmosphäre, sehr angenehmes Publikum. Die Barhocker, ungeheuer bequem mit Rückenlehne. Ich mochte gar nicht wieder aufstehen. Und der Barkeeper, entzückender junger Mann – mit dem habe ich geflirtet. Wenn der nicht so viel Arbeit gehabt hätte, hahaha, hätte ich ihn mitgebracht. Der Rest war auch nicht zu verachten. Unglaublich hübsche Männer dabei, sehnig und durchtrainiert so wie ich sie liebe, graumeliert mit Schnauzer, eine ganze Traube um mich herum, alle ohne Damenbegleitung. Neugierig waren die, neugierig, Sie glauben es nicht, Fragen gestellt, Fragen, eine nach der anderen, haben mich richtig gelöchert die Burschen, wollten alles wissen von der Botschaft, den Drinks und Cocktails... habe ich ihnen natürlich erzählt – in Maßen. Ein paar Rezepte habe ich verraten, aber nicht die besten, noch nicht…"

„Na, dann waren Sie ja in Ihrem Element", stöhnt Swenja und schlägt die Augen auf.

Da sprüht jemand vor Wonne, die Drüsen sprudeln, wahrhaftig mit Siebzig noch Träume, hopst herum, hin und her, fahrig und flott, Schränke auf, Schränke zu, hantiert mit Kleiderbügeln und einem Dutzend in Plastik verpackten Utensilien, schält sich aus den Klamotten bis auf die

weiße Baumwollunterwäsche in Feinripp, reißt die Balkontür auf, schüttelt das Getragene aus und klopft die Sohlen ihrer Sandalen gegeneinander. Wo rohe Kräfte sinnlos walten. Der Wasserhahn rauscht im Hintergrund, passend zum unablässigen Wortgeriesel, das, weil Resonanz und Bewunderung versagt wird, in ein verwittertes Gemecker übergeht, warum Swenja ihre Sachen nicht ausgepackt hat, im Koffer werden sie muffig. Ob sie denn keine Erziehung genossen hätte, einfach ungehörig sei das, Schlamperei wie bei den Hottentotten. Man müsse doch alles in den Schrank räumen, das gehöre sich so, was soll das Zimmermädchen denken? Schlussendlich die knappe Mitteilung, harsch und diktatorisch: „Habe ich ganz vergessen, Ihnen zu sagen. Uns steht noch eine Gratismassage zu. Für die habe ich uns morgen früh angemeldet, 10.30 Uhr gleich nach dem Frühstück. Wollen Sie die Karte sofort haben?"
„Was für `ne Karte?"
„Die Karte für den Eintritt zur Massage natürlich, was denn sonst?"
„Nicht nötig. Wir gehen doch sowieso zusammen hin."
„Nein, wir gehen nicht zusammen hin. Ob wir gemeinsam gehen, weiß ich noch nicht. Kann immer was dazwischen kommen. Für Sie übernehme ich keine Verantwortung. Keine Lust, hinter Ihnen herzulaufen."
Frau Bürlimann schlägt die Bettdecke zurück, setzt sich auf die Kante, kippelt zur Seite, hält inne, brummelt Unverständliches, das klingt wie, du liebe Güte, glatt vergessen, meine Zähne zu putzen, und springt auf, beinah ängstlich, als drohe eine Tracht Prügel. Man hört sie einmal gurgeln und zweimal spucken und da hockt sie schon wieder auf der gleichen Stelle. Swenja denkt, wenn sie schnarcht, springe ich vom Balkon. Frau Bürlimanns Ramsschädel fällt aufs Kissen und schon röhrt es: „Rrrphhh, rrrrphhh, rrrphhh…"
Swenja drückt sich den obersten Zipfel der Bettdecke auf die Ohren. Himmeltausendhöllenhunde.
„Frau Bürlimann, Sie schnarchen."
„Rrrphhh, rrrrphhh…
Sie jammert:
„Frau Bürlimann, ich kann nicht schlafen, wenn Sie schnarchen."
„Rrrphhh, rrrrphhh…"
Sie bettelt:
„Frau Bürlimann, bitte, bitte würden Sie aufhören zu schnarchen?"
„Rrrphhh…"
Kreuzdonnerwetter. Stöhnend wankt sie zum andern Bett, packt die Nervensäge an den Schultern ruckelt energisch, aber der Reptilienpanzer mummelt sich noch tiefer in die Federn, brummt, zuckt unwillig, als

würde eine Fliege ihn kitzeln und findet den schnorchelnden Rhythmus wieder.

Swenja schiebt die Vorhänge beiseite. Das Dunkel offenbart Leichentücher. Der Mond gafft hämisch, der alte Mongolenschädel, dieser hinterhältige Lump, der ewig schwarz sieht. Im erleuchteten Vorhof stellt er den grindigen Himmel zur Schau. Zum Wissen berufen, ohne dazu geboren zu sein. Immer gaffte er hämisch, wenn es drauf ankam, immer, wenn etwas auf der Kippe stand, Gedeih und Verderb, die Wende zum Glück oder die Pechsträhne für Jahrzehnte; katzenäugig mit einem Geschwader sich ordinär räkelnder Wolkennutten um sich herum beim ersten Kuss im Mai auf der Bank unter zwei Trauerweiden im Park mit den vielen Quellen, den warmen und kalten.

Die Sterne funkelten verschwenderisch und erschraken. Das Blattwerk raschelte. Die Laternen streckten die Fühler aus. Hin und wieder torkelte ein Strolch durch die Lichtkegel, stockbesoffen. Drei Kirchtürme hielten die Wacht und hinter einer Mauer stand noch eine Kapelle Schmiere. Streng und unerbittlich glockte der Dom zehn Mal, hohe Zeit, aufzukreuzen zu Hause, damit der Segen nicht schief hing. Ewiges Bangen um die Keuschheit und den heißen Draht zum Pfarrer, diesem schwerenötigenden Hymenfetischisten. Der katholische Piefke allgegenwärtig und der Weg allen Fleisches im konservierten Klüngel platt getrampelt.

Pupillen aus mitleidigem Onyx, ein Glasperlenglitzer von edlem Schliff, Haut an Haut, Wange an Wange, bis die Lippen sich berührten, feucht und unbedarft, sanft und unerfahren, Atem des Lebens, doch kein Englein sang, kein Choral jubelte Halleluja, keine Putte schlug Purzelbaum, kein Beben und die Erde blieb in den Angeln – nicht einmal der Himmel in Flammen und der Mond blieb, wo er war. War es Liebe? Mama hatte verheißen, alle Englein würden singen, Choräle Halleluja jubeln, Putten Purzelbäume schlagen, die Erde beben und der Himmel in Flammen stehen. Und weil nichts von alledem passierte, war es wohl keine.

Nichts versprochen, aber viel erbeten für eine Fügung in nachtschwärmender Verlockung, als die Grillen zirpten. Das Schäferstündchen hätte der Auftakt sein können zu etwas, das gedauert hätte, bis der Tod schied, für gute und für schlechte Tage wie bei Graugänsen und Bibern, etwas Fundamentales mit einem roten Faden, naturwüchsig, solide, eng verwandt mit dem Kitsch, die Rollen säuberlich konturiert, das feindliche Leben für den Mann, der Haushalt für die Frau, normal und banal wie Hinz und Kunz, beglaubigt vorm Standesamt und Traualtar mit Ringwechsel und feierlichem Schwur im Beisein des Priesters an Gottes statt. Gezähmt, die Kratzbürste erster Güte, das Käthchen in die Knie gezwungen und der Übergang vom Fräulein zur Frau perfekt. Geordnete Bahnen: Vater, Mutter, Kind, Eigenheim, Geranien am Fenster, Meißner von Oma in der Vitrine und verwirbelte Tage zwischen Waschmaschine, Kühltruhe, Kochtopf, Bügeleisen und dem nächsten Wochenbett; ein Heimchen für Dampfnudeln, treu und unterwürfig, die Hirnzellen auf vier geschrumpft, für jede Herdplatte eine, mit patriarchalen Klunkern beehrt, bis das romantische Mark aus den Knochen gesaugt und das Gespons unter den Pantoffel gezwungen war.

„Rrrphhh, rrrrphhh, rrrphhh…", und Frau Bürlimann schnarcht.

Schafblöde versandet, das Sandkastenspiel mit dem anderen Geschlecht, aufgeschoben zu einem später, später, weil alles zu früh war, leider, leider viel zu früh, von Scharfsehen und Triumphbögen unter Schenkeln kein Tuten und Blasen, unmündig durch und durch, die Reifeprüfung noch nicht in der Tasche und Bildung hatte Vorrang, trotz alledem, trotz alledem: „Mädchen, sei vernünftig. Eine Ehe ist keine Lebensversicherung."

Anna Karenina half nicht aus der Patsche, auch keine andere Schmonzette. Echten Liebesgeschichten fehlt das Happy End, sonst wären sie keine Liebesgeschichten, schon gar keine der Weltliteratur und sie sind es nur deshalb, weil ihr Schluss unbefriedigt verraucht – vom Winde verweht, Romeo und Julia, Orfeus und Euridike und die Dame mit dem Hündchen.

Ausgezogen, das Fürchten zu lernen: Die Revolte im Land, der kollektive Drache des Ungehorsams, Tabula rasa mit Biedermeier, Braut, Kranz und Schleier und dem ganzen holden Wahn. Adieu Rippenontologie mit Possessivpronomen und Namensänderung, ganz in Weiß mit einem Blumenstrauß. Die Eltern zum alten Eisen geschmissen, die Religion in den Eimer, stattdessen Unmoral dickfellig auf den Thron gehievt. Hops die Liebe im libidinösen New Deal, wissenschaftlich abgesichert, demonstrativ skandiert und marktkonform beteuert. Der sexuelle Diskurs in Hochform. Die Lust gefahrlos im Schoß. Der Terror übermächtig im deutschen Herbst. Abgebürstet und abgebrüht von Bett zu Bett, verdammte Zweierkiste, befristet, ohne leidige Folgen und peinliche Verpflichtung – fuck and go, hop und ex, one night stand, Zwischen- und Auswärtsspiele, just for fun. Prost Mahlzeit und Frühstück mittags um fünf nach zwölf: Spiegeleier in Olivenöl. Danach der fahle Geschmack des Mangels und die Panik vor Torschluss.

„Rrrphhh, rrrrphhh, rrrphhh…", und Frau Bürlimann schnarcht. Swenja seufzt und legt sich wieder hin.

Nichts als Kanaillen - durch die Bank lausige Lustdarsteller, allzeit bereit und auf der Lauer, zuhauf galoppierende Hintern, Stoß um Stoß mit Technik befasst und selbige erforscht nach dem Prinzip Warentest. Den kategorischen Imperativ links gekämmt. Genitales Verlangen in der Gangart einer Maschine. Das Ding an sich, das Glied voran und einen mordsmäßigen Drall in den Lenden. Der Phallus Herr und Meister des Erfolgs. Erguss-Ekstase für die ferne Utopie einer klassenlosen Gesellschaft. Fiktion mit ceka buchstabiert.

Spannung- und Plateauphase im Potenzometer – hätte Wilhelm Reich selig es noch erlebt, was hätte er sich gefreut. Orgasmusformel in aller Munde, Bäumchen, Bäumchen wechsele dich, welche Tussi am leichtesten zu beschlafen? Die Kunst der Verführung obsolet, viel zu anstrengend. Für optische Genüsse kein Auge. Fahndung nach geschmeidigsten Spalten, bombigsten Titten und ein Hauch Kosmetik reichte zur Ausmusterung.

„Rrrphhh, rrrrphhh, rrrphhh…", und Frau Bürlimann schnarcht.

Jeder Gesichtssinn roch nach Aristokratie, out wie Bürgertum, humanistische Bildung und klassische Ästhetik. Taktiles Vermögen leichter zu handhaben. Tauschverkehr ohne Besitzanspruch, Eifersucht – kleinbürgerlich. Liebe in Schutt und Asche ohne jemals in Flammen zu stehen. Pimmelasthmatiker und Knallfrösche – protzten mit Stärke, Schwäche zu kaschieren. Trauer trugen Aspasia, Artemis, Athene. Würmer am Apfel der Erkenntnis. Die verknöcherte Anima Adams zerbrach an den Launen der großen Hetäre. Die Zeit verplempert, die Chancen verpennt, zum Uni-Examen immer noch keinen Doktor an der Angel, noch nicht einmal einen Gefährten zum Aufstieg im Beruf und zum Abstieg im Alter.

Alles selber machen, sich durchwusteln ohne reale Perspektive – Griff nach den Sternen, ein Körnchen fürs blinde Huhn mitten auf dem Erfolgs-Strich, na, wenigstens etwas, und plötzlich doch die Hälfte des Himmels in Aussicht, ran an die Buletten, es lebe die Eigenleistung mit emanzipatorischem Kalkül, bis die Hälfte sich als Hölle entpuppt, das in Dantes Inferno mündet und ein Blaustrumpf in Amt und Würden sich ernsthaft fragt, wozu so viele Hirnzellen gut sein sollen, weniger reichen auch.

„Rrrphhh, rrrrphhh, rrrphhh…", und Frau Bürlimann schnarcht.

Swenja hypnotisiert den Mond, der durchs Fenster lugt: *Dinge gehen vor im Mond, die das Kalb sonst nicht gewohnt. Tulemond und Mondamin liegen heulend auf den Knien.* * Wie oft dort oben festgesaugt im Hellsehen durch Tränenschleier? Welche Magie dahinter? Welcher Plan? Gott und Kosmolo-

gie? Der unbewegte Beweger? Wo die Ursache? Das Unbestimmtheits-
prinzip der Quantenmechanik hat theologisch-philosophischen Fragen
längst den Wind aus den Segeln genommen. In mikroskopischen Welten
von Elementarteilchen Kausalitäten irrelevant. Sie tauchen auf, wann
und wo sie wollen – Phantome. Von der Wissenschaft auch nichts mehr
zu erwarten.

Andererseits: Die Nachtschwalbe legt ihre Eier nur im Schein der vollen
Scheibe. Austern öffnen sich und Seeigel laichen. Manche unken, Ge-
zeitenkräfte hätten den Landgang der ersten Wirbeltiere verursacht.
Statistiken belegen gehäufte Morde, Einbrüche und Gewaltdelikte. Bio-
chemiker wissen, dass Vollmond den Stoffwechsel im Hirn beeinflusst.
Psychiater schwören Stein und Bein, dass Irre in diesen Nächten besonders oft ausflippen und die doppelte Dröhnung Psychopillen brauchen. Winzer kennen seit Jahrhunderten den Einfluss des Mondes auf
die Kelter.

„Rrrphhh, rrrrphhh, rrrphhh…", und Frau Bürlimann schnarcht.

„Das Mondkalb stand auf weiter Flur. Es harrt und harrt der großen
Schur. Das Mondschaf. Das Mondschaf rupft sich einen Halm und geht
dann heim auf seine Alm. Das Mondschaf…" Und immer war Vollmond, wenn neben ihr wieder der Falsche ratzte, der Intuition und gute
Hoffnung betrog; wieder volle Fahrt auf Grund gelaufen, wieder eine
Flasche mehr im Keller, ein Intellektüller, essigsauer, ungenießbar und
überflüssig, mehr tülle als Intellekt.

Damals in Südfrankreich, alles ödete ihn an, den Bildungsschuster voll
kritischer Gnaden, alles nebensächlich, außer irgendeine Subjektwer-
dung im Schnittpunk irgendwelcher Erfahrungen. Kein Jota kapiert vom
Sermon, ging am Arsch vorbei, sie hatte geschwiegen, nur geschwiegen,
stumm genickt, Interesse geheuchelt und gelitten. Laufbahn, Titel, Be-
amtenstatus, akademische Ehren sein Horizont und weh und ach, weil`s
nicht klappen wollte, schwierig, schwierig, endloses Beknirschungsla-
mento, alle Lehrstühle besetzt, alle Prämien vergeben. Was nun? Was
tun? Ohne Geld?

Die heißen Tage ohne Verheißung, die Hoffnung kerngespalten, seine
Zeche mitbezahlt und geliebäugelt, die Kurve zu kratzen. Lavendelduft
im Riecher, der Mond so helle über der Festung von Carcassonne hinter
der alten Brücke über die Aude – eine Kulisse wie im Roman und ein
einziger Herzenswunsch – ein einziges Mal im Leben wieder herkommen, einmal mit dem Richtigen, einem zum Pferde stehlen, einen für
gute und für schlechte Tage bis der Tod scheidet, und der etwas anderes
auf der Pfanne hat als ein dusseliges Promotionsthema. Ein Skorpion

huschte über das katzenköpfige Pflaster und der Vollhorst schickte sich, ihn totzutreten vor lauter Frust... Ihr Tritt vor sein hageres Schienbein ein Spitzentreffer und ruckzuck eine andere auf seinem Siegertreppchen, eine fürs Grobe, dreckige Socken, Schlips und Krawatte, aber mit massig Geld an den Füßen.

„Rrrphhh, rrrrphhh...", und Frau Bürlimann schnarcht.

Mensch Meyer. Immer schien der Mond, Luna von dem ersten Licht, Buhle der Lotosblume, wie oft... in Griechenland, klar, auch in Griechenland beim allerletzten Heuler, safrangetönt zum Greifen nah über weißen Kuppeln auf vulkanischen Felsen, darunter das Meer türkis und leergefischt mit Dynamit, durchsichtig bis zum Grund, ein Skandal auf Kosten des Landes im blinden Drang nach Mehr-und-Mehr im unersättlichen Mehr-und-Mehr an Profit. In wenigen Jahren das Eingemachte verjuxt, das Generationen von Geschöpfen geschaffen hatten. So sieht er aus, der real existierende Mord an der Zukunft.

Adrett dagegen die Abguss-Popos hellenistischer Göttinnen aus Gips in der Taverne, Sternstunden des Abendlands, Samos im Glas, bettelnde Hunde unterm Tisch und verhungernde Katzen draußen vor der Tür – und ein Rechthaber mit neurotischem Allmachtswahn, Mamas Liebling, einer, der die Weisheit der Völker vieler Jahrhunderte mit Löffeln gefressen hatte, ein mit scholastischer Tünche gepinselter Betbruder, grenzenlos selbstverliebt, der keine Gnade kannte, kein Verständnis, erhaben über Zeit und Raum mit eisernen Reserven im privaten Portfolio eines höheren Beamten – uferlose Monologe frommer Ratschläge für arme Schlucker übers globale Wirtschaften in kriselnden Zeiten. Gleichgültig glitten seine Blicke über sie hinweg, dass sie sich vorkam wie etwas Lebloses, keiner Beachtung wert. Ein Kerl wie eine Waschmaschine, sobald man ihn anmachte, drehte er durch hundsordinär lüstern: Hardcore im Bett.

Wie eine Wölfin den Mond angejault, die Sterne gezählt, den Polarstern betrachtet und den großen Bären, die zirkumpolaren Bilder an den höchsten Punkten des Himmelsgewölbes, wo die toten Seelen sich trafen in einer anderen Welt und mitleidig auf die Trockennasenaffen blickten. Von da an – Liebe eine Oase, die nur Kamele suchen. Danke der Nachfrage, Bedarf gedeckt. Was Sigmund Freud recht, ihr billig – Sense mit Geschlechtsverkehr zum Nutzen höherer Sublimierung.

„Rrrphhh, rrrrphhh...", und Frau Bürlimann schnarcht. Eine stechende Folter.

Zum Henker. Ariel und Raphael, steh einer bei. Sieh zu den Sternen, gib Acht auf die Gassen. In welchem Kreis des Teufels ist sie abgemalt?

279

Wie viele Erinnerungen noch nachturnen? Etwa die ganze Nacht Vergangenes sammeln? Wenn man es wenigstens verbrennen könnte. Aber Erlittenes ist länger lebendig als tot. Schrumpft selten, die Gegenwart dagegen nie, die ist länger tot als lebendig.

Warum haben so wenige Menschen Achtung vor ihr? Bürlimann – das gleiche Muster. Was ist das für eine Masche, jemanden wie Luft zu behandeln, in verächtlichen Tonfall zu sprechen? Zu spotten? Niederzumachen? Achtung, Respekt – das Minimum im menschlichen Miteinander, das Ave Maria der Humanität. Zauberwort gegen Demütigung. Verlangt ja keinen Ehrenpreis, keinen Weihrauch, einfach und schlicht Akzeptanz, Fairness, einen Umgang ohne Herrschaftsanspruch, von Mensch zu Mensch.

Wo der Hase im Pfeffer? Bei ihr? Zu unterwürfig? Zu höflich? Zu bescheiden? Zu anspruchslos? Sicherlich, fanatisch auf Haltbarkeit frisiert. Was schief gelaufen in der Kindheit – schief gewickelt, ein Knacks, nicht auszubügeln. Halt, der Urreflex des Neugeborenen, das die Fäuste ballt, greifen will und sich erst entspannt, wenn seine Hand etwas umschließt, den Finger der Mutter, das Revers der Bluse, den Rockschlapp. Doch mehr als ein Griff ins Leere für sie nie drin. Deshalb das Begreifen so schwer. Verstoßenes Äffchen – es wächst heran zum Klammeraffen. Jede Trennung ein Todesurteil. Jeder Abschied – eigene Schuld. Jeder Konflikt eine Katastrophe, die Wiedergutmachung verlangt. Am Anfang war der Griff ins Fell.

Harmonie, das Größte, keine Anstrengung zu groß. Unmut unterdrückt und das Licht unterm Scheffel gelassen, bloß kein Hochmut. Gib deinen Worten wenig Grund zum Tadel und deinen Taten wenig Anlass zu Reue, rieten die alten Chinesen. Gemeinschaft gesucht, und je intensiver, desto gewaltsamer abgeprallt. Bei den Ordentlichen, Regelrechten, die nur das denken, was laut ausgesprochen werden darf, und mitschwimmen im Strom toter Fische. Die Gewöhnlichen, die gockelnd sich aufspreizen, einrichten in privaten Komfortzonen, Schaum schlagen, um geliebt zu werden, statt im Hintergrund selbstvergessen mit allen Fasern des Herzens selbst zu lieben. Zeitlebens angeeckt, in den Fettnapf gelatscht – volle Kanne. Ignorantin gegenüber dem flüchtigen Hier und Jetzt. Mimose im Abseits. Zeitlebens wie ein Ochs vorm Berg vor den Normalen gestanden, nach denen sie sich sehnte, die sie faszinierten, irrigerweise, den Normierten, den Anständigen, frei vom Fluch der Erkenntnis, frei vom schöpferischen Spleen, gleichgültig gegenüber dem Elend in der Welt.

Irgendwas auch bei der Bürlimann falsch gemacht. Gefällig gewesen, geholfen, wo es ging, tat ihr Leid, die Witwe aus der Fremde, obwohl sie selbst auf dem Zahnfleisch kroch. Peu à peu, schleichend, unmerklich bürgerte es sich ein, dass sie sich zuvorkommend zeigte, stets zu Diensten. Wer redet von der Hand, die keine andere wäscht? Der kleine Finger reicht nicht, die ganze Pfote verlangt Madame, keine Bitte, keine Anfrage, keine höfliche Erkundigung, damals nach ihrem Unfall – Bruchlandung bei Eis und Schnee. Zeter und Mordio, total hysterisch, mit Händen und Füßen um sich geschlagen, das ganze Haus zusammengeplärrt: Sie müssen mir helfen, sie müssen. Man hätte meinen können, sie sei geviertelt worden. Selbst die Rettungssanitäter – ratlos. Schleunigst eine Beruhigungsspritze in den Hintern. Sie überwältigte. Vollendete Tatsachen – Peng, ansonsten der Aufstand. Sie forderte, Schlag auf Schlag, Klamotten packen fürs Krankenhaus, Nachsendeantrag für die Post, Verwandtschaft informieren, Besorgungen machen… Gräfin Cox von der Gasanstalt – und letztlich ein Anpfiff nach dem anderen, bildete sich ein, ein Anrecht darauf zu haben, ein naturwüchsiges Recht. Sie erhöhte den Grad ihrer Forderungen langsam. Leiden sehen tut wohl, Leiden machen noch wohler – barbarisch. Danke, ein Fremdwort. Kaum wieder fit, alles vergessen. Aber wehe, man bittet sie um Beistand. Dann ziert sie sich, Einwände und Bedenken, Ausflüchte noch und noch, dass man freiwillig abwinkt.

Hohe Zeit, andere Seiten aufzuziehen, sofort… Wer Gemeinheit mit Güte beantwortet, gießt heißes Wasser in den Schnee, sagte Konfuzius. Nichts bleibt davon, schlimmstenfalls friert es erneut und man legt sich auf die Schnauze.

„FRAU BÜRLIMANN, SIE SCHNARCHEN", schreit sie und die Faust donnert auf den Nachttisch.

„Hö? Was ist?"

„Sie schnarchen, es ist nicht mehr zum Aushalten."

Eine Stinkladung wuppt aus den Federn. Frau Bürlimann knipst das Nachtlämpchen an, richtet sich auf, blinzelt glasig ins Leere, dann auf die Uhr, knipst wieder aus, entspannt sich und sägt unbeeindruckt weiter. Swenja fesselt ihre Zunge an den Gaumen und mahlt mit den Backenzähnen: „Herr, erbarme dich meiner, lass Tag werden. *Das Mondschaf liegt am Morgen tot. Sein Leib ist weiß, die Sonn` ist rot. Das Mondschaf.*"*

Kein Morgenstern da. Die Gräten schmerzen, die Lider geschwollen, die Atemnot grausam und am ganzen Leib ein Kribbeln. Sie wehklagt über die schlaflose Nacht. Hartgesotten bullert Frau Bürlimann: „Kann ich nicht ändern."

Mit einem Satz auf den Beinen, der Hafer sticht, beäugt hinter der Gardine das trübe Wetter, bekratzt mit aufgerichteten Daumen ihre Schulterblätter, gähnt widerwärtig und ganz und gar nicht damenhaft. Unmissverständlich beansprucht sie den Vortritt beim Waschen und Anziehen, springt in die Puschen und kennt kein Halten – Rascheln und Knistern, Ratschen und Zappen von Reiß- und Klettverschlüssen, Tapsen und Stampfen, Gewirke und Gewusele, hin und her und auf und ab.

Durch die offene Balkontür weht Kühle und ein sonderbares Geräusch von klapperndem Hartplastik. Da vollzieht sich, sichtbar für alle übrigen Gäste des Hauses, eine Sonderschau vom Feinsten, reif fürs Fernsehprogramm, Satire extra, Loriot reloaded: in Baumwollripp aufrecht an der Brüstung, in beiden Fäusten Gerätschaften mit bunten Kugeln. In großzügigen Bewegungen massiert sie Oberarme, Bauch, Busen, Schenkel, innen und außen, samt den breiten, flach abfallenden Hinterbacken, immer in die Runde. Geschätzte zwei Zentner fassungsloses Fleisch einer Rubensfigur wabbelt und schwabbelt besser als ein Wackelpeter, begleitet von tierischen Lauten des Wohlbehagens – Grunz-, Ächz- und Schmatzgeräusche, frei von Bedeutung. Der Schlüsselreiz dieser Fisimatenten scheint der stählerne Wille zur Demonstration einer unverwüstlichen Gesundheit zu sein. Es folgen Arm- und Beinschwünge, Rumpfdehnungen, rechts und links und vor und rück und der ungelenke Versuch, mit den Fingerspitzen den Estrich zu berühren. Lieber Vorbeugen als auf die Schuhe kotzen.

Swenja schürzt die Augen. Müssen Menschen im Urlaub immer jedes Schamgefühl verlieren?

„Macht das schlank?", fragt sie provokant.

„Nein, das macht nicht schlank, ist aber sehr gesund und fördert die Blutzirkulation. Der Kreislauf muss schließlich in Schwung kommen."

„Haben Sie die Dinger verschrieben gekriegt?"

„Nein, die habe ich aus dem Sanitätshaus, reine Eigeninitiative. Ich informiere mich, wie man sich fit hält. In seine Gesundheit muss man investieren. Es zahlt sich aus. Das praktiziere ich jeden Morgen mit hammerharter Disziplin. Ohne Disziplin läuft nichts. Hör`n Se mal, was liegen Sie denn noch im Bett?"

„Merken Sie nicht, dass ich kaum japsen kann?"

„Alles Willenssache. Reißen sie sich zusammen. Besiegen Sie den inneren Schweinehund. Meinen Sie, mir fällt das immer leicht? Aufstehen, aber schnell. In fünf Minuten bin ich fertig. Ich brauche keine drei Lagen Make-Up wie Sie."

„Besser gut geschminkt als vom Leben gezeichnet. Gehen Sie vor zum Frühstück. Ich komme nach."

Wie erwartet, der Tisch rappelvoll mit Bürlimanns Hinterlassenschaften und sie macht keinerlei Anstalten, Platz zu schaffen, sondern ist munter dabei, sich ein dampfendes Omelett mit gerösteten Speckstreifen einzuverleiben.

„Ich kann kaum laufen, zittere sogar vor Schwäche", jammert Swenja. „Bin entsetzt, wie krank ich bin. Früher war ich flotter unterwegs."

„Glaube ich nicht", kiebitzt Frau Bürlimann. „Ich kenne Sie nur als Schnecke."

„Sie hätten mich mal in gesunden Tagen erleben sollen. Ich war eine Powerfrau."

„Muss lange her sein, sehr lange. Jetzt jedenfalls können Sie nicht mehr, können wahrscheinlich nie mehr. Tja, bei manchen rast die Vergänglichkeit", fügt sie gehässig hinzu, fieselt ein geschwärztes Stück Speck vom Teller, lehnt sich zurück und knabbert es demonstrativ genießerisch aus der Hand.

Swenja frotzelt, ob sie nicht abnehmen wollte, worauf sie großspurig schwört, für den Rest des Tages keinen Bissen mehr zu essen.

Die Kellnerin bringt eine Thermoskanne Kaffee, die so randvoll voll ist, dass der Neigungswinkel gegen Null tendiert und das Malheur nicht zu verhindern: Der schwarze Sud platscht heraus, schwappt über Tasse und sogar Untertasse und auf dem weißen Tischtuch breitet sich eine kotbraune Pfütze aus. Frau Bürlimann grinst verächtlich, rührt keinen Finger, sondern bricht auf, sich für die Massage zu stylen.

„Kann mir nicht vorstellen, dass wir medizinisch massiert werden", bemerkt Swenja und rührt im Müsli. „Dafür bin ich auch gar nicht ausgerüstet. Notfalls verzichte ich."

Als sie das Zimmer betritt, steht Frau Bürlimann in einem weißem Bademantel, einem kunstvoll geschlungenem Turban und den Gratis-Puschen des Hotels parat und scharrt mit den Hufen.

„Donnerwetter, Sie sehen ja aus wie eine Diva. Was tragen Sie denn darunter?"

„Nichts, natürlich", wiegelt sie mit zerknitterter Miene ab und meckert gleich weiter: „Hör`n Se mal, auf der Karte steht, Massage um 8.30 Uhr. Gerade eben erst habe ich es gesehen, das ist ja falsch. Ich habe gestern extra gesagt, nach dem Frühstück, 10.30 Uhr. Ungeheuerlich… Der Kerl an der Rezeption hat mich gelinkt. Ich will auf jeden Fall die Massage haben, die gehört zum Angebot. Wir haben bezahlt. Das lass` ich mir nicht bieten. Spinnt wohl."

„Haben Sie sich vielleicht verhört."

„Ich habe mich nicht verhört. Ich verhöre mich nie, schon gar nicht, wenn es um Termine geht. Der hat sich vertan. Ich beschwere mich, dem erzähle ich was. Kommen Sie mit. "

„Ich verzichte auf die Massage."

„Sie kommen jetzt mit, sage ich."

Den Kopf im Nacken marschiert sie voran, nimmt auch rücksichtsvoll den Aufzug, dass ihr die waidwund geprügelte Hündin, die ihr hustend und prustend folgt, nicht ausbüxt, donnert im Paradeschritt quer durch die Lounge, wo in Zeitung vertiefte Gäste aufgeschreckt mit dem Papier rascheln. Schnaubend steuert sie die Rezeption an, wo man sie abblockt, jede Zuständigkeit leugnet und direkt zur Wellness-Oase weiter leitet. Der Weg führt quer durchs dampfende Hallenbad, durch mehrere Türen und Gänge und dann hat sie endlich ein Opfer vor der Flinte, ein sportives männliches Individuum in aseptischem Linnen, an dem die Kanonaden ihrer Schimpf und Schande abperlen wie an einem Friesennerz. Der Jüngling ist sich keiner Schuld bewusst, bemüht sich aber, zu beschwichtigen. Die entsprechenden Sessel seien frei und sie kann sofort dableiben, wenn sie will.

„Nein", protestiert Frau Bürlimann obstinat. „In einer Stunde, eher nicht."

Der Masseur kratzt sich hinterm Ohr, wiegt den Kopf, weil nun seine Termine doch aus den Fugen geraten. Swenja mischt sich ein: „Dann bleibe ich jetzt da oder muss ich mich dafür extra umziehen?"

„Ach was", erwidert er erleichtert und führt sie in einen verdunkelten Raum mit Fototapete einer Südseeinsel, Palmen und Strand... in der Mitte eine Mischung aus Ohrensessel und Liegestuhl, bittet sie augenzwinkernd, es sich bequem zu machen, drückt auf den Anlasser an der rechten Armlehne, wünscht eine angenehme Zeit und verdünnisiert sich auf Zehenspitzen.

Das voll elektrische Möbel leuchtet von innen indigoblau, unwirklich blümerant, die Liegefläche schuckelt und ruckelt, zuckelt und buckelt, psychedelische Klänge sirren und simsen aus den Ohrenschalen, ein bisschen archaisches Trommeln dazwischen, Vogelgezwitscher und – gefiepe, Tropfenwunder unterirdischer Höhlen, murmelnde Bächlein und aus unsichtbaren Poren strömen Düfte – Wildblumenwiese, Heuschober, Fichtennadeln und Rosengarten. Nach zwanzig Minuten ist der sensorische Spuk vorbei und die schöne neue Welt aus Plastik, Chemie und Motorengetriebe verwandelt sich zurück in die echte, wo man solche Genüsse auf einem Haufen nie findet. Auf dem Kreuzweg echten Alltagslebens blühen weniger Gerüche denn Gerüchte und üble Reden aus Hohlhandgeflüster, fleischfressende Pflanzen, banale Flechten und andere boshafte Kriechgewächse.

„Wie war`s?", fragt Frau Bürlimann.

„Es gibt Unangenehmeres", erwidert Swenja und verabschiedet sich.

Schneckenlangsam spaziert sie am begrünten Damm entlang, froh um jede Bank, die sich im Abstand von wenigen Metern bietet. Auf jede setzt sie sich, um zu verschnaufen, rafft sich auf, schleppt sich ein paar Schritte weiter und macht wieder Pause, glücklich, Frau Bürlimann weit vom Schuss und beschäftigt zu wissen. Sie kämpft gegen die Atemnot, aber die Ausdauer fehlt. Vollsaugen mit Leben, solange der Atem fließt – schöne Devise aus dem Ratgeberbuch, aber wie das funktionieren soll, wenn man kaum atmen kann… schleierhaft. Der Wille futsch und sie taumelt wie ein Sandkorn. Das Wetter ungemütlich. Es beginnt zu regnen, ein leichter Niesel, der ihr Gesicht benetzt. Nach und nach verschwinden auch die wenigen Spaziergänger, die es wie sie ins Freie gezogen hat, von der Bildfläche. Hier und da radelt jemand im Regencape vorbei, hier und da führt jemand seinen Fiffi, diese unsäglichen Laster auf vier Beinen, Gassi.

Nebelkrähen hacken im Gras. Das Meer tost, aber sie gibt sich damit zufrieden, es zu hören. Sie zählt die Stunden bis zur Heimfahrt, malt sich aus, was geschehen wird, wenn sie tatsächlich kollabiert. Das Leben, eine Seefahrt nach Syrakus, man besteigt ein Schiff mit geblähtem Segel, sieht den Aufgang der Sonne, ihr malerisches Leuchten – alle Herrlichkeiten vergehen wie man selbst, Herrlichkeiten ebenso wie Widrigkeiten. Immer kann man nicht auf Meeren segeln, irgendwann heißt es anzulanden und Anker zu werfen im Hafen. Und dann ist es gut. Der Ausblick auf Erlösung, auf die Erfüllung der Sehnsucht nach Harmonie rettet über die Runden.

Der Nieselregen schwillt an zu einem Wasservorhang, der in welligen Schleiern um die Häuser wallt. Sie ist durchnässt bis auf die Gänsehaut. Die Hände bläulich. Sie spürt, dass sie aus dem Tritt gerät, den Rhythmus des Gehens verliert. Bei jedem Schritt überlegt sie, warum sie eigentlich geht, welchen Zweck das haben soll, dieses Spaziergengehen, der aufrechte Gang, die Bewegung und überhaupt… Nirgends ein Dach zum Unterstellen. Tapfer robbt sie voran, bis zum Schild, das das Ortsende anzeigt. Hier kehrt sie um. Wenn sie könnte, würde sie laufen, aber sie kann nicht, allmählich kann sie gar nichts mehr, noch nicht einmal mehr denken – innerlich leer und zum Umfallen müde.

Endlich rückt das Hotel wieder in Sichtweite und wie der Zufall es will, entdeckt sie die gefürchtete Reisegefährtin in ihrem signalroten Anorak, die zielsicher dem Eingang zustrebt. In einer Hand zig Plastiktüten, in der anderen einen knallgelben Regenschirm. Mit Zähnen und Klauen, dickfellig wie eine Elefantenkuh stemmt sie sich gegen die Böen.

Swenja genehmigt sich im Strandcafé noch eine Tasse Kaffee, bevor sie den Spuren folgt. Frau Bürlimann hockt breitbeinig auf der Bettkante, schlürft einen Pott Tee, den sie mit dem Tauchsieder gebraut hat und schnabuliert Plundergebäck mit Vanillepudding, ofenfrisch vom Bäcker. Mit vollen Backen präsentiert sie die Trophäen ihres Einkaufstrips und entziffert zur Selbstbestätigung ihrer gelungenen Auswahl noch einmal die gesundheitsfördernden Inhaltsstoffe von Sanddornmus, Marmelade, Schokolade, Ostblütenhonig und Schwarzkümmelöl. Ein Disput über die Anbaugebiete von Schwarzkümmelöl ist unausweichlich, aber nur ein kurzes Scharmützel.

Swenja rüstet sich zum Abendessen und – Wunder, oh, Wunder – Frau Bürlimann will mit, weigert sich aber standhaft mit Rücksicht auf ihre Diät, irgendetwas zu bestellen, außer ein Glas stilles Wasser. Pfifferlinge mit Klößen dampfen und schon liegt sie hingerissen quer überm Tisch schnüffelnd und schnuppernd, spingsend und linsend. Betäubt vom Duft giert sie dermaßen hungrig, dass Swenja anbietet noch ein Gedeck zu bestellen, versichert mit Engelszungen, eine halbe Portion reichte für sie. Doch Frau Bürlimann schüttelt den Kopf, sperrt sich entschlossen, fixiert angestrengt die Deckenleuchte, der Versuchung zu widerstehen – und errötet. Sie scheitert kläglich, ihrer Anwesenheit eine dekorative Bedeutung zu verleihen. Zu verführerisch, was da vom Teller in einen fremden Schlund wandert. Scheele Blicke lutschen an jedem Pilz, der im Geist auf der eigenen Zunge zergeht und im Teich ihrer grünen Augen fischen Haie.

Die nächste Nacht so fürchterlich wie die vorherige und die Ausweglosigkeit zermürbt. Gedanken schwirren wie Vogelschwärme, Gedanken über die Zeit, die ein Sklave der Physik ist und die mit der Physik enden wird, eine Phase zwischen zwei Toren, dem einen, das für die Zeit steht, bei der keinerlei Vorher, dem andern, bei der keinerlei Nachher existiert – eine Spanne zwischen Urknall und Gravitationskollaps, zwischen Geburt und Tod. Ob Mikro- oder Makrokosmos, alles von einem Stamm, alles aus einer Suppe. Das unverrückbare Gesetz der Zeit, die ihre Kinder frisst, weil sie irreversibel ist.

Swenja versucht, sich herauszuwühlen aus den Fängen leidiger Vergangenheit und mit Düsternis beladener Zukunft, Zustände, in denen sie nicht mehr oder noch nicht anwesend ist. Die Last des Vergangenen und die Angst vor der Zukunft ergeben die brisante Mischung, aus der Wahnsinn sich formt, genau das Muster des unglücklichen Bewusstseins, das Hegel in seiner Phänomenologie des Geistes beschrieb. Vergangenes lässt sich nicht radieren und verhunzt nicht selten die Gegenwart. Regungslos erträgt sie die Ereignislosigkeit, durch das stäubende Sägemehl der Schnarchgeräusche, wartet auf das Licht am Ende des Tunnels, die aufgehende Sonne, Atemzug um Atemzug, Augenblick um Augenblick. Nur im Augenblick der Einbruch einer Dimension von Ewigkeit spürbar, nur im Augenblick das Kontinuum von Zeit und Handlung aufgebrochen… Nur ein Augenblick hat die Kraft alle bisherigen Erfahrungen zu dementieren… Stopp. Wie bitte? Wer behauptete das? Welcher Philosoph? Für orgiastische Höhepunkte mag es gelten, aber sonst… Was beweisen denn stämmige Stunden wie diese hier, die tausende und abertausende Augenblicke mästen? Für die Grundfigur des Bösen à la Nietzsche steht die Unzeit der Zeit mit der Teufelei im Bunde. Dreierlei mit von der Partie: der Zufall, das Ungewisse, das Plötzliche. Solange Frau Bürlimann mit der Kreissäge ihrer röchelnden Kehle pausenlos die Wälder Europas abholzt, hat der Erfinder des Zarathustra Recht.

Der Morgen verläuft mit den gleichen Ärgernissen des Vortags, sogar das Pech mit der Thermoskanne wiederholt sich. Die beiden zanken übers Trinkgeld, weil Frau Bürlimann sich in den Kopf gesetzt hat, außer dem Zimmermädchen, dem gesamten Küchenpersonal ein Honorar im verschlossenen Umschlag persönlich zu überreichen: „Die haben sich wirklich große Mühe gegeben. Ich kann das beurteilen."
„Für die paar Brocken, die ich gegessen habe, hätten sie sich nicht anzustrengen brauchen", grollt Swenja und verstaut ihren Kulturbeutel im Trolley.
Die Sonne lacht sich schlapp. Ein Wetter wie es schöner nicht sein kann. Frau Bürlimann verabschiedet sich mit Handschlag und Tamtam vom Portier: „Es hat mir ausgesprochen gut bei Ihnen gefallen. Ich werde Sie weiterempfehlen. Nur die sanitären Anlagen … also hör`n Se mal…"
Abgestrudelt und leichenblass sitzt Swenja auf der Bank an der Bushaltestelle. Ihr graut vor der Fahrt und im Inneren kocht pure Wut. Denn Frau Bürlimann, rundrum satt geschlafen und pupsfidel, führt Varianten ihrer schmissigen Seniorengymnastik vor: Hüftkreisen, Fersen abrollen, Fäuste ballen, Finger spreizen, auf einem Bein balancieren, Kniebeugen

und die Welt umarmen. Ausrufe der Bewunderung der umstehenden Leute feuern sie an. Beflügelt sonnt sie sich im allgemeinen Wohlgefallen und schäkert gutgelaunt.

Die Zugfahrt wird beherrscht von einem weitgehenden beidseitigen Gewähren lassen ohne nennenswerten Austausch kommunikativer Signale. Stillvergnügt lächelt die Schweizerin in sich hinein, futtert ihre Vorräte, dass Swenja bange vermutet, sie präpariert eine Liste von Peinlichkeiten, die sich auszuwalzen lohnen. Per Handy verstreut sie verdächtig viele Einladungen zum Kaffeeklatsch, gluckst hinter vorgehaltener Hand und verspricht demnächst mehr.

Swenja begrübelt den Weg, der das Ziel ist. Dürkheims glühendes Vorbild: die Katze, die nur dazuliegen braucht, selbstvergessen, auf dem höchsten Stand der Absichtslosigkeit und keine Maus lässt sich mehr blicken. Das nennt er göttlichen Ritterweg: Zu siegen ohne zu töten. So ein beneidenswertes Katzenvieh, eigenartig und eigenwillig, ist nichts geworden, außer es selbst. Dummerweise handelt es sich bei Frau Bürlimann nicht um eine Maus. Swenja trinkt den letzten Schluck Limo, die sie vom rollenden Bordrestaurant gekauft hat, stellt die leere Flasche auf die Ablage und schließt die Augen. Prompt keift es schroff und feindselig: „Hör`n Se mal, entsorgen Sie gefälligst die Flasche, neben der Toilette ist ein Abfallcontainer."

Knall auf Fall Frau Bürlimann in ihrem Element, das harmlose Gegenüber ein gefundenes Fressen und die Rage nicht zu bremsen – ein klirrender Radau zornstrotzender Befehle, der sich steigert bis eine Männerstimme unterbricht: „Ruhe da hinten."

Swenja seufzt. Gesund ist, wer ein Leben im Schweigen der Organe führt. Vielleicht ist die Bürlimann doch eine Maus.

Im Block verschanzt sich jede in ihrem Schließfach. Swenja, stolz die Tortur überstanden zu haben, denn die Todesnähe gab neuen Auftrieb, grast beherzter denn je auf ihrer Hirnwiese. Abgeschieden in ihrer Klause, taucht sie ein in erfahrene Szenarien, verbuchstolpert ihren Stoff für die digitale Welt des Hintergrundrauschens, bis er ihr nicht mehr gehört und es scheint, als habe eine fremde Hand ihn gewirkt.

Frau Bürlimann in flügelschlagender Hochstimmung amüsiert ein paar Tage die Nachbarschaft im Treppenhaus, bevor sie ein Notebook ersteht und es still wird um sie. Auf leisen Sohlen huscht sie umher, vermeidet schamhaft jede Begegnung. Niemand mehr hört sie lachen, niemand mehr schwätzen. Zwar glaubt sie nicht an Gespenster, aber sie fühlt sich beobachtet, wenn nicht gar bedroht von einem Geist, den sie im digitalisierten Schwarm des Äthers nicht dingfest machen kann. Von ihm existiert ein Text im Internet, der sie erschauern lässt, wann immer sie ihn liest. Er beginnt: „Die Weckersirene. Verfluchte Schreckschraube. Aus der Traum. Blick aufs Zifferblatt – von wegen noch einmal umdrehen, Kissen übern Kopf. Auf in den Kampf. Katzenwäsche, rein in die Klamotten, Beine in den Nacken, Bus zum Bahnhof, in den Zug, ab die Post: Drei Nächte, einen Tag hin, einen zurück, einen zum Ausruhen. Wenn der Weg nicht so weit wäre, der Weg. War`s überhaupt der richtige? Vielleicht der richtige, das Falsche zu tun. Wie viele Knüppel werden zwischen die Beine fliegen? Der Weg ist das Ziel, lehrte Graf Dürkheim, der erste Guru des Zen auf europäischem Boden: der Weg zur Befreiung des Wesens aus den Fesseln des weltabhängigen Ichs hin zu einer Wirklichkeit jenseits der Gegensätze. Was die Leute immer am Reisen finden? Stress nichts als Stress – Fernweh. Geschäftemacherei. Konkurrenz der Sterne in Hotelküchen. Reinster Krampf. Kant aus Königsberg auch nie raus gekommen. Na und? Kein Schaden gewesen…“

* zitiert nach Kalil Gibran, Der Prophet
* zitiert nach Ingeborg Bachmann, Liebe – dunkler Kontinent
* zitiert nach Christian Morgenstern, Galgenlieder.

Heidi Axel

Urlaubserinnerungen vor der Wende und nach der Wende

Wenn Sie den nachstehenden Bericht lesen, dann hoffe ich, dass Sie an einigen Stellen ihre Blase voll im Griff haben, Ihren Nachbarn nicht mit lautem Lachen belästigen und Ihren Bekannten und Freunden das Buch weiter empfehlen! Sehr gern denke ich an meine Urlaubsreisen zurück, sei es zu DDR-Zeiten oder auch zu BRD-Zeiten. Es war immer schön. Wirklich immer! Und ich bin viel gereist. Ich bin komischerweise in meinen 20er Jahren gereist, das war vor meiner Ehe, und als mein Mann starb, also nach meiner Ehe, fing ich wieder mit dem Reisen an.

Ich war bei meinen Freunden am Bodensee und ich muss heute noch über Harrys Späße lachen. Ist das ein Unikum. Einmal, es war während eines Türkeiurlaubes, gingen wir einkaufen und Harry wollte sich *eine* Jeans kaufen. Rausgegangen ist er dann immer mit fünf Hosen! Seine Frau und ich warteten und begutachteten jede Hose. Die türkischen Herren sahen sich dieses eine Weile an und beobachteten uns. Auf einmal fragte der eine Harry, ob das seine zwei Frauen seien und ohne mit der Antwort zu zögern sagte Harry: „Ja, klar. Die Zweite habe ich mir erst zugelegt." und er zeigte auf mich. Seine Frau und ich versuchten ernst zu bleiben, denn wir hatten das schon des Öfteren durchgezogen. Der eine türkische Herr kam auf Harry zu und sagte: „Gib mir blonde Frau. Ich gebe fünf Kamele. Ist sie wert." Er meinte mich, denn Harrys Frau ist schwarzhaarig. Harry sagte ohne das Gesicht zu verziehen: „Ich brauche eine blonde und eine schwarze!" Er bezahlte, hakte uns beide unter, wir trugen die Beutel und sahen zu, dass wir von der Bude weg kamen. Wir haben dreimal zusammen in der Türkei Urlaub gemacht und ich war auch dreimal bei ihnen am Bodensee. Solche Menschen trifft man im Leben nur einmal, höchstens zweimal. Während unseres letzten gemeinsamen Urlaubes, es war vor den Anschlägen in Istanbul, kamen wir nicht viel in der Türkei herum. Wir hielten uns doch überwiegend im Hotelbereich auf. Abends trafen sich alle in der Bar des Hotels und das Leute- Kino begann. Nach einigen Abenden warteten wir nur auf zwei Frauen! Eine nannten wir nach einigem Beobachten Donna Promilla. Meine Güte, was hat die Frau jeden Abend gesoffen und das bis zur Bewusstlosigkeit. Wenn jemand von uns auf diese harten Fliesen geknallt wäre, dann wäre das Blut geflossen, aber diese Frau hatte noch nicht mal eine Beule und stand am nächsten Abend wieder an der Bar. War sie so voll, dass sie umfiel, kamen zwei türkische Herren, zerrten sie hoch und schleiften sie in ihr Zimmer. Da war natürlich nur Kopfschütteln angesagt und auch fremdschämen. Über diese Frau habe ich ein Gedicht geschrieben: Es heißt „Donna Promilla" und Sie finden es in meinem Buch „Queer Beet- Gedichte und Geschichten rund ums Jahr" erschienen im Noel-Verlag. Ich habe damals so gelacht und mich regelrecht geschüttelt, wenn ich gesehen habe, wie der eine Mann sich jeden Abend den Verstand mit Pfefferminztee und jeder Menge Raki weggesprengt hat. War er voll, fiel er um und schlief in der Hotelbar auf dem Sofa. Auch hier kamen die türkischen Herren und schleppten ihn ab. Deutsche Rentner waren immer nur zum Schämen und jetzt bin ich selber Rentner, aber ich denke, dass ich mich nie im Leben so daneben benehmen werde. Der Koffer war mal weg, wurde wieder gefunden, der Anschluss mal an die Reisegruppe verpasst, aber auch die wieder gefunden. Mein schönstes Erlebnis war während einer Bootsfahrt vor der Küste Marokkos, als während des Badens ein Delfin auftauchte. Eine Frau aus der Schweiz und ich hatten uns getraut in den Atlantik zu springen und auf einmal kam leise und ohne Wellen zu machen eine Delfinnase zum Vorschein. Vom Schiff aus riefen die Männer, dass wir ruhig sein und keine schnellen Bewegungen machen sollten. Er tauchte nach wenigen Augenblicken wieder unter und verschwand. Es war ein unvergessener Anblick für mich.

Ein Ausflug stand an und wir erkundeten die Bergwelt von Gran Canaria. In einem kleinen Dorf wurden wir sehr herzlich begrüßt und in eine Gaststätte geführt. In der Küche stand ein riesiger großer Herd. Eine alte Dame backte auf einer Ecke des Ofens eine Art Eierkuchen. Sie legte immer drei Stück auf einen Teller, beträufelte sie mit Honig, der sehr gut duftete, und gab viel Schlagsahne darüber. Dazu gab es einen großen, schwarzen und sehr starken Kaffee. Wir konnten uns das kaufen und ich überlegte nicht lange und ließ mir eine Portion geben. Dieser wunderbare Teller kostete fünf Euro mit Kaffee und ich ließ ihn mir schmecken. Von den anderen Mitreisenden wurde ich aus der Ferne beobachtet und sie schwankten zwischen ja und nein hin und her. Die meisten entschieden sich für ein NEIN, denn man hatte ja im Hotel All Inklusive bezahlt, aber ein Mann sagte zu mir: „Sie essen mit so einem Genuss, dass es einfach gut schmecken muss. Ich hole mir auch einen Teller." Seine Frau wollte protestieren, aber auf einmal nahm sie ebenfalls Geld in die Hand und holte sich auch eine Portion. Wir drei saßen zusammen am Tisch und schaufelten diese köstlichen Eierkuchen mit dem Honig hinein. So etwas bereut man nicht, wenn man im Ausland ist und sich eine solche Köstlichkeit gönnt. Jedes Land, in dem ich war, war das Geld wert, das ich ausgegeben habe. Jedes Land hatte seine wunderschönen Bauten, Menschen, Speisen und Geschäfte zum Einkaufen. Ich weiß heute noch, welche Klamotte ich mir wo gekauft habe!

Die herrliche Stadt Budapest, die solche einzigartigen Baudenkmäler hat, die man einfach gesehen haben muss, habe ich zweimal besucht. Da wundere ich mich heute noch über meine liebe Mutter, dass sie mich damals, im übrigen zu tiefster DDR-Zeit, dorthin reisen ließ. Natürlich beim Abschied mit dem unerlässlichen Satz: „Und denk dran, bist du schwanger, dann kümmerst du dich alleine um das Kind!" Ich wurde nicht schwanger, wusste aber, dass sie mich nie im Stich gelassen hätte, sie verstand es die Trommeln des Gewissens zu schlagen.

Ach, das Reisen war ja zu DDR-Zeiten schon ein Erlebnis der besonderen Art. Man fuhr damals mit dem Jugendreisebüro „Jugendtourist". Einmal waren wir in Polen! Stellen Sie sich vor, dass sie 14 Tage lang nur Gehacktes essen müssen und immer wieder mit diesen komischen Nudeln. Man musste sich jeden Mittag anstellen, um einen Platz im Speisesaal zu ergattern. Wir waren zu dritt und sagten zu unserer einen Freundin: „Geh mal gucken, ob es sich schon lohnt, dass wir uns anstellen." Sie sah hinein und sagte ganz laut: „Das dauert noch. Die Mongolen fressen noch!" Im Speisesaal saß gerade eine Reisegruppe aus der Sowjetunion. Uns blieb vor Schreck der Mund offen, denn so eine Äußerung bedeutete massiven Ärger. Wir verschwanden schnell aus dem Speisesaal und verzichteten an diesem Tag auf Gehacktes mit Nudeln.

Auch der Urlaub in Rumänien wird mir ewig in Erinnerung bleiben. Wir waren eine Woche im Gebirge und eine Woche am Schwarzen Meer und waren froh, dass es auf dem dortigen Markt Obst gab, das wir uns leisten konnten, denn wir wurden einfach nicht satt. Wir hatten uns an einem Tag zum Mittagessen hingesetzt und wollten gerade mit dem Essen beginnen, da gingen die Kellner im Eilschritt vorbei und sammelten das Besteck wieder ein, denn im Nachbarraum saßen holländische Touristen und wollten ebenfalls zu Mittag essen, aber sie hatten kein Besteck. Das reichte im Hotel nicht für alle Urlauber aus und da kam man auf die Idee uns das Besteck wegzunehmen und es den Holländern zu geben. Wir aßen dann mit den Fingern, denn wie gesagt, wir wurden in diesem Urlaub nie satt und wollten nicht auf diese warme Mahlzeit verzichten. Vor allen Dingen bekamen wir auf diese krasse Art und Weise den Unterschied zwischen Ost und West zu spüren.

Dann ging es eine Woche ans Meer und auch dort gab es nichts als Ärger. Auf dem Flughafen in Bukarest wurden wir durchsucht, abgetastet und strengstens bewacht. Eine Urlauberin hatte schon aus der BRD ein Parfümspray dabei. Die Beamte machte Zeichen, was so viel bedeuten sollte, wie: „Was ist da drin?" Die Urlauberin nahm das Spray in die Hand und wollte die Kappe abnehmen, um ihr zu zeigen wie es funktionierte. Die Beamtin schrie etwas, was nach Bombe klang und wir hatten jeder ein Bajonett am Hals. Mir ist heute noch völlig unklar, wo so viele Soldaten auf einmal her kamen. Die Dolmetscherin war verschwunden, es stellte sich heraus, dass sie einen Kaffee trinken war. Da gefriert mir heute noch das Blut in den Adern und auch solche Vorfälle vergisst man nie.

Die schönsten Urlaube zu DDR-Zeiten aber waren in der ehemalige Sowjetunion. Sie glauben gar nicht, was da gesoffen wurde! Ich war einmal in Leningrad, zweimal in Moskau und einmal auf der Insel Krim. Nur gut, dass wir doch im Russischunterricht etwas, die Betonung liegt auf *etwas*, aufgepasst hatten. So kamen wir ganz gut zurecht. Da man immer einige Programme (Besuch von Brigadefeiern, Besuch von Pioniergruppen) abarbeiten musste, wenn man im „Bruderland" war, gab es auch hier immer Erlebnisse. Angesagt waren die sogenannten Heimatabende und uns fuhr man damals zu einem ukrainischen Heimatabend mit anschließender Teilnahme an einer Brigadefeier. Der Abend begann recht ruhig. Das Essen wurde serviert. Es kam in einem hohen Krug, der auf einem Teller stand. Als gut erzogene Deutsche nahmen wir alle den Löffel, schaufelten uns aus dem Krug etwas auf den Teller und begannen zu essen. Die Dolmetscherin erklärte uns, dass man das hier aus dem Krug heraus zu sich nimmt. Mir fiel dazu nur die Fabel vom Storch und vom Fuchs ein. Also nahmen wir den Teller und kratzen unser Essen wieder zurück in den Krug. Nur ich nicht, denn ich untersuchte ja erst jedes Essen auf den Inhalt und es war ja in der Sowjetunion immer damit zu rechnen, dass eine reichliche Menge an Zwiebeln im Essen war und das kam schon damals nicht für mich in Frage. Ich pickte mir die Fleischbrocken heraus und aß Brot dazu, das ja immer reichlich auf dem Tisch stand. Das Essen war vorbei und die Drei-Mann-Kapelle begann zu spielen. Wir Mädels seufzten schon, als wir die geilen Blicke der Russen sahen und es kam, wie es kommen musste, wir wurden zum Tanz aufgefordert und um keine Spielverderber zu sein, tanzten wir mit. Waren wir schnell genug und tanzten untereinander, dann war alles gut. Ich tanzte mit meiner Freundin. Die Kapelle spielte schon gefühlt zum hundertsten Mal die „Rosamunde", da rutschte meine Freundin aus, knallte auf die Tanzfläche und zog mich so mit, dass ich auf ihr landete. Wir konnten vor Lachen nicht aufstehen. Einige Männer halfen uns wieder auf die Beine und nun ging es erst richtig los. Es kamen die berüchtigten Gläser mit sto Gramm Wodka zum Einsatz. Das waren Gläser, die aussahen wie Wassergläser, aber aus denen wurde Wodka – 100 sto –Gramm getrunken. Ich kann auch nach all den vielen vergangenen Jahren nicht sagen, wie wir wieder ins Hotelzimmer gekommen waren. Es war alles dunkel. Ich denke, ich habe vier solche Gläser getrunken und dann war der Film gerissen! Am anderen Morgen, die Welt drehte sich doppelt so schnell, versuchten wir aufzustehen, was einfach nicht gelang. Wir blieben liegen und schliefen noch eine Runde. Gegen Mittag ging es uns dann besser und wir wollten nur noch einen Kaffee haben. Ich suchte meine Sachen zusammen und ein Bekleidungsstück fehlte! Ausgerechnet mein BH war nicht da. Wir suchten noch einmal das ganze Hotelzimmer ab, aber er fand sich nicht. Na gut, da musste der Ersatz her. Auf einmal klopfte es an der Tür und zwei Jungs unserer Reisegruppe kamen lachend herein. Sie hatten meinen BH in der Hand und meinten: „Der hing draußen an der Tür!" Ich hatte für den Rest der Reise für so viel Gesprächsthema gesorgt, dass ich es einfach über mich ergehen ließ und damit fertig.

Sie sehen also, dass es zu DDR Zeiten in Bezug auf Alkohol auch unter den Jugendlichen schon sehr heftig zuging. Untergebracht waren wir damals im Hotel „Jalta", das es auch heute noch gibt. Als wir von Jalta wieder abreisten, kamen wir nur bis Kiew und saßen dort aus irgendwelchen Gründen, die uns keiner sagte, drei Tage fest. Wir wurden abends in ein Hotel gefahren und am Morgen wieder abgeholt. Die Verpflegung klappte, aber wir hatten kein Waschzeug und auch keine Wechselbekleidung, denn die Koffer waren weg. Wir lebten in der Zeit von Rotwein und Zigaretten. Als es uns zu bunt wurde und wir nur noch nach Hause wollten, fingen wir an die brennenden Zigaretten auf dem Spannteppich auszutreten. Das gab vielleicht hässliche Flecke, aber auf einmal kam Bewegung in unsere Gruppe und wir wurden in den Flieger gesetzt und es ging Richtung Leipzig. Dort angekommen, fragten wir nach unserem Gepäck, aber es war weg. Alle Koffer der Reisegruppe waren weg und wir fuhren so nach Hause. Der letzte Zug kam um 0.30 Uhr damals in Pößneck an und wurde von uns als Lumpensammler bezeichnet, denn der erste Zug fuhr erst wieder früh um fünf zurück. Wir freuten uns, dass wir eine Taxe bekamen.

Der Taxifahrer sah uns an und meinte: „Ihr seid schön braun und das im Oktober, aber ihr könntet euch mal waschen. Ihr stinkt! Woher kommt ihr?"

Wir grinsten und sagten: „Wir kommen von der Krim!" Da wurde er böse und meckerte uns an: „Verarschen kann ich mich alleine. Mit dem Beutel ist noch keiner von der Krim gekommen. Wer weiß, wo ihr euch rumgetrieben habt, ihr Weiber!" Wir sprachen kein Wort mehr. Ich bezahlte und klingelte, damit meine Mutter mich rein ließ. Sie streckte den Kopf aus dem Fenster und sagte halblaut: „Ja, wer ist da?"

„Mutter, ich bins." Sie kam die Treppe runter und schloss die Haustür auf. Sie raus, ich rein und die erste Frage war: „Wo ist dein Koffer?"

„Keine Ahnung, er ist weg!" Ich badete eine Stunde lang und verschwand in mein Bett. Meine Mutter rief am anderen Tag im Kinderheim, in dem ich damals arbeitete, an, dass ich da sei und bekam den „Befehl" mich umgehend zur Schulrätin (heute Schulamtsleiter) zu schicken. Ich ging am übernächsten Tag hin und wurde auch da erst einmal zusammengeschissen, warum ich nicht gestern gekommen wäre. Sie wollte mich ausfragen, warum wir drei Tage zu spät kamen, aber ich wusste ja selber nicht, was der Grund war, warum man uns nicht ausgeflogen hatte. War mir auch egal! Sie entließ mich nur mit der Bemerkung, dass mein Zuspätkommen noch ein Nachspiel haben werde. Es hatte kein Nachspiel! Mein Koffer kam im Übrigen drei Wochen später mit dem Vermerk an: Über London fehlgeleitet! Er war kaputt und sogar die schmutzige Wäsche war raus geklaut. Ich hatte mir noch drei Kilo Mischkakonfekt, so was Ähnliches wie Mars, gekauft. Davon lag noch ein Stück im Koffer, aber ein Zettel auf dem geschrieben stand: spacibo! (danke) war dabei. Na, man hatte sich wenigstens bedankt und mir noch eine Kostprobe gelassen. Den anderen ging es auch nicht viel besser!

Eine Geschichte muss ich noch von der Krim erzählen. Eine Bustour in den Kaukasus stand an und wir wurden aufgefordert sehr pünktlich in der Hotelhalle zu sein. Natürlich kamen meine Freundin und ich wieder einmal zu spät und mussten im Bus auf die letzte Bank. Die Busse dort dürfen Sie auf keinen Fall mit den heutigen Reisebussen vergleichen! Das waren uralte Fahrzeuge, die so quietschten, dass wir dachten, irgendwann fällt die Kiste auseinander. Es ging los ins Gebirge und unser Fahrer fuhr wie eine gesengte Sau! Er nahm keine Rücksicht, ob da ein Schlagloch kam oder nicht. Immer hinein und bei jedem Schlagloch wurden wir durchgeschüttelt und versuchten uns irgendwo festzuhalten. Die Gerüche, die aus den „Polstern" kamen waren so ekelerregend, dass man schon hart gesotten sein musste, um das zu überstehen. Es stank erbärmlich nach Zwiebeln, Knoblauch und anderen menschlichen Ausdünstungen! Die Straße, es war keine befestigte Straße, sondern nur eine Schotterstraße, führte in einer Serpentine hoch ins Gebirge. Auf einmal kam ein großer LKW mit Steinen von oben herab und der Busfahrer musste zurücksetzen, um diesen vorbeizulassen. Die Räder des Busses standen am Abgrund und wir, die wir auf der letzten Bank saßen, hingen über dem Abgrund. Der Blick nach unten sagte uns damals, dass wir kurz vor dem Eintritt ins Himmelreich waren. Es war nur noch Schweigen im Bus! Ich sagte zu meiner Freundin: „Ursel, wenn wir hier runter fallen, dann warte im Himmel auf mich!" Sie brachte nur unter einem Schweißausbruch: „Halt die Schnauze Axeln!" heraus. Der Motor heulte auf, die Räder drehten erst einmal durch und bekamen dann doch auf einmal Gripp und der Bus schoss nach vorn. Wieder flogen wir auf den Sitzen hin und her, waren aber heilfroh, dass wir nicht in den Abgrund gestürzt waren. Ich muss Ihnen sagen, dass wir noch in einigen Nächten mit diesem Bus gefahren sind! Im Traum!

Dann verschlug es uns auch noch einmal nach Bulgarien und da ging der Ärger schon auf dem Leipziger Flughafen los. Ich war wie immer die Erste in der Reihe, da man sich bei den Jugendgruppen nach dem Alphabet anstellen musste zur Kontrolle. Der Beamte machte meine Tasche auf und fand eine große Flasche Wodka und 500 Gramm Kaffee (das war ein Vermögen! Zu DDR-Zeiten) in meiner Tasche. Er fragte mich: „Was wollen Sie denn damit?" Ich antwortete: „Das ist mein persönlicher Bedarf! Die Kanne und der Tauchsieder stehen hinter mir." Und damit meinte ich meine Freundin Ursel, die Kanne und Tauchsieder im Handgepäck hatte. Alle lachten! Da fing der Kerl an zu brüllen und fummelte an seinem Gürtel rum. Ich dachte damals, dass der die Waffe zieht, aber er brüllte: „Die ganze Gruppe geht zur Sicherheitskontrolle!" Also rein in die Kabine, Beine gespreizt, Hände nach vorn an die Wand und wir wurden abgetastet. Die Frau, die mich kontrollierte, trat mir noch vors Schienbein, da ich nach ihrer Meinung die Beine nicht weit genug auseinander hatte. Ich drehte mich nur um und sagte: „Sind wir noch im Krieg?" Da wurde sie verlegen und schickte mich raus. Wir stiegen ins Flugzeug ein und der Urlaub begann. An einem Abend, es war wieder ein bulgarischer Abend, reichten die Plätze nicht und ich musste mich zum Essen zu zwei Männern an den Nachbartisch setzen. Wir unterhielten uns. Sie kamen aus Köln und ich wunderte mich, dass sie die gleichen Ringe am Finger hatten, aber die Unterhaltung war nett, ich aß und setzte mich dann wieder zu den Anderen hin. Die beiden gingen und ich dachte nicht mehr daran, bis der eine sagte: „Na, wie wars denn mit den beiden Schwulen am Tisch?" Ich sah auf und konnte damit nichts anfangen, denn das Thema Schwulsein gab es zu DDR-Zeiten nicht. Darüber waren wir nicht aufgeklärt und darüber wurde auch nicht gesprochen. Wir hatten schon mal etwas hinter vorgehaltener Hand gehört, aber jemanden gekannt, der schwul war *nein,* das konnte gar nicht sein. Ich zuckte mit den Schultern und sagte nur: „Sie waren nett und ich will doch nichts von denen!"

In Bulgarien dachten auch einige, dass sie über die Türkei in den Westen „abhauen" könnten. Einer versuchte es mit einem klapprigen Fahrrad, das er geklaut hatte, aber er wurde geschnappt. Jeder wusste, dass solche schwachsinnigen Ideen einfach nicht klappen würden. Der damalige „Sicherheitsbeauftragte" (ein Informant der Staatssicherheit) unserer Reisegruppe war eine diebische Elster. Nach dem Besuch einer Gaststätte stahl er diese braunen bulgarischen Trinkbecher, jeder gelernte DDR-Bürger kennt sie aus dem Kunstgewerbegeschäft, steckte sie in die Strümpfe und wollte breitbeinig die Gaststätte verlassen, aber die bulgarischen Kellner waren ja auch nicht blöd und nahmen sie ihm wieder weg.

Sie sehen also, dass die Auslandsurlaube zu DDR Zeiten ganz anders waren als heute. Da war nichts mit Versicherung, die Fluggesellschaft verklagen, wenn der Flieger nicht pünktlich war oder großartig einkaufen im Flieger. Zu essen gab es auch nichts und das ist heute schon wieder so!

Reingesetzt, durchgeschüttelt und die Hoffnung mitgenommen, dass man heil am Urlaubsort ankam und auch wieder nach Hause.

Heidi Axel

Zypern – ein Urlaubsbericht

Am 1. Januar saß ich vor meinem Computer und überlegte, wo ich im Jahr 2017 meinen Urlaub verbringen könnte. Ich stöberte viele Seiten im Internet durch und es stellte sich für mich heraus, dass ich schon ganz schön gereist war, aber auf einer Insel – und ich liebe Inselhopping – war ich noch nie, und das war Zypern. Ich wusste von diesem Land nichts, wenigstens fast nichts und so begann ich mich erst einmal von zu Hause aus zu informieren. Alte Kulturen, wunderschöne Vegetation, das Meer, so begann mein Interesse zu wachsen und ich fragte meine Freundin, ob sie mit mir fliegen wollte und sie wollte. Ich ins Reisebüro, gebucht, mich auf eine völlig unbekannte Airline eingelassen und die Anzahlung erledigt. Die Monate vergingen und der Tag des Abfluges kam heran. Los ging es vom Flughafen Leipzig-Halle, den wir schon von unserem letzten Urlaub auf Kreta kannten. Was waren wir über die Ausstattung des Fliegers entsetzt. Es war alles smol. Verpflegung war auch hier gestrichen und der Billigflieger hob ab in die Luft. Für 3,5 Stunden waren wir auf einen harten, schmalen Sitz angewiesen, der den Rücken echt forderte. Jeder der Urlauber wollte nach einer guten Landung so schnell als möglich raus, was aber bei dieser Enge kaum zu machen war. Raus aus dem Flughafen in Larnaca, in den Bus eingestiegen und halb verschlafen im Hotel Lordos Beach angekommen. Der Nachtdienst sprach keine Silbe Deutsch, aber wir fanden unser Zimmer und nach einer Erfrischung fielen wir müde in die Betten. Was mir gleich sehr positiv auffiel, war die Tatsache, dass auf Zypern ordentlich bezogene Zudecken im Hotel angeboten werden. Keine Pferdedecken mit Bettlaken, wie ich immer zu sagen pflege. Wir schliefen gut und fest und erwachten am ersten Tag trotzdem erst gegen neun Uhr. Hier ist eine Stunde Zeitunterschied zu Deutschland. Nach einem Blick aufs Handy, das uns verriet, dass wir ca. 2500 Kilometer von zu Hause weg waren, eroberten wir den Frühstückssaal und ließen es uns am gut gestalteten Buffet schmecken. Die Brötchen waren nur so groß wie aus dem Kaufmannsladen, ca. zehn Zentimeter, aber wir aßen etwas mehr und wurden satt. Den ersten Tag widmeten wir uns der Erkundung des Hotels sowie der Umgebung. Das Hotel ist ein vier Sterne Hotel, das diesem Anspruch auch gerecht wird. WLAN – frei, Bademäntel und Hausschuhe vorhanden, alle zwei Tage Handtücher gewechselt sowie das Bett frisch bezogen, der Safe ist kostenlos, Wasser in einer großen Flasche wurde immer nachgereicht, wenn die eine Flasche leer war, es gab einen Wasserkocher und dazu Kaffeepulver, Teebeutel sowie weißen und braunen Zucker. Das findet man nicht mehr überall auf der Welt. Das war wirklich Luxus für kleines Geld! Die Außenanlagen des Hotels machten einen sehr gepflegten Eindruck und es war stets und ständig Personal unterwegs, das den Müll, den manche Erdenbürger einfach fallen ließen, aufhob und wieder für Ordnung sorgte.

Auf zum Strand! Dieser ist nicht weiß oder gelb, sondern braun mit einigen Steinen versehen, aber es gibt Badeschuhe, mit denen man sich gut bewegen kann. So verbrachten wir den ersten Tag mit Erholung und freuten uns auf das Abendbuffet. Dieses war jeden Tag sehr reichlich. Verhungert ist da keiner. Es wurde jeden Abend ein anderes Thema für die kulinarische Gestaltung gewählt, z. B. ein asiatischer Abend, ein Grillabend oder auch ein zypriotischer Abend. Es gab die verschiedensten Sorten Salate sowie mindestens zehn Wärmebecken mit Fleisch, Fisch und Gemüse, eine Käseplatte, Pudding und verschiedene kleine Kuchen. Butter und Brötchen waren ebenfalls im Angebot. Im Hotel wird nicht viel an kultureller Gestaltung geboten, aber es wird auf Zypern sehr schnell dunkel, so dass man es sich auch auf dem Zimmer mit der einen oder anderen Flasche Wein schön gemütlich machen kann. Die Hotelleitung hat nichts dagegen, wenn man sich in den kleinen Märkten etwas kauft. Ich hatte aber leider so den Eindruck, dass man noch nicht begriffen hat, dass deutsche Urlauber ebenfalls über gute finanzielle Mittel verfügen. Im Hotel gibt es kein Geschäft, in dem man auch mal eine Kleinigkeit kaufen kann.

Wir nahmen an einer Rundreise durch den griechischen Sektor der Insel teil, denn jeder wird wissen, dass Zypern durch eine Demarkationsline in zwei Teile getrennt ist, den griechischen und den türkischen. Der Bus kam pünktlich und es ging nach Larnaca. Dort besichtigten wir die Kirche des Heiligen Lazarus. Dieser soll auch hier begraben worden sein. Die Kirche ist, wie im übrigen alle Kirchen, mit wunderschönen Ikonen ausgestattet. Zypern war einmal von Kirchen und Klöstern regelrecht übersät. Weiter ging es nun nach Nikosia oder, wie die Zyprioten sagen, Lefkosia. Hier wurden wir in die Altstadt geführt, was aber nicht unseren Vorstellungen von einer Altstadt entspricht. Läden über Läden, die zum Kaufen animieren. Viel Zeit hatten wir leider nicht, um uns noch etwas anderes anzusehen. Die Preise für gute Bekleidung entsprechen denen in Deutschland. Es gibt auch billige Ware, aber da sollte man sehr genau hinsehen, wie die Verarbeitung ist. Nach Nikosia schloss sich eine wunderbare Fahrt durchs Rhodosgebirge an. In einer Berggaststätte wurde Mittag gemacht, das im Preis des Ausfluges von 70 € mit enthalten war. Das Essen nannte sich MEZE. Auf ungefähr zwölf kleinen Schalen, die unseren mittleren Fleischplatten entsprechen, wurden die verschiedensten Speisen gereicht, so dass sich jeder in Ruhe satt essen konnte. Es gab Fisch, Lamm, Rindfleisch, Nudeln, Reis, Pilze, Gemüse, Obst, Salate und einen guten Rotwein. Satt und zufrieden stiegen wir wieder in den Bus und besuchten noch eine Kirche, die zum Weltkulturerbe zählt. Dann ging es wieder zu den Hotels. Man muss sagen, dass auf Zypern (griechischer Teil) überall gebaut und hergerichtet wird, denn der Tourismus ist die Haupteinnahmequelle. Es gibt wenige Häuser, die nicht gestrichen und hübsch gestaltet sind. Die Vorgärten wurden der Vegetation entsprechend mit Palmen und Kakteen bepflanzt. Schon dieser Anblick setzt einen in regelrechte Verzückung und man kann sich gar nicht satt sehen. Die einheimische Bevölkerung ist sehr freundlich und dankbar für jeden Euro, den die Touristen im Land lassen. Wie bereits erwähnt, ist man noch nicht so richtig auf deutsche Touristen eingestellt und man wird auch manches Mal echt bestaunt, dass man aus Deutschland kommt.

Am nächsten Tag stürmte es etliche Stunden sehr heftig. Die rote Flagge war am Mast befestigt, aber einige Dumme wagten sich doch bei diesem Wellengang ins Meer. Man sagt immer, dass Leichtsinn bestraft wird, aber diese Dummen hatten Glück. Es gibt keine Rettungsschwimmer am Strand. Es gibt zwar einen Mann, der sich um die Liegen und um die Sonnenschirme kümmert, er hebt auch den Plastikmüll auf, der an den Strand gespült wird, aber aufpassen muss jeder auf sich selber. Der Klimawandel ist auch auf Zypern angekommen! Es gewitterte vier Stunden ununterbrochen hintereinander. Der Strand wurde ausgeschwemmt, das Fernsehen fiel aus und das Regenwasser, welches der Boden bei dieser Sintflut gar nicht aufnehmen konnte, ergoss sich ins Meer. In diesen vier Stunden war kein Flugzeug am Himmel zu sehen. Das Hotel liegt nur 17 Kilometer vom Flughafen entfernt. Im Hotel werden russische und englische Touristen absolut bevorzugt behandelt. Wie bereits erwähnt, haben die zuständigen Zyprioten noch nicht erkannt, dass deutsche Urlauber auch über gute finanzielle Mittel verfügen! Während des Abendessens zählte ich zwölf Angestellte, die die Getränke brachten, die Tische abräumten und wieder neu eindeckten. In der Lobby waren auch immer bis zu fünf Angestellte, überwiegend Männer, zu beobachten. Es sind die Kleinigkeiten, die ein gutes Hotel ausmachen. Mir fehlte ein Messer und meine Freundin sagte es einem Kellner. Er brachte es einfach nicht, sondern ging bestimmt fünfmal an unserem Tisch vorbei ohne zu reagieren. Mir blieb nur eines zu tun übrig, aufzustehen und vom Nachbartisch ein neues Messer wegzunehmen. So was sollte nicht passieren! Zwei Männer in grauen Hemden machten gar nichts. Diese standen einfach nur herum und beobachteten das Personal und die Gäste. Es entzog sich eigentlich meiner Erkenntnis, welche Aufgabe diese beiden Männer jeden Abend hatten, aber ich denke, auch hier wird sich in einigen Jahren das Personal reduzieren – wenige müssen mehr schaffen! Junge Männer laufen im Sonntagsnachmittagsausgehschritt mit einem Teller in der Hand durch die Tischreihen und bekommen das auch noch bezahlt! Perfekt und lobenswert ist die Sauberkeit und die Ordnung im Zimmer. Hier ist das Hotel echt sogar fünf Sterne wert.

Wir haben uns in einigen regenfreien Stunden die Wohngebiete einmal angesehen und waren begeistert. Sehr schöne Wohnanlagen, wunderbar bepflanzt, eine Augenweide! Wir gönnten uns an so einem Tag auch einmal eine gute Thunfischplatte. Ein Teller voller frischem Salat mit Gurke, Tomate, Mais und eben Thunfisch. Geschätzt waren etwa drei Dosen Thunfisch darauf. Dieser kostete 5,50 € und da kommt man mit der gebuchten Halbpension im Hotel gut aus. An den anderen Tagen kauften wir uns kleine Kuchenstücke oder Sandwiches und wurden auch satt. An einem anderen Tag erkundeten wir auf eigene Faust Larnaca. Diese Stadt hat einen sehr schönen Jachthafen sowie eine wunderbare Promenade. Man denkt, dass man in Cannes ist. Eine Palme reiht sich an die andere. Die Straßenlaternen haben ein Flair der 20er Jahre und man fühlt sich einfach nur gut! Ein Cafe reiht sich an das andere, Geld ausgeben kann man, solange es die Kreditkarte mitmacht und den Blick auf das Meer kann man ebenfalls unendlich und kostenlos genießen. Suchen Sie in Larnaca zuerst die Touristinformation auf. Diese befindet sich am Europaplatz und ein netter Mitarbeiter sprach sogar Deutsch. Mit einem guten Stadtplan, den wir dort kostenlos erhielten, konnten wir uns wunderbar orientieren und bummeln gehen. Hier muss man aber besonders aufmerksam sein, denn auf Zypern herrscht Linksverkehr, also schauen Sie lieber öfter auf die Straße, ob ein Fahrzeug kommt. Die zypriotischen Autofahrer fahren sehr schnell und bremsen erst kurz vor Ihnen ab. Laufen Sie sehr zügig über die Straßen und, wenn vorhanden, benutzen Sie einen Fußgängerüberweg. Die Ampel schaltet in wenigen Momenten gleich von rot auf grün und zurück auch. Sie müssen schon springen, wenn sie gut auf die andere Seite kommen wollen.

Setzen Sie sich wirklich einmal in Larnaca in eines der vielen Straßencafes und genießen sie für ca. sieben Euro einen guten Kaffee und ein herrlich großes Gebäckstück sowie gratis die wunderschöne Prachtstraße und den Blick aufs Meer. So muss der Urlaub einfach sein! Die Bedienung war hier sehr aufmerksam und nett. Die Füße haben uns an diesem Tag etwas weh getan, aber unser Schrittzähler, und den sollten sie sich vielleicht auf ihr Handy laden, sagte uns, dass wir fast alle Kalorien wieder verbrannt hatten. Im Hotel legten wir uns dann noch etwas an den Strand. Liegen müssen nicht reserviert werden, denn es sind genügend vorhanden und die Sonne scheint auch in jeden Winkel. Einen ordentlichen Sonnenblocker sollten Sie immer dabei haben. Dieser muss unbedingt Lichtschutzfaktor 50 enthalten, denn sonst ist ein Sonnenbrand zu erwarten.

Am vorletzten Tag unternahmen wir eine Rundreise durch den türkisch besetzten Teil der Insel. Wir waren an diesem Tag zwölf Stunden unterwegs. Der Ausflug kostete ebenfalls 70 €, aber dieses Mal ohne ein Mittagessen, was wir nicht als gut empfanden bei diesem Preis. Zuerst ging es in Richtung Demarkationslinie, wo die Ausweise überprüft wurden. Hier stieg ein freundlicher Mann ein, der uns die ganze Zeit über begleitete und im Blick hatte! Als Erstes fuhren wir nach Famagusta. Hier besuchten wir die Kathedrale des Heiligen Nikolaus, eines der großen Werke gotischer Baukunst auf Zypern. Die Eindrücke sind so reichhaltig, dass man sich wirklich nicht alles merken kann. Wir hatten einen hervorragenden Reiseleiter mit ausgesprochen guten Deutschkenntnissen. Von dort ging es nach Salamis, die einst die größte und reichste Stadt Zyperns war. Es ist herrlich in den alten Ruinen spazieren zu gehen. Man entdeckt dort auch noch Mosaike, die durchaus mit den Mustern in der heutigen Zeit standhalten können. Gestaunt und geschmunzelt haben wir, dass in dem großen Thermalbad auch an das Liebesspiel gedacht wurde, denn ein Mosaik erzählte, dass Amor hier auch auf bezahlten Freiersfüßen lustwandelte. Weiter ging es nach Kania und dort in die sehr gut erhaltene Festung sowie das dortige Schifffahrtsmuseum. Von der Befestigungsmauer hat man einen romantischen Blick auf die Umgebung. Dann begann die Fahrt ins Fünf-Finger-Gebirge, von der ich wohl noch jahrelang schwärmen werde. Der Ausblick, der sich uns hier bot, verschlug einem einfach den Atem. Das muss man gesehen haben, das kann man nicht mit Worten beschreiben. Diese Weite, diese Ruhe, diese Pflanzenwelt lassen jedes Burnout-Syndrom verschwinden. Hier besuchten wir die Abtei Belapais (Abtei des Friedens). Majestätisch thront sie über dem Meer auf einem Felsvorsprung und bietet einen absolut imposanten Ausblick auf Meer und Umgebung. Man kann wirklich behaupten, dass der Norden Zyperns ein Flecken Erde ist, den der

Himmel berührt. Ich bin der Meinung, dass er auch die Herzen berührt, wenn da nicht diese Linie wäre. In der Abtei hat man das Gefühl, dass hier die Zeit stehen geblieben ist. Mit so vielen Eindrücken im Kopf fuhren wir, sehr müde und erschöpft, wieder in das Hotel. Der sehr streng aufpassende, aber freundliche Mann verabschiedete sich an der Grenze und verließ wieder den Bus. Wir freuten uns auf ein gutes Abendessen und eine lange Dusche!

Den letzten Tag verbrachten wir noch einmal am Meer, denn dieses werde ich sehr vermissen, packten unsere Koffer und kamen wieder gut zu Hause an. Es war wirklich ein sehr interessanter und erlebnisreicher Urlaub. Ich empfehle jedem diese Insel einmal zu besuchen. Planen Sie ruhig einen Besuch dort ein. In diesem Sinne freut sich auf den nächsten Urlaub Heidi Axel.

Heidi Axel

Wer schön sein will, muss reisen!

Das war ihr Lebensmotto! „Wer schön sein will, muss reisen!" Dahinter verbarg sich so einiges für sie. Schönheit und Reisen verband sie in einem Atemzug. Schönheit und Reisen bildeten für sie so eine Einheit, dass sie absolut der Ansicht war schon bei diesen beiden Wörtern eine Erregung zu verspüren. Ihre innere Schönheit empfand sie manchmal etwas als störend, wenn sie sich mit ihrem Spiegelbild unterhielt. Diese pflegte dann zu ihr zu sagen: „Schau dir deinen Bauch an, der ist viel zu dick." Sie antwortete: „Das weiß ich, verdammt noch mal, aber was soll ich machen? Das Ding wird einfach nicht weniger! Als ich jung war, hielt ich meine Figur damit in Form, dass ich zu den Russen in den Urlaub fuhr. Dort isst man sehr viele Zwiebeln und viel Knoblauch und das esse ich doch nicht. Das habe ich noch nie gegessen, also lebte ich fast 14 Tage dort von Wasser und Brot. Das stand immer auf dem Tisch und Rotwein gab es auch genug. Manchmal haben wir uns dort schon gefragt, ob wir nicht zum Alkoholismus tendieren, aber das ist nie passiert."

Die innere Schönheit lachte und sagte: „Daran kann ich mich noch gut erinnern, als du dich so gefreut hast, dass es endlich mal eine Hühnerbrühe gab. Ursel war schneller mit dem Löffel im Teller und meinte vernichtend zu dir: „Kannste nicht essen! Das ist Zwiebelsuppe!" Beide lachten. „Da hast du recht. Ich war gleich satt und bedient für den ganzen Tag. Heute frage ich mich, wie ich diese 14 Tage überstanden habe!"

Sie setzte sich hin, nahm ihren Laptop und sah sich die Urlaubsbilder an. Türkei! Es waren wirklich schöne Urlaubstage dort, aber heute ist daran nicht mehr zu denken. Ihr taten die Männer und Frauen leid, die von den Urlaubern lebten. Sie erinnerte sich gern an die Besuche im Hamam. Nackt ging da gar nichts! Der Badeanzug musste angezogen werden und dann ging es los. Zuerst schwitzte man in einer Sauna, die wunderbar gefliest war. Da kam man sich schon vor wie im Märchen.

Dann kam ein junger Mann herein, der freundlich lächelte und mit einem Handschuh sehr viel Schaum herstellte. Das Liegen auf der steinernen Bank wurde eine Herausforderung für den Rücken. Der Körper wurde eingeschäumt und das Gesichtsfeld war nur noch zu erkunden, indem sie den Kopf nach links und rechts drehen konnte. Auf der rechten Seite war alles ruhig und die Jungs arbeiteten leise. Auf der linken Seite wurde eine sehr alte Dame eingeschäumt. Zu ihren Füßen saß ein eifersüchtiger, sehr alter Mann. Des Weiteren stand noch ein Mitarbeiter des Wellnessbereiches daneben und beobachtete ebenfalls die Hände des Masseurs. Der eifersüchtige Ehemann schimpfte jedes Mal, wenn die Hände des Masseurs nach seiner Meinung zu nah an die Brust der alten Frau kamen. Um das zu verhindern, stand ja noch der andere Mitarbeiter bereit. Der junge Mann tat mir in der Seele leid, denn er war kurz vor dem Zusammenbrechen und froh, dass ihn ein anderer junger Mann ablöste. Die Prozedur mit der alten Dame war beendet und wir wurden auf Deutsch gebeten unser Gesicht nach rechts zu drehen, damit die Frau aufstehen und der Mann sie in ein Badetuch einwickeln konnte. Als ordentliche Urlauber machten wir das natürlich und das Ehepaar verließ den Raum. Es war, als ob die Mitarbeiter des Hamam aufatmeten. Man konnte das richtig spüren! Die Behandlung für uns ging weiter und wurde auch zu unserer Zufriedenheit abgeschlossen.

Ihre innere Schönheit und sie lachten, denn dieses Ereignis hatten sie fast vergessen. „Dein nächster Programmpunkt waren diese knabbernden Fische!"

„Hör auf! Ich muss jetzt noch lachen! Aber es war gut! Das war Fußpflege, wie man sie nicht so oft bekommt."

„Lebende Objekte knabbern an einem lebenden Objekt herum! Du hast so gelacht, dass mir durch die viele Schüttelei bald schlecht geworden ist."

„Hat dich das nicht amüsiert?" Sie stand vor dem Spiegel und hielt sich ihren Bauch vor Lachen. „Beim Friseur war ich doch auch noch!"

„Ja, stimmt! Sie haben dich auch ganz gut hergerichtet und du hattest eine tolle neue Farbe. Ein sehr schönes Braun!"

„Das habe ich auch zu Hause beibehalten und es steht mir sehr gut. Etwas mit blond aufgefrischt. Fertig!"

„Ach ja! Wir sind schon sehr gut herumgekommen in den letzten Jahren!"

„Ich musste dich ja immer mitschleppen, aber ich habe es gern gemacht."

„Na nun ist es aber gut, wenn es dir nicht gut geht, dann sehe ich auch scheiße aus. Also, wir beide gehören zusammen!"

Sie war ruhig, lächelte und sann weiter über ihre innere Schönheit nach. Man musste nur mit sich selber im Reinen sein, um zu bemerken, dass die innere Schönheit überhaupt existierte. Ihre innere Schönheit lachte auf einmal und meinte: „Denk mal an den Besuch in diesem Hotel bei Erfurt mit deiner Freundin!"

„Hör mir bloß damit auf! Wenn ich daran denke, dann komme ich vor Lachen kaum in den Schlaf. Sie wollte aber auch unbedingt mit mir ein Wellnesswochenende machen und bestand darauf, dass sie einen Mietwagen nimmt und mich auf halber Strecke abholt. Ihr Mann lebte damals noch, ließ es aber zu, dass sie mit mir ins Wochenende fuhr. Ich stand wie eine, na du weißt schon, an der Straße und wartete geschlagene zwei Stunden, bis sie endlich kam. In der Zwischenzeit hatte ich drei Anfragen, was ich koste. Ich habe immer gesagt: „Zweihundert die Stunde", und da gaben alle lachend wieder Gas und ich war die Kerle los. Peinlich war nur, dass sogar die Polizei anhielt und mich fragte, was ich hier mache!" Die innere Schönheit lachte sich bald kaputt. „Sei still! Mir war nicht zum Lachen zu Mute! Die Herren grinsten, wünschten alles Gute und fuhren weiter!

Irgendwann kam sie doch noch an und wir wollten nun auf dem schnellsten Wege nach Erfurt ins Hotel kommen. Doch auch das gestaltete sich sehr schwierig. Die Dame auf dem Navi sprach permanent französisch und meine Freundin brachte es nicht fertig das Navi anders einzustellen, so war ich verpflichtet die Route abzulesen! Aber wir landeten irgendwo im Nirgendwo und sie bekam einen Wutausbruch, der sich sehen lassen konnte. Ich blieb ruhig und du auch!"

„Ich war erschrocken, dass sie sich so aufregen konnte! Hat die das während des Studiums auch gemacht?"

„Nein, so kannte ich sie gar nicht! Na, jedenfalls fanden wir das Hotel endlich, denn es war schon mittlerweile 18.30 Uhr! Ich dachte, sie steigt nun aus und wir können aufs Zimmer!"

„Seid ihr das nicht? Ich versuche mich zu erinnern!"

„Nein! Sie blieb sitzen und sagte mit einer Wut im Bauch zu mir: „Du hast dich in 40 Jahren nicht geändert. Kannst du dich nicht einmal aufregen? Deine Arschruhe bringt mich auch heute noch zur Verzweiflung!"

„Was sollte ich darauf antworten? Ich sah sie an und sagte zu ihr: „Warum soll ich mich ändern und aufregen? Dazu bist du doch da! Wir sahen uns an und fingen an zu lachen, was eine ganze Weile dauerte, bis wir uns beruhigt hatten."

Die innere Stimme fing auch auf einmal an mitzulachen: „Ja, du hast recht. Es waren schöne drei Tage, die noch so einige Überraschungen bargen!"

„Kannst du dich erinnern, dass du dich umgezogen hast und in die Bar wolltest?"

„Ja sicher kann ich das." Ich war so entsetzt, dass sie ihr Nachthemd anzog und ich mich für die Bar tauglich machte. „Was ist los mit dir?", fragte ich sie. „Es ist fast neun Uhr und da gehe ich mit Herbert immer ins Bett." Ich sah sie an und sagte: „Sehe ich aus wie Herbert? Zieh dich an, wir gehen in die Bar!"

„Das hat sie dann auch ohne Widerspruch gemacht. Wir gingen in die Bar und sondierten erst einmal das Terrain. Es war eine nette kleine Bar und wir bestellten uns jeder einen Drink, quatschten mit dem Barkeeper und bemerkten auf einmal, dass eine größere Gruppe von Frauen hereinkam. Es stellte sich heraus, dass es bayrische Landfrauen waren. Der Abend wurde super und wir hatten, als wir den Fahrstuhl suchten, gelernt, dass auch sittsame bayrische Landfrauen eine ansehnliche Menge Alkohol vertragen!

Am anderen Tag hatten wir unsere Behandlungen und waren voll zufrieden. Der Nachmittag gehörte Erfurt, denn wir wollten shoppen gehen. Im Thüringen-Park wollten wir zuschlagen und jede von uns wusste, was sie wollte. Kannst du dir vorstellen, dass das eine Herausforderung war?"

„Ja, ich erinnere mich. Sie hatte an allem etwas auszusetzen und zu meckern, aber schließlich kaufte sie sich ein kanariengelbes Shirt mit bunten Knöpfen an der Kante des V-Ausschnittes. Du hast elend bedeppert geguckt und fandest es nicht schön. Seid ihr nicht noch ins Reisebüro gegangen?"

„Klar, da hat doch damals ihre Tochter gearbeitet und die musste gleich begutachten, was wir uns gekauft hatten. Sie sah das Shirt ihrer Mutter, sah diese an und sagte ohne irgendwelche Emotionen: „Und? Ein gelbes Shirt mit bunten Knöppen, weiter nichts!"

„Ihre Mutter stand etwas unsicher da, nahm auf einmal meine Einkaufs-tüte und holte meine Shirtjacke heraus. „Sie hat sich das gekauft!" Ihre Tochter sah die Jacke an und meinte: „Na, Mutter das ist ein tolles Teil!"

„Mir wäre es in dem Moment am liebsten gewesen, ich wäre im Erdboden versunken. Ich nahm meine Tüte und forderte sie auf zu gehen, was sie auch ohne ein weiteres Wort, aber mit einem bösen Blick auf ihre Tochter, tat. Der restliche Abend verlief ruhig und in Frieden. Wir verkrochen uns noch einmal für einige Stunden in der Bar und gingen dann schnell zu Bett."

„Ja, da kannst du mal sehen, wie gut doch so ein Wellnesswochenende tun kann", sagte die innere Schönheit. „Wie sind wir eigentlich damals nach Hause gekommen?"

„Na, wir sind mit dem Zug gefahren, denn noch mal wollte ich so eine Autofahrt nicht riskieren. Sie hat uns in Erfurt an den Bahnhof gebracht und wir sind gut zu Hause angekommen."

„Das war ein Wochenende. Daran kann ich mich noch gut erinnern. Waren wir noch irgendwo zum Wellness?"

„Leider nein, aber ich denke, dass wir beide bestimmt noch mehrere Male zum Wellness fahren und wenn du mitwillst, dann bist du herzlichst eingeladen!"

„Na klar komme ich mit, denn so leicht wirst du mich nicht los!"

Heidi Axel

Einmal Ägypten hin und zurück!

Es war einmal wieder Wochenende und ich war, wie immer, mit allem fertig und hatte sehr viel Zeit zum Nachdenken. Ich dachte wieder über meine schönen und an Erfahrung reichen Urlaube nach. Ein befreundetes Ehepaar hatte mir mitgeteilt, dass sie über Weihnachten und Silvester nach Ägypten fliegen. Ich hatte zu Hause sehr lange überlegt, ob ich auch mal dorthin fliegen sollte. Das reizte mich ungemein, besonders da es immer mein Traum war einmal in der Säulenhalle des Tempels von Karnak zu stehen. Das musste so ein gewaltiger Anblick sein, dass ich beschloss: „ Ich fliege auch über Silvester dorthin." Ich teilte das meinen Freunden über WhatsApp mit und diese freuten sich unwahrscheinlich, denn wir hatten uns ja immerhin schon zwei Jahre nicht gesehen. Ich ging ins Reisebüro und buchte. Teuer, aber scheiß aufs Geld. Ins Grab kann man nun einmal keine Reichtümer mitnehmen.

Die Zeit bis zum Urlaubsbeginn hätte wirklich etwas schneller vergehen können, aber es war noch Weihnachten alleine zu bewältigen und ich hatte mir vorgenommen in dieser Zeit meinen Koffer zu packen. Und so kam es auch. Koffer gepackt und am 28. Dezember 2017 ging es früh um fünf los. Flughafen Leipzig/Halle eingecheckt und in den Flieger gesetzt. Dort lernte ich kurzfristig auch zwei Ehepaare kennen, die ich dann noch einmal kurz auf dem Flughafen sah. Im Flieger kam man auf das Visum zu sprechen und die eine Frau behauptete steif und fest, dass das Visum mit im Reisepreis sei. Das mag es sicher geben, aber wir hatten das nicht. Wir mussten im Flieger den Einreiseschein ausfüllen und dann als erstes 25 € beim Zoll bezahlen. Ich hatte alles erledigt und traf, wie bereits erwähnt, die Leute wieder. „Na, wie war das bei Ihnen mit dem Visum?", wollte ich wissen.

„Wir haben jeder 30 € bezahlt!", bekam ich zur Antwort. „Hä?", entfuhr es mir, „hier steht doch überall an den Wänden, dass es 25 € kostet. Dann haben sie euch hier schon abgezockt!" Man sagte schnell: „Auf Wiedersehen!", und jeder verschwandt in eine andere Richtung. Das war peinlich. Erst die große Klappe, dass man alles kennt und schon mal hier gewesen sei und dann lässt man sich so über den Huckel ziehen. Das war Abzocke in höchster Form! Aber da muss jeder selber auf sich aufpassen. Die Fahrt ins Hotel verlief ruhig und war schon mal für mich der erste Hingucker. Warum bremsten die nur andauernd? Bis ich mitbekam, dass auf der Straße solche Betonbarrieren eingebaut waren, die die Fahrer immer wieder zum Bremsen zwangen.

Die Hotelanlage war sehr großräumig und weitläufig, denn hier war ich gezwungen mich zu bewegen, zu laufen und darauf freute ich mich. Das war bei den Temperaturen zu Hause manchmal etwas schwieriger. Das Zimmer war im orientalischen Stil eingerichtet und war schon mehr ein geräumiges Appartement mit zwei Betten, einer großen Couch und einem sehr schönen gepflegten Bad. Meine Freundin zeigte mir, wo es am Abend etwas zu essen gab und man verabschiedete sich erst einmal voneinander. Es sollte ein sehr schöner Urlaub werden, mit vielen schönen Erlebnissen, von denen mir drei besonders im Gedächtnis bleiben werden.

Luxor – das frühere Theben! Das ist einfach atemberaubend. Ich hatte mit meiner Freundin die Ausfahrt in einer kleinen Reisegruppe gebucht und das sollte sich bezahlt machen. Das kostete 25 € mehr, aber das war das Geld auch wert. Ein sehr netter und aufmerksamer jüngerer Mann war der Reiseleiter. Er passte vor allem auf uns Frauen immer wieder auf, sogar, wenn wir in diese Toilettenwagen mussten. Ich denke mal, dass er schon wusste, warum er das tat. Die Tempelanlage erschlägt den Ägyptenfan, wie mich, durch ihre riesigen Ausmaße. Solche Säulen, solche Monumente, solche über dreitausend Jahre erhaltenen Farben waren nicht nur beeindruckend, sie sind auch unvergesslich und ich bin sehr froh darüber, dass ich mir diesen Traum erfüllt habe!

Das waren meine Gedanken, als ich alleine durch die Säulenhalle von Karnak ging. Hier waren alle Sorgen, alle eventuellen Krankheiten, alle Gedanken an die Liebe klein und unscheinbar. Hier störte keiner das Nachdenken. Hier konnte man mit sich selbst ins Reine kommen, auch noch dreitausend Jahre später. Ich starrte auf die Hieroglyphen, ganz egal, ob ich sie lesen konnte oder nicht. Es war einfach nur die Suche nach meiner eigenen inneren Ruhe und die fand ich hier. Hier tankte ich auf, hier nahm ich mir einiges für das neue Jahr vor und das sollte auch alles so kommen. Das war besser als jeder Psychologe, besser als jede Couch.

Die Fahrt ging weiter. Mittagessen in einer kleinen Gaststätte. Viel Gemüse, viel Hühnchen und viel Obst! Wunderbar! Dann suchte der Reiseleiter ein Taxi. Meine Güte was für ein Auto! Es klapperte an allen Ecken und Enden und der junge Mann nannte es seinen „Lamborginie". In unserer Reisegruppe war auch ein Ehepaar aus der Schweiz. Der Mann war sehr stur und wollte absolut in der ersten Reihe des Autos sitzen.

Ich sagte zu ihm: „Ihre Frau sitzt hinten. Bitte steigen Sie ein, dass ich mich neben meine Freundin setzen kann." Er protestierte sehr laut und ich sagte im Schulton und ziemlich streng: „Setzen Sie sich nach hinten und Ruhe jetzt!" Er sah mich an und fragte mich im schönsten schweizerischen Dialekt: „Was sind Sie von Beruf?"

Ich sagte kurz und völlig emotionslos: „Lehrer!" Er sah mich an, stieg wortlos ins Auto ein und setzte sich neben seine Frau. Die Arme musste dann seinen ganzen Frust ertragen! Er brachte es sogar fertig zu seiner Frau den Satz zu sagen: „Noch so einen Urlaub bezahle ich dir nicht!"

Ich drehte mich darauf hin um und sagte nur: „Den hätte ich schon lange in die Tonne gestopft!" Sie können sich Ihren Teil denken!

Wir fuhren bis zum Nil und dort machten wir noch eine „Nilüberquerung", also wir fuhren von einem Ufer zum anderen!

Der blanke Wahnsinn! Aber so schön, dass man alle Anstrengungen vergaß! Wir fuhren auf dem Nil! Diese wenigen Minuten waren allein schon ein Erlebnis und sagten mir, dass ich doch noch einmal die Nilkreuzfahrt machen werde! In diesem kleinen Boot überkam es meine Freundin vor lauter Freude und Übermut. Sie gab mir einen Kuss auf die Wange und meinte: „Diese Reise werde ich nie vergessen!"

Die Augen des Bootsführers können Sie sich nicht vorstellen! Oder doch? Man sieht in Ägypten kaum Frauen auf der Straße. Die Männer beherrschen das Tagesgeschehen.

Der kleine Bus wartete am anderen Ufer auf uns und es ging weiter zum Tempel der Hatschepsud und dann weiter zum Tal der Könige. Auch hier erschlug es uns fast von den vielen Eindrücken! Wir gingen schnellen Schrittes durch die Händlerstraße und befolgten die Anweisungen unseres Reiseleiters aufs Genaueste, denn er sagte uns, dass wir ja nicht stehen bleiben sollten, denn das würde schon als Interesse zum Kauf gewertet werden. Da es sehr heiß war, setzten wir uns auf eine Bank in den Schatten und warteten, bis die anderen Mitglieder der Reisegruppe kamen. Auf einer anderen Bank in unserer Nähe saßen zwei Engländer und unterhielten sich. Auf einmal stand der ältere der beiden Männer auf, beugte sich nach vorn, so dass er seinen Hintern nach hinten streckte und ließ eine Reihe von längeren und kürzeren Fürzen ab. Er tat, als ob nichts geschehen war. Ich sagte laut hinter ihm: „I wish you happy new year." Der Jüngere lachte schallend laut und beide rannten zum Ausgang. So etwas kann man auch im Ausland erleben, aber ansonsten verlief alles an diesem Tage ohne besondere Vorkommnisse. Wir bedankten uns bei unserem Gaid, wie es heute heißt, mit einem ordentlichen Trinkgeld. Als er sah, wie viel das war, standen ihm die Tränen in den Augen. Die Menschen sind sehr arm und warum soll eine gute Arbeit nicht auf diese Art und Weise von den Touristen belohnt werden? Wir waren an diesem Tag immerhin 15 Stunden unterwegs und fielen müde, aber sehr glücklich und mit Eindrücken vollgestopft, in unsere Betten. Den darauffolgenden Tag brauchten wir wirklich zum Gammeln und Ausruhen.

Stadtrundfahrt in Hurgada! Bus rein, Bus raus! Wieder der nette Reiseleiter, der schon lachte und sich ein Blatt Papier vors Gesicht hielt, als er uns sah. Na, wir dachten, dass wir das alles in zwei Stunden abgearbeitet hätten, aber es wurden fünf Stunden daraus. Was haben wir gelacht. Vor allem der Besuch der Moschee in Hurgada. Als Frau muss man sich in ein langes Gewand schmeißen, denn es dürfen nur die Füße, die Hände und das Gesicht frei sein. Wir sind Gast in diesem Land und somit achten wir auch alle Sitten und Gebräuche. Also zogen wir diese langen Kleider über, bedeckten unseren Kopf und betraten die Moschee. Der Mann meiner Freundin fotografierte uns. Ich musste mich so mit dem Lachen zurückhalten, dass ich doch fast in die Hose machte, als er ganz laut sagte: „Meine Frau ist die am schlechtesten angezogene Frau in der ganzen Moschee."

Mein Kleid war sehr, sehr farbenfroh. Die Bilder, die ich an Freunde zu Hause schickte, erregten schon einiges Entsetzen, wie wir aussahen. Das Wort „Grundgütiger" kam auch zum Einsatz! Das Schlimmste war aber, dass ich aus diesem Kleid nicht wieder herauskam. Es war mir viel zu eng und ich sagte, dass meine Freundin mein Shirt festhalten sollte und ihr Mann mir somit das Kleid über den Kopf ziehen konnte. Ich hatte nur noch den Wunsch da herauszukommen, um wieder richtig atmen zu können. Einige Sittenwächter hatten uns schon im Visier, aber der Reiseleiter klärte schnell alles auf. Toilette! Wo ist eine Toilette? Es gab keine hier und ich musste warten, bis wir in der Parfümerie waren, die wir als nächstes besuchten. Auch in Ägypten gibt es Verkaufsfahrten. Sie sollten auf jeden Fall immer feuchte Tücher oder feuchtes Toilettenpapier in der Tasche haben, denn die hygienischen Gepflogenheiten sind, gelinde gesagt: „Äußerst schlecht!" Wir besuchten noch eine Papyrusmalerei und ein Kaufhaus. Die Preise sind sehr niedrig und man findet schöne Mitbringsel.

Auch hier waren wir völlig geschafft, als wir wieder in der Hotelanlage angekommen waren, aber wir hatten Land und Leute etwas kennengelernt. Wie die Lebensgewohnheiten sind, hat uns der Gemüsemarkt gezeigt. Bunt, gut angeordnet, Obst in Hülle und Fülle, aber der Boden war sehr schmutzig, das Dach kaputt und die Fleischstände sahen nicht nach leckerem Verzehr aus. Vielleicht sind wir Deutschen hier auch etwas zu überheblich! Gelacht haben wir über die riesigen Kohlköpfe. Ein Blatt von so einem Kohlkopf hätte für eine Kohlroulade gereicht. Auch hier heißt es in den nächsten Wochen erst einmal alle Eindrücke zu verarbeiten.

Die Fahrt mit einem Katamaran auf dem Roten Meer wurde ebenfalls ein unvergessenes Erlebnis. Wir tauchten zwar nicht, sahen aber auch so genug Fische und genossen es einfach auf dem Meer zu sein. Wir beobachteten sehr amüsiert deutsche Väter, die klugscheißerisch ihren Kindern Ratschläge gaben, wie man auf dem Schiff herum turnte und diese dabei bald vom Schiff fielen. Die Schuld lag selbstverständlich beim Kind, denn dieser in der Pädagogik erfahre Vater, machte nichts falsch! Er behauptete immer wieder, dass er das doch alles zu Hause schon einmal gesagt hätte. Wir grinsten nur und malten uns aus, wie er reagiert hätte, wenn der Junge abgerutscht und ins Wasser gestürzt wäre! Nicht auszudenken! Aber Papa hat immer recht! Es waren nicht unsere Kinder und somit waren wir auch nur stille Beobachter, tuschelten und lästerten über diesen Vater. Er kam nicht gut weg dabei!

Ach, waren das herrliche Tage! Ich weiß gar nicht, warum man als Rentner eigentlich in Urlaub fährt? Man hat doch die ganze Zeit Urlaub! Aber es ist schön in der Welt herumzubummeln. Die Arbeit hat man hinter sich gelassen. Zu Hause braucht man nicht viel und somit verdaddelt man halt einen Teil seiner Rente im Ausland! Deutschland ist ein sehr teures Urlaubsland. Ich habe immer gesagt, dass ich das mal später mache, aber ich denke mir, dass das nie passieren wird. So lange mich meine Füße halbwegs gut tragen und die politische Situation stabil bleibt, fliege ich ins Ausland.

Der Rückflug, vor allem das Auschecken auf dem Flughafen, war auch eine Herausforderung. Zu aller Schrecken ging noch das Transportband für die Koffer kaputt und jeder bangte im Stillen, ob er den Flieger noch rechtzeitig bekommen würde, aber alles ging gut! Kontrolle über Kontrolle und das ist wohl nach dem heutigen Stand der Dinge auch zwingend erforderlich. Ich habe in diesen elf Tagen noch nie so viele Männer mit Gewehren gesehen wie hier und diese waren keine Attrappen! Es ging alles gut. Der Flug war ruhig und ich kam wieder wohlbehalten zu Hause an. Nur mit der Klimaumstellung hatte ich bestimmt eine Woche zu tun. Aber ich bin wieder zu Hause angekommen und die Reise hat mir körperlich und seelisch sehr gut getan! Der Alltag hat mich wieder!

Heidi Axel

Urlaub auf Fuerteventura – Ein Reisebericht

Die Reise begann am 13.11.2018 vom Flughafen Leipzig/Halle aus und das schon mit drei Stunden Verspätung. Da konnte man nichts machen, nur auf die Anzeigetafel starren. Aber dann ging es los. Der Flug war relativ ruhig und wir kamen am Nachmittag auf dem Flughafen wohlbehalten an. Alles erledigt und in den Bus rein, da wir dachten, dass es ja gleich ins Hotel geht, aber weit gefehlt. Wir standen noch einmal anderthalb Stunden auf dem Parkplatz und es wurde auf jeden Flieger gewartet, der eventuell noch Hotelgäste mitbrachte. Da hat man in Spanien echt die Ruhe weg. Das war schrecklich.

Aber jedes Warten hat einmal ein Ende und es ging los. Schnell war ich im Hotel „Las Marismas". Ich bekam mein Zimmer, ein richtiges schönes Appartement und richtete mich erst einmal ein. Dann frisch machen und zum Abendbrot, denn der Hunger meldete sich langsam. Die erste Nacht habe ich gut geschlafen.

In den darauf folgenden Tagen stand dann die Erkundung der Umgebung an und ich sah mich im nördlichsten Teil von Fuerteventura um. Man muss schon gut zu Fuß sein, wenn man das alles erlaufen will. Es gibt in Coraljeco, so heißt der Ort, eine wunderschöne Einkaufsstraße, auf der man sehr viel Zeit verbringen kann. In einem kleinen Straßencafe zu sitzen und sich zu erholen, ist ebenfalls sehr angenehm. Die Temperaturen lagen immer so bei 25 Grad. Also braun wird man auch im November. Sehr sehenswert ist der Hafen. Die lange Mole entlanglaufen bietet Eindrücke, die man auch nicht so schnell vergisst. Am Leuchtturm steht man an der nördlichsten Spitze von Fuerteventura.

Da kam mir doch diese Idee, mit einem Wassertaxi zur Naturinsel Lobos zu fahren. Hört sich doch gar nicht schlecht an und ich dachte mir, dass das ein sehr schönes Erlebnis werden würde und das wurde es auch, aber von schön war am Ende nichts mehr zu merken.

Das Boot war ein großes Schlauchboot, auf welchem drei Bänke befestigt waren. Es gab keine Schwimmwesten, keine ordentlichen Haltegriffe, nur die vordere Bank, an die man sich klammern konnte, denn auf dem offenen Meer gab es Wellen über Wellen und die waren auf keinen Fall klein. Ich hatte das erste Mal in meinem Leben echte Angst um mein Leben! Es war wirklich wie Speedbootfahren. Immer, wenn das Boot wieder auf das Wasser aufschlug, war ich froh, dass meine Bandscheiben gehalten es hinnahmen. Als wir an der ersten Anlegestelle waren, konnten wir nicht aussteigen, da das Boot bei diesem Wellengang nirgends festmachen konnte. Der Spanier fuhr zur nächsten Anlegestelle und hier wollte ich nicht aussteigen! Es waren nur 30 Zentimeter breite Stufen da und auch hier nichts zum Festhalten. Die Stufen waren nass und glitschig und versprachen keinen festen Halt unter den Füßen. Ich stieg nicht aus, sondern gab zu verstehen, dass ich wieder zurück wollte und da ging diese völlig verrückte Fahrt von vorne los. Also Träger von Knie und Hüftimplantaten sowie Brustimplantaten bei Frauen sollten von dieser Fahrt Abstand nehmen. Der Herr, der neben mir saß, stieg ebenfalls nicht aus und meinte, dass auch er wieder zurück in den Hafen wolle. Jetzt war das Boot noch leichter und flog über die Wellen. Dass Wasser so hart sein kann, hätte ich nie gedacht! Aufs Meer sehen konnte ich nicht. Im Hafen wieder angekommen, musste ich mich selbst erst einmal wieder auf die Reihe bringen. Nie wieder mache ich in meinem Alter so eine verrückte Fahrt!

Vom Hotel aus fuhr täglich um elf Uhr ein Bus an den Strand. Diesen Strand fand ich nicht so besonders, denn der war einfach nur hart und eine Liege, eine nackte Liege ist viel zu teuer. Die kostet 8,00 €. Zurück geht es um 15.30 Uhr und das reicht dann auch. Das habe ich auch nur einmal gemacht. Da bin ich lieber an einen der drei Pools im Hotel gegangen und hatte eine ordentliche gepolsterte Liege.

Das Hotel hat einen super Garten, der wie ein botanischer Garten angelegt ist. Hier kann man lange spazieren gehen und sich die Pflanzen intensiv betrachten, was ich auch getan habe.

Ich wollte noch nach Lanzarote, was ich mir aber nach dieser Bootsfahrt nicht noch einmal zugemutet habe.

Der Rückflug verlief ohne besondere Zwischenfälle. Wir hatten so klares Wetter, dass wir die Meerenge von Gibraltar bestens sehen und fotografieren konnten.

Es waren echt sieben Tage voller Erlebnisse! In jeder Hinsicht! Aber ich sage es noch einmal: „Wenn Sie sich so ein Erlebnis ersparen wollen, dann fahren Sie dort nicht mit einem Schlauchboot bei Wellengang zur Insel Lobos!"

Felix Buehrer

Der Flug zur Wüstenstadt

„Ich beziehe Urlaub – ja, unbezahlt – mindestens zwei Monate", das musste den Arbeitskollegen genügen. Meine Reisepläne behielt ich für mich. Nur das Wort „Wüstenstadt" war mir im Geplauder einer Pause herausgerutscht. Kalt und verregnet zeigten sich die Tage der Vorbereitung. Meine Büronachbarin Bertha, die etwas ahnte, weil im Betrieb nun doch Gemunkel über meine Reise umlief, kam am letzten Abend an meine Wohnungstür. Sie klingelte, wünschte mir „Holm- und Rippenbruch" und verabschiedete sich mit einem Lächeln.

Morgen ging mein Flug. Da Pass, Visum und Tickets bereitlagen, alles gepackt war, gönnte ich mir auf dem Sofa die Lektüre von Gedichten einer Schamanin. Doch bald zogen die Verse bedeutungslos dahin. So wechselte ich zu Musikkonserven und lauschte dem Gesang eines Blues-Barden. Ich leerte noch die Whiskyflasche, die herumstand. Die wenigen Schlucke wärmten meinen Bauch, bevor mich eine Unrast beschlich und nicht mehr losließ: fliegen. Fliegen ist ja nichts Besonderes und auch nichts Neues für mich. Aber diesmal?

Ich schlief schlecht in dieser Nacht. Dann sass ich wie ein Angeklagter am Morgentisch, denn ich reiste mit wenig Vorwissen aus dem Netz und ohne Handy. Ein punktgroßes Insekt rannte über den Tisch. Ich schaute auf den Butterbatzen auf meinem Teller und auf die Scheibe Brot, die ich nicht anrührte. Einzig vom Schwarztee trank ich ein wenig.

Auf der Strasse war es noch dunkel. Von der feuchten Luft fröstelte mich. Ich stand mit meinem Koffer vor dem Haus und rief das bestellte Taxi mit Handzeichen heran. Der Taxifahrer mit Wollmütze, der im gleichen Quartier wohnte, saß mit schweren Augenlidern hinterm Lenkrad. Wir fuhren durch die schlafenden Vorstädte und schwiegen. Dabei wären wir an einer Kreuzung ums Haar mit einem Laster zusammengestoßen. Doch ich war nicht etwa erleichtert darüber, verschont worden zu sein, sondern benommen angesichts der Möglichkeit, durch plötzliches Ableben dieser nassen Kälte zu entkommen.

Im Flughafen schoben sich bereits Warteschlangen auf die Check-in-Schalter zu. Kinder spielten an den Spannbändern der Wartebahnen herum. Die Aufforderung zur Vorlage meines Flugtickets verzögerte sich. Mir war, als wäre der Boden nicht fest, als könnte ich den Halt verlieren.

Mich in eine der aufgereihten roten Plastikschalen zu setzen, wagte ich nicht aus Furcht vor einer Ohnmacht. Starken Kaffee trinken! Wo gibt es welchen? Warum brauchen die so lange? Was, wenn jetzt etwas schiefgeht? Wenn ein Erdbeben die Startbahn aufreißt? … Doch dann: „Les passagers pour ... sont invités ...“

Ich eilte zur Abfertigung, entledigte mich meines Koffers und ging in den Verschlag, wo ich von bleichen Beamten abgetastet wurde, von den Achselhöhlen bis zu den Beinen. Die Genauigkeit ihres Tuns nötigte mir ein Lächeln ab. Ein Uniformierter mit Hornbrille knipste mein Gesicht, nahm einen Abdruck vom linken Zeigefinger, starrte auf einen Bildschirm und liess mich schliesslich gehen.

Mein Schwindelgefühl war weg. Eine Weile betrachtete ich Schmuck und Parfüms in Airport-Schaufenstern, betrat dann kaugummikauend einen Kiosk, blätterte in Magazinen und schlenderte weiter. Ohne Koffer fühlte ich dieses Leicht-Sein, das heitere Harren der Ereignisse, die ohne mein Zutun ab jetzt eintreten würden. Ich schmatzte mit den Lippen. Ich blickte ins Leere und fragte mich, wie in zehn Jahren wohl meine Erinnerung an den bevorstehenden Flug und die Zeit danach wäre.

An Bord: anschnallen. Es begann zu tagen. Die Sonne hing blassrot über dem Horizont der Vororte. Nur zögerlich saugte sich ihr Licht in die Wolkenbänder. Das Flugzeug rollte zum Start, es beschleunigte, und unversehens sprangen wir in die Luft. Schnell fiel die Stadt unter uns weg. Nein, danke, ich mag keine Flugfilme schauen. Ich vermied auch jedes Hin und Her mit Sitznachbarn, aß einen Apfel, versuchte es nochmals mit den Versen der Schamanin, schaute aber bald aus dem Fenster über die blakenden Wolkenballen und schloss die Augen: ein Lärm wie von begrabenen Trommeln. Die Uhr in meinem Kopf zeigte immer noch die Abflugzeit. Der Jet schien diesen Zeitpunkt vor sich herzuschieben, auf seinem Flug hinein ins Licht. Die Sonne wirkte hell und metallen, ohne Hitzestrahlung. Mein Sinn für Richtung und Distanz ließ nach. Emporgehoben drängten die Metallmassen des Flugzeugs gegen mich, schienen dann zu schwinden, zu schmelzen, so dass ich das Gefühl hatte, als schwebe ich allein in der Luft. Ich fühlte mich alterslos.

Über der Wüste packte mich die Aufregung. Wir flogen höher als das Gewölk. Ich sah trotzdem jede Düne und jede Steinpiste, ockergelb, grau oder ziegelrot. Getränke und Speisen konsumierte ich ohne Genuss. Einzig ein Stück Apfelkuchen schmeckte mir. Unpassende Gedanken an die Vergangenheit mit meiner Ex versuchte ich mit akribischer Wahrnehmung der Wüste zu verscheuchen. Stunden vergingen. Wir überquerten das Gebiet eines religiösen Staats, und im Lautsprecher kam die Durchsage, dass der Konsum von Alkohol für die Zeit des Überflugs untersagt sei.

Wir näherten uns dem Zielflughafen. Wolkenmassen standen in der Luft um uns herum wie Schwebebauten. Dann verloren wir an Höhe und flogen über die Verästelungen eines Stroms. Platt und glänzend erschien das Wasser in der Sonne. Gärten und Plantagen, wo immer ich hinschaute. Das Flugzeug begann nach unten zu sacken, und dann landeten wir. Die Gedichte der Schamanin ließ ich im Flugzeug liegen. Ich stieg aus.

Hitze schlug mir entgegen. Meine ersten Atemzüge waren dick und warm. Als meine Füße erstmals auf der fremden Erde standen, konnte ich mich des Eindrucks von Feierlichkeit nicht erwehren. Ein Sirren lag in der Luft.

In der Empfangshalle des Flughafens war es stickig. Ich setzte mich in eine gelbe Kunststoffschale. Unruhig drückte ich die Knie mit den Handtellern. Ich war auf Abruf, sah Fremde in farbigen Gewändern, grazile Arme und Hände in Bewegung. Polizisten in Uniform standen im Halbdunkel des Hintergrunds. Eine Schar Passagiere mit Tragkörben und Kindern auf den Armen strömte zum Ausgang.

Jetzt kann alles losbrechen. Ich bin hier. Eine puppenhaft geschminkte Zöllnerin verglich mein Gesicht mit dem Passbild, als hoffe sie, entweder ich, der Tourist, oder mein Konterfei würde die wahre Einreiseabsicht verraten. Danach weiter in die Zollhalle, wo sich gerade mein Koffer durch die Schlitze eines Plastikvorhangs am Ende des Gepäckkarussells schob.

Jenseits der Glastüren in der Ankunftshalle waren viele Einheimische erschienen, um Passagiere abzuholen. Nach geraumer Zeit war ich der letzte der Eingetroffenen, den noch niemand empfangen hatte. Ich wartete. Ich wartete ab. Auf einmal stürzte mein Reiseführer Ayman in die Halle, mit schweißglänzendem Gesicht. Er machte eine entschuldigende Miene. Mit winkenden Armen gab er freudig zu verstehen, dass ich jetzt herüberkommen solle. Die Glastüren öffneten sich, und wir begrüßten einander mit einer stillen Umarmung. „Willkommen an der Sonne", sagte er dann und ergänzte mit einem Zucken um den Mund: „Deine Wüstenstadt sucht man auf den amtlichen Landkarten vergebens, aber es gibt sie."

Wolfgang Rinn

Die Reise ans Meer

Vor 25 Jahren sind wir zum ersten Mal hingefahren. „Ich will dieses Jahr nach Frankreich in die Bretagne", hatte meine Frau gesagt und gleichzeitig hinzugefügt „ans Meer".

So gipfelten die Reisevorbereitungen in einem minutiös austarierten Beladen des Autos mit dem Festzurren der Koffer auf dem Dach und dem Auslosen der Sitzplätze unter den Kindern.

Das Unternehmen konnte starten.

Der deutsch-französische Grenzübergang bescherte uns zunächst eine Art Verlassenheitsgefühl. Der heimatliche Boden lag nun hinter uns und damit ein Stück ererbter Sicherheit. Wir tauchten ein in die Sphäre einer bis dahin unbekannten Andersartigkeit, die sich in Belanglosigkeiten wie Straßenschildern und variierten Farbgebungen äußern mochte. Alles war neu, spannend und etwas aufregend, in dieser Ausprägung einfach noch nicht da gewesen. Auf der französischen Autobahn dann aber fühlten wir uns wie die Herren der Landstraße, wenn nur die unliebsamen Zahlstellen nicht gewesen wären. Paris schließlich wurde zum schweißtreibenden Albtraum, das Stimmungsbarometer im Wageninnern erreichte den Siedepunkt. Erst auf dem Weg nach Chartres normalisierten sich Atemrhythmus und Pulsschlag wieder. Dort machten wir dann Station, die zum Schauplatz abenteuerlicher Erlebnisse werden sollte. Nicht die berühmte Kathedrale war es, die mit ihren Glasfenstern in der Glut der Abendsonne unvergleichlich aufleuchtete, auch nicht die eindrucksvolle Spiralschnecke im Zentrum des hochgewölbten Kirchenraums, welche die Kinder animierte, im Nachschreiten dem Mittelpunkt zuzustreben – ja, das alles war zwar bedeutsam, so ganz neu und einmalig, aber dann kam der Einschnitt, der große Schrecken!

Frau und Kinder mussten im Hotel unbedingt den Aufzug benützen, um vom ersten Stock ins Erdgeschoß zu gelangen – einfach lachhaft! Da würde ich zu Fuß auf alle Fälle rascher sein. Unsere Fahrgäste waren beängstigend lange unterwegs, bis schließlich die Alarmglocke schrillte, der Hotelbesitzer mit dem Brecheisen herbeieilte, um die Eingeschlossenen in einer dramatischen Rettungsaktion aus dem steckengebliebenen Fahrstuhl zu befreien. Unsere beiden Buben fühlten sich dann mit einem Extrazimmer für die Übernachtung hinreichend entschädigt. Der

Schrecken war ja überstanden. Mit eigenem Fernseher ohne unmittelbare elterliche Aufsicht schlüpften sie in die Rolle von Königen der Nacht. Der Aufbruch ans ersehnte Reiseziel am andern Morgen bescherte uns das zweite Schreckensabenteuer: die Sache mit dem fliegenden Koffer. Kaum wieder auf der Autobahn, ruft unser ältester Sohn ganz unvermittelt: „Wir haben einen Koffer verloren!" Recht unangenehm: ganz plötzlich auf dem Seitenstreifen einer französischen Autobahn anzuhalten! Der nachfolgende PKW-Fahrer hatte Gott-sei-Dank die Geistesgegenwart besessen, dem unbemannten Flugobjekt rechtzeitig auszuweichen. Der Schicksalsweg des Koffers aber war hinreichend dokumentiert durch allerlei Wäschestücke, Socken, Strümpfe, Unterhosen etc., die bis hinüber auf die Gegenfahrbahn weithin verstreut lagen. Unter Lebensgefahr hatten wir dann unsere Habseligkeiten wieder eingesammelt, so wie es der lebhafte Autobahnverkehr punktuell erlaubte. Der Koffer war in Stücke und landete im Straßengraben; nein, dort nicht, denn zwei vorbeifahrende Gendarmeriepolizisten auf Motorrädern nötigten uns auf unmissverständliche Weise, das Utensil mitzunehmen. An der nächsten Tankstelle haben wir es dann für 2 Francs zurückgelassen.

Endlich da – Terenez, ein kleines Hafendorf mit Fischer- und Segelbooten, malerisch gelegen an einer offenen Meeresbucht, schlägt uns wie ein aufgeschlagenes Bilderbuch in seinen Bann. Die Weg- und Ortsbeschreibung führt uns schließlich zu einem imposanten Gemäuer, einem großen, bretonischen Steinhaus. Wir wagen kaum anzuklopfen, und doch sind wir richtig.

Eine junge, temperamentvolle Frau – es ist tatsächlich die Vermieterin – empfängt uns, und umgehend gelangen wir in einen saalähnlichen Wohnraum, wo im offenen Kamin ein mannshohes Feuer lodert und die henkellosen Kaffeeschalen bereits auf dem Tisch stehen. Die anfängliche Überraschung macht uns nahezu stumm. Da stürmen schon die Nachbarskinder herein, wie wenn sie auf unsere Ankunft gelauert hätten, die sprachliche Verständigung erfolgt mit „Herzen, Mund und Händen", die Völkerbegegnung ist im Nu in vollem Gange. Und kaum angekommen, sind wir zum Aperitif bei den Nachbarn eingeladen, eine überaus herzliche Gastfreundschaft schlägt uns entgegen, Spontaneität und Hilfsbereitschaft – so ganz und gar unkonventionell. Unsere Verunsicherung weicht freudigem Erstaunen.

So haben wir denn einen Standort gefunden, der uns von Tag zu Tag vertrauter werden soll: das Meer mit seinen Gezeiten, die weiten Sandstrände, die eindrucksvollen Calvaires in nicht allzu großer Entfernung, Roscoff, der Seehafen, wo die Fähren nach England und Irland übersetzen, das wilde Landesinnere mit seinen verfallenen Dörfern, die unvergessliche Granitrosenküste, dann die zahllosen Miesmuscheln, nicht zu vergessen die weiten Artischockenfelder mit ihrer reichen violetten Blütenpracht, Brombeeren und Schlehen in überwältigender Fülle und die Milch direkt aus dem Kuhstall beim nahen Bauern, der seine Gefangenschaft im Zweiten Weltkrieg in Deutschland in Konstanz verbrachte und dabei die Deutschen kennen- und schätzen gelernt hatte.

Viel zu schnell ist der Urlaub zu Ende. Mit ein wenig Trauer und Wehmut nehmen wir Abschied von unseren französischen Freunden – denn das sind sie inzwischen geworden. Die Rückfahrt erfolgt nachts mit drei schlafenden Kindern im Auto. Noch einmal packt uns die helle Aufregung. Paris – auch bei Nacht ein Albtraum! Wir landen plötzlich und ungewollt in der Nähe des „Arc de Triomphe", Einbahnstraßen zwingen uns ständig in die Gegenrichtung. Wo soll das hinführen? Sicher nicht nach Hause! Da hilft uns an einer Ampelkreuzung ein dunkelhäutiger Algerier aus der Klemme, nachdem er zunächst die ganze Familie misstrauisch und wortlos gemustert hat. Er fährt langsam voraus und lotst uns auf den richtigen Weg. Ob wir dies umgekehrt wohl auch getan hätten: mitten in der Nacht mit völlig fremden, unbekannten Menschen in einer Großstadt wie Paris?

Bei der Rückkunft und der Fahrt über die Grenze erscheint uns alles in verändertem Maßstab: Dorf reiht sich an Dorf, die Hektik auf den deutschen Autobahnen wirkt beängstigend, und Stuttgart gleicht im Verhältnis zu Paris einem großen Dorf. Und schließlich – daheim! Das Meeresrauschen begleitet uns noch lange und oft bis in den Schlaf hinein.

Wir sind dann wieder hingefahren. Freunde und Bekannte sind mitgekommen und haben sich von unserer Freude und Begeisterung anstecken lassen. Auch später, als die Kinder schon größer waren, ist „unser Haus am Meer" ein Anziehungspunkt geblieben und Sammelort für entstehende Freundschaften und deren Folgeerscheinungen: zwei deutschfranzösische Ehen hatten dort ihren Ursprung. Francoise, so heißt unsere Vermieterin und gute Freundin, hat ihre beiden Kinder auf diese Weise an deutsche Ehepartner „verloren". Das hindert sie nicht daran zu sagen: „Sebastian ist wie mein eigener Sohn!" Es handelt sich um unseren Zweitältesten, den sie besonders ins Herz geschlossen hat, und Stephane, der Sohn von Francoise, läßt sich gar zu dem Ausspruch hinreißen: „Alles, was deutsch ist, ist Klasse!" – zwischenzeitlich in akzentfreiem Deutsch. Weswegen er auch sein erstes Kind in der Osternacht in Tübingen taufen ließ.

So kann man zum Abschluß sagen, dass unsere Reise ans Meer vor 25 Jahren bis heute kein eigentliches Ende gefunden hat. Immer noch sind wir „unterwegs" – in beiden Richtungen!

Torsten Krippner

Die Regenmacher

Sie saßen um große Feuer und wärmten sich. Es war ja schon hoch im Norden Indiens und der Winter stand bevor. Am Tag glühte noch etwas der Boden, aber in den Nächten herrschte bereits die Kühle. Peter fand sie ganz zufällig, auf einen Spaziergang außerhalb Amritsar. Um die lodernden Flammen kauerten Männer mit abgerissenen Kleidern: bärtig, ungewaschen, mit struppigen Haaren, und Peter platzte da ganz unvorbereitet rein, ohne zu wissen, worauf er sich da jetzt einlassen würde.

Peter fühlte sich auch jetzt wieder wie ein Blatt im Wind. Schon als Kind ließ er sich treiben. Eltern und Lehrer versuchten seine Sinne mit Zukunftshalluzinationen zu vernebeln und sein Denken mit Zielen und Zwecken zu betäuben. Als Entziehungskur verwandelte er die Maserungen und Risse in seiner Schulbank, den Stühlen und Wänden mit Stiften und Messer in kleine Figuren. Natürlich verwandelten sich auch die hässlichen Zahlen in seinen Zeugnissen in schwebende Gottheiten. Was Richtiges gelernt hatte er folglich nie. Als er die Schule verließ, hatten auch Menschen, die ihn liebten, Sorge um seine psychische Verfassung. Verwirrt und verschüchtert suchte er das Weite. Jahrelang irrte Peter nunmehr schon ziellos als Straßenmaler und Seemann über Länder und Meere, bis ihn schließlich ein Zufall als 23-Jährigen nach Indien brachte. Und jetzt war er hier am Rande des Dschungels bei Amritsar.

Doch wer waren nun diese Menschen an den Feuern, die wie Bettler gekleidet waren? Peter war das erste Mal außerhalb von Amritsar. Die Männer waren groß und kräftig gebaut - viel größer als er. Sie lächelten ihm mit stillen Gesichtern freundlich zu und forderten ihn auf, neben ihnen Platz zu nehmen. Sobald Peter saß, war er auch schon wieder für sie vergessen. Sie sahen schweigend in das Feuer, reichten sich gegenseitig eine Art Pfeife, ein kleines verziertes mit Silber beschlagenes Elfenbeinrohr, aus dem dicker Ruß quoll, der süßlich roch. Jetzt war die Pfeife bei seinem unmittelbaren Nachbarn angelangt. Er lächelte Peter zu und zeigte ihm, wie man die Pfeife raucht, ohne sie mit den Lippen zu berühren. Er umspannte die Pfeife mit beiden Händen und saugte den Rauch in die Faust, um ihn erst dann einzuatmen. Dieser warme, süße Qualm versetzte Peter augenblicklich in einen Zustand absoluter Stille. Schweigsam starrte er in das Feuer, stundenlang. Irgendjemand sorgte dafür, dass das Feuer nicht ausging und weiter lichterloh brannte.

Das Feuer verwandelte sich nach und nach in ein Licht, das alles ausfüllte, was Peter selbst noch mit geschlossenen Augen sehen konnte. Es breitete sich immer weiter aus, überstrahlte alle anderen Empfindungen - sogar die Geräusche der Nacht. Die Grillen, das Zirpen alles verschwand in diesem Feuer, in diesem unwirklichen Leuchten. Und dann waren da nicht mal mehr die Empfindungen des Körpers. Peters Selbstbewusstsein hörte auf zu existieren. Stattdessen war da nur noch dieses einheitliche Leuchten des Lichtes, das alles in sich aufnahm und niemand war da, der es betrachtete. Es bestand ganz aus sich heraus. Es gab keinen Unterschied mehr zwischen Innen und Außen. Das einzig Existierende war dieses Leuchten. Aufmerksam und mit Hingebung überließ er sich der Führung dieser Energie, die sich langsam im ganzen Körper ausbreitete, mit zunehmender Leuchtkraft, die nur mit geschlossenen Augen sichtbar war. Innerhalb weniger Minuten war sein gesamter Körper von unbeschreiblichem Wohlgefühl erfüllt.

Als Peter wieder zu sich kam, muss es lange nach Mitternacht gewesen sein. Sein Nachbar stieß ihn sanft an. Er wies mit einer Geste darauf hin, dass die Asche von seiner Pfeife gleich ins Feuer fallen würde und Peter aufpassen sollte. Es war wichtig, dass keine Asche, keine Verunreinigung in dieses Feuer fiel. Das Feuer war heilig. Zwar war Peter jetzt wieder bei vollem Bewusstsein, aber irgendetwas an seiner Wahrnehmung hatte sich verändert. Er fühlte sich absolut glückstrahlend und befreit. Auch seine Magenkrämpfe, die ihn seit langem auf seiner Reise quälten, gaben ihm wenigstens in dieser Nacht eine kurze Ruhepause. Sein Körper befand sich in einem absoluten Ruhezustand. Seine Sinne waren wach und die Gedanken klar wie Kristalle. Er sah sich um und erkannte alles wie in einem Brennglas. Er war nicht nur Betrachter, sondern selbst Bestandteil einer Wahrnehmung, die sich vereinheitlicht hatte. Das Feuer brannte noch immer lichterloh, und er saß auf diesem angewärmten Boden. Nein. Falsch. Nicht er. Es war sein Körper. Darüber breitete sich dieser sternenklare Nachthimmel. Aber da saßen noch die anderen - schweigsam in sich gekehrte bärtige Gestalten. Manche hatten sich schon schlafen gelegt, genau an der Stelle, wo sie vorher gesessen hatten. Nun müde geworden, legte er sich einfach zur Seite. Irgendjemand breitete eine Wolldecke über ihn aus, während er einschlief.

In der Nacht hatte es sich bewölkt, und als Peter aufwachte, hingen schwere Wolken tief am Himmel, so tief, dass es ihm vorkam, als ob er sie berühren könnte. Einige der bärtigen Gestalten saßen schon aufrecht, andere lagen noch, aber alle waren sie wach. Der Himmel wurde immer schwärzer, jeden Moment konnte ein Unwetter hereinbrechen. Und doch brachte sich niemand in Sicherheit. Die Männer saßen nur da und Peter schien es, dass sie warteten.

Am Horizont fing es an zu donnern. Ein tiefes Grollen, das langsam näherkam. Das dumpfe Grollen steigerte sich nun in gewaltiges Donnern. Die schwarze Wand aus Regenwolken kam näher. Er konnte noch erkennen, dass alle um ihn herum in die gleiche Richtung stierten. Es hatte den Anschein, als ob sie angespannt lauschten. Jetzt saßen sie da, als warteten sie auf das Ergebnis ihrer Meditation. Es fing langsam an zu regnen, aber der Regen wurde immer stärker und dann schüttete es vom Himmel, so wie es nur in Indien passieren kann. Als der Regen auf diese braune - über Monate erhitzte - Erde herabprasselte, ergab sich nach und nach ein dicker Nebel, der verbunden mit dem Duft der unzähligen Dschungelblumen an Weihrauch erinnerte. Noch verhüllte der Nebel ihre Form. Die gespenstische Helligkeit des Wetterleuchtens zitterte im Nebel, ließ die Nebelschwaden tanzen wie ein Spuk über das nun erlöschende Feuer und sie wurden so dicht, dass sich das Licht in eine milchige Flüssigkeit verwandelte. Und plötzlich war der Dschungel wiedererwacht. Diese durch Lianen und Schlingpflanzen undurchdringlich gewordene Natur mit ihren Palmen, Bananenbäumen, Lotusblüten und Orchideen erstrahlte wieder in ihren eigentümlichen Farben, nachdem der Regen sie befreit hat vom Staub der Trockenheit. Es regnete wohl eine halbe Stunde. Niemand dachte daran, sich vor dem Regen zu schützen. Die Männer lächelten zufrieden vor sich hin, strichen gelegentlich das Wasser aus ihren Bärten. Der Regen war warm und tat Peter gut. Er erinnerte ihn daran, dass er einen Körper hatte.

Doch wusste er noch immer nicht, wer diese Leute waren. Da gab es ein paar Zelte, auch ein paar Elefanten. Vielleicht waren es Elefantentreiber? Keiner von ihnen sprach auch nur ein Wort Englisch, aber sie waren alle freundlich. Peter hatte das Gefühl, als ob er sich mit ihnen unterhalten hätte, aber auf einer anderen Weise, die keiner Worte bedarf. „Warum will ich eigentlich wissen, wer sie sind?", fragte sich Peter. Wollten sie denn wissen, wer er war? Vielleicht gibt es ein Verständnis, das viel intensiver, viel direkter als die Sprache ist. Vielleicht ist es die Ebene der Intuition, des Gefühls, das nicht fragt, was jemand ist. Es fragt immer, wie jemand ist. Und allein jetzt in diesem Moment. Das Gefühl erkennt nur eine momentane, eine auf den jeweiligen Moment bezogene Wahrheit an. Das Gefühl gibt allen Dingen das Recht und die Freiheit sich zu verwandeln - einschließlich sich selbst. Als ihm das bekannt wurde, hatte er keine Fragen mehr, denn auf dieser Ebene kannte er diese Menschen bereits. Kannte er sie schon immer, denn das ist es ja, was die Menschen ähnlich macht: Empfindungen. Peter erachtete nun die gefühlsmäßige Beurteilung immer wertvoller als die Beurteilung mit dem Verstand, und so war es ihm möglich, in einem völlig fremden Land zu leben und sich doch nie und zu keiner Zeit als Fremdling zu fühlen.

Das hielt ihn natürlich nicht davon ab, Hintergründe zu erfragen. Das ist ähnlich wie in einer Liebesbeziehung: Das verliebte Gefühl hinterfragt - verwundert über sich selbst - die geheimnisvolle Ursache seiner eigenen Entstehung. Und so hatte Peter nichts Wichtigeres zu tun, als seinem Freund in Amritsar die Geschehnisse der letzten Nacht zu erzählen. Er hoffte, Licht in die ganze Angelegenheit bringen zu können. Peter hatte seinen Freund, einen alten Brahmanen, erst vor ein paar Tagen dort im goldenen Tempel kennengelernt. Der Freund kam wie Peter jeden Tag dorthin, um im Tempel der Musik zuzuhören. Er hatte große Ähnlichkeit mit Mahatma Gandhi. Dieser kahlköpfige Brahmane aus Benares mit seiner kleinen Brille war fast siebzig Jahre alt. Ein ewiger Pilger, der sein Leben vollständig der Religion geweiht hatte. Ursprünglich stammte er aus einer alten und recht reichen Priesterkaste, mit der er sich aber überworfen hatte. Er ging in jungen Jahren nach England und studierte dort Jura. Zurückgekehrt nach Benares übernahm er dann gleich einen sehr schwierigen Fall. Es handelte sich um eine Vergewaltigung mit tödlichem Ausgang. Ihm wurde die Verteidigung des Angeklagten aufgetragen. Obwohl der Angeklagte seine Unschuld beteuerte, verlor der noch unerfahrene und junge Anwalt diesen Prozess. Der Mann wurde zum Tode verurteilt und hingerichtet. Später stellte sich das Urteil als Justizirrtum heraus, der Mann war tatsächlich nicht verantwortlich für die Tat. Daraufhin legte sein Freund unverzüglich das Amt nieder und lebte seitdem ein spirituelles Leben.

Ihm erzählte Peter dann noch am gleichen Abend, was sich in der Nacht zuvor zugetragen hatte. Der Brahmane hörte ihm zu, ohne Zwischenfragen zu stellen. Seine Augen waren anfangs gesenkt, aber wurden im Laufe der Erzählung lebendig. Und am Ende sah er Peter nur noch mit seinen wie Steinkohle funkelnden Pupillen, die in einem reinen Weiß lagen, erwartungsvoll an. Der alte Brahmane wollte wissen, wie Peter selber über die Sache dachte, um dann - wie er versicherte - entsprechend seiner Antwort zu reagieren. Dazu war Peter aber gar nicht in der Lage. Ihm fiel weiter nichts als die Bemerkung ein, dass er jetzt am liebsten auch Elefantentreiber werden möchte.

Darüber lächelte der Brahmane verständnisvoll, wurde daraufhin aber gleich wieder ernst.

„Nein, sie waren keine Elefantentreiber. Das waren Swami Yogis aus dem Himalaya, die jetzt im Winter aus ihren kalten Gefilden hinabgestiegen sind, um in wärmeren Gegenden Unterkunft zu finden. Dass du mit ihnen am Feuer sitzen durftest, kannst du dir hoch anrechnen. Mit dieser Geste haben sie dich als Ihresgleichen, einen Sannyasin - einen Haus- oder Heimatlosen - anerkannt. Diese Yogis treffen nur im Winter zusammen, wenn es im Himalaya zu kalt ist. Aber sobald es dort wieder wärmer wird, geht jeder wieder zurück in seine eigene kleine Einsiedelei. In der Abgeschiedenheit kommt es mitunter vor, dass der eine oder andere Yogi Kräfte entwickelt, die über das menschliche Verständnis hinausgehen, nur so erklärt sich der Regen, den wir letzte Nacht nach einer langen Trockenzeit hatten. Es war ein Regenritual. Aber das war nur eine Begleiterscheinung. Worum es ihnen wirklich geht, weist weit darüber hinaus.“

Peter wollte noch etwas über das geheimnisvolle Licht erfahren und über den darauffolgenden Bewusstseinszustand, der ganz anders war als alles, was er jemals zuvor erlebt hatte.

Der Brahmane erwiderte nur: „Frage nicht nach dem Licht, damit du seine Quelle nicht verlierst. Bleibe nirgendwo hängen und tue nichts, was dein Gewissen belasten würde. Dann wird das Licht vielleicht eines Tages zurückkommen, immer bei dir bleiben und dich in sich aufnehmen, bevor es verlöscht. Aber vor allem sollst du wissen: Es hat nichts mit dem Rauch zu tun. Du kannst wieder rauchen, und du wirst sehen, es wird nicht zurückkommen. Dieser Rauch war als Medium nur in dieser bestimmten Konstellation wirksam. Ich rate dir nicht, es noch mal zu tun. Auch sehne dich nicht nach Gemeinsamkeit mit den Yogis, denn was sie sind, sind sie nicht durch Gemeinsamkeit“, dann wandte sich der Brahmane wieder der Musik im Tempel zu.

Als Peter aufstand, wusste er: „Ich bleibe ein Heimatloser.“

Torsten Krippner

Gewitter

Oberhalb des Weges befand sich ein Findling. Dort bekam ich einen herrlichen Ausblick über den See. Weiter hinten befanden sich einige ärmliche Lehmhütten, die sich im Schatten der Kokosnusspalmen duckten. Obwohl ich bereits viele Monate als Einsiedler hier lebte, war ich immer wieder fasziniert von dem Ausblick. Am Horizont war die Sonne bereits blutrot untergegangen. Der Himmel schien gespalten. Die eine Sonne rot, die andere schwarz. Dort wo es schwarz war, zogen Blitze in alle Richtungen. Zwischen den Wolken befand sich das Hochland. Es war um die Weihnachtszeit. In dieser Zeit regnet es noch einmal sehr stark im Hochland. Danach ist die Luft gereinigt und klar wie Kristall. Das ist die Zeit, wenn die Teeplantagen in sattem Grün erblühen. Dann wandern die Pilger aus allen Teilen Sri Lankas zum heiligen Berg, zum Sri Pada, hinauf. Auf der einen Seite war noch alles dunkel, während auf der anderen Seite die Sonne die Erde verbrannte und nun in ihrem Untergang unendlich langsam eine blutrote Glut zurückließ.

Allmählich verschwanden die Lichter des Sri Pada hinter einer dichten Nebelwand. Die Tiere der Nacht begannen wie üblich ihr Zirpen, Pfeifen und Rufen. Es war ein Gesang mit vielen Stimmen, welcher sich in unmittelbarer Nähe befand. Das Echo, welches üblicherweise von den umliegenden Bergen kam, war längst verstummt.

Die schwarze Wand aus Regenwolken kam immer näher. Nebelschwaden tanzten wie ein Spuk um meine Taschenlampe, wurden so dicht, dass sich das Licht in eine milchige Flüssigkeit verwandelte. Dann begannen überall plötzlich Blitze zu zucken. Oben, unten und neben mir so dicht, als könne ich sie mit der Hand berühren. Aber sie waren nicht wirklich sichtbar. Der Nebel verhüllte ihre Form. Da war nur dieses Wetterleuchten, diese gespenstische Helligkeit, die überall im Nebel zitterte. Das dumpfe Grollen steigerte sich nun in gewaltiges Donnern.

Ich saß auf meinem Stein wie auf einem Thron und fühlte mich wie Richard III in einer Schlacht. Dieser Gedanke befreite mich von der Rolle des Zuschauers. In diesem Spiel war ich nicht nur ein Mitspieler, nein ich besaß sogar die Hauptrolle. Das Heer zog in die Schlacht gegen mich. Aber ich war nicht wehrlos. Die Nebelschwaden nahmen Gestalt an. Plötzlich umgab mich ein riesiges Heer mutiger Kämpfer.

Meine Krone funkelte im Licht der zuckenden Blitze. Ich schrie mit donnernder Stimme: *„Wer sah die Sonne heut`? Sie will also nicht scheinen, heut` an diesem Tag. Doch was geht das mehr mich an als Richmond. Der gleiche Himmel, der über mich sich wölbt, blickt auch herab auf ihn. Englands Ritter, mein mutiges Volk- ihr seid mit Land und schönen Frauen gesegnet. Dieses wollen sie euch stehlen und jene schänden. Treibt das Gesindel übers Meer zurück. Diese Hungerleider, die des Lebens satt. Die sich schon längst ertränkt, wenn nicht der Traum von diesem Narren zog. Horcht da! Ich höre ihre Trommeln. Englands Ritter sporne eure Pferde, dass die Flanken bluten. "*

Grelles Licht und Hitze durchfluteten mich. Als ich wieder zu mir kam, lag ich mit dem Kopf am Boden in der Nähe Steins. Hatte mich einer dieser Blitze gestreift? Was immer es war, ich werde es nie erfahren.

Ich erhob mich schwerfällig, schleifte mich zur Lampe und hielt sie mir dicht vor die Augen. Ja, alles war in Ordnung. Ich spürte keine Schmerzen, konnte hören, sehen, riechen, schmecken, tasten. Alle meine Sinne funktionierten tadellos. Außerdem war da eine beschwingte Leichtigkeit.

Inzwischen hatten die Blitze und das Donnern aufgehört. Der Mond schien zwischen den Wolken hindurch. Die Nacht war weit fortgeschritten. Aber in dieser von Winden gereinigten kristallklaren Luft wollte keine Müdigkeit aufkommen. Da sich der Nebel verzogen hatte, war nun wieder der tiefe Waldesfriede feierlich von den Lichtern des Sri Pada beleuchtet.

Ich schleppte mich zu meiner Unterkunft. Tief in einer Felsspalte hatte ich mir eine kleine Ecke als Schlafspalte hergerichtet. Zu diesem Zwecke hatte ich einige Bäume gefällt, sie auf die richtige Länge zugeschnitten und dann im Felsspalt eingeklemmt. Die Ritzen zwischen den Stämmen hatte ich mit Lehm verschmiert. So besaß ich ein vor Wind und Wetter geschütztes Lager. Als Öffnung ließ ich ein kleines Loch, das ich von innen mit einer Tür aus Reisiggeflecht verschließen konnte. Der Raum war gerade groß genug, um darin liegen zu können. Als Unterlage hatte ich eine Strohmatte über den nackten Felsen gelegt. Als Kopfkissen diente mir ein Sack, den ich mit Blüten und Blättern gefüllt hatte. Und da es so weit oben kalt ist, besaß ich noch eine zweite Wolldecke.

Obwohl ich wusste, dass ich jetzt nicht schlafen würde, zog ich mich in diese Stille zurück, um die Welt im Liegen zu erleben. Ich hatte mich kaum niedergelegt, als mich eine seltsame Mischung aus Traum und Wirklichkeit in ihren Bann zog.

Von den durch Nässe schwer gewordenen Blättern und Ästen fielen unzählige Tropfen auf Stein, Gras und Erde. Dadurch entstand eine sanftrhythmische Melodie, die mich wie eine zärtliche Umarmung in sich aufnahm. Diese schwere triefende Natur war so sinnlich, so erotisch, dass sie mir das Blut in den Unterleib trieb. Ich schlug die Decke zurück, damit sich die Erektion frei und ungehindert entfalten konnte. Diese über alles gefürchteten Gefühle, die so manchen Einsiedler in den Wahnsinn trieben, offenbarten sich dieser Nacht als schuldlos und ohne Absicht. Als Ausdruck einer Kraft und Energie, die in der bloßen Tatsache ihrer Existenz Genüge fand und nichts weiterwollte, als angenommen zu sein, um ihren eigenen von der Natur vorbestimmten Weg zu gehen. Aber worin bestand der eigentlich? War es nicht eventuell ein Vorurteil, diesen Gefühlen die Suche nach Orgasmus zu unterstellen? Ausgerechnet jenes, was sie zum Verlöschen bringt, was ihren augenblicklichen Tod bedeutet, sollte ihr Ziel sein? Ich überließ dem Regenwald sich und seinem Gesang. Aufmerksam und mit Hingebung überließ ich mich der Führung dieser Energie, die sich langsam im ganzen Körper ausbreitete, mit zunehmender Leuchtkraft, die nur mit geschlossenen Augen sichtbar war. Innerhalb weniger Minuten war mein gesamter Körper von unbeschreiblichem Wohlgefühl erfüllt.

Aus meinem Atem stiegen schneetreibende Wesen auf. Ihre fraulichen Körper wiegten sich schmiegsam direkt vor mir. Indem ich diese Vorstellung weder verneinte noch bejahte, gab ich ihr die Chance, ihren eigenen Weg zu gehen. Ich lauschte ihrem Flüstern:

Die weißen Körper fließen
Stürzt zur Erde
Schwebt zu Wolken
Einander sich zu spiegeln

Die weißen Körper fließen
Zehen der Wellen
Steigen heran
Sich tauchend zu ergießen

Die weißen Körper schmiegen
Drängen nicht auf
Grenzen nicht ab
Ohne Anfang, kein Versiegen

Doch langsam schwebten sie auseinander, verwandelten sich ihre Körper. Aber auch meine Perspektive veränderte sich. Was vorher gegenüberstand, sah ich jetzt aus der Vogelperspektive tief unter mir. Die transparenten Körper nahmen nun eine andere Form an. Vergleichbar mit symmetrischen Scheiben, die sich übereinander schoben und auftürmten, aber immer noch miteinander fest verbunden waren, obwohl ihre Einzelteile, aus denen sie bestanden, sichtbar waren. Nun lösten sich die Einzelteile voneinander, schwebten frei im Raum wie Schneeflocken, deren weiße Farbe sich in Licht verwandelte. Mit jeder Verwandlung ging eine Veränderung des Gefühls einher. Sexuelle Gefühle waren zu diesen Eindrücken, die ich jetzt empfand, wie rauer Bast im Vergleich zu Seide. Aber auch das nahm ich lediglich zur Kenntnis, ohne es zu bejahen oder zu verneinen. So nahm die Verfeinerung ihren Lauf. Die leuchtenden Schneeflocken verfeinerten sich zu symmetrischen Formen, die sich schließlich in einziges leuchtendes Mandala vereinigten.

Meine Hand erhob sich, es zu greifen- und fing nur Kälte. In diesem Augenblick war zu spüren, wie mein Selbstbewusstsein einer weiteren Verfeinerung im Wege stand. Ohne jeden Zweifel stand ich jetzt an einer Schwelle, über die ich mich selbst nicht hinüberbewegen konnte. Mir wurde bewusst, dass dieser Verfeinerungsprozess eine Eigendynamik besaß, die auf mich verzichten konnte. Ja, der ich sogar selbst im Wege stand. In diesem Moment wurde mir vorstellbar, sogar zur festen Gewissheit, dass das Leben mit dem Tod nicht endet. Der Tod ist wie eine Tür zur Freiheit, zu einer grenzenlosen Weite. Diese Tür stand nun offen und nichts schien mir natürlicher, als mich dieser Dynamik zu überlassen, die zugleich meine Freiheit und meinen Tod bedeuten würde. Mein Körper wurde ein Fahrzeug, dessen Kontrolle mir entglitten war. Als mir bewusst wurde, dass ich die Kontrolle verlor, überkam mich plötzlich panische Angst, obwohl keine Gefahr bestand. Alles war zum ersten Mal in vollkommener Ordnung. Alles funktionierte aus sich heraus und ohne Kontrolle.

Ich konnte mir selbst nicht eingestehen, überflüssig zu sein.

Mit aller Macht richtete sich mein Oberkörper ruckartig auf. Diese jähe Unterbrechung war so gewaltig, dass ich einen furchtbaren Schmerz in meinem Kopf verspürte. Aber ich war sofort hellwach. Ich war nun wieder Herr meiner selbst und in vollem Besitz meiner Sinne. Ich betrachtete mich und meine Umgebung. Ich lauschte den Geräuschen der erwachenden Natur. Sog den Duft der Blumen ein, die nach dem nächtlichen Regen erblüht waren. Das alles war jetzt wieder ich. Was noch kurz zuvor nur Wahrnehmung, Gefühl, Bewusstsein und Vorstellungen waren, erschien nun wieder durch ein Selbstbewusstsein festgelegt und mit Ideen, Namen und Werten beschwert. Jetzt glich ich einem Frosch, der nach dem Anblick der unendlichen Weite des Meeres, sich eilends in sein Brunnenloch verkroch.

Irgendwo da draußen, vor meinem Felsspalt, nahm der Regenwald in der wärmenden Sonne ein Dampfbad. Diese Waschküche verstärkte noch meine aufkommenden finsteren Gedanken. Langsam versank ich in eine tiefe Niedergeschlagenheit. Ich hatte eine vielleicht einmalige Chance verpasst. Die Ereignisse der Nacht hatten mich zurückgelassen, mich ausgespuckt wie Abfall, wie eine Beleidigung dieser geweihten Nacht der Zeichen und Wunder. In meiner Einsiedelei so hoch in den Wolken inmitten der unberührten Natur hatte ich eben noch den Himmel gespürt und befand mich jetzt nur noch in einer nassen Felsspalte. Umgeben vom Schatten der einsamen Berge, an denen jedes gesprochene Wort in unzählige Echos zersplitterte. Die mich vervielfältigten, um mich dann wie zum Hohn in alle Winde zu zerstreuen.

Beatrix Jacob

Die Legende vom Kloster in Ahlewardisdorph, späteres Marienzell

Legenden speisen sich meist aus Recherchen, spärlich überlieferten Daten, historischem Interesse und dem Streben ein Bild von dem Leben aus vergangenen Zeitepochen zu rekonstruieren. Spätere archäologische Forschungen können immer wieder überraschende neue Erkenntnisse bieten, die jenes Bild bestätigen, ergänzen oder korrigieren. An dieser Stelle mein Dank an wissenschaftliche Institutionen und Freunde. Meine Spurensuche führt uns in die Wüstung Ahlewardisdorph, einen Ort, wo unter dem Mantel der Geschichte dessen Existenz ausgelöscht ist. Das letzte Überbleibsel, die Klostermühle an der Querne, wurde nach der letzten Besitzerin in DDR-Zeiten restlos geschliffen. Die Klostersteine dienten Bürgern durch Versorgungsengpässe als Baumaterial und diese sind über die ganze Stadt verstreut. Die Wüstung selbst befindet sich zwischen Querfurt und Lodersleben nahe der Thomas-Müntzer-Stadt Allstedt. Das Kloster Ahlewardisdorph wurde vom Nachfahren des Missionars der heilige Brun von Querfurt, Burchhard II (1100 – 1161), im Jahr 1147 gegründet. Was ihn dazu motivierte, ob er ein Kind oder andere Verwandte oder niemanden in die Obhut der Geistlichen geben wollte, entzieht sich meiner Kenntnis. Auch der Adel blieb nicht davor verschont, dass behinderte Kinder geboren wurden, die von der Gesellschaft geächtet waren und deren Existenz meist auch deshalb nicht erfasst wurde, weshalb ihre Spuren oft fehlen. Dadurch ‚dass Burchhard II auch Stiftsherr des Domes zu Magdeburg war, konnte er auch Einfluss auf das von ihm gegründete Kloster nehmen, da es zu seiner Zeit den Liegenschaften dieses Bistums angehörte. Diesen Bezug zum Bistum Magdeburg findet man auch im Stadtwappen von Querfurt neben der Madonna auf der einen Seite und das rot weiß gestreifte Balkenschild als Hinweis, dass auch die Edlen von Querfurt an Kreuzzügen beteiligt waren auf der anderen Seite. Viele Adlige, die den Besitz nicht erbten, traten dem deutschen Orden bei, um als Ritter zu dienen. Durch die spätere Reformation fielen Aufgaben weg und der deutsche Orden verkümmerte immer mehr zur Versorgungsanstalt für seine Adligen. In anderen Quellen gibt es sogar, nachdem die direkte Adelslinie der Edlen von Querfurt ausgestorben war, eine Spur zum deutschen Ordensbruder Meinhard von Querfurt, der aber weitab unserer Legende später existierte und hauptsächlich als Landvermesser der Liegenschaften in dieser Region tätig war. In der umliegenden Gegend soll es nahezu 14 Klöster gegeben haben und diese Region war innerhalb des Flickenteppichs, wo heidnische und schon früh christianisierte Gebiete vorhanden waren der Zivilisierung voraus. Dies belegt ein weiteres Wappen vor den Stadtmauern von Querfurt als Hinweis, wo die Madonna anders wie im Stadtwappen in frühchristlicher Tradition im Beinkleid dargestellt ist, die auf dem Arm das Jesuskind hält, welches in seiner Hand den Reichsapfel zeigt. Obwohl an der einen Seite der Madonna das Balkenschild wie im Stadtwappen nicht fehlt, das des eines zuständigen Bistums fehlt jedoch und stattdessen wird auf der anderen Seite der Madonna ein ungeschlossenes Rechteck dargestellt auf rotem Untergrund als Auftragsfarbe für die noch nicht abgeschlossene Christianisierung der Region im näheren Umkreis. So ist zum Beispiel die aus heutiger Sicht nahe der Stadt Querfurt gelegene Stadt Nebra ein Indiz auf diesen Flickenteppich der unvolledeten Christianisierung. Deutlicher Hinweis ist das Stadtwappen, welches den heiligen Georg darstellt. Leider wird der heilige Georg als Schutzpatron oft mit der Nibelungensage und Siegfried dem Drachentöter verwechselt, obwohl die Symbolik etwas anderes aussagt in der christlichen Geschichte. Bei dem Drachen handelt es sich nicht um ein Fabelwesen wie in der Nibelungensage, sondern um heidnische Stämme, die in ihrem Glauben noch Göttern Tier und Menschenopfer darbrachten oder andere heidnische Kulte betrieben, wie auf der Troja Burg von Steigra. Der heilige Georg war ein römischer Offizier in der Zeit des Urchristentums und bewahrte eine lybische Königstochter vor dem sicheren Tod, da der Königsvater, der das Meer durch seine beiden Tieropfer nicht besänftigen konnte, diese als Menschenopfer darbringen wollte, so berichtet die Legende. Auch der Speer, den Georg in der Hand hält, ist typisch für die militärische Ausrüstung seiner Zeit. Unter dem römischen Kaiser Diokletian, der von 284 bis 305 regierte, sollte der heilige Georg dem Christentum zu Gunsten der heidnischen römischen Religion, die der Kontrolle der Machthaber unterlag, abschwören. Eine Form der Tetrarchie, wo eine freie Religion jenseits von Macht- und Kontrollansprüchen des Kaisers keinen Platz hatte. Deshalb veranlasste Diokletian um 303 eine brutale Welle der Christenverfolgung, da dieses Urchristentum sich seiner religiösen Kontrolle entzog. Der römische Offizier Georg wurde zum Märtyrer, da er als Bekenner für das Christentum sein Leben 303 dadurch gefoltert einbüßte. Die Geburt des Christentums war in seiner geistlichen Botschaft für die Menschen ein Akt der Hoffnung, dass sie nach aller Mühsal und Leiden des irdischen Lebens von Gott nach ihrem Tod erlöst werden können und zum ewigen Leben gelangen. Der rachsüchtige inszenierte Gott der Machthaber, rachsüchtige Götter, um die gläubigen Menschen zu unterdrücken, sie waren im Urchristentum dem liebenden monotheistischen Gott seiner Schöpfungskinder gewichen. Christus lehrte die Menschen Verantwortung für sich selbst, gegenüber der Schöpfung und dem Schöpfergott, der beim jüngsten Gericht das Urteil über sie nach dem Tode fällen wird. Natürlich kann das keinem Klerus gefallen, der nach Macht und Kontrolle über die Gläubigen strebt. Immerhin finanziert er seine Kirchenfürsten daraus und zieht die Fäden seiner Macht. Das Urchristentum bahnte sich seinen Weg, wo die alte römische Religion durch das Christentum abgelöst wurde. Im Machtstreben der Kirchenfürsten wurde der Adel mit einer neuen Instanz konfrontiert, als der neu entstandene Klerus in Rom sein Zentrum aufbaute und Regeln schuf, um die Kontrolle über das Christentum zurückzugewinnen. So bekamen die Christenschafe gute und schlechte Päpste als oberste Hirten. Im Matthäusevangelium des neuen Testamentes auch durch Martin Luther übersetzt, wurde schon vor Schriftgelehrten und Pharisäern gewarnt, die entgegen der christlichen Lehre böse Werke tun. Das Konventssiegel, welches dem gegründeten Kloster Ahlewardisdorph verliehen wurde, bestätigt die Existenz des Frauenklosters. Hier hält die Madonna in der rechten Hand eine große Lilie und durch das verblasste Siegel auf den Urkunden sind maximal zwei Sterne zu sehen. Wir haben diese zwei Sterne auch oft in Monstranzen, wo Christen ihre Verbundenheit als irdische Schöpfungskinder manchmal auch durch einen unteren Stern in der Heraldik getrennt von der Mondsichel und dem oberen Stern zum universellen Schöpfergott gerne bei Prozessionen zeigen, was in der Darstellung der Symbolik variieren kann. Das Christentum geht als Religion von einer dualen Beziehung aus in seiner Betrachtung über die Welt des irdischen Lebens und des ewigen universellen Lebens in der Lichtwelt Gottes. Das Siegel des Klosters Ahlewardisdorph hat einen Ursprung in der antiken griechischen Religion. Dort war sie als kulturelles Symbol, als Blume der Hera, Gattin des Göttervaters Zeus bekannt. Später im Urchristentum wurde die Lilie als Symbol für Unschuld und Reinheit der Seele für die heilige Susanne übernommen. Dies bevor sie von der katholischen Kirche als Madonnenlilie für die Gottesmutter genutzt wurde. Auf Wunsch des Kaisers sollte die heilige Susanne dessen Adoptivsohn Diokletian heiraten, dem römischen Götzengott opfern und tat es nicht, was sie als Christin enttarnte und wofür sie geköpft wurde. Im oben erwähnten frühchristlichen Wappen, welches der dualen christlichen Betrachtung Ausdruck verleiht durch eine ganz andere Darstellung, befindet sich unterhalb der Mondsichel eine Landschaft und oberhalb der Mondsichel die erwähnte Madonna für das Leben in Gottes Lichtwelt, die als Gottesmutter des Jesus Kindes und Helferin in der irdischen Not der Menschen fungiert. Sie ist ein Bindeglied der Menschen zu Gott, um als Fürsprech beim Schöpfergott für uns zu vermitteln. Im Mittelalter war es üblich, das Menschen mit unreinen Berufen vor die Stadtmauer verbannt wurden, aber in diesem Falle spricht es für ein Areal, wo die aus der Stadt verbannten Menschen, um die übrige Bevölkerung nicht noch zu infizieren, mit tödlichen Krankheiten hinter der Stadtmauer ihr Dasein fristeten. Einen Hinweis, dass es sich um aus der Gesellschaft Verbannte handelte, gibt auch eine Kapelle, die im Laufe der Jahrhunderte immer wieder überbaut wurde. Diese Kapellen hießen meist Heilige-Geistkapelle, auch in Querfurt, wo die Menschen Trost in all ihrem Elend finden sollten im Vertrauen zu Gott, der sie erlöst. Im Gegensatz zu diesem Areal handelte es sich bei Ahlewardisdorph um einen eigenständigen Ort. Dadurch dass im Hersfelder Zehnt Verzeichnis nur Abgaben von Klöstern dokumentiert waren und im Kloster Paulinzella zum Beispiel nur buchhalterisch die Handelsgeschäfte, konnte daraus allein nicht schlüssig gefolgert werden, ob es sich um ein Frauen-, Männer- oder Gemischtkloster handelte, welches die Abgaben leistete oder welche Handelsgeschäfte welchen Ordensleuten zu Gute kamen. Die Zuständigkeit des Bistums für die Region um Querfurt wechselte durch den Sohn von Burchard II, Konrad von Querfurt nach Hildesheim, der dort seine geistliche Laufbahn verfolgte. Es ist durchaus möglich, dass der Klosterbau in Ahlewardisdorph später erweitert wurde, so dass das Frauenkloster Ahlewardisdorph Zuwachs bekam, wo nicht mehr nur Nonnen, sondern auch Mönche angesiedelt waren. Dabei kann es sich auch um eine Verlegung eines anderen Klosters handeln durch die Infrastruktur, die effizienter werden sollte. Da käme auch das Mönchskloster von der Lautersburg in Richtung Ziegelroda in Frage, welches so berichteten die Älteren, Mönche über ihre Geheimgänge die Burgherren mit Nahrungsmitteln und anderem versorgt hatten. Immerhin konnte man in Ahlewardisdorph eine Klostermühle am Bach betreiben, eine Aufgabe, die für Nonnen doch recht beschwerlich ist. Die ältere Generation berichtete mir auch immer wieder davon, dass sie als Kinder in der Nähe der Klostermühle in der Wüstung Ahlewardisdorph Geheimgänge entdeckt hatten und dort spielten. Der 3. Kreuzzug 1189 – 1191 verschlang sehr viel Geld, die Ansprüche der Kirchenfürsten waren hoch und die Priore, die ein kirchliches Amt innehatten, suchten nach Geldquellen in ihren Liegenschaften, deren Verwaltung ihnen oblag. So besetzte der deutsche Orden im Deutschen Reich die Benediktiner-Abteien, auch das Kloster Ahlewardisdorph. In deren Sinne verlieh der Hildesheimer Abt Hermann Vollhatzen dem Kloster in Ahlewardisdorph den Namen Marienzell, bestätigt mit dem Kovents-Siegel des federführenden Priors Nikolaus. Erschwerend für die Mönche und Nonnen kam in dieser Zeit hinzu, dass es viele innerkirchliche Zwistigkeiten gab und die einzelnen Priore des deutschen Ordens versuchten die Päpste wie Urban IV und dessen Nachfolger Bonifaz IX für strengere Regeln in ihrem Interesse zu gewinnen. Auch das könnte für ein später in Ahlewardisdorph angesiedeltes Männerkloster sprechen oder ein Gemischtkloster von Benediktinerinnen und Benediktinern. Für die Theorie eines gemischten Klosterkomplexes in Ahlewardisdorph sprechen zwei steinerne Zeugen, die die Empore stützen in der Sankt Lamperti Stadtkirche Querfurt als letzte Überbleibsel nach der Verwüstung. Zwei Pfeiler, die unterschiedlicher in ihrer Art der Ausführung nicht sein können. Die eine mit Muschelornamenten, wo die Muschel stets verbunden ist mit dem Pilgertum der gläubigen Menschen zu den heiligen Stätten und die andere völlig einfach ohne diesen Hinweis.

Das von Burchard II gegründete Frauenkloster machte 1470 noch einmal ganz anders von sich reden. In historischen Unterlagen ist der Äbtissinenstreit für die Stelle im Kloster Ahlewardisdorph aufgezeichnet. Die behinderte Gertrud von Regenstein gewann gegen Katharina von Hohenstein, die dafür eine Abfindung vom Klerus erhielt. Dies nach der Heirat der Dekanin Katharina von Querfurt – Naumburg. Jene Katharina von Hohenstein unterlag im Streit um den Klostervorstand in Ahlewardisdorph/Marienzell und bekam vom Bistum Hildesheim eine gütliche Abfindung, die ihr den Lebensabend sicherte, während Gertrud von Regenstein die Leitung des Klosters übernahm. Wie sich das Leben der Nonnen gestaltete, kann an dieser Stelle nicht gesagt werden. Katharina von Bora, Luthers späterer Ehefrau, war es als Kind vergönnt im Kloster Brehna durch die freiere Auslegung der Klosterregeln ihren Wissensdurst zu stillen. Im Kloster Nimbschen als junge Nonne, war ihr freiheitlicher Wissensdurst derart durch harte Klosterregeln eingeschränkt, dass sie von dort floh.

Jedenfalls wird die Zeit auch am Kloster in Ahlewardisdorph, gelegen in Mitteldeutschland, eine Hochburg der Reformation, nicht spurlos vorüber gegangen sein. Immerhin predigte sehr oft im fast benachbarten Allstedt Thomas Müntzer, der ein Anführer des Bauernkrieges 1525 war und durch den Sieg des Adels in Mühlhausen mit seinen Mitstreitern hingerichtet wurde. In vielen Klöstern setzte durch die Reformation ein Schwund an Ordensschwestern und Brüdern ein und so kann es auch im Kloster Marienzell in Ahlewardisdorph gewesen sein, wo der Konvent 1558 aufgegeben wurde. Die alten Gemäuer verlassen, dämmerten bis zum 30jährigen Krieg dahin, bis 1646 eine wilde Horde das Kloster niederbrannte, so das nur noch die Grundmauern und 16 Pfeiler standen. Eine alte Aufzeichnung lässt auf ein sehr großes Kloster schließen und nicht alle Pfeiler des Klosters überlebten die Brandschatzung. Die auf alten Fotos eines Freundes der Familie abgebildete Klostermühle war ein sehr großer Gebäudekomplex, so dass nicht nur ein paar wenige Hanseln von Benediktinermönchen und Nonnen in dem Areal Ahlewardisdorph gelebt haben können.

Beatrix Jacob

Unsere längste Campingreise

Zu dieser Zeit war es uns nicht vergönnt unsere Neugier auf andere Länder uneingeschränkt zu stillen, aber trotz der wenigen Urlaubstage, maximal 14 Tage, machten wir das Beste daraus, es sei denn längere Betriebsferien ermöglichten eine Ausnahme. Eine Stipvisite in der damaligen CSSR war schon beinah Gewohnheitssache und immer wurde uns Kindern nahegelegt, keine vom Zoll verbotenen Sachen in das benachbarte Ausland mitzunehmen, denn die Grenzkontrollen waren streng. Auch die Währung, die man pro Tag tauschen konnte, war begrenzt. Die CSSR stand für gutes preisgünstiges Essen, Übernachtung und Einkauf von Waren, die man in der DDR nicht so ohne weiteres bekam. Der Zwischenstopp im großen Prager Kaufhaus fehlte kaum, das Glockenspiel, bei dem zu jeder halben bis vollen Stunde sich die Tür öffnete und die Figuren ihre Kreise zogen, war Pflicht zu kennen. Die Übernachtung im Fass war uns auch mal vergönnt. Blieben wir länger, schlenderten wir über die Karlsbrücke zum Überqueren der Moldau, wo Künstler ihre Bilder präsentierten und verkauften. Der Besuch des Hradschin und anderer Kirchen, wo Baumeister mit ihrem Herzblut Gott zu Ehren Zeugnis über unseren christlichen Glauben ablegten, fehlte nie. Die Kurstadt Karlbad neben Bratislava war ebenso ein Touristenmagnet für uns wie die niedere Tatra, wo uns eine Familie aus Schönebeck zum Essen bei ihrer vor dem Zelt zubereiteten Pilzpfanne eingeladen hatte. Hier entstand durch das Dolmetscherehepaar der Plan zu unserer längsten Campingreise. An die gemeinsame anstrengende Bergtour bis hoch auf den Kamm kann ich mich noch gut erinnern, auf der ich durch meinen anfälligen niedrigen Blutdruck jung an Jahren schlapp machte. So musste man mich mit Traubenzucker mitten in der Bergprärie wieder fit bekommen. Wir entschlossen uns die Wanderung nicht abzubrechen. Die Ausblicke hoch oben in die Landschaft entschädigten jedoch für diese Strapazen. Der Treffpunkt in Bulgarien sollte für teilweise gemeinsame Unternehmungen die älteste europäische Stadt Plovdiv sein. Unser Finanzbudget war sehr begrenzt und daher auch ausschlaggebend für unsere Quartiermöglichkeiten. Wer bequemer reisen wollte, der nahm den Autozug, wir jedenfalls fuhren mit unserem Wartburg 353 und Klappfix zum Reiseziel. Der Klappfix war ein Anhänger, in dem das Großzelt verstaut war und der immer wieder auf- und abgebaut und eingerichtet werden musste. Durch den engen Zeitplan und die Anzahl der Kilometer, die zu fahren waren, zusätzlich Aufenthalt bei den Grenzkontrollen, nahmen wir auch in der CSSR Quartier in einem Motel an der Strecke. Später in Ungarn war es nicht möglich auf die Schnelle ein Quartier zu finden und wir übernachteten mit unserem Klappfix-Zelt mitten in der Puszta. Als ich als Erste neugierig am Morgen aus dem Zelt sah, bemerkte ich, wie sich ein Puszta-Schwein für den Fremdkörper in der Prärie interessierte und schrie Alarm, ein blitzartiges Aufstehkommando war die Folge. Als wir dann vor dem Zelt unsere Frühstückstafel aufbauten, ließ der neugierige Vierbeiner von uns ab. Erst am Morgen fanden wir den Bauernhof in der Puszta noch mit Wasserpumpe vor dem Hof. Erste Bewährungsprobe als Camper auf dieser Reise. Unsere früheren Urlaube waren in Ungarn komfortabler. Die Welt ist klein, eine Erfahrung, als unserer Mutter in Keszthely am Balaton vor unserem Urlaubsquartier bei einer ungarischen Familie die Frau unserer befreundeten Tierarztfamilie in die Arme lief. Unvergessen blühende Lavendelfelder um Siofok, die jemals schärfste Gulaschsuppe in der Kurstadt Heviz, die wir speisten und natürlich Budapest, jene aus Buda und Pest vereinigte Stadt. Bei der Stadtrundfahrt machte es sich unser Vater leicht und klemmte sich hinter den Reisebus. Ungarn war damals schon ein sehr westlich orientiertes Land und dementsprechend durch den Währungsunterschied das essen gehen relativ teuer. Da war gelegentlich Selbst-Versorgung angesagt und wir deckten uns mit preiswertem Obst und Gemüse ein. Aber uns war es trotzdem vergönnt mit der Mutter als Proviantmeisterin eine Csarda zu besuchen, wo sie ihren Wein genoss und Zigeuner für die musikalische Unterhaltung sorgten. Auf dieser Reise jedoch überquerten wir zum ersten Mal die Grenze von Ungarn in das uns noch unbekannte Rumänien. Das Land begeisterte mit seiner wilden urwüchsigen Landschaft. Ein Abstecher nach Siebenbürgen in den südlichen Karpaten, mit seiner wechselvollen Geschichte zu deutsch Hermmanstadt, auf Rumänisch Sibiu, war natürlich auch im persönlichen unabhängigen Reiseprogramm. In Bukarest besuchten wir eine beeindruckende Gaststätte auf unserer langen Reise mit gutem Essen. Auch Rumänien wurde, wie die Hauptstadt Bukarest 1977 von einem schweren Erdbeben heimgesucht. Dies erschütterte mich später, bei all den Erinnerungen an das Flair der Stadt. Damals spendeten wir auch für Rumänien. Da in Rumänien die Zigeuner sehr kontaktfreudig waren, mieteten wir einen Bungalow auf der Strecke als Nachtquartier an. Gegenüber der Straße, nicht weit weg von unserer geschützten Bungalowsiedlung, lag das Zigeunerlager an einem Fluss mit kleiner Insel. Natürlich hatten wir Müh und Not uns den Händlerinteressen der Zigeuner zu entziehen, um am Morgen zur unserer Reise fortzusetzen. Die Fertigkeit rumänischer Frauen bei der Handarbeit mit künstlerischen traditionellen Motiven beeindruckte uns. Von Rumänien aus setzten wir mit der Fähre nach Bulgarien über und bald hatten wir auch unseren Treffpunkt mit der anderen Familie erreicht. Auf dem damaligen Zeltplatz Perla gelegen am schwarzen Meer, bezogen wir mit unserem Klappfix Quartier. Gemeinschaftswaschsäle, WC wie üblich waren von der anderen Art, eher ernüchternd. Daher war ich froh über das Essen in der Raststätte oben auf dem Berg über dem Campingplatz oder auswärts, wo die Sanitärkultur nicht ganz so befremdlich war. Bei unserer ersten gemeinsamen Erkundung Bulgariens mit der anderen Familie als Reiseführer waren unsere Eltern etwas hilflos wegen der kyrillischen Schrift, mit der wir Kinder es einfacher hatten, da Russisch zu unserer Schulbildung gehörte. Ausflugsziele waren der sehr romantische Ort Nessebar, die Hafenstadt Varna nahe Burgas und natürlich die wunderschöne Hauptstadt Sofia. Auch das fast 120 Kilometer von Sofia entfernte Rila-Kloster im Rila-Gebirge durfte bei unseren Tagesausflügen nicht fehlen. Dieses wurde nach aufwendigen Restaurierungsarbeiten viel später in die Liste des Weltkulturerbes aufgenommen. Auf dem Weg dorthin haben wir viele Bauern mit ihren Lasteneseln gesehen und das Flair der Landschaft als Beifahrer genießen dürfen. Auch Bulgarien hatte wechselvolle historische Zeiten erlebt, welche in der wunderschönen Architektur des Rila-Klosters zum Ausdruck kommen. Die Zellen der Mönche waren sehr, sehr einfach ohne Luxus, damit sie sich auf den Glauben konzentrieren und sich nicht vom schädigenden Zeitgeist ablenken lassen. Wenn man es so will, hat mich die tiefe Gläubigkeit jener orthodoxen Mönche tief beeindruckt. Eine Rückbesinnung auf die eigene Glaubenswurzel und die christlichen Werte konnte man sehen. Diese wurden leider allzuoft in der Geschichte verunreinigt durch einen kranken Zeitgeist, der unsere christliche Glaubenswurzel und das Gottvertrauen schädigte. Missbrauch erfolgte durch den Machthunger von Klerikern in entsprechenden Positionen.

Das Rila-Kloster ist ein architektonisches Kunstwerk an sich, auch mit den aufwendigen in Gold verzierten Schnitzereien und malerischen Darstellungen. Hier entdeckte ich meine Liebe für Ikonen als Glaubensbekenntnis und zu den Fresken, die das christliche Leben für nachfolgende Generationen bewahren sollen und es bleiben Orte, die mich faszinieren in ihrer christlichen Ausdruckskraft. Viele entzündete Lichter aus Dankbarkeit für die Schöpfung, um für den Augenblick innerer Einkehr, um

Gottes Nähe zu spüren, unterstrichen diese Faszination. Leider war unsere Besuchszeit bemessen und wir mussten zurück in das Camping-Quartier. Natürlich durfte auf dieser Reise mit unserer befreundeten Familie der Ausflug auf einen Hügel, auf dem ein Esel graste, für einen Blick zur weit entfernten Türkei nicht fehlen. Die verführende Anziehung der westlichen Konsumgesellschaft ließ uns auch deren Schattenseiten ausblenden, wo die Dankbarkeit für kulturelle Werte nicht selten verblich. Wir lernten auf dieser abenteuerlichen Reise mit unserem Wartburg 353 all die Schönheiten der Natur unserer östlichen Nachbarn kennen und schätzen, einzigartige Kulturschätze, traditionell gewachsene Urwüchsigkeit. Da kamen unsere gehobenen Ansprüche im Gegensatz dazu wie aus einer fernen Welt. Das kann sich eine moderne, verzogene Generation kaum noch vorstellen, die stattdessen höchste Ansprüche an Quartier, Essen und Flugreisen stellt.

Beatrix Jacob

Zugreise nach Essen

Obwohl der Osten alle ihm verfügbaren Ressourcen zur Versorgung der Bevölkerung innerhalb seiner Infrastruktur nutzte, war man in Sachen moderner Umweltschutztechnologie abgeschlagen. Bevor wir in den Genuss kamen, den weit entfernten Ruhrpott kurz nach der Wende kennen zu lernen, mussten wir in der Weiterbildung büffeln und Klausuren schreiben. Dazu gehörte auch, uns anhand von neuen Betrieben in der Praxis ein Bild zu verschaffen. Die meisten Betriebe wie das Blockheizraftwerk, Klärwerk, die Trinkwasseraufbereitung waren in unserer Stadt mit dem öffentlichen Nahverkehr erreichbar. Bei der Abwasserreinigung sind mehrere Verfahrensstufen notwendig, wo Bakterien zur Wasserreinigung zum Einsatz kamen. Auch besuchten wir eine Trinkwasseraufbereitungsanlage am anderen Ende der Stadt. Besonders beeindruckte mich dort eine Halle, wo Trinkwasser im Aktivkohlebecken aufbereitet wurde. Die Luft einzuatmen war ein berauschender Höchstgenuss in einer Industriestadt mit vielen Luft Verunreinigungen, wo in vielen Betrieben in den Schornsteinen die Filter zur Eindämmung von Immissionen fehlten. Man zeigte uns die vielen Brunnenstationen, um Wasser aus dem Fluss zur Reinigung in den Elsterauen zu gewinnen, und das Labor für die Reinheitskontrolle. Im Blockheizkraftwerk, wurde uns erklärt, wie dort Strom erzeugt wurde durch die Wärme-Kraft-Kopplung, wo Brennstoffe wie Kohle, Erdöl oder Erdgas eingesetzt werden können und wie aus abgesaugten Deponiegasen Fernwärme gewonnen werden kann. Zur Mülldeponie mussten wir einige Kilometer auswärts der Stadt fahren und hatten die Sondergenehmigung mit unseren Trabis, Wartburgs, Ladas in Fahrgemeinschaften zu den Sammelstationen, wo das giftige Müllwasser und auch die Deponiegase gesammelt wurden, durch die Mülldeponie zu fahren. Inmitten dieser Müllberge, ich konnte es kaum glauben, saßen Rabenvögel auf einem dieser Berge und genossen ihr Frühstück. Das Gegenstück dazu ist eine Müllverbrennungsanlage, die wir per Bus in Berlin besuchten und die Frage damals war, was ist umweltfreundlicher und ökonomischer, Mülldeponie oder MVA. Nahezu zum Abschluss unserer Ausbildung kam dann der Tag per Zug in den Ruhrpott nach Essen zu reisen. Wir trafen uns frühmorgens mit Gepäck in der sicheren geräumigen Bahnhofshalle, bis wir dann endgültig zum Zug und unseren

Bahnsteig mussten, wo man aus dem Kiosk oder Selbstbedienungsstationen sich noch mit Proviant eindecken konnte. Etwas Wehmut kommt in mir auf an die alten Zeiten, wo der Bahnhof noch nicht konsumüberfrachtet umgebaut war und wir gemütlich im Gastlokal der Mitropa schon als Studenten in der DDR in die Gastronomie hin und wieder zum Abkürzen der Wartezeit einkehrten. Als wir in unseren Zug einstiegen und losfuhren, und wir im Frühjahr die vorüberziehende Landschaft genießen konnten und wie das Saatgut der Landwirte gedieh, vergingen die vielen Stunden im Zug schnell. Harmonische Landschaftsbilder, ohne Solarparks und Windkraftturbinen.

In Essen angekommen, war es auch sehr hektisch, um sofort dieses ganz andere Flair des Bahnhofs, der stark konsum-orientiert war und wo wir später am Automaten Fahrscheine für unsere Erkundungen zogen, zu beäugen. Wir wurden mit dem Bus zum Nachtquartier in Ratingen außerhalb in der Prärie gefahren und an der Haltestation rausgeworfen. Der Busfahrer meinte bedauernd, da hinten, wo das Licht brennt, zirka 1,5 Kilometer Fußmarsch, müsst ihr mit eurem Gepäck bis zur Jugendherberge laufen. Erschöpft freuten wir uns auf unsere Betten, aber die Einrichtung war mehr als dürftig und die Mehrbettzimmer hatten amüsante Namen wie Amsel, Drossel, Fink und Star. Die ersten Tage dort mussten wir beschwerliche Fußmärsche zur Bushaltestelle in Kauf nehmen, bis wir endlich in der Stadt Essen ordentliche Hotelzimmer bekamen. Abends saßen wir meist noch zusammen und an das Leben der Wandergesellen gewöhnt, ging es auch mal in die nähere Gastronomie. Ein Ausflug nach Bottrop zur Abraumhalde als Wandergesellschaft, um deren Begrünung zu bewundern, gehörte zur Ausbildung neben den vielen Veranstaltungen im Haus der Technik Essen dazu. Danach teilte sich die Gruppe, um sich in der Gastronomie nach anstrengendem Fußmarsch zu stärken. Außerhalb der Lehrveranstaltungen sahen wir uns die Gegend an und nutzten eifrig den öffentlichen Nahverkehr: mal individuell und mal zusammen ergründeten wir die Gegend. So lernte ich den schönen Gruga Park mit botanischem Garten und Vogelhaus kennen und hätte mich die Wärterin vor Feierabend in der Orangerie nicht entdeckt, hätte ich dort übernachten müssen. Zusammen besuchten wir die Villa Hügel des Industriellen Alfred Krupp und staunten über die Erfindungen zur Zeit unserer Vorfahren. Wir eroberten in Düsseldorf die Kö und einige von uns kauften in einer Nebenstraße beim Chinesen ein Andenken. Eines Tages fuhren wir in einer kleinen Gruppe auch nach Köln, und erkundeten den Kölner Dom und genossen die Aussicht auf die Stadt nach mühseliger Treppensteigerei. Die Stadt hat sich seit der Wende so sehr stark verändert, man würde sie kaum wieder erkennen. Auch Essen hatte schöne Ecken zu bieten und war sehr katholisch geprägt. Jede Reise geht einmal zu Ende, und während der Zugfahrt nach Hause waren wir von so vielen Erlebnissen geprägt, dass wir wenig Blicke für die Landschaft hatten, während der mehrstündigen Zugfahrt.

Travis Millin

Sieben Texte für eine Woche

Als ich mich vor einigen Jahren im Wartebereich eines Bahnhofes aufhielt und auf die Ankunft meines Zugs wartete, entdeckte ich zwischen den Stühlen eine Kladde, die wohl von einem anderen Reisenden oder einem Wartenden verloren wurde. Es scheint sich bei diesen Aufzeichnungen um Notizen eines Beobachters zu handeln, dem die flüchtige Begegnung mit anderen eine mögliche Vorstellung von dem evoziert, was sich hinter fremden Gesichtern oder Orten sowie flüchtig aufgeschnappten Begebenheiten verbergen mag.

Natürlich werden Sie mir das nicht abnehmen, weil man nur in Erzählungen auf Notizen Fremder stößt. Sie werden sagen: „Dies ist ein läppischer und nicht besonders origineller Versuch, Texte lose miteinander zu verknüpfen."

Literaturwissenschaftler wären geneigt, dies als eine sogenannte Herausgeberfiktion zu bezeichnen. Jedwede Versicherung meinerseits, dass dem nicht so sei, würde diese Ihre Auffassung vermutlich zurecht nicht beeinflussen; auch nicht, wenn ich zu Unrecht beteuerte, über die folgenden Notizen tatsächlich zufällig gestolpert zu sein. Sei's drum!

Ich nenne sie: „Sieben Texte für eine Woche", da ich während meiner Reise jeden Tag einen der Texte las, die ich zugegebenermaßen noch ein wenig ausschmückte.

Auf der Straße

Ich habe einen Lebenslauf! Gewiss, den haben Sie auch! Ich habe eine Handvoll Jahre hinter mich gebracht, nun – auch Sie haben das! Wir haben also, so zumindest scheint es, etwas gemeinsam: Der Lauf Ihres Lebens mag sich sicherlich von dem meines Lebens unterscheiden, doch was macht das schon. Unterschiede gibt es immer, wie eben auch Gemeinsamkeiten. Unterschiede bedeuten jedoch letztlich gar nichts, gleichsam alles. Denn durch die Unterschiede unterscheiden Sie sich von mir und ich mich von Ihnen.

Aller Unterschiede zum Trotz, wo immer sie auch liegen mögen, haben wir beide einen Lebenslauf. Ihr Leben läuft, steht, rennt oder geht, wie auch das Meine und andersherum. Nun, das ist der Lauf des Lebens.

Wären wir alle gleich, es wäre öde, wir sind aber natürlich alle gleich: Freiheit, Gleichheit, Brüderlichkeit, Sie wissen schon!

Vor dem Gesetz, so sagt zumindest der Volksmund, sind wir auch gleich, ja, selbst vor dem Tode. Vielleicht, bzw. höchstwahrscheinlich, werden Sie anders sterben als ich, aber es heißt ja nicht: im Sterben, sondern vor dem Tode sind wir alle gleich.

Auch unsere Lebensverhältnisse werden sich aller Wahrscheinlichkeit nach unterscheiden. Dennoch, Sie und ich, wir leben – ob das heißt, dass wir lebendig sind, kann ich nicht sagen. Ich weiß über Sie nichts, Sie ebenfalls nichts über mich, aber wir beide, Sie und ich, haben einen Lebenslauf. Wir haben eine Handvoll, im Grunde wohl mehr Jahre hinter uns gebracht. Erstaunlich, nicht wahr?

Gestern sah ich Sie, bloß ganz kurz, die Straße entlang gehen. Das heißt nicht, dass ich viel oder überhaupt etwas über Sie weiß. Ich bleibe bei der Aussage, dass wir uns nicht kennen.

Trotzdem: Gestern sah ich Sie diese lange, lange, unwirtliche Straße entlang-, herunter oder hinauflaufen. Sie liefen. Natürlich liefen Sie. Lebenslauf. Sie liefen jedoch – zumindest hoffe ich das für Sie – nicht um Ihr Leben. Aber wer kann das wissen? Zumindest sah es danach nicht aus.

Die Straße. Da liefen Sie lang. Ich sah Sie also die Straße entlang laufen. Sie hatten es nicht eilig, und falls doch, merkte ich es Ihnen nicht an. Ich glaube, Sie hatten es nicht eilig. Sie bummelten sogar. Die Straße entlang. Gemütlich, im Grunde.

Zumindest sah es danach aus.

In der rechten Hand hielten Sie eine kaum gefüllte Einkaufstasche, die Linke – verzeihen Sie mir, wenn ich das so offen ausspreche – griff manchmal in den Schritt, rieb die Nase oder strich durch die Haare. Ich hoffe, dass nichts hängen blieb, es bleibt ja Manches im Leben an einem hängen. Man sagt ja: Das wird mir ewig (gleichwohl „ewig" ein viel zu großes Wort ist) anhängen. Am Leben wiederum hängen die meisten Menschen auch. Ob Sie am Leben hängen, weiß ich nicht.

Aber Sie haben einen Lebenslauf, so wie ich. Ich sah Sie, vielleicht haben Sie mich auch gesehen. Vielleicht begegneten wir uns auf einer Reise, auf einer Landstraße, vielleicht sah ich Sie von meinem Fenster aus. Gewiss, ich sagte: ‚Ich sah Sie gestern' – aber gestern ist ein weiter Begriff. Vielleicht überschnitt sich ihre Reise mit der meinen, ihre Vita kreuzte für einen Augenblick die meine, oder umgekehrt, das ist nicht wichtig.

Narbiges Nachtgesicht

Im Dunkeln zu erwachen ist unangenehm! Drückende Dunkelheit eines Raums, dessen Fenster durch Rollläden völlig abgeschottet ist, und der deshalb eine unnatürliche, lichtlose, fast geräuschlose Schwärze wirft. Keine Orientierung, beengendes Nichts, obwohl es Nichts nicht gibt, kein Ruhepunkt für das Auge, welches nicht sicher sein kann, tatsächlich geöffnet zu sein. Ganz zu schweigen von der Stolpergefahr beim Entschluss aufzustehen.

Angenehmer hingegen das belebte Dunkel. Der Blick in Richtung des Fensters legt hinter den aufreißenden schwarzen Wolken ein Stück dunkelblauen Himmels frei, für einen Augenblick das Funkeln eines Sterns.

Nahe der Dämmerung zeichnen sich vor dem Dunkelblau die Äste der windbewegten Bäume ab, welche die Schattierungen der Fensterleinwand zu mischen und durcheinanderzuwirbeln scheinen; das Krachen der Zweige, ihr Rascheln, sogar das Getöse des Laubs wird durchs Mondlicht an den Wänden sichtbar.

Gesprenkelte unaufdringliche Lichtflecken, mitunter schmale Streifen in hektischer oder sanfter Bewegung, selten starr, und wenn, beruhigend.

Der an die Wände geworfene Schatten des Lichtspiels kitzelt das Auge, lenkt es hierhin, auch dorthin, vermischt sich mit den Klängen oder der selten absoluten Stille: Kitzelt das Auge, streicht über das Gesicht, bis sich dieses wieder schläfrig ins Kissen vergräbt, das Lied sich senkt, wissend, dass das Lichtspiel weiter das Schwarz, Grau, Blau, das Funkeln und die Sichel kommentiert. Die Sichel, die in verschiedenen Rundungen wächst und verebbt:Das narbige Nachtgesicht.

Wache (Notiz: ein müder Wehrpflichtiger schläft im Abteil)

Mein Vordermann beginnt zu rennen, nachdem irgendjemand etwas durchs Funkgerät gemurmelt hat. Wahrscheinlich der Wachhabende. Ein Angeber, denn ein Wachhabender ist allen anderen, ungeachtet des Dienstgrades, vorgesetzt. Das muss man ausnutzen, sich wichtig tun. In diesem und jenem Abschnitt des umzäunten Geländes sei irgendetwas gehört oder gesehen worden, von wem allerdings weiß ich nicht. Nicht vom Wachhabenden, der sitzt drinnen und schlürft Kaffee.

Da mein Vordermann, der sich ebenfalls gern wichtig tut, pflichterfüllt rennt, renne ich hinterher, vielleicht nicht ganz so pflichterfüllt; mir ist klar, dass nichts passieren wird und es sich um falschen Alarm handelt. Trotzdem ist es irgendwie spannend.

Abwechslungsreicher zumindest als das müde Hinterhertrotten, das in der Regel zwei Stunden dauert, Stunden, die sich in der Nacht und bei der Kälte hinziehen. Stunden, in denen man sich wie ein Hund fühlt, dem ein Drang nach Auslauf unterstellt wird, der aber zu fett und faul geworden ist, um durch die Gegend zu rennen.

Wie gesagt, falscher Alarm, der Vordermann, irgendein Obergefreiter, macht Meldung, obwohl es nichts zu melden gibt. Als würde irgendjemand über den Stacheldrahtzaun klettern. Als wäre jemand wirklich so dumm zu glauben, es gäbe hier irgendetwas zu stehlen.

In einer Kaserne in Wuppertal. Trotzdem: Wache muss sein!

Wacheschieben mit scharfer Munition und fertiggeladenen Sturmgewehren, die vermutlich so alt sind wie die Bundeswehr selbst. Als gäbe es etwas zu bewachen, es ist doch kein Krieg, nicht hier, aber Ordnung muss wohl sein.

Zwei Stunden ruhen, dann zwei Stunden durch die Kaserne stiefeln, unausgeschlafen. Nach 24 Stunden endet der Wachdienst. Dann geht es zur Dienststelle, unmotiviert und unausgeschlafen.

Durch die Kaserne stiefeln, in Gedanken im Bett, nicht vor Erschöpfung, sondern aus Langeweile. Monotonie macht auch müde. Aber Monotonie ist besser, als müsste man als Wachsoldat tatsächlich etwas bewachen und verteidigen.

Als wäre man so bescheuert wirklich abzudrücken, sollte sich jemand unbefugt auf dem Kasernengelände mitten in der Nacht herumtreiben.

Morgens. Am Tor stehen eines Seiteneinganges, den Stacheldraht wegräumen, das Tor aufschließen, sich postieren. Das Gähnen unterdrücken. Besonders, wenn die ersten Soldaten in ihren Autos zum Dienst erscheinen.

Ausweise kontrollieren, die Schranke heben. Strammstehen, salutieren, sich für einen Augenblick wie im Film fühlen. Die Autos passieren, dieses Tor wird nach zwei Stunden wieder geschlossen, Wachablösung. Gähnen …

Königin (Notiz: Kirche gesehen im Vorbeifahren)

Sie ist eine Königin, die Orgel, sie ist die Königin, die Königin der Instrumente ist sie! Das ist die Orgel. Eine richtige Orgel! Kein Wimmerschinken. Keine elektronische Orgel. Keine Hammond. Eine Orgel! Eine richtige Orgel – eine Pfeifenorgel! Eine Orgel, die – ob klein oder groß, mit vielen oder wenigen Registern ausgestattet – keine digitalen, sondern echte Ansauggeräusche den eigentlichen Klängen und Tönen vorausschickt.

Die Sängerin ist unter den Instrumenten, weil sie atmet und spricht, weil sie atmet und singt. Weil sie launisch ist, weil ihr Charakter je unterschiedlich ist. Weil sie viele Stimmen hat, weil ihr Timbre vielseitig und deshalb einzigartig ist.

Von Flöte und Schalmei bis zur Trompete, von sanften Tönen bis zum Jüngsten Gericht, kreischend schönen Mixturen und einem Bass, der die Magengrube umgräbt, immer aber Zärtlichkeit (wenn auch manchmal aggressiv) ausdrückt. Den Ohren schmeichelt und sie gleichsam provoziert.

Wenn eine Zeremonie vorbei ist, steht sie da. Die Orgel! Aufrichtig, würdig, erhaben, königlich, in erhabenem Schweigen nach großem Klang. Man kann sie nicht mit nach Hause nehmen wie eine Gitarre oder eine Blockflöte: Sie bleibt! Wartet auf ihren nächsten Einsatz, den nächsten Spieler, der mehr oder weniger geschickt mit ihr umzugehen weiß, es aber immer gut meinen, sie stets ernst nehmen sollte.

Die Orgel, die Königin. Die Heilige unter den Instrumenten, die nicht unfehlbar ist. Die Orgel. Salve Regina!

Geschichten liegen auf der Straße (Am Bahnsteig)

Morgendämmerung. Sie zieht sich hin. Die ersten blassroten Strahlen, die durch das Gewölk brechen, vermögen noch nicht zu wärmen. Zwischenzeit, zwischen sterbendem Winter und aufkommendem Frühling. Kälte, der Rest der Nacht, kriecht in den Mantel, durch den Schal, macht die Finger klamm.

Es wird heller, aber noch nicht wärmer. Auf der Bank einer Haltestelle sitzen und warten. Wahrscheinlich auf den Zug, vielleicht auch nicht! Zu dieser Jahreszeit, in der die Sonne bereits den frühen Morgen leicht erhellt, zwitschern noch keine Vögel, es ist still. Wie die Ruhe vor dem Sturm – der vermutlich ausbleiben wird.

Den Blick aufs Straßenpflaster heften, ihn ein wenig müde mal hierhin, mal dorthin bewegen. Die Brüche des Asphalts sind durch den morgendlichen Frost etwas ausgeglichen. Zur Linken liegt in einer matschigen und durch den Frost leicht schimmernden Mulde eine ausgetretene Zigarettenkippe: Das im Filter verbliebene Nikotin leuchtet orange-braun und ist von einem leicht aufdringlichen Rot umrandet, das beim Rauchen von den vielleicht hübschen Lippen einer eventuell hübschen Frau zum Filter wanderte. Das Rot lässt, insbesondere bei den Lichtverhältnissen und aufgrund der Färbung durch den Frost, nicht erahnen, ob es sich um eine jüngere oder etwas ältere, vielleicht sogar bereits alte Frau handelte, welche die Zigarette hinterließ. Ebenso wenig, wie lang oder kurz die Kippe schon dort liegt.

Seit gestern, seit einer Stunde oder einer Woche? Jedenfalls liegt sie dort, eine Reminiszenz menschlicher Anwesenheit an diesem Ort, ohne zu verraten, ob die Dame hier einen Moment verweilte, vorüberging, zur Arbeit oder in einen Club, nach Hause oder zu einem Geliebten oder sonst wohin.

Ohne zu verraten, ob die geröteten Lippen bereits abgenutzt oder erst frisch poliert waren, eine Verabredung hinter oder vor sich hatten, ob das Rot eine Wirkung auf einen anderen hatte oder bloß auf die Trägerin selbst, ohne zu verraten, wie sich der Lippenstift zum Rest des Gesichtes verhielt, ohne zu verraten. Verschwiegen, diskret – aber andeutend.

Die Kippe erzählt nichts von den Charaktereigenschaften der Person, die sie vermutlich achtlos auf den Boden warf und beiläufig, vielleicht mit hochhackigen, gespitzten Schühchen, austrat. Sie sagt nichts über ihre Stimme, ob sie es eilig hatte oder stolz flanierte, verrät nichts über ihre Herkunft, ihren Beruf, ihren sozialen Status, ihre Vorlieben oder Abneigungen, ihre Haarfarbe oder Frisur.

Sie ist nicht verräterisch, sie ist nur eine Erinnerung, das Überbleibsel einer Gegenwart. Eines Augenblicks!

Schlafen (Originalüberschrift: Der Verschollene, Winterurlaub 19**)

Als die vermutlich letzten Winterflocken schneiten, den schwarzen Nachthimmel zerteilten, erhellten und den weichen Waldboden zusehends bedeckten, war er bereits seit mehreren Stunden unterwegs, stolperte und schleppte sich durch die eiskalte Nacht, die nicht allein durch die Flocken, sondern zudem durch den Vollmond erhellt wurde. Erhellt durch diese eiskalte, glasklare Winterkälte, welche der Mond betont, so, wie er im Sommer die lauen, warmen Nächte mit seinem niemals warmen, aber doch beruhigenden Licht zu betonen vermag.

Er kümmert sich nicht um Jahreszeiten, die Drangsale der Erdenbewohner oder seine Wirkung, die er auf sie, auf Ebbe und Flut und sonst was haben soll.

Er ist immer der Gleiche und doch stets anders. Aber das ist nicht seine Schuld. Es liegt an unserer Betrachtung und an unserem Bedürfnis zu interpretieren.

Obwohl er noch tief hängt und überdimensional groß wirkt, leuchtet er bereits sehr hell: Es scheint, als ströme der Schnee, der den Wald bedeckt, direkt aus ihm heraus. Nur die schwärzlichen Krater passen nicht ganz. Aber auch das ist nicht seine Schuld.

Der, der sich durch den Wald schleppt, bemerkt es, fragt sich, was es zu bedeuten habe, beantwortet die flüchtige Frage jedoch nicht.

In dieser Nacht ist er das zynische Spiegelbild der zunehmenden klaren und weißen Kälte, die den Wald weiß färbt, freundlich also für nächtliche Verhältnisse und doch bedrohlich, denn die Temperatur sinkt. Darüber kann die reine Farbgebung (der Krater ungeachtet) nicht hinwegtäuschen. Zumindest nicht ihn, der sich nun seit Stunden durch den Wald trägt, ohne noch einen klaren Gedanken fassen zu können oder fassen zu wollen.

Der Mond weiß nicht, dass es schneit, es interessiert ihn auch nicht, denn er hat kein Bewusstsein. Er ist bloß toter Stein, der Sonnenlicht reflektiert. Und doch: aus der Nacht ist er nicht wegzudenken.

Die Flocken, die er (der Hinkende) sonst als liebkosend und zärtlich empfunden hatte, legen sich schichtweise erfrierend auf sein unbedecktes Haupt, erfrieren seinen spärlichen Haarwuchs, legen sich auf seine Nase und Schultern, sie hüllen ihn ein, während er sich mit seinem verletzten Bein weiterschleppt. Dem Bein, dessen Wunde rote Spuren hinterlässt, bis die Wunde zufriert. Bis das Bein vom anderen Bein nicht mehr nachgezogen werden kann, bis er sich hinsetzt, die Augen schließt, sich weiter vom Schnee in dieser stillen Stunde im stillen Wald bedecken lässt, zum Teil der Landschaft wird, sich damit abfindet. Endlich sich verbergen ohne sich zu verstecken, endlich schlafen.

Schlafen! Schlafen… Sich kalten und wirren, jedoch nicht unfreundlichen Gedanken hingeben (?).

Der Mond ist aufgegangen: Die Sternlein hangen, sind aber im Wust der dichten Flocken nicht zu erkennen. Es wird warm. Schnee fällt – er erfriert, schläft ein, tief, ja, fest …

Berta (Auf der Straße II)

Berta verlässt ihre Einzimmerwohnung gegen neun Uhr morgens, wie sie es, wenn auch nicht immer, so doch zumeist zu tun pflegt: Nach Anlegen des Wintermantels, auf den man im November kaum verzichten kann, nach Überstreifen der Wollmütze, einem flüchtigen, eher obligatorischen Blick in den blassen Spiegel und nach dem Ergreifen des roten Einkaufsnetzes schließt sie gewissenhaft die Tür, dreht den Schlüssel zweimal um und verlässt also ihre Einzimmerwohnung, in welcher sie die letzten 40 Jahre zubrachte.

Langsam, um nicht über die eigenen Knochen zu stolpern. Langsam, weil der Tag noch jung und sowieso lang ist. Langsam, weil sie es schneller kaum vermag und keinen Grund sieht, sich zu hetzen.

Langsam, eine Stufe nach der anderen, einen Schritt nach dem anderen, so, wie man es irgendwann als Kind gelernt hatte, als noch jeder Schritt, jede Stufe, jeder mögliche Stolperstein eine Herausforderung, vielleicht sogar eine potentielle Gefahr darstellte.

Langsam die Treppe herunter steigen, bis das Erdgeschoss erreicht ist.

Unten angekommen den Flur entlang schleichen, in den Postkasten schauen, der wie meistens leer ist, aber man kann nie wissen. Man kann nie wissen, was ein neuer Tag bringt, kann nie wissen, doch immer hoffen – man muss es nur wollen.

Berta hofft nicht immer, aber häufig. Berta ist ein lebensfroher Mensch, wenn sie das Haus des Morgens verlässt in ihrem Mantel und mit ihrem Einkaufsnetz, weshalb sie auch meistens lächelt. Berta ist ein Mensch, der dich oder mich auf der Straße anlächelt; freundlich grüßend, gutmeinend im positiven Sinne.

Ihr alter Wintermantel gibt allein ihr das Gefühl von Geborgenheit in der dunklen und kalten Jahreszeit. Im Frühling oder im Sommer trägt sie stattdessen die vergilbte, vor dreißig Jahren jedoch äußerst fesche Bluse, die ein wohlmeinender Verehrer, der leider viel zu früh starb und seine wohl aufrichtigen Versprechen nicht wahr machen konnte, ihr schenkte, an der sie hängt, die ihr etwas bedeutet. Außerdem ist ihr Kleiderschrank nur bescheiden gefüllt.

Das kommt sicherlich hinzu, ist aber im Grunde unwichtig. Denn – Berta ist ein lebensfroher und lächelnder, ein manchmal noch hoffender und stets aktiver Mensch.

Berta verlässt also ihre Einzimmerwohnung wie fast jeden Morgen, brachte bereits die Treppen und den langen Flur geduldig hinter sich, öffnete alsdann die Haustür und bewegt sich im Augenblick die Hauptstraße entlang.

Berta lächelt ihr unaufdringliches und authentisches Lächeln, schlurft entspannt und geduldig über den Asphalt, wedelt ein bisschen mit ihrem Einkaufsnetz, wenn sie tollende Hunde oder kleine Kinder zu Gesicht bekommt, nickt manchmal dem ein oder anderen Unbekannten freundlich zu, der es natürlich nicht zu schätzen weiß, da er nicht das Geringste über Berta weiß.

Lassen wir Berta ihres Weges ziehen und wenn sie Sie grüßt, lächeln sie doch freundlich zurück.

Eduard Preis

Lappland

Schüttelnd, rüttelnd durchbricht der Bus den frisch gefallenen Schnee. Zieht seine Spur nach sich - in mir - und ich blicke aus dem Fenster.

Sehe, wie die Scheinwerfer ein weißes Wunderland mir offenbaren, gleich Augen schauen sie voraus und sehen nur das, was vor einem liegt: - kurz, magisch erscheint ein See, dann wieder weißes Wunderland: die Tannen tief gebeugt, so manche umgestürzt, von der Last des Winters und doch Teil dieses Banns, in den es mich zieht.

Kein Rückblick - nur das Wissen, dass es weitergeht, selbst wenn man fährt zurück.

Grenzlos und menschlos zeigt mir das Land erneut die Freiheit und ich im Bus - gefangen, auf der meinen Odyssee! Das Ziel bekannt - der Weg noch ungewiss. Stellt sich die Frage: träume ich nun oder doch nicht. Ich stelle fest - noch bin ich, ich oder auch nicht.

Eduard Preis

Vilnius

Ich stehe an der T. Vrublevskio Straße, vor mir erstreckt sich das litauische Nationalmuseum.

Es ist ein später Januarabend und der Schnee fällt von einer leichten Brise getragen in mein Gesicht.

Ich genieße ihn, schließe die Augen - lasse mich berieseln, treiben. Die Menschen ziehen an mir vorbei, doch sie sind blind, abgestumpft geworden, erkennen den umwerfenden Augenblick nicht.

Gediminas Turm erhebt sich majestätisch hinter dem Museum und thront über der Stadt.

Immer noch am selben Platz stehend, schaue ich nach rechts: Stebuklas - der magische Turm erhebt sich vor der Kathedrale, die von Bäumen versteckt wird und dennoch wahrnehmbar ist. „Vielleicht drehe ich mich mal?" Eine belebte Straße - lauter Passanten und noch viel mehr Autos: Lärm. Ich schreite weiter in Richtung Mindaugo Tiltas - eine moderne Brücke. Nicht viel zu erwarten und doch stehe ich darauf - schaue herunter auf die Neris und glaube nicht, was ich sehe: in rasender Geschwindigkeit bewegen sich kleine Eisschollen auf dem Wasser. Ich gehe hinunter zum Wasser, spaziere am Fluss - mal gehe ich mit den Schollen, bin auch in ihrem Fluss - meine Seele versinkt in tiefstem Genuss! Mal gehe ich wieder zurück - beschleunigt ziehen sie an meinem Auge vorbei. - Stillstand -

Eduard Preis

Riga

Ein modernes Kunstwerk erhebt sich majestätisch gegenüber der Altstadt - getrennt durch die Düna sitze ich nun da.

Blicke hinunter auf die Altstadt, die vor mir liegt: ein umwerfendes Panorama zeigt sich mir im Abendrot. Rote, purpurne, gelbe, organge, violette, blaue Wolken schichten und schieben sich übereinander. Erstrahlen zum letzten Male an diesem Tage im Sonnenscheine. Die Seele beginnt zu weinen.

Kirchenspitzen ringen miteinander um Höhen: „Ich bin viel höher als du!" - „Niemals!", versuchen ein letztes Stück Himmel, einen letzten Schein goldener Sonne mit ihrer Hand zu ergreifen.

Verwinden jedoch langsam - gemach in der Dunkelheit. Nur noch das heilige Kreuz - ganz und doch nur noch halb erstrahlt.

Das Schloss bereits im Grau des anbahnenden Abends verschwunden - doch die weißen Türme noch eindeutig erkennbar. Ich blicke weiter: drei Marieneschiffe und eine Fähre liegen im Hafen, doch sonst ist die Düna vereist. Ein gräulich-weißer Teppich über dem Wasser - drei Brücken zu sehen, die beide Stadtteile verbinden.

Vor mir liegt die wohl wichtigste und häufig befahrene, aber auch von Passanten geliebte Akmen Brücke.

Zur rechten - eine kleine Insel verbunden durch zwei Brücken - die ich doch eigentlich nur als eine wahrnehme. Zur linken, etwas weiter weg - ein modernes Konstrukt. Ebenfalls viele Autos zu sehen - Passanten kann ich von meinem Aussichtspunkt nicht erkennen.

Dafür weht aber die Flagge Lettlands im Wind. Rot - wie der Sonnenuntergang, der nun auch nicht mehr zu sehen ist und weiß in der Mitte, gleich jenem Schnee, der das Gras und die Parks noch bedeckt. Die Straßen grau-schwarz - lauter Augenpaare zu sehen.

Autos und Autos - die Stadt lebt, und so erhebt sich auch der Mond bereits und beginnt auf die Stadt nieder zu scheinen.

Ich schwärme - versinke im Stuhl der National-Bibliothek. Bin müde und lächele doch in mich hinein: „Riga - doch du bist fein".

Eduard Preis

Eine gute Tat

Vilnius, es ist Vormittag und ich passiere das Tor der Morgenröte. Ein Mann am Betteln - ich gehe an ihm vorbei und habe ein schlechtes Gewissen, dass ich meine Habe nicht teilte. Doch nur wenige Schritte weiter auf den Treppen eines kleinen Restaurants erblicke ich eine sehr alte Dame. Niedergeschlagen, hoffnungslos hält sie eine leere Konservendose in ihren beiden Händen. Sie klammert sich nicht dran fest, scheint in Gedanken zu sein und bettelt nicht. Die Last ihrer Jahre steht ihr ins Gesicht geschrieben, nur ein kurzer Blick und ich ziehe bereits auch an ihr vorbei. Ich entsann mich nur schemenhaft des Gesichts, obwohl es nur wenige Augenblicke her war. Das Gesicht war umhüllt von einem Kopftuch. Darin eingebettet ein eingefallenes, faltendurchzogenes Antlitz. Mit zu Boden schauenden, dunklen Augen. Sie trug einen langen Mantel, der seine besten Jahre schon längst hinter sich hatte und doch irgendwie passte. Er hüllte und schütze die magere Gestalt wohl kaum vor der Kälte, weshalb sie sich zusammengekauert, die Knie nicht fern von der Brust, hatte. Das Bild es ergriff mich und plötzlich begann mein Herz mir zu sagen, dass ich gefälligst umdrehen soll. Ein kurzer Kampf entsteht; den ich selbst kaum verstehe. Ein tiefsitzender, unbeschreiblicher Schmerz ergreift mich, raubt mir jeden Raum zum Denken, zum Atmen, zum Sein. Ich spüre förmlich wie ich selbst falle, niedergeschmettert werde in den Untiefen meines eigenen Seins berührt werde. Ein Fundament wackelt: ergriffen, berührt werden sich mein Hirn und Herz schnell einig, ich wende. Hole Geld aus dem Portemonnaie und hoffe die sehr alte Dame zu treffen. Es ist nicht viel - in deutschen Relationen, doch für Litauische angenehm dachte ich mir und packte noch eine Münze dazu. Der Streit um mein Seelenheil hatte sich auf dem Rückweg gelegt, die Hoffnung helfen zu können dominierte. Gedanken über Altersarmut überkamen mich und ich musste an meine Großeltern denken. „Dies dort hätte auch meine Großmutter sein können ..." - und zwar die in Deutschland. An meine andere in Kasachstan habe ich gar nicht gedacht, doch nun muss ich gestehen, dass sie es wahrscheinlich immer härter haben wird. Trotz der Pension, die gerade so für die Miete reicht, ist sie genötigt arbeiten zu gehen - nicht um sich Luxusartikel leisten zu können, nicht um in Restaurants und Bars zu verkehren - wie ich dies gerade tat - sondern um zu überleben. Ich gehe zurück, die erste Ecke: sie ist nicht da. „War sie weiter weg?" - Frage ich mich selbst und gehe weiter zurück. Die nächste Ecke: erneut niemand!

„Verdammt sie ist weg!" - niedergeschlagen packe ich das in der Hand haltende Geld in meine Tasche und gehe dennoch weiter zurück. Dritte Ecke und da sitzt sie: immer noch unbeachtet, niedergeschlagen und hoffnungslos bettelnd und zugleich nicht.

Ich gehe zu ihr. Halte kurz an. Sie schaut hoch - fragend. Schweigt.

Ich lege ihr wortlos das Geld in die Konservendose und ziehe weiter.

Sie sagt irgendwas auf Litauisch: „...", was ich nicht verstehe und mir doch Dank erhoffe. Sie wird das Geld besser anlegen als ich, denke ich mir.

„Wofür sie es wohl ausgeben wird? Essen, Trinken, Strom, Wohnungskosten, Blumen für das Grab ihres Ehemanns, Enkelkinder? Alkohol - wohl kaum ... und selbst wenn, dann soll sie das Bier genießen, es wird meiner Gesundheit nicht schaden."

Nach etwa zwanzig Metern, erneut fast vorm Tor der Morgenröte wechsel ich die Straßenseite und gehe den selben Weg zurück.

Ich beginne über Almosen und Altruism nachzudenken. Ich muss auch gestehen, dass ich Bettler nicht mag und das die Almosen, die man Bettlern gibt meiner Meinung nach keinen Akt der Güte dargestellt hätten, was mit dem Unterschied zusammenhängt, dass der Bettler zuvor bei mir zwar Mitleid erwecken konnte, mich aber in die Dunkelheit des mitmenschlichen Seins riss. Er setzte und baute aktiv auf dem Mitleid - meinem Mitleid auf, und nutzte seine missliche Lage in aufdringlicher Form. Möglicherweise ging es ihm sogar noch schlechter als der sehr alten Dame - doch er hatte noch Lebensmut, er sah noch Hoffnung, sein Sein strahlte noch. Die Dame jedoch war am Ende, nicht physisch, sondern in ihrem Sein - an den Punkt zu gelangen, wo selbst die Hoffnung auf Hoffnung verloren ist, schien mir bis dahin kaum erreichbar, doch wie sehr man sich irren kann und wie leicht man für einen kurzen Augenblick, mit einer kleinen Geste der guten Tat, erneut einen kleinen Lichtschein in die Augen einer Person bringen kann, sie für einen Augenblick aus den Untiefen herausreißt und ihr die Hand - nicht mit Geld - sondern mit Anerkennung, Nächstenliebe hinhält und das materielle sich zum metaphysischen Heil umwandelt, für uns beide. „Ob das wohl altruistisch war oder doch eher egoistisch?"

„Habe ich mir gerade meine Seele von einer Sünde freigekauft?" - ein schädlicher Gedanke, für solch eine reine Tat. Doch haben wir alle unsere Last am Menschen und am Sein abzutragen und vielleicht, vielleicht war dies ein weiterer kleiner Schritt aus der Hölle und in ein Paradies auf Erden.

Stefan Herbst

Das fließende Band

In völliger Ruhe und Gelassenheit fließt das kleine Bächlein dahin, in Gänze ahnungslos, was es zu symbolisieren weiß und unausgesprochen verbindet.

Kraftvoll und ausdauernd entspringt der heutige Lachsbach, der in einer vergangenen Zeit Moorbeck oder Moorbach genannt wurde, einer frisch sprudelnden Quelle, die zum Stadtgebiet Harrislees gehört und erst in der Flensburger Förde ein, oder besser gesagt das endlose Ende findet.

Doch auf seine kilometerlangen Weg muss der Lachsbach sich zu wandeln wissen – erst fließt er gemächlich in seinem selbsterschaffenen Flussbett dahin, lässt Feuchtgebiete und kleine Moore entstehen, drängt sich anschließend durch von Menschenhänden erschaffene Rohr- und Abflusskonstrukte, fällt daraufhin einen kleinen Wasserfall hinab, bis er letztendlich im vollkommen ausgedehnten Flussbett in die Flensburger Förde eintauchen darf und der Kreislauf von vorne beginnt.

Doch wie gesagt, der heutige Lachsbach ist mehr als nur ein kleiner Bach – er verbindet Harrislee mit Flensburg, zeigt einem, wie wandelbar man sein kann, bietet einen naturbelassenen Lebensraum für Pflanzen und Tiere und ermöglicht einen Schauplatz zahlreicher Ereignisse, wie es die nachfolgende Geschichte aufzeigen kann.

Wir befinden uns in den Anfangsjahren des Ostseebads, das am Fuße des Lachsbachs entstanden ist. Das Wasser ist noch klar, sauber und frisch und ist deshalb ein Zufluchts- und Erholungsort vieler Flensburger. Aber an einem frühen Spätsommerabend sollte der Lachsbach verbinden, was füreinander bestimmt gewesen sein sollte.

Die meisten Badegäste waren schon gegangen und die Sonne stand bereits an der tiefsten Stelle am Horizont. Nur noch eine junge Frau, sie war vielleicht gerade einmal 17 Jahre alt, saß mit einem Buch in einem Strandkorb und ließ sich von nichts auf der Welt von ihrer Geschichte ablenken.

Plötzlich hörte sie aber ein lautes Geräusch und schreckte von ihrem Buch auf. Sie sah noch, woher das laute Geräusch stammen musste, da die letzten Wassertropfen von einem Wasseraufprall in der Luft standen. Sie wartete kurz und als sich das Wasser wieder vom Aufprall beruhigt hatte, sah sie mit Schrecken – ein Mann lag regungslos im Wasser, mit dem Gesicht nach unten gewandt.

Die junge Frau sprang sofort aus dem Strandkorb hinaus und rannte zum Wasser. Mit aller Kraft zog sie den Mann zum Ufer, legte ihn auf den Rücken und fing mit der Reanimation an.

Nach fünf Minuten hatte sie es endlich geschafft. Der Mann hustete Wasser aus der Lunge und atmete wieder. Als er die Augen öffnete, lächelte er, als wäre gerade nichts passiert und sagte: „Ich muss im Himmel sein, sonst würde jetzt kein Engel bei mir sitzen."

Die junge Frau schaute dem Mann tief in die Augen und wusste nicht, ob sie über diese Aussage verärgert oder geschmeichelt sein sollte. Dann erwiderte die junge Frau fragend: „Moin, kaum wieder unter den Lebenden, schon wieder flirten wollen?"

Der Mann lächelte und sagte: „Moin, wem habe ich mein Leben denn zu verdanken?"

Worauf die junge Frau antwortete: „Ich heiße Morle. Und wie heißt jemand, der nicht einschätzen kann, wie tief das Wasser ist?"

Der Mann setzte sich auf und antwortete: „Morle, was für ein schöner Name für einen Engel. Meine unachtsame Wenigkeit heißt Lasse. Darf man dich auf ein Eis einladen? Nur zum Dank versteht sich."

Morle lächelte etwas verlegen und erwiderte: „Wenn du wirklich wieder in Ordnung bist, gerne."

Wie zum Beweis stand Lasse auf und schüttelte alle Gliedmaße. Dann sagte er mit einem breiten Grinsen: „Siehst du, alles topp. Morgen lasse ich mich dann aber noch mal von meinem Hausarzt durchchecken, versprochen, wenn du darauf bestehst."

Morle lachte und sagte: „Ja, das wäre mir schon lieb."

Seit diesem Abend waren Morle und Lasse ein unzertrennliches Paar und gingen täglich, wie zum Dank, dass sie sich hier kennengelernt haben, am Lachsbach spazieren. So hatte es der Lachsbach auch im Punkto Liebe geschafft und zwei zu einem gemacht. Man durfte jetzt nur noch hoffen, dass die Liebe der beiden genauso stark, ausdauernd und wandelbar sei, wie es ihnen der Lachsbach vorgegeben hatte.

Dieter Geißler

Abend an der Adria

Als der Tag am Meer verweht,
geht mein Blick weit hinaus.
Kühler Wind streift mein Haar,
löst die Schwüle des Tages ab.

Die Abendsonne schickt einen letzten Gruß,
feurig purpurn glüht sie in der Ferne.
Versinkt glitzernd am Horizont,
taucht ein in die Adriawellen.

Der Himmel färbt sich indigofarben,
die Nacht zieht behutsam ein.
Still steigt der Nachtmond ins Firmament,
tanzt mit den silbernen Sternen.

Dieter Geißler

Adria

Ich lieb sie sehr,
die Adria - das weite Meer.
Wellen rauschen, Möwen schreien,
höre die Brandung in mir singen.
Leichte Brise berührt die Haut,
die meine Seele in die
Freiheit führt.
Wellen flimmern im Sonnenschein,
die Zeit scheint stillzustehen.
Genieße diesen Augenblick,
atme ein,
die würzige Luft.
Nutze dieses seltene Glück,
gerne komme ich wieder zurück.

Dieter Geißler

Sonnenuntergang

Das ist meine Stunde,
wenn die Sonne still versinkt.
Wie aus Wolken Wunden,
der Abend rotes Blut trinkt.
Purpur die Adriawellen glänzen,
geben dem Tagesende malerisch,
wie ein Aquarell,
ein einzigartiges Gesicht.
In meiner Seele bleibt dies Bild,
für alle Zeit in Erinnerung.

Dieter Geißler

Wasserfälle von Kravica

Wasserkaskaden in großer Zahl,
stürzen kraftvoll,
aus rauem Gebirge,
wild und tosend in den Abgrund.
Gischt schäumt auf,
wie weißer Schnee,
lässt das Gewässer
gewaltig brodeln.
Ein bunter Regenbogen
schwebt über den Nieselregen,
gibt dem Naturschauspiel
einen malerischen Anblick.
Der See fängt die Ströme
geräuschvoll in sich auf,
treibt seine Wellen sanft ans Ufer.
Ein wahres Paradies
in karger Landschaft.

Angela Hilde Timm

Gute Reise!

Ein Geräusch nahm ich von Ferne wahr,
und wußte gar nicht was es war.

Doch dann suchten meine Augen
Über dem Feld den Wandervögelschwarm.
Ich liebe sie – sie machen mein Herz so warm.

Mein Blick suchte den Himmel ab
Nach der Formation
Die sie fliegen seit Jahrtausenden schon.

Da vernahm ich den Klang ganz nah,
und war überrascht über das, was ich sah:

Eine einsame Wildgans
Zog rufend am Morgenhimmel.
‚Schreck! –
Die hat wohl einen Fimmel!'
So allein auf weiter Reise,
so allein mit ihrer Weise.

Unbeirrt flog sie der Wandervögel Bahn,
ich wünschte ihr Glück: ‚Komm' gut an.'

Angela Hilde Timm

Zwischen Insel und Festland

Die Insel ist öde.
Auf'm Festland gibt's mehr.
Wo nehme ich zur Überfahrt
den Schipper her?

Wäre meine Insel grün und frisch,
dann wäre täglich
Obst und Fisch auf dem Tisch
und
ich bliebe einfach hier
und fände mein Pläsier.

Doch mich treibt's zum
Festland,
nicht als Treibgut
– nein!:
als Mensch zu Menschen
voller Herzensglut.

II Vom Festland zur Insel

Ich will weg vom Festland;
all die Hektik, der Dreck!
Bleibt mir bloß
mit den Menschenmassen weg!

Reif für die Insel
such ich nach dir –
Lebenssinn,
und ein klein wenig persönlichen
Zeitgewinn
für ein Leben mit dem ich
übereinstimm'.

Ohne Scherz
ich suche hier und dort
das Herz-an-Herz Gefühl,
das mich gleich dem Meerespiel
frei umspül'.

Ursula Schwarz

Die Ferienmesse

Ein Mensch bedenkt, es wäre schön
Auf Reisen ein Stück Welt zu sehn.
Zu finden, welches Ziel das Beste
Geht er zunächst zur Ferienmesse.
Dort wird, verführend illustriert,
das Fernweh peu a peu geschürt.

Er sammelt, ohne sich zu schonen
Der bunten Bildwelt Illusionen
Und langsam er zu sich bald spricht:
„Es fehlt mir glatt die Übersicht!"
Drum nehm' nach Hause ich die Drucke
Dass dort bequem hinein ich gucke.
fünf Kilo Illusionspapiere
Trägt heim er, dass er sie sortiere.

Am nächsten Tag wär's dann so weit,
da hat er leider keine Zeit
und überhaupt, wohin verstauen,
den Berg Papier, denkt er mit Grauen.

Und im Recycling endet dann,
was hoffnungsvoll als Plan begann.

Der Mensch sitzt wider sein Erwarten
Im Sommer dann im Schrebergarten

Ursula Schwarz

Am Flughafen

Ein Mensch möchte auf Reisen gehen
muss früh zu diesem Zweck aufsteh'n
weil er am Flugplatz musste sein
zwei Stunden schon im Vorhinein.
Schlaftrunken meldet er sich dann
bei seinem Reiseleiter an.

Er wäre gern in dieser Nacht
zwei Stunden später aufgewacht,
denn nun muss er vor allen Dingen
um vier Uhr früh die Zeit verbringen.
Er sieht sich übellaunig stumm
am Flughafen ein wenig um,
kann nicht mal auf ein Frühstück hoffen,
denn die Buffets sind noch nicht offen.
Auch einkaufen kann man in diesen
geschloss'nen Läden nicht genießen.

Ich geh doch gleich durchs Röntgen besser,
denkt er, dort finden sie sein Messer,
das teure Schweizermesser wird
gemeinerweise konfisziert.

Gekränkt sucht er auf langen Strecken
den richtigen Flugsteig zu entdecken,
doch er erfährt dort unerwartet,
das Flugzeug jetzt woanders startet.
Und langsam wird die Zeit schon knapp,
er setzt retour sich jetzt in Trab
und hört auch schon beim Weiterrennen
im Mikro seinen Namen nennen.
Mit Schweißes Perlen kommt er dann
gerade noch beim Flugzeug an,

nach der Erfahrung schwört er nun,
nie wieder einen Flug zu tun.

Jedoch ihr lieben Kinder, seht,
wie's mit der Reise weitergeht…

In nächster Dichtung könnt ihr lesen,
wie es dann weiter ist gewesen…

Ursula Schwarz

Der Weg und das Ziel

Ein Mensch in seiner Narretei
glaubt, dass sein Weg der richtige sei.
Der von den vielen Möglichkeiten
als einziger ist zu beschreiten.
Er denkt: der Weg, es ist ja toll
ist ganz von Geisterfahrern voll,
denn er bemerkt bei seinem Wandern
in Gegenrichtung gehen die andern.

Er ist davon doch überzeugt,
dass sein Weg richtig ist und bleibt.
Der Mensch geht daher froh und heiter
in seiner falschen Richtung weiter.

Ursula Schwarz

Das Reiseglück

Das Reisen ist des Geistes Nahrung,
doch auch die Nahrung der Erfahrung!
So mancher Mensch zieht voller Schwung
ins Ausland mit Begeisterung.

Dort angekommen, findet er,
dass nichts hier wie zu Hause wär',
denn keiner kann die Sprache dort,
die selbst man spricht, - in diesem Ort
sind alle Fragen an Passanten
sinnlos, sie werden nicht verstanden.
Bei pantomimischen Versuchen
kopfschüttelnd sie das Weite suchen.

Auch in den Restaurants das Essen
ist hierorts leider zum Vergessen.
Denn Gruseliges isst man hier,
so Muscheln, Schnecken, Krebsgetier,
wenn man daheim auf sowas trifft,
bekämpft man es sofort mit Gift.

Und dann die Sehenswürdigkeiten
dem Menschen Freude nicht bereiten.
Denn was man unbedingt will sehen,
dort bleiben auch die andern stehen.
Sie glotzen dort und rühr'n sich nicht
und nehmen so die Fotosicht,
und auf den Fotos sind zuhauf
Hüte, Hände, Finger drauf.
Sogar ein flinker Taschendieb
auf einem Foto dort verblieb.

Und dann noch die Hotels am Ort
Sind doch das allerletzte dort,
man fühlt sich niemals wie zu Haus,
am besten man zieht wieder aus!

Die Betten sind schon durchgesessen,
das Mädchen hat den Mist vergessen
die Abflüsse im Bad verstopft
die Dusche nachtens immer tropft,

Vom Frühstück am Büffet indessen
ist jetzt schon alles leergefressen.
Kaffeemaschinen dauern lange,
entsprechend lang ist auch die Schlange.

Man wendet sich nach Hause hin,
macht sich Kaffee in der Maschin'.
Die Abflüsse sollt' man enthaaren,
die Dusche tropft nun schon seit Jahren.
Das Kreuz tut weh, das Bett hängt durch
und unterm Kasten liegt der Lurch.

Trotz allem ruft man glücklich aus:
Am schönsten ist es doch zu Haus!

Ursula Schwarz

Ein Mensch auf Bildungsreise geht

Ein' Reisewecker er ersteht,
damit er immer pünktlich ist
und nicht das Aufsteh'n gar vergisst,

Man weiß ja, wie die Gruppe brummt,
wenn man zu spät zum Treffpunkt kummt.

Der Mensch, der seinen Wecker stellt,
legt sich, zufrieden mit der Welt
ins Bett am ersten Tag am Abend,
gewärtig, dass er friedlich schlafend,
am andern Tag rechtzeitig wacht.
Jedoch um zwölf Uhr Mitternacht

Fährt auf vom Schlafe er entsetzt:
Hat er den Wecker recht gesetzt?
Der Wecker zeigt, kein Grund zu Sorgen
wird läuten zeitgerecht am Morgen.

Erlöst sinkt er in Schlaf sodann.
Doch fährt er wieder auf, er kann
Im Dunkel, er möcht es beschwören
Das Ticktack seiner Uhr nicht hören!
Am Ende ist sie steh'n geblieben
Und es ist jetzt schon viertelsieben!

Beim Zeitvergleich mit seiner Uhr
zeigt sich, vom Morgen keine Spur.

Er legt beruhigt sich und brav,
doch nun verweigert ihm der Schlaf
die übliche Gefolgschaftstreue.
Er zählt die Schäfchen nach der Reihe
Sogar der Sandmann wird gebeten,
sofort in seine Pflicht zu treten.

Ganz plötzlich schrillt der Glockenton
Doch nicht vom Wecker, vom Telefon
Und eine munt're Stimme fragt,
wann er denn kommt zum Reisestart.
Die ganze Gruppe wartet schon,
es fährt schon fast der Bus davon.

Der Mensch wirft darauf wutentbrannt
Den neuen Wecker an die Wand.
Er schwört in Zukunft stellt er nur
Den Wecker nach der inneren Uhr.

Ursula Schwarz

Maß und Ziel

Ein Mensch geht langsam und gelassen
Geruhsam langsam durch die Straßen
Und sieht so links und rechts bescheiden
Die kleinen Dinge an mit Freuden.

Ein anderer stört die Friedensruh
Der fragt ihn: „Welches Ziel hast du?
Du kannst doch nicht das ganze Leben
So einfach nur spazieren gehen!"

Der Mensch nimmt daraufhin den Lauf
Zu einem Ziele schleunigst auf.
Jedoch jetzt scheint vor seinen Schritten
die Straße ihm davon zu schlitten
und immer scheint sein Ziel im Leben,
am Horizont davon zu schweben.
Der Mensch beginnt nun zu erkennen,
es ist nicht gut, ihm nachzurennen.

Ursula Schwarz

Ein Mensch

Ein Mensch will seine Bildung speisen
begibt sich daher gern auf Reisen.
Heut ist Apulien sein Ziel.
Erwartet von der Reise viel
und weil allein es kein Genuss,
sucht Bildung er per Reisebus.

Auch einerseits aus Zeitersparnis
und auch weil es bequemer da ist
erfolgt eine Annäherung
per Flugzeug – nur ein Katzensprung!

Mit einem Blick – noch ganz verschlafen,
erscheint er früh auf dem Flughafen,
allwo man bei dem Schalter lauert,
nervös, weil es so lange dauert.
In Deutschland streiken die Piloten,
und in Italien die Lotsen
In Wien merkt man mit saurer Mine
da streiken die Transportmaschinen.

Der Mensch nach all den Misslichkeiten
denkt an die Sommerfrischezeiten,
wo man zu menschlicheren Stunden
bequem per Bahn zum Ziel gefunden.
Er schwört ergrimmt, in späteren Jahren
im Urlaub nur mehr Bahn zu fahren.

Ursula Schwarz

Ferragosto

Ein Mensch versucht
schon fast zerronnen,
der Hitzewelle in der Stadt
alljährlich zu entkommen.

Die Tagesarbeit wird zur Last,
wenn du nicht Aircondition hast,
ein Sommerschnupfen stellt sich ein,
zieht sich die Lüftung durchs Gebein.

Es kocht die Stadt, es kocht das Blut,
ein kühles Bad, Gott, wär' das gut!
Der Mensch beschließt so unter andern,
in kühlere Zonen auszuwandern.

Sonntags entflieht er dem Gestein
und sucht, wo könnt es kühler sein.
Ja, so entdeckt er die Natur,
die sonst er hat verachtet nur.
Doch, neu gefunden, nun genießt
er das alt-neue Paradies.

Ursula Schwarz

Die Schlacht am kalten Buffet

Ein Mensch
besucht einen Kongress
und vom Kongress das Allerbest
scheint ihm ein prachtvolles Buffet,
das lockend dort am Ende steht.
Jedoch er weiß, dass, sehr begehrt,
ganz vorn die Plätze wünschenswert.
Daher stiehlt er sich heimlich fort
vom offiziellen Vortragsort.
Jedoch verschlossen ist der Traum
vom köstlichen Ernährungsraum.
Zu früh verließ den Vortrag er,
der Platz der Speisen war noch leer.
Er dacht, das kann dich nicht genieren,
gehst halt ein bisserl rumspazieren.

Als er zurückkommt, sind ganz toll,
Die Tische am Buffet ganz voll,
der köstlichsten Spezialitäten.
Nur eines macht ihn sehr betreten,
dass bei den Tischen eine Wand
von Hungrigen davor schon stand,
inzwischen war, mit viel Applaus
der Vortrag kürzlich vorher aus.
Und nun begann, Sie wissen's eh,
die berühmte Schlacht am kalten Buffet.
Und zwischen Armen und Krawatten
sucht unser Mensch was zu ergatten.
Sie ahnen schon, was dann geschehen:
Die Leute blieben einfach stehen,
es war ja praktisch, weil man dann
sich gleich das Nächste holen kann,
um es dann zu der Köche Ehren
an Ort und Stelle zu verzehren.
Den Anzug leicht lädiert mit Fettfleck
Geht er zum Würstelstand am Eck weg.

Ursula Schwarz

Toscanisches Tagebuch 1988
Auf der Reise Wien – Florenz

Dem Süden entgegen
Fliegt meine Freude –
Überholt alle Überholverbote.
Überfliegt alle Grenzen.
Gesendet
Allen Zielen voraus.

Niemals wird die Wirklichkeit
Diesen Flügen nachkommen.
Und trotzdem sind sie
Wirkliches Stück meines Lebens.

Ursula Schwarz

Abend auf der Piazza
Siena

Im sanft gewordenen Abendlicht beginnen
die rötlichen Mauern der Stadt zu schwingen.
Ziegeltöne, wie Musik,
geleiten den tagheißen Körper
zu Muschelgeborgenheit.

Erhebt sich die Frage,
ob die Dinge
erst durch unser Denken
Geist und Inhalt bekommen.

Ursula Schwarz

**An die Stiege
des Palazzo Publico in Siena**

Stetige!
Wer hat dein Maß bemessen?
Ein Mensch hoch –
ein Schritt tief –
eine Spanne Hand
dein Geländer.

Bewegst mich im Rhythmus,
umgibst mich
wie ein gern getragenes Kleid.

Machst die unendlich
sich spannende Höhe vergessen,
in die du mich führst.
Leitest zu Ausblicksweiten
aus Dämmerlicht mich
und verbirgst den Blick
in die schwindelnde Tiefe.

Gibst Raum
für Begegnungen,
die nur mit Menschlichkeit
zu lösen sind.

Gibst Gefühl zu siegen
über nichts und niemanden,
außer über die eigene Schwäche.

Ursula Schwarz

Toscanisches Design

Wollt' ich toscanisch
mich kleiden,
müsst es terracott,
gebrannte Siena,
oder auch umbra
sein.

Weinrankengestreift,
sonnengeblümt
zypressengestrichelt
fischgrätenbeziegelt
olivgrüner Tupfenkarree.
Pfluggestreift
weggescheitelt.

Stumpfwinkelig ziegelgedächelt.
ginstergepolstert.
In appeninnischem Faltenwurf
mit grauem Straßengeschlaufe
und unten am Saum
blitzte Meerblau hervor.

Wäre ich nicht
wunderbar gekleidet?

Ursula Schwarz

Boboli

Über weite Rasenmatten
strebst du sommerlichen Schrittes
sehnsuchtsvoll dem Gang entgegen,
der zypressendunkel Schatten,
Kühle dir und Frische kündet.

Leise flüstern in den Gängen
Ahnungsvoll Erinnerungen
Von verborg'nen Leidenschaften
Von verbot'nen Liebesträumen.
Steinern kündet in der Nische
Amor von den Heimlichkeiten.

Plötzlich wird es hell im Garten
Und in glitzernden Fontänen
Schwebt ein kühler Hauch Erfrischung
Lächelnd ins Gesicht der Schönen.
Tausend Tröpfchen tragen Winde
In die glühenden Gesichter,
in die krausen Mädchenhaare
und umspielen nebelartig
schöngestalte Nereiden.

Und die Gänge mit den Lauben
wie verschwiegenes Geplänkel
führen weiter zu der Grotte
in das Reich steinerner Faune.
Wieder treibt das Spiel des Wassers
seinen Scherz mit den Besuchern
und von ungefährer Richtung
trifft ein Strahl die Ahnungslosen.

Abendlich die Sonne sendet
rot die allerletzten Strahlen,
die in Fenstern des Palazzos

glühend rot sich wieder malen.
Still die Nacht bedeckt den Traum,
den der Tag wohl einstens träumte.
Das Vergang'ne, das Versäumte
schließt nun sanft der dunkle Raum.

Ursula Schwarz

Bauernherbst

Böhmisch-mährisches Hochland - Horacka

Bauernherbst in weiblicher Landschaft
Karoffelsäcke plump auf den Feldern
grellbunte Bauerngärten
wie Mädchenblusen
Malve und Wicke und Kresse und Dost.
Lachende Apfelbaumzeilen
wetteifern mit Vogelbeerbränden
Wegschlangen zum Himmel
Buttenhaag zur Erde
Dünnspinstiges Gewebe
zwischen Wermut und Granne
Samenflocken als Ernte des Jahres.
Langsam schreitet der Sommer davon ...

Ella von Griener

Herzensrot der Berge

Das Tal verfärbt sich im
Sonnenuntergang.
Von fern erklingt.

Der Glockenklang.
Über der Kirchturmuhr.
Mit goldenem, roten Ziffernblatt.

Ein zauberhaftes Herzensrot
der Berge im Sonnenuntergang.
Und Neuanfang.

Ella von Griener

Die Seerosenpracht

Die Seerosen betten sich
auf trübem Nass.
Doch nicht auf blau.

Thronen dort majestätisch.
Auf grauem Flusse.
Umgeben von
zartester Blütenpracht.

Dort auf dem trüben
Gewässer, jedoch
nicht auf blauem Nass.

Ella von Griener

Mohnblumen in der Sonne

Einst träumte ich von bunten
Feldern.
Ein Trost in Kindertagen.

Die Blüten der Mohn
blumen, so zartrot.
Wogen sich sanft
im Sommerabendwind.

Geküsst von der Sonne.
Der Wind säuselte
leicht über die Felder.
Ein liebliches Sommerlied.

Die Biophilia meines Herzens
ist nun Wirklichkeit.
Barfuss, auf dem Felde.
Und am See, wo der
Uhu kauzt und die Möwen
singen ein neues Lied.

Ach ...
Ach ... ach, wie sehr ich
doch mein Leben lieb.

Ella von Griener

Abfahrt in die Berge

Die Abfahrt in die Berge
naht.
Wieder gehe ich auf
alt bekanntem, roten
Asphalt.

Umgeben von schöner
Kastanienallee.
Es ist wie damals
zu unserer Zeit.

Der Mond, noch
noch leuchtend.
Mit blasser Sichel.
In der Morgendämmerung.

Die Nacht ist vorbei.
Es ist ein Gefühl,
wie damals.

Wie damals, an
des Wassersrauh.
Zu unserer Zeit.

Ella von Griener

Die Berge in Eibele

In meinem Antlitz sind
die Berge ... im schönen
Eibele.

Schützend umgeben,
vom Nadelkiefernsaum.
Und schneebedeckte Berge.

So königlich und schön.
Der Stausee nun ruhend.
Bedeckt vom Eis.
Doch spiegelt er
und sendet mir
einen wunderschönen
Wintertraum ... von daheim.

Ella von Griener

Das bayrische Wirtshaus in Oberstaufen

Neben mir am Tische, im
bayrischen Wirtshaus.
Ein Liebespaar.
Er haucht seiner Liebsten,
ein Happy Birthday to you.
Und ein Cheers und schenkt
ihr einen Kuss dazu.

Und ein Tänzchen
und ein Kuss .....
Zu frühen Abendstund.

Und ein Happy Birthday,
to you ..und ein Cheers
von mir dazu.

Ein Freudenfest,ein
Freudenreigen, da
im schönen
bayrischen Wirtshaus.
Zu späten Abendstund
Und die Blaskapelle spielt
beherzt und freudig
dazu.

Ella von Griener

Das blaue Cafe

Das blaue Cafe,
dort im Allgäu.
Umgeben von Bergen
und schönster Natur.

Die Vögel singen in den
Bäumen ein Lied der Liebe.
Eine Taube gesellt sich
dazu.

Im blauen Cafe, dort
im schönen Allgäu.
Geniesse ich meine
schwarzsüße Kaffeesaat.
Die Taube und ich
im Garten dort.
Im Garten vom blauen
Cafe.

Die Glocken mit schönem
Klange, läuten
aus der Ferne dazu.
Und nichts..nichts tut
mehr weh.

Ella von Griener

Am Schlosse in Plaue

Ich sitze dort am See.
Modrig riechend
und doch ist er schön.

Wie eine Augenweide
in meinem Angesicht.
Boote passieren Stund
um Stund im stinkenden,
schönen Nass.

Ein Schlosse dort in
der Nähe.
Alt, doch schön.
Eine nostalgische Pracht.

Ein Träumemeer meiner
Gedanken ... im
Garten der Schlösserpracht.
In dieser Sommernacht.

Vor dem Eingang
der grauen, finsteren.
Doch schönen Naturenstadt.

Beatrix Jacob

Klagelied der Leipziger Lerchen

Traurig dies die Leipziger Lerchen singen,
die überstanden so manche Pein und Not,
was die Völkerschlacht nicht zerstörte,
als Napoleons Truppen erobernd kamen,
was auch der Krieg nicht so ganz raubte,
von ihrem verlorenen Nest für den Zeitgeist,
wo sie fanden den Trost und Geborgenheit,
im gar all zu schnellen Wandel unserer Zeit!

Leipzig eine oft hart umkämpfte Stadt,
es erinnert ein großes Denkmal daran,
an die große Völkerschlacht bei Leipzig,
wo Napoleon vereitelt wurde der Sieg,
viele gefallene Soldaten in ihrem Blut,
im Eroberungswahn der Zeitgeschichte,
Schloss Rötha verfallen und ausradiert,
wo der Frieden mit Napoleon verhandelt,
später diktatorische atheistische Ideologie,
die Gott und Religion im Machtrausch
nicht ertrug und zum Feindbild machte,
auch die Universitätskirche sprengten sie!

In Stadt und Land christlicher Glaube,
auch jüdischer und russisch orthodox,
in Leipzig Tor der Welt Heimat fand,
von den Kanzeln Christen verkündet,
Überwindung vom irdischen Leid,
durch den liebenden behütenden Gott,
wo Menschen jenen mittelalterlichen
Aberglauben und Irrlehre überwunden,
durch die Zeit der Aufklärung möglich
und das neue Testament Wege bahnte,
gegen des Klerus Unterdrückung,
durch der Menschen Unwissenheit!

Handwerker schufen Meisterwerke,
ob der frohen christlicher Botschaft,
die ihre tiefe Sehnsucht inspirierte
nach der Hoffnung voll Geborgenheit,
wenn sie vom irden Leben erlöst,
sie so manches Kunstwerk in Bildern,
Schnitzkunst und noch vieles mehr -
schufen als Ausdruck ihres Glaubens,
die Aufklärung öffnete jene Pforten,
für die humanistische Wissenschaft,
so nahm manch Ratsherr auch oft,
die Ratsbibel im Rathaus zur Hand!

Im christlichen Glauben verwurzelt,
zum Lobpreis Gottes durch Musik,
wurde der Kreuzchor gegründet,
wo die Chorknaben früh gebildet,
mit ihrem Gesang Generationen
über viele Jahrhunderte erfreuten,
selbst er, Johann Sebastian Bach,
sich die Ehre gab zu unterrichten,
die Kunst von Musik und Gesang,
den Leipziger Kreuzchorknaben!

Leipziger, schon früh von Bildung,
Kunst und Wissenschaft fasziniert,
wo Ratsherren sich entschlossen,
zu gründen die Universität dafür,
mit der Pauliner Kirche nebenan,
das Leipzig sehr früh in den Ruf-
von guter Bildung und Kunst kam,
das viele Gelehrte hervorbrachte,
und lockte Studenten nach Leipzig,
selbst Goethe zog es in den Bann.

Leipzig in seiner sehr großen Blütezeit,
auch als Klein Paris da wohlbekannt,
wo Bürger durch schöne Parkanlagen,
kunstvolle Baulichkeiten flanierten,
so viel Schönheit von Handwerkern,

Gärtner und Künstlerhand geschaffen,
davon erzählen alte Bilder und Bücher,
geblieben ist durch Krieg nicht viel,
nebst ideologischen Umgestaltungs-
und Profit-Wahn im Zug der Zeit,
wo die Leipziger Lerchen wehmütig,
über alle die vielen Verluste klagen!

Ganz früher wurden die Lerchen gejagt,
dieses Zeitalter auch für sie kaum schön,
wo sie dann für dekadente Gesellschaften,
fast schon ausgerottet für die Gier waren,
gar nicht selten als Delikatesse endeten,
auf ach so manchem Teller dann lagen,
damit prahlen konnte der reiche Gourmet
bis ein Bäcker sich behutsam besann,
da man liebend zum Schutz der Lerchen,
dies auch durch Backwerk ändern kann!

Spuren meiner Kindheit in Leipzig,
wo ich vergeblich Vertrautes suche,
vertraute Häuser gar da gewichen,
wo einsam ist jetzt Cafe am Brühl,
wo ich oft mit Familie gastierte,
für den Zeitgeist so viel geopfert,
nichts erinnert an die Gelassenheit,
an jene Leipziger Gemütlichkeit,
die unsere Kaffeesachsen prägten
Vertrautes gewichen für die Gier!

Besonderer Ruf eilte Leipzig voraus,
weckte große Neugier auf die Stadt,
die wurde ehrwürdige Handelsstadt,
wo Händler kamen von nah und fern,
das Gastgewerbe dadurch gut florierte,
für den Warenhandel wie geschaffen,
fanden die Münzprägestatten Quartier,
Leipzig als zentrales Handelszentrum,
weit über Stadtgrenzen sehr bekannt.

Inspiriert von den Handelsmessen,
so manch Handwerk neu entstand,
unser Leipzig nahm sein Schicksal,
in die eigene Hand mit Förderung-
gar so manch Zünfte und Gewerbe,
bildete viel Nachwuchs dazu aus,
welcher musste später Prüferblick,
im Beruf des Handwerks zeigen,
dass er der Anerkennung würdig,
belohnt mit dem Gesellenbrief oder-
strebsam begehrt den Meisterbrief.

Der Handwerker gab es sehr viele,
vielfältig ihr Warenangebot einst,
auch bei den ersten Handschuhen,
die ich in Mädlers Passagen kaufte,
nicht wieder erkennbar dieser Ort,
der einst herzlich wirkte auf mich,
wo die Händler gerne präsentierten,
erschien mir distanziert und kühl,
einzig in Auerbachs Keller dann,
noch ein Stück Erinnerung blieb,
erwacht in mir vertrautes Gefühl!

Verdrängt vom Zeitgeist leider,
so manch alte Handwerkskunst,
für Konsumenteneinheitswaren,
entmündigend Politik bestimmt,
breiter Handwerkerbasis Grauen,
sie vielen die Existenzen nimmt,
die das Rad der Wirtschaft prägten,
hielten unabhängig ohne Diktat,
aufrecht unsere Versorgungslage,
stets durch verlässliche Stabilität.

Mädlers Passagen reich umzingelt,
wie auch Areal ums Blechkaufhaus
von seelenlosen Zeitgeist-Fassaden,
gewichen der alte Charme der Stadt,
bis auf ein Kleinod hier und da noch,

lässt in den Erinnerungen schwelgen,
nebst dem guten ehemaligen Rathaus,
welches hat unseren Frevel überlebt,
ach wie lieblos wir mit unserem Erbe,
was uns so viel doch geschenkt hatte,
wir für Zeitgeist opfernd umgehen.

Im Dickicht von dem Schilderwald,
orientierungslos sucht mein Blick,
die alten vertrauten Bilder der Stadt,
fassungslos ich nicht glauben mag,
Vergangenheit diese einstigen Orte,
wo noch romantische Erinnerung,
mich an Kindheitstage in Leipzig,
auch im neuen Rathaus sehr oft,
mich einst erfüllte, heute verloren,
bin vom modernen Zeitgeist gejagt.

Jene Wissbegier die Leipzig prägte,
brachte ihr viel Gewerbe und Zunft
von Buchdruckern und Verlegern,
sie erhielten unser so großes Erbe
aus Wissenschaft, Kunst, Kultur,
Noten verewigt für Generationen,
die viele Musiker niederschrieben,
und manch bedeutende Lehrschrift,
die auch Richard Wagner studierte,
Stadt Leipzig als Buchstadt bekannt,
doch auch eine düstere Zeit bitter,
wie die Bücherverbrennung, Zensur,
Wissensdurst mal streng unterdrückte.

Industriezeitalter brachte Fortschritt,
aber auch der neuen Mühsal und Last,
wo emsig wurde in den Werkshallen,
durch fleißige Arbeiter geschaffen,
oft von Schmutz und Staub erdrückt,
in sehr vielen Fabrikgebäuden hier,
wo heut vereinsamt oft Leere gähnt,
wo Menschen nicht mehr gebraucht,

um Neues dort wie einst zu schaffen,
erzählen davon vereinzelt nur noch -
hier und da die Bauzeugen aus Stein,
krass vom Wandel unseres Zeitgeistes.

Mit dem Wohlstand der Bürger,
wuchs auch die Zahl der Vereine,
die stolz ihre Fahnen präsentieren,
geborgen in der Geselligkeit -
unter gleichgesinnten Mitgliedern,
neue Impulse die prägten Leipzig,
welche als Sportstadt erwarb -
später einen besonderen Ruf.

Der Leipziger Bankenskandal
erzürnte der Bürger sehr viele,
die mühsam letzten Groschen,
unter Entbehrungen gespart,
für des Alters Behaglichkeit -
oder das die Kinder der Armut -
können durch kleines Kapital,
später mal daraus entfliehen,
Bankspekulanten es verzockt,
gaben es wie Lebemänner aus,
was kostet sie schon die Welt,
was schert sie die arme Maus,
betrogen um der Arbeit Früchte,
auch ums Erbe für bessere Zeit!

Späteres Industriezeitalter brachte
Bequemlichkeit für viele Reisende,
besonders für die vielen Messegäste,
weil größter Bahnhof wurde gebaut,
wo auch ich meine Spuren hinterlies,
wenn ich mal auf Reisen per Zug,
als wartender Gast nicht selten,
in Mitropa Speiselokalen verweilte,
wenn Hunger und Durst so plagten,
oder kaufte am Kiosk dies und das,

unbeschwert und sicher auf Reisen,
Teil meiner Leipziger Erinnerung,
auch das gewichen dem Zeitgeist.

Hin und wieder alte Brücken überquert,
die noch erinnern an Glanz und Prunk,
Lichtblicke glorreicher Vergangenheit,
wie einzelne verzierte Häuserfassaden,
die überlebten Krieg und die Ideologie,
doch so die Leipziger Lerchen klagen,
wo sind die anderen aus bessren Tagen,
die prägten einst die Anmut der Stadt,
man ihr Flair für den Zeitgeist zerstört,
so getrieben orientierungslos geworden,
durchstreift mancher Gast nun die Stadt,
wo vergeblich er das Vertraute sucht,
prägende Spuren von Menschen hier.

Travis Millin

Blaumachen

Zwei kichernde, quatschende Jungs am Pier
Fröhlich leicht aufs glänzende Meer schauend,
Die Sonne genießend, schwänzen heute offenbar:
Gute Wahl, an diesem blauen Meerestag in Larnaca.

Travis Millin

Beiläufige Musik

Im Vorübergehen das Rezitativ des Priesters –
Beim Davorstehen durchs Fenster, der Gesang der Derwische –
Im Fortbummeln der Ruf des Muezzin –
Am Sonntag die Glocken, am Strand ein Radio;
Stille in der Lazaruskirche, dann Omas Volkslieder. Zypern!

Travis Millin

Guten Tag

Durch Berggassen im Dorf angekommen, seine
Schmalen Gassen mit dem Mietwagen ertastend,
Steht die alte Dame neugierig auf der Stufe ihres Hauses:
Ich winke scherzhaft –
Sie erfreut zurück…

Travis Millin

Dieser Flughafen

Dieser Flughafen,
Wie sie alle, könnte auch jeder andere sein,
Könnte, wie sie alle, so ziemlich überall sein,
Zumindest in Westeuropa. Sein Rollfeld
Genauso grau, wie das zuhause, auch das
Wetter, gleichsam lau, wie beim Start.

Dieser Flughafen,
Wie sie alle, könnte irgendwo sein,
Ignoriert man Hinweis- und Willkommensschilder,
Selbst der Sprache kann man nicht trauen,
Es wird hier, wie bei ihnen allen, in Englisch artikuliert,
Akzentiert von diversen Tonfällen der Gelandeten.

Dieser Flughafen,
Wie sie alle, könnte nicht nur jeder andere sein,
Könnte, wie sie alle, vielleicht der falsche sein,
Denke ich so vor mich hin, bis ich draußen
Einen Union Jack flattern sehe, und mir klar wird,
Dass ich in Britannien bin, ja tatsächlich – genaugenommen –
In England: so, wie es auf dem Ticket stand.

Travis Millin

Manchester, England, England

Raymond aus Manchester: Ob du auch
Heute am Flughafen stehst, die mit
Koffern beladenen Wartenden nach einer Zigarette
Fragend ansprichst? Ob du ihnen so
Wie mir erzählst, dass du jemanden
Abholst und die Zeit totschlägst? Ob
Du ihnen bei der zweiten Zigarette
Ebenfalls sagst, so wie mir, dass
Dies nicht stimme, und du nur
Reden und rauchen möchtest? Danke Raymond,
Dass du meine Wartezeit mit deinen
Geschichten angenehmer gemacht hast...

Travis Millin

Möwen

I

Ihr habt mich wieder einmal bemerkt, erkannt, dass ich es
War – auch ich habe euch gesehen, vor allem gehört:
Euer Lachen, euer Weinen, euer Rufen, euren Gruß und den
Liebevollen Spott, eure Ahnung vom Meer, von den Schiffen, vom
Salzgeruch, der in der Ferne von noch mehr Ferne zeugt,
Euren klagenden, sehnsuchtsvollen Gesang,
wenn ihr über Flüsse und Hafenkneipen
Kreist; ihr begrüßt mich stets, dabei kennen wir uns kaum…

II

Ihr habt mich wieder einmal bemerkt, erkannt, dass ich es sei –
Auch ich habe euch gesehen, und ja, deutlich gehört dabei:
Euren Gruß, euer Rufen, euer Weinen und euer Lachen, den
Liebevollen Spott über mein touristisches Staunen und mein Gaffen.
Ich höre euch von Schiffen tratschen,
vom Salzgeruch, vom Meergerausche
Wimmern, das in der Ferne von weiterer Ferne zeugt; lausche
Eurem klagenden, sehnsuchtsvollen Gesang,
kreist ihr lächelnd über Flüsse, Städte,
Strände. Ihr begrüßt mich stets, dabei kennen wir uns kaum…
Ende.

Travis Millin

Wolkentürme, Himmelsblau

Himmel
Über Schottland:
Grauwolkenblauer lichter Sonnenregen
Du bist so wunderschön!

Himmel
Über Schottland:
Weißberggetürmt und blautalgestapelt
Dich vergesse ich nicht!

Himmel über Schottland…

***

Sonnenregen, Regensonne
Wolkentürme, Himmelsblau,
Wiesen grün,
Moore grau,
Tiefe Täler,
Hohe Moosberge,
Manchmal schneebedeckt
In Alba,
Wolkentürme, Himmelsblau

Himmel über Schottland…

Travis Millin

Wieder zurück

… les ich mein Vorhaben:
„Ich hab in die Liffey gepinkelt,
Die Molly Malone geküsst,
Dem Dreisten Kopf gesungen,
Am angetrunkenen Iren mein
Englisch (ausgerechnet) erprobt,
Oscar Wilde im Park begrüßt,
Lieber Helles als Guinness getrunken,
Versucht Whiskey zu vermeiden, in
St. Patrick's den Chorknaben gelauscht,
Im Writer's Museum mich als writer
Gefühlt, im James Joyce Center mich
Entschlossen, den Ulysses auszulesen,
Straßenzüge und Menschen betrachtet,
Mich überraschen lassen, habe…, ach!
War noch gar nicht dort. Vorfreude."
Zurück: Weitestgehend war es so –
Bis aufs Pinkeln und Küssen.

Eduard Preis

Prag

Freilich hoch über den Köpfen der Stadt,
erhebst du dein Haupt, Prager Schloss.
Mächtig und stolz thronst du und wachst über das Volk.
Ein jeder schaut hoch in die Wolk' zu dir - o Kolloss.

Auch deine Brücken - durchaus, sie können entzücken!
Doch der Blick geht in die Ferne,
lässt dich, den Kafka, verstehen.
Denn bei solch einem Anblick
- kann man dem Schaffen des Menschen nicht widerstehen.
Ohne diese zu hassen
oder dich auch gar abzuheben von all diesen Massen.

Frei, schwerelos steht man über der Stadt
und erblickt das Treiben kleiner Insekten
- gleich einem Gott vergeht hier die Zeit ohne Bedenken
- ohne des Sinnes und jedweden Zwecks.
Ohne Verdienst, nein hier oben brauchst du kein Geld,
denn alles was hier zählt
- ist der Fels und der Baum, ein Fluss
und doch irgendwie nicht allein die Natur.

Denn diese Kultur hat ihr eigenes Leben
und kann ebenfalls so viel bewegen
und dennoch stehst du hier und verleugnest sie.
Hasst sie gar von ganzem Herzen,
liebst und lebst jedoch mitten - in mir.
Sie ist verbunden mit dir
und du bist und bleibst auch ein Teil von ihr.

Eduard Preis

Der Umstieg

Der Zug kommt nur langsam voran.
Er nimmt den Weg durch das ungebrochene Land
eine andere Bahn
kommt nicht seinen Plan.

Er kennt weder den Strand,
noch fährt er durch den Sand.
Das Land bleibt unbekannt.

Doch als das Unbekannte schwand.
Da, ebenda empfand er das Sehnen.
All sein Flehen war dennoch nichts als ein Wehen.
Denn die Bäume stehen.
Während die Bahnen, ihre Bahnen, um Sie drehen.

Wer wird dies nur jemals verstehen.
Sowohl das Drehen
- Begehren aber auch das gleichzeitige Stehen
- Wehren gegen eben jenes Flehen
- Wehen.
Ich kann's einfach nicht einsehen.

Der neue Weg wird gebaut
noch ist nichts besprochen,
noch ist nichts gebrochen,
doch mir graut.

Wie hoch wird bloß sein jene Maut,
was wird mich die Aufgabe nur kosten.
Doch schaut, es ist euch nun erlaubt.
Der Stahl wird nicht rosten.

Der Zug fährt und bahnt sich den Weg.
Vorgeschrieben mag dieser zwar sein.
Doch der Umstieg ist und bleibt allein mein.

Eduard Preis

Bahn

Mal wieder unterwegs,
das Ziel ist ein bestimmtes.
Der Rückweg - ungewiss.

Mal wieder unterwegs,
die Bahn verbindet uns.
Bewegt sich nur in eine Richtung.

Vorwärts, Vorwärts.
Ein Rückwärts gibt es nicht.
Die Bahn verbindet uns.

Mal wieder unterwegs.
Die Bahn wird zu einem Wahn.
Ein Mittel des Systems.
Welcher Zweck begleicht den Weg?
Denn der Weg ist nicht der Zweck.

Mal wieder unterwegs,
Gedanken verfolgen mich auf dem Weg.
Bald bin ich da, bald kommt der Steg.
Ich will hier nur weg.

Vorwärts, vorwärts,
ein Zurück kenne ich nicht.
Der Bann verbindet uns.
Der Bann wird zum Wahn.
Hebt mich heraus, aus diesem Gram.
Nimmt ab von mir all meine Scham,
lass bloß ab von dieser Bahn.

Mal wieder unterwegs,
heute herrscht Ruhe, heute ist's still.
Alles läuft, wie ich es gern will.

So ist sie ein jedes mal,
wie eine neue Wahl, mal schal,
dann trivial, doch meistens normal.
Ab und zu wird sie zur Qual
und dann denke ich, ich hätte keine Wahl.

So bin ich nun wieder unterwegs mit der Bahn.
Mitten hinein in den Wahn.

Eduard Preis

Tal

Da stehe ich inmitten des Tals.
Schaue um mich herum und sehe,
- wo ich denn überhaupt stehe.
Wo ich hin gehe,
- wo es mich hinwehet.
So sehet, wo ich nun bin.
An einem Ort von besonderer Sort'.
Einem Tal.

Überall Berge,
wie man sie kennt aus den Geschichten der Zwerge.
Doch durchbricht hier ein Fluss dieses Tal,
öffnet den Blick, weit in die Ferne,
gestattet er dir, dieser Rhein,
diesen Blick ja gar so fein, dir allein,
auf seinen prächtigen Schein.
Dieser Augenblick ist nun dein,
Er ist köstlicher als jede Art Wein,
denn er ist nun für immerdar mein.

Im Schutze des Tals,
am Rheine verborgen,
zwischen den Bergriesen verloren,
liegt dieser Ort.
Uneinnehmbar,

Erhebt sich die Burg über der Stadt
und wacht über den Hort
- der versammelt Menschen unterschiedlichster Sort'.

Heute gehöre ich zu dir.
Bin Teil dieses „hier".
Werde zum Teil dieses „wir".
Dabei erscheint es mir
schier unmöglich, dass es das gibt,
dieses „hier" und ein „wir".
Doch muss ich schon fort,
verlassen, diesen idyllischen Hort,
diesen wunderbaren Ort.
Von der Feinsteins Sort',
doch fehlt hier noch ein einziges Wort.
Welches da ist der Name des Schatzes,
welcher verbirgt sich hinter den Bergen,
welche gehören den Zwergen,
ganz nahe am Reihn
und gar nicht so weit von Mannheim,
scheinst du zu sein.

Eduard Preis

Die Zugfahrt

Unmerklich fliegt nicht nur das Land an mir vorbei.
Einzelne Fetzen bleiben hängen:

- Nebel
- Wald
- Baum
- Fluss
- Berg
- Landschaft

- Dorf
- Stadt
- Zivilisation

- Mensch
- Zeit

Ich unbewegt, Teil der Maschine, gleite
- schwebe dahin auf den gebrochenen Bahnen.
Werde gelenkt und fühle mich frei?
Irgendwie bin ich doch ein sich bewegender,
nicht bewegter Unheil.
Kenne nun weder Zeit noch Geschwindigkeit.
Ruhig tobt er, dieser Sturm.
Doch liegt er außen oder hier in mir?

„[...] in Fahrtrichtung links"
Nun endlich angekommen?

Eduard Preis

Das Flugzeug

Gleich, wie bei einem Vogel
durchzieht nicht nur der Strom die Adern dieses Tieres,
auch Kerosin erweckt das eisern Monster erst zum Leben
- nur dadurch, nur durch totes Leben,
kann das Monstrum schweben.
Muss seine Flügel nicht bewegen um abzuheben,
kann sich nur auf seinen Rollen fortbewegen.
Man muss es jedoch pflegen
und ihm ebenso sein „Futter" geben,
da auch das Monstrum kann mit der Zeit vergehen.

Doch die Idee, sich ohne „Flügel" zu erheben,
wird es solange geben,
wie auch der Vogel darf frei die Luft sein nennen.

Eduard Preis

Der Flug

Nach einer gefühlten Ewigkeit,
ist man nun endlich bereit,
soll es endlich sein so weit - startfrei.

Das Land wird klein,
verschwindet im Wolkenhain
und man schwebt hinfort in die Unendlichkeit.
Ewige Freiheit!
Verhüllte Schönheit!
durchbreche ich auf direktem Wege nicht nur den Raum,
ja auch die Zeit.
Schwebe, doch sind es wir, die uns bewegen
oder doch die Welt, durch ihr Drehen?
Unbewegtes Verstehen.

Mit über 800 Kilometern die Stunde,
wird einer jeden Wolke gerissen eine tiefe Wunde.
Doch wer erhält Kunde
über die in 11000 Metern geschaffene Sünde.
Nur der, der sieht das weiße Flimmern,
gleich einem samtweichen Schimmer,
an seinem kleinen, schwebenden Zimmer.

Doch hat das Spektakel auch ein Ende,
mal polternd und mal federnd.

Eduard Preis

Schottland

Die Liebe zu diesem Land
ist gleich einem langsam in einem entstehenden Brand.
Es ist nicht nur die schöne Landschaft, die knüpft das Band
zwischen dir und Schottland,
es ist viel mehr das herzliche Hand-in-Hand,
was berührt dich inmitten deines Seins.
Hüllt sich ein, erfüllt dich
- du wirst zu einem Teil, du wirst Sein und es wird Dein.
Ganz egal, ob du bist dabei allein,
du bist immer hier - in einer Art Gemeinschaft,
die mehr ist als nur die eigene Habschaft,
mehr als Erbschaft, mehr als der eigene Saft.
Denn es bedarf keines Sandstrands,
keines extravaganten Gewands, keines hohen Standes.
Nur eines offen Verstandes.

Eduard Preis

Kaunas

Eine lange Straße zieht sich dahin: keine Autos - Freiraum!

Links
Asphaltiert   Rechts
                                     Asphaltiert
  Die Mitte
       Mit Kopfsteingepflaster
            bedeckt

       Zeitweise: eine Allee

Baum   Baum
Baum   ich   Baum
Baum   Baum
Baum   Baum
Baum   du   Baum
Baum   Baum

Man wird wieder umgeben von Häusern: Ein- bis Zweistöckig
       - schön, alt, gepflegt -

Der Weg öffnet sich plötzlich:
            Freiraum

            Der Dom

         Das Rathaus

         Restaurants

Die Straßen sauber, geräumt und befreit von dem Schnee
- verbergen, lassen die zerstörten Innenhöfe untergehen.
A b f a l l e n d e r P u t z

- Risse - in - den - Wänden -
       !Ein ganz eigener Charme!

Die Burg isoliertes Machtsymbol vergangener Zeit
- erhebt sich Wind-Schnee-Sonnen umweht
an der Spaltung und der Einigung der Flüsse.
So als ob sie sich küssen würden
- sie sich liebvoll ineinander verschlingend begrüßen
und von der gezähmt wilden Natur sich umschließen.

Kaunas lässt sich sehr herzlich genießen!

Autorinnen und Autoren

Heidi Axel, geboren 1951 in Pößneck. Nach Abschluss der Schule erlernte sie in Weimar drei Jahre den Beruf einer Erzieherin. Diesen übte sie auch 43 Jahre und fünf Monate aus. Sie ist verwitwet und jetzt im Ruhestand. 2015 erschien der Gedichtband „Wenn die Gedanken fließen". 2016 erschienen die Bücher „Quer Beet. Gedichte und Geschichten rund ums Jahr" sowie „Doktor Uhu erzählt. Geschichten aus dem Wald".

Felix Buehrer, geboren 1959 in Basel (Schweiz). Studium der Betriebswirtschaftslehre. Arbeitete über Jahre in der Abwehr von Geldwäsche, ist als Compliance Officer tätig, lebt in der Nähe von Zürich und schreibt literarische Texte.

Petra Dobrovolny-Mühlenbach, Dr. phil., Jahrgang 1952, ist in Luxemburg aufgewachsen. Nach dem Studium der Psychologie mit Promotion in Neuropsychologie an der Universität Zürich und ihrer Heirat blieb sie in der Schweiz. Seit 40 Jahren führt sie eine eigene Praxis und hat sich auf Klangtherapie sowie Schwingungsmedizin spezialisiert. Diese Methoden wendet sie auch bei verletzten und erschöpften Kraftorten an, zu welchen sie gemeinsam mit ihrem Ehepartner Georg geomantische Reisen unternimmt. Link: https://www.dolphinkissis.ch

Siegbert Dupke, geboren 1939 in Witten (Ruhr), Volksschule, Lehre in einem Konstruktionsbüro mit Abschluss, Arbeit in der Schwerindustrie, Abendschule in Bochum, Kolleg in Dortmund, Studium in Bonn, Frankfurt am Main und Göttingen. Angestellter in der Raumordnung des Bundes, Fraktionsassistent in Köln (auch für Kultur), Planer in Projektgruppen bei der Stadt Köln, nach der Deutschen Einheit in Leipzig. Dort durch Konkurs arbeitslos, früh in Rente; schreibt Texte, Gedichte, Aphorismen, ist Vater und Großvater, lebt in Köln und der Pfalz.

Marko Ferst, geboren 1970, wohnt bei Berlin, Politikwissenschaftler. 2017 erschien sein Band „Jahre im September. Erzählungen und Gedichte". Zuvor publizierte der Engelsdorfer Verlag die Gedichtbände „Umstellt. Sich umstellen", 2005 und „Republik der Falschspieler" 2007. Er ist Herausgeber der Bücher „Erich Fromm als Vordenker" und „Wege zur ökologischen Zeitenwende". Überdies schrieb er den Band „Täuschungsmanöver Atomausstieg?" und gab den Erzählband „Die Ostroute" heraus. 2006 erhielt er einen deutsch-polnischen Literaturpreis für Gedichte. Autorenhomepage: www.umweltdebatte.de

Betti Fichtl ist im Ruhestand. Zahlreiche Veröffentlichungen von Lyrik und Prosa in Anthologien. Gedichte in sechs Sprachen übersetzt. Sie veröffentlichte u.a. die Bände: „Die Kriegsgeneration: Autentische Geschichten und Berichte" und „Injiziert. Drogenroman: Eine Drogenkarriere". Außerdem erschienen zahlreiche Kinderbücher und zwei Lyrikbände und anderes.

Hanna Fleiss, geboren 1941 in Berlin. Rentnerin. Ihr Gedichtband „Nachts singt die Amsel nicht" erschien 2013 (United-Verlag). Große Schule des Schreibens Axel-Andersson-Akademie, Lyrik-Lehrgang Bibliothek deutschsprachiger Gedichte 2010. Veröffentlichungen in diversen Anthologien.

Barbara Fröhlich wurde 1976 in Essen an der Ruhr geboren und arbeitet als Lehrerin an einer Gesamtschule im Ruhrgebiet. Wenn ihr Kopf voller verrückter Ideen ist, gewährt sie ihnen Auslauf und ermöglicht ihnen, sich in Kurzgeschichten niederzulassen, von denen sie einige in Anthologien veröffentlicht hat.

Dieter Geißler, geboren 1954 in Weimar, Ausbildung zum Koch, danach Studium an der Fachschule für Gaststätten- und Hotelwesen Leipzig. Arbeitete als Küchenleiter in Großküchen, später Produktionsleiter in der Schulspeisung. Heute lebt der Rentner in Frankenheim in der „Hohen Rhön". Durch eine Krankheit kam er mit 57 Jahren zum Schreiben. Er verfasst Gedichte und Kindergeschichten. In verschiedenen Verlagen wurden von ihm Gedichte und Kindergeschichten veröffentlicht.

Michaela Witthaus Richter (Ella von Griener), geboren im 1971, in Brandenburg. Realschulabschluss, Ausbildung zur Fachverkäuferin. Danach eine Ausbildung zur DV-Kauffrau, Anzeigenberaterin der brandenburgischen Zeitung. Einige Semester in der Gemeindepädagogik am Kloster Drübeck mit Praktika in der Sankt Katharinenkirche und einige Semester in der Heilpädagogik an der Europaschule, mit Praktika im Wohnheim für geistig Behinderte. Schauspielschule bei Jürgen Fuhrmann. Seitdem Komparsin, Kleindarstellerin und Neuautorin. Letzte Veröffentlichung

„Lyrik und Prosa" Bd. 27, „Neue Literatur" 2019 vom August von Goethe Verlag, Beitrag im Sammelband zum Thema „Glanz und Elend in Deutschland".

Wolfgang Hachtel, geboren 1940 in Stuttgart, studierte Naturwissenschaften, wurde 1971 in Tübingen promoviert, habilitierte 1982 und ist seit 1989 Professor für Botanik an der Universität Bonn. Er schrieb Erzählungen (Der Fremde; Grenzen, überall), Romane (Die Söhne der Indios; Der Traum vom Dschungel) und Reiseberichte (Als Wessi in der DDR; Oman; Griechenland - Reisen, Kultur, Natur, Themen). Er ist Erster Preisträger des Bad-Godesberger Literaturwettbewerbs 2012.

Dr. Ralf Heimrath, geboren 1954 in Welden bei Augsburg, Studium der Germanistik, Geschichte, Soziologie und politischen Wissenschaften in München. Berufstätigkeiten als Gymnasiallehrer, Museumsleiter und Universitätsdozent in Deutschland und Dänemark, in der Mongolei und auf Malta. Autor zahlreicher Publikationen aus den Bereichen Germanistik, Geschichte, Volks- und Landeskunde, darunter auch Veröffentlichungen in englischer und tschechischer Sprache. In den letzten Jahren auch als Verfasser von Reiseliteratur in Erscheinung getreten, z.B. mit der Titelgeschichte „Eine Hochzeit in der mongolischen Steppe" in der Dorante Edition, Berlin 2015.

Stefan Herbst, geboren 1992 im rheinland-pfälzischen Kirchheimbolanden. Schreibt seit seiner Jugend und studierte trotz seiner Blindheit literarisches Schreiben an der „Cornelia-Goethe-Akademie" zu Frankfurt am Main. Gemeinsam mit seinem Mann und zwei Hunden lebt Stefan Herbst heute im schleswig-holsteinischen Flensburg und genießt die dortige Natur, die oftmals seiner Kreativität den letzten „Aufwind" gibt. Website: www.stefanherbst.info

Werner Hetzschold, geboren in Dittersbach 1944. Nach dem Abitur erlernte er den Beruf des Schriftsetzers (Handsatz und Maschinensatz), arbeitete als Korrektor, studierte Anglistik und Germanistik, beendete erfolgreich sein Studium als Diplom-Fachlehrer für Englisch und Deutsch, erwarb die Lehrbefähigungen für Stenografie und Maschinenschreiben/Textverarbeitung, absolvierte erfolgreich ein Studium als Sozialtherapeut und am Literaturinstitut „Johannes R. Becher", ist seit fünf Jahrzehnten als Lehrer in der Berufsausbildung und der Erwachsenenqualifizierung tätig.

Beatrix Jacob, Jahrgang 1960, 1989 absolviertes Hochschulfernstudium als Diplom Ingenieur Ökonom, lebt in Sachsen-Anhalt.

Torsten Krippner, 1968 geboren in Köthen, Studium der Geschichte und Germanistik an der Martin-Luther-Universität in Halle, danach Volontariat und Arbeit als Journalist. Seit 2001 Pädagogischer Mitarbeiter in einer Jugendhilfeeinrichtung in Nauen (Leonardo da Vinci Campus). Die Texte „Regenmacher" und „Gewitter" entstanden nach einem Interview mit dem buddhistischen Mönch Peter Zacharias.

Gert W. Knop (Pseudonym André Steinbach), geboren 1943 in Darmstadt. Kunststudium und Studium der tropischen Agrarwirtschaft. Berufstätigkeiten als Dozent in Chile, Papua Neuguinea und Vanuatu. Er lebt seit 2009 in Zittau, Sachsen. Kunstpreise 1992 und 1993 in Port Vila, Vanuatu. 2010 veröffentlichte er den autobiografischen Roman „Wir, die Indianer der Mümling - Eine Jugend im Odenwald", im Rahmen der Kunstbuchreihe-26, Band 35 „Zeitreisen", 26 Bilder und Gedichte, http://www.kunstbuchreihe-26.de/. 2013 den dreisprachigen Lyrikband mit Liebesgedichten „Tagträume/Daydreams/Sueños Diurnos", 2014, „Der Juwelenvogel - Märchen aus Sri Lanka." Mehrere Auszeichnungen für Gedichte und Kurzgeschichten.

Kathrin Maier, Jahrgang 1968. Die studierte Diplom Betriebswirtin ließ sich vor zehn Jahren zur Yogalehrerin und zum Business-Coach ausbilden. Seitdem gibt sie für die Krankenkassen zertifizierte Kurse. Sie ist sehr interessiert am Deutsch-Polnischen Kulturaustausch. Sie veröffentlichte ihre Gedichtbände 2012 „Worte an A." und 2015 „Davon schwimmen - odpyłnąć" (dt.-pol.). Für ihr Gedicht „So nah" erhielt sie anlässlich des Jubiläums „Krakauer Haus" in Nürnberg von der Deutsch-Polnischen Gesellschaft Franken den Ersten Preis.
Autorenhomepage: www.yoga-pleinfeld.de

Hans-Jürgen Neumeister, geboren 1943 in Beckum NRW. Er studierte Innenarchitektur, absolvierte eine Ausbildung zum Qi-Mag Feng Shui Berater und arbeitete freiberuflich im eigenen Büro. Er ist Vater zweier Söhne und lebt allein. Von 2007 bis 2009 fuhr er als Oldie-Backpacker per Bahn, Bus & Schiff durch 17 Länder nach Australien und Neuseeland. Seitdem: Arbeit/Überarbeitung des Reiseberichts. 2010 das Manuskript »Fantastische-Auto-Bio-Liebesgrafie« verfaßt. 2011 Reise durch Marokko mit einheimischen Verkehrsmitteln, Dauer: drei Monate. Reisebericht geschrieben. 2012 Reise mit Dolly, einer 26 Jahre alten Ente durch Rumänien, Moldawien, Transnistrien, die Ukraine, es entstand ein Reisebericht. Er ist einer der Gewinner des Wettbewerbs »Senioren schreiben«. Im Oktober 2018 erschien die Anthologie »Voll das Leben« mit vier Kurzgeschichten. Er ist Mitglied im BVJA.

Eduard Preis, geboren 1994, genießt das Studium der Geschichte, Germanistik, Philosophie und Mathematik in Niedersachsen.

Judith-Katja Raab, geboren in Paderborn; Studium der Rechtswissenschaften, Soziologie, Politik, M.A.; langjährige Tätigkeit als freie Journalistin, elf Jahre als Feuilleton-Redakteurin in Festanstellung; derzeit freischaffend in Veitshöchheim bei Würzburg lebend.

Wolfgang Rinn, geboren 1936 in Tübingen, viele Jahre als Sonderpädagoge in der Behindertenarbeit tätig. Seine ersten dichterischen Versuche reichen in das Jahr 1992 zurück. Der Autor schrieb zunächst Sonette, löste sich aber später von gebundenen Formen und veröffentlichte im Laufe der vergangenen Jahre verschiedene Lyrikbände sowie Gedichte zu zahlreichen Themen in Anthologien und Tageszeitungen unter anderem beim „Literaturpodium". Er lebt heute in Reutlingen.

Peter Schuhmann, geboren 1958 in Stuttgart, kaufmännische Ausbildung. Er lebt in Baden-Württemberg, ist in seiner Freizeit als ehrenamtlicher Seelsorger tätig, verheiratet, Vater von zwei Söhnen. Veröffentlichung von Gedichten in diversen Anthologien.

Ursula Schwarz, geboren 1946 in Oberösterreich, kaufmännische Ausbildung, Schauspielausbildung, Erwachsenenbildung, seit 40 Jahren selbständige Fremdenführerin, Reiseleiterin, eigene Programmangebote: www.kulturguide-wien.at. Ursula Schwarz: „Ich liebe das Leben, den Sinn und das Sinnliche. Ich liebe die Geheimnisse, die hinter den Dingen stehen. Ich liebe das Theater, das das Spiel des Lebens spielt. Und meine Führungen sind eine Inszenierung der Stadt."

Heike Streithoff wurde 1966 in Plauen im Vogtland geboren. Nach Ihrer Ausbürgerung aus der DDR lebte sie in Eschenlohe/Bayern, seit 1990 in München. Zeitgeschichtliche und sozialgesellschaftliche Themen inspirieren sie ebenso wie Kunst und Psychologie, Heimat- und Naturverbundenheit. Sie schreibt Gedichte, Erzählungen, ein Roman ist in Bearbeitung.

Helmut Tews, Studiendirektor i.R., geboren 1941 in Finsterwalde N/L. Lehramt für Grund- und Hauptschulen, Realschulen und Gymnasien. Auslandseinsätze in Pakistan, Iran und Israel/Palästina (als Leiter der christlich-arabischen Oberschule „Talitha Kumi" in Beit Jala bei Bethlehem). Zahlreiche Beiträge in Fachzeitschriften und Anthologien. Lebt in Deutschland, Irland und Spanien.

Angela Hilde Timm (geb. Behn), geboren 1964 in Hamburg. Lebt im Landkreis Stade. Gelernte Fachdolmetscherin und -übersetzerin. Veröffentlichungen seit 2005, schreibt seit 1976 Gedichte. Ihr Geschenkband ‚Glaubens-Bilder' mit christlichen Texten erschien 2010 beim wfb-Verlag.

Cleo A. Wiertz, Jahrgang1954, Diplom-Psychologin. Tätigkeit als Fabrikarbeiterin, Büroangestellte, Psychotherapeutin, Beraterin, Pädagogin, Supervisorin, Klinische Psychologin, freie Autorin. Als Schriftstellerin und Bildende Künstlerin aktiv seit 1970. Diverse Ausstellungen von Bildern, Werkstücken und Fotografien. Publikation von Fachtexten, populärwissenschaftlichen Darstellungen, Essays, Kurzgeschichten, Gedichten. Lebt mit ihrem Mann in Klingenthal (Elsass) und Clermont l'Hérault (Südfrankreich).

Achim Franz Willems, geboren 1961, bildender Künstler/Dozent für Malerei, lebt und arbeitet in Aachen und Köln.

Irmgard Woitas-Ern wurde 1964 in der Klingenstadt Solingen geboren. Beruflich ist die Lyrikerin eher nüchtern-technisch geprägt. Die gelernte Verkehrsfachwirtin ist in einem Chemieunternehmen als Assistentin und Ergonomie-Beauftragte tätig. Sie unterrichtet zudem Taiji und Qigong. Ihren literarischen Werdegang begann Irmgard Woitas-Ern 2006, als sie ihr erstes eigenes Gedicht »Winter« verfasste. Gedichte wie »Svantevit«, »Inselweisheiten« und »Kaffeelächeln« wurden prämiert. In ihren Werken kommt das Faible der Autorin für das Meer, das Übernatürliche und das Zwischenmenschliche nicht zu kurz. Bisher hat die Autorin sowohl Gedichte als auch Kurzgeschichten, wie »Der goldene Drachenbruder« und »Tasmanische Äpfel« veröffentlicht.

Bis zur Pensionierung 2005 arbeitete Dr. Karl Zimmermann als Konservator/Redaktor in der Abteilung Archäologie am Bernischen Historischen Museum in der schweizerischen Bundeshauptstadt Bern.

Inhalt

419

Literaturpodium

Bei uns können Sie Ihre Gedichte, Erzählungen, Romane oder Ihr Sachbuch veröffentlichen. Sowohl einzelne Gedichte lassen sich publizieren oder auch mehrere Autoren können einen Gedichtband zusammen herausbringen. Dies gilt analog für Erzählungen u.a. Die Bücher werden gegenseitig mit Anzeigen beworben und im Internet mit Leseproben präsentiert.

Mehr Informationen unter:
www.literaturpodium.de

Weitere Bücher, die bei Literaturpodium zum Thema Reisen und Landschaften erschienen sind:

Eine Hochzeit in der mongolischen Steppe. Reisen und Landschaften
Hannelore Furch, Peter Lechler, Thomas Schricker u.v.a.
412 Seiten, 2015

Die Regensammlerin. Erzählungen, Gedichte und Essays:
Ökologie, Naturlandschaften und Zukunft
Esther Redolfi, Michaela Bindernagel, Catherine Santur u.v.a.
256 Seiten, 2014

Mit Rucksack, Floß und Wanderstab. Erzählungen und Gedichte über Reisen
und Landschaften
Judith-Katja Raab, Hans Sonntag, Gerhard P. Steil u.v.a.
324 Seiten, 2013

Südseezeichen. Landschaften, Lebensstile, Leute
Sibyl Quinke, André Steinbach, Zäzilia Mayr u.v.a.
312 Seiten, 2010

Café au lait. Vom Reisen. Erzählungen, Gedichte, Eindrücke
André Steinbach, Monika Jarju, Carmen Mayer u.v.a.
284 Seiten, 2008

Momente & Landschaften. Kurzprosa und Gedichte
Daniel Rosner, Christel Tarras, Ines Heckmann u.v.a.
232 Seiten, 2007

Bitte direkt bestellen über www.literaturpodium.de (Porto frei)

Eine Hochzeit in der mongolischen Steppe

Reisen und Landschaften

Hannelore Furch, Peter Lechler, Thomas Schricker u.v.a.

412 Seiten, 2015

Erleben Sie eine Hochzeit in der mongolischen Steppe, Zeremonien aus einer nomadischen Welt. Eine Reise nach Israel führt an viele heilige Stätten, folgt aber auch den Spuren israelischer Besatzung. Rom, die Hauptstadt am Unterlauf des Tiber, wird erkundet in Architektur und literarischen Fundstücken. Ein Gedicht über Neuseeland ist zu finden. Die Geysire Islands sind zu bewundern und Gletschereis. Das Tagebuch einer indischen Reise findet sich, bittere Armut ebenso wie Sehenswürdigkeiten kommen in den Blick. Eine Exkursion ins Königreich Swaziland im südlichen Afrika wird unternommen. Kopenhagen und die dänischen Inseln sind ein erstes Ziel, kurz vor der Währungsunion 1990. Dafür konnten schon vorzeitig ein paar westliche Scheine bei der Sparkasse beantragt werden. Streifzüge durch Lissabon und das portugiesische Alentejo halten interessante Eindrücke fest.

Inhaltsverzeichnis: www.literaturpodium.de

Nabereschnyje Tschelny

Mitten in Tatarstan. Portrait einer russischen Stadt

Marko Ferst

Edition Zeitsprung, 2015, Bildband in russischer und deutscher Sprache

226 Bilder, 3 Gedichte, ein Prosatext über die Stadt und ein kurzes Stadtportait
A4-Format

Der vorliegende Bildband führt durch die russische Stadt Nabereschnyje Tschelny. Sie liegt in der Republik Tatarstan und ist nach Kasan die zweitgrößte Stadt in dieser Region. Von hier sind es nur noch rund 300 Kilometer Luftlinie bis man in Richtung Osten das Uralge-birge erreicht. Nachdem 1976 im Industriekombinat KAMAZ die Produktion von Last-kraftwagen begann, entstand innerhalb weniger Jahre eine Großstadt mit vielen neuen Wohnvierteln. Nabereschnyje Tschelny liegt direkt an dem aufgestauten Fluß Kama. Für wenige Jahre trug sie den Namen des Generalsekretärs des ZK der KPdSU, Leonid Bre-schnew nach dessen Tod. Der Band enthält 226 Farbbilder in unterschiedlichen Formaten. Außerdem findet man ein Kurzportrait der Stadt in russischer und deutscher Sprache. Ergänzt wird der Band durch drei Gedichte und einen Prosatext über die Stadt.

In jedem Buchladen bestellbar; Blick ins Buch bei Amazon.

Brandts Geheimnis

Novelle

Rainer Daus

144 Seiten, 2019

Maximilian Brandt, 56, fuhr einst Güterzüge quer durch die Republik. Ruhiger wurde sein Leben erst, seitdem er mit einem gelben Dieseltriebwagenzug zwischen Siegen und Bad Berleburg pendelt. Er wohnt wieder in seiner Heimatstadt, pflegt seine Männerfreundschaften, sorgt sich um seine an Demenz erkrankte Mutter, versucht sein Vater-Trauma zu verarbeiten. Daneben besucht ihn regelmäßig am Wochenende eine junge Künstlerin, Tatjana, die ein bisschen Schwung und Abwechslung in sein eher gleichförmiges Leben bringt. Zufällig gerät Brandt in einen bewaffneten Raubüberfall; er provoziert einen der Gangster und fordert, dass der ihn erschießt. Die Novelle zieht die kurze Bilanz eines Lebens.

Leseprobe, Inhalt: www.literaturpodidum.de
Kontakt und bestellen: daus.r@t-online.de

Die Ostroute

Erzählungen

Andreas Erdmann, Marko Ferst, Monika Jarju u.v.a.

256 Seiten, 2014

Der Band beginnt und endet mit einer Erzählung über Wölfe. In der einen werden sie gnadenlos verfolgt, in der anderen sorgt ein Rudel weißer Tundrawölfe für arktische Jagdszenen. Andernorts kommt eine Ostroute ins Spiel. Wir erfahren mehr über das Schicksal eines jungen Rauschgiftkuriers im Iran, wie über seinen Lebensweg der Stoff der Stoffe richtet. Ein Ostseesturm sorgt für eine risikoreiche Segeltour. Von allerlei sonderbaren Abwegen weiß die Erzählung „Genervtes Anstehen für Liebe" aus Bulgarien zu berichten. Zur Sprache kommen die Erfahrungen von Heimkindern in der frühen Bundesrepublik. Grenzübertritte zwischen Ost und West und deren Folgen sind im Blick zweier anderer Beiträge. Wie man ganz legal schwarzfährt, erläutert Johannes Bettisch. Was passiert, wenn man ganz unerwartet von seinem chinesischen Firmenpartner zum Tanz aufgefordert wird?

Der Band enthält Erzählungen von Ali Amini, Johannes Bettisch, Andreas Erdmann, Marko.Ferst, Elisabeth Hackel, Karin Heinrich, Monika Jarju, Tengis Khachapuridse, Norbert Klatt, Christine Koch, Carmen Mayer, Heide Rabe, Hans Sonntag, Dimil Stoilov, Lore Tomalla, Günter Wirtz, Gisela Witte und Angelika Zöllner.

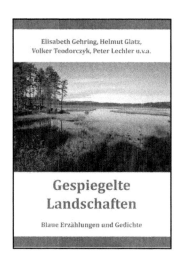

Gespiegelte Landschaften

Blaue Erzählungen und Gedichte

Elisabeth Gehring, Helmut Glatz, Volker Teodorczyk, Peter Lechler u.v.a.

428 Seiten, 2019

Wahre Feen tragen blau. Doch was kann helfen gegen einen Vater, der arbeitslos geworden, jedes Maß für ein gelingendes Leben verliert? Die Irrungen und Wirrungen eines Verlegers nimmt eine andere Erzählung aufs Korn. Mit einem blauen Scherenschnitt gelingt einer jungen Künstlerin etwas Besonderes, nur leider bemerkt sie das zu spät. Die Blaue Blume steht im Zentrum eines anderen Beitrags. Lesen Sie über die Landschaft der Stille im Norden Schwedens. Viele Gedichte nehmen die Farbe Blau in ihre Gedanken auf und verwandeln sie. Der Aralsee, einst ein blaues Wüstenauge, kommt in den Blick. Von blauen Mauern ist die Rede. Ein Autor berichtet von einem blauen Abteil im Zug und einer besonderen Begegnung darin. Über eine junge Liebe in Heidelberg erfahren wir mehr in einer ausführlichen Erzählung. Vom Blautopf und seinen untergründigenHöhlensystemen sowie der Schönen Lau kann man lesen. Erleben Sie eine Floßfahrt ins Blaue auf Tasmanien.

Leseproben, Inhaltsverzeichnis: www.literaturpodium.de